Het Huwelijksspel

Van Kate Saunders zijn verschenen:

Als de nacht ons overvalt*
Fataal erfgoed*
Lelie in de schaduw
Het Huwelijksspel

*In Poema-pocket verschenen

Kate Saunders

Het Huwelijksspel

Uitgeverij Luitingh ~ Sijthoff

Voor meer informatie: kijk op **www.boekenwereld.com**

Oorspronkelijke titel: *The Marrying Game*
Vertaling: Thera Idema
Omslagontwerp: Karel van Laar
Omslagfotografie: Image Bank

ISBN 90 245 4045 3
NUR 344

Ik draag dit boek op aan Felix

Deel een

Hoofdstuk een

'Dit zijn de Narnia-boeken, van Roger,' zei Nancy. 'Dit is Barbie en haar merkwaardig grote pony, die meer op een trekpaard lijkt, van mam.' Ze hield de felgekleurde pakjes voor het afwezige, melancholieke gezicht van haar zusje. 'En mijn pakje komt nog. Dat zijn minstens drie cadeautjes meer dan we hadden gedacht.'

'Vier,' zei Selena vanachter haar boek. Haar obsessieve leesgedrag weerhield haar er nooit van om aan het gesprek mee te doen. 'Ik heb wat chocoladetoffees voor haar gemaakt en het leek me leuk om die in mijn beschilderde doosje te doen... daar is ze altijd al dol op geweest. Heeft iemand nog wat inpakpapier over?'

'Ja, ik,' mompelde Rufa. 'Leg het maar op mijn bed, dan pak ik het wel samen met het mijne in.'

Lydia glimlachte vaag en het leek of de zon door de wolken brak. 'Het wordt een succes, hè? Ik kan alles hebben, als Linnet maar genoeg cadeautjes heeft. Jullie zijn geweldig, ik weet niet hoe ik jullie moet bedanken.'

'Je kunt tegen haar zeggen dat ze niet voor dag en dauw mag opstaan,' stelde Nancy voor. 'Het is zo vreselijk koud, ik heb minstens een uur voorbereiding nodig voordat ik uit mijn maagdelijke sponde durf te stappen.'

Rufa lachte zachtjes. 'Je hebt geluk. Linnet zei dat ze mijn wekker wil lenen en hem om vijf uur laten aflopen.' Ze lag languit op de sofa, uitgeput en geurend naar nootmuskaat, na wekenlang te hebben gekookt voor kerst. Haar lange kastanjebruine haar, dat de kleur van granaatappels had, lag uitgewaaierd over de monsterlijke oranje tweed kussens. Haar drie jongere zusjes lagen languit op de vloer; hun lange haar gleed over het grijze kleed. Ze lagen naar de haard gekeerd, waar een piepklein vuurtje brandde.

'Liddy,' zei Nancy, 'schuif dat enorme achterwerk van je eens opzij.'

'Enorme achterwerk... moet je horen wie het zegt.' Lydia verhief klagelijk haar zachte stem. 'Ik heb meer warmte nodig dan jij. Ik ben magerder en het oppervlak van mijn lichaam is groter dan het

volume.' Ze probeerde de kurk uit een fles goedkope rode wijn te krijgen.
Eindelijk keek Selena op van de bladzijden van *Het verloren paradijs*. 'Wil iemand een koekje?' Ze toverde een pak chocoladebiscuit te voorschijn uit de plooien van haar oude trui.
'Mijn hemel!' riep Nancy uit. 'Hoe kom je daar nou weer aan?'
'Ik heb ze van Brian gekregen. Ik denk dat hij medelijden met ons heeft.'
Brian was de zweterige jongen van het veilinghuis die op dat moment bezig was met de taxatie van het eeuwenoude huis en zijn verwaarloosde inhoud. Melismate, dat al bijna duizend jaar in het bezit was van de Hasty's, zou binnenkort geveild worden.
Selena scheurde het pak open en haar zusjes staken bedelend hun hand uit. Het verafschuwde geldgebrek, dat allang geen aanleiding meer tot grapjes gaf, maakte chocoladekoekjes net zo exotisch als kaviaar. Ze hadden al wekenlang niets anders gegeten dan hun moeders dunne preisoep, omdat ze elke cent opzij legden voor de laatste kerst in Melismate.
'Dat is aardig van hem,' zei Rufa met volle mond. Zij vond het belangrijk om aandacht te besteden aan mensen die aardig waren.
'Hmmm.' Selena sloeg afwezig een bladzijde om.
'Hij kan soms weerzinwekkend zijn, maar het is niet zijn schuld dat we failliet zijn.'
'Zeg dat niet op die toon, "failliet",' mompelde Lydia. Ze schonk de wijn in vier theekopjes die allemaal verschillend waren en deelde die rond. 'Iedere keer als ik aan de toekomst denk word ik misselijk.'
Het was kerstavond. De Man bracht de kerstdagen voor de eerste keer in de hemel door. Het huis dat hij had achtergelaten was ijskoud. De komende veiling zou zijn gezin te gronde richten. De lunch voor de volgende dag, een supermarktkip ter grootte van een kanarie, lag klaar in de aftandse ijskast. Rufa had haar laatste energie gebruikt om een enorme hoeveelheid aardappelen af te borstelen en te schillen, die zeven lege magen zou moeten vullen. Ze hadden nu het punt bereikt dat er niets meer te doen viel. De taarten en cake waarmee ze in de vroegere rijke dagen druk bezig zouden zijn geweest, waren dit jaar ver te zoeken. Hun moeder was beneden met Lydia's dochtertje. De Hasty-meisjes hadden zich zoals zo vaak verzameld in de oude kinderkamer.
De kinderkamer bestond uit twee zolderkamertjes onder het aflopende dak, die tot één grote ruimte waren gemaakt. Het was er net zo tochtig als op het dek van de *Cutty Sark* en het stond volgepropt

met afgedankt meubilair. Brian had de waarde van de rommel geschat op totaal veertig pond. Je kon niet van hem verwachten dat hij kon zien wat het werkelijk waard was. De kinderkamer herbergde een schat aan familieherinneringen: de ene laag op de andere, zoals de jaarringen van een boom.

Het oude kamerscherm, dat was bedekt met vergeelde plaatjes van engelachtige kinderen in matrozenpakjes, was een overblijfsel van een of andere Hasty uit de tijd van koningin Victoria. De indrukwekkende Silver Cross-kinderwagen, nu gedeukt en armzalig, dateerde uit de naoorlogse jeugd van de Man. De oranje sofa die werd ontsierd door een grote brandplek was onderdeel van het verleden van de meisjes zelf. Ze herinnerden zich het beroemde vreugdevuur uit de jaren tachtig nog goed, toen de Man op een pijnlijke manier had ondervonden wat het verschil was tussen vuurwerk binnen afsteken of buiten.

De Man was hun overleden vader. Hij was zes maanden daarvoor deze wereld uitgevlogen en had zijn gezin als een uitgebrande raket op aarde laten neerstorten. De Man was goddelijk knap geweest, overweldigend autocratisch, koninklijk excentriek en onwaarschijnlijk charmant. Hij was in staat geweest om een belachelijk gebaar ver boven een grap uit te tillen en het groots te doen lijken. Tijdens zijn huwelijksreis in Antibes was hij midden in een ruzie weggerend en had geprobeerd zich in te schrijven bij het Vreemdelingenlegioen. Hij had zijn naakte lichaam een keer helemaal blauw geverfd en was als prehistorische Brit naar een kinderpartijtje gegaan. De Man was dol geweest op feestjes, zijn leven was één groot feest geweest. Hij vond het prettig als zijn huis vol mensen was en gelach door het hele huis weerklonk. Hij had heel vaak zijn hart verloren en zijn vrouw en dochters hadden hem liefdevol door zijn veelvuldige huwelijksbedrog heen geholpen, in de periodes dat zijn hart, in gruzelementen, aan hem werd teruggegeven – op de een of andere manier was zelfs zijn overspel bijzonder en telde niet als verraad. Niemand wist meer wanneer ze hem de Man waren gaan noemen. Hij was gewoon het ultieme mannetjesdier geweest, de Man die alle Mannen overtrof. Hij had zichzelf – en hen – omringd met een atmosfeer van opwinding en glamour. Toen hij doodging werd alle kleur aan de wereld onttrokken.

Rufa werkte zich met moeite omhoog tot ze rechtop zat en haar wijn kon opdrinken. Ze had haar vader aanbeden, maar begon toe te geven dat de hoogst individuele moraal van de Man een verwoestend effect had gehad op het liefdesleven van zijn dochters. Hij had hen een fatale voorkeur aangeleerd voor het decoratieve

in plaats van het praktische.
Het probleem was niet dat er geen mannen zoals hij te vinden waren. Integendeel, de wereld was absoluut bezaaid met charmante excentriekelingen die vóór de middag hun bed niet uitkwamen. Ze waren nog makkelijker te krijgen dan griep en stelden je altijd teleur. Hun charmante onbruikbaarheid was niet te vergelijken met de luisterrijke, verrukkelijke nutteloosheid van Rufus Hasty.
Rufa's eerste teleurstelling in de liefde was enorm geweest; zo kwetsend en vernederend dat ze zelfs nu, drie jaar later, nog steeds niets met de liefde te maken wilde hebben.
En dat geldt niet alleen voor mij, dacht ze, kijk maar naar de anderen.
Lydia was na het mislukken van haar belachelijke huwelijk samen met haar dochtertje naar huis teruggekeerd. Nancy was momenteel hevig verliefd op de zoon van de dokter die in een caravan woonde achter in de tuin van zijn ouders. Selena zat nog op school en was nog te jong om diep teleurgesteld te worden, maar het was al duidelijk dat ze een voorkeur had voor aantrekkelijke mislukkelingen. Het was alleen maar een kwestie van tijd.
Lydia zei: 'Konden we er maar iets aan doen!' Het leek alsof er altijd wel iemand was die deze wens uitte.
Nancy nam nog een koekje. 'Nou, ik zou niet weten wat. Tenzij we allemaal een rijke kerel aan de haak slaan.'
'Dat is wel een idee,' zei Selena.
'Wat, nog vóór de veiling?' lachte Rufa. 'We kennen helemaal geen rijke mensen. Laat staan iemand die rijk genoeg is om alle schulden van de Man te betalen en ervoor te zorgen dat we het huis kunnen redden.'
Selena legde haar boek weg. 'Maar het is wel een mogelijkheid.'
'De enige beschikbare man uit de wijde omtrek is van mij,' zei Lydia somber, 'en moet je die eens zien. Wij ontmoeten nooit iemand.'
'Dat kan je wel zeggen,' knikte Nancy. 'Je waant je hier in Brigadoon. God mag weten in welke eeuw ze hier leven. Ik moet eens een keer een kijkje gaan nemen en erachter komen of ze die afschuwelijke graanwetten al hebben afgeschaft.'
'Eigenlijk...' begon Rufa. Ze hield afwezig haar blik gericht op de vuurtongen die uit de roodgloeiende houtblokken schoten. 'Eigenlijk heeft Selena gelijk. Als we rijke mannen konden ontmoeten zouden we er best mee kunnen trouwen.'
'Ik heb een beter idee,' zei Nancy somber. 'Laten we over de lampen wrijven en hopen dat er een of andere stomme geest te voorschijn komt.'

'Ik zou het niet erg vinden om te werken voor mijn geld,' zei Rufa, 'als ik maar wist waarmee ik genoeg kon verdienen. Jammer genoeg zal het maken van jam, waaraan ik hooguit tweeënzestig cent per potje overhoud, ons vóór eind maart nooit een paar miljoen pond opleveren.'
'Je hoeft mij niet aan te kijken,' zei Nancy. 'Mijn fooi is net genoeg voor een pakje sigaretten.'
Rufa had zich over haar vermoeidheid heen gezet. Ze keek hen met samengeknepen ogen aan. 'Jullie zijn allemaal knappe meisjes, weet je dat? En ik zie er ook niet slecht uit, als ik niet naar gehakttaart ruik. Dat is toch een groot voordeel... het is bijna jammer dat Brian ons niet samen met het meubilair kan veilen.'
Het bleef even stil terwijl de vier vrouwen nadachten over de onontkoombare, vanzelfsprekende schoonheid, die hoorde bij de familie Hasty. Het was nog nooit bij hen opgekomen dat deze schoonheid meer zou kunnen opleveren dan de eerste keus van de plaatselijke mannelijke bevolking. En ze waren niet in staat aan hun uiterlijk te denken zonder de verleidelijke stem van de Man te horen – 'Mijn harem, mijn genetische wondertjes, mijn ongeëvenaarde prinsesjes...'
Rufa, die zevenentwintig was, leek op een Burne-Jones-nimf in jeans en Timberlands. Ze had een doorzichtige, zachte huid, die wit afstak tegen het vlammende rood van haar prachtige haar (alle vier meisjes hadden weelderig lang haar, omdat de Man had verboden dat zijn lammetjes ooit geschoren zouden worden). Rufa had zeldzaam donkerblauwe ogen, die in de schaduw bijna zwart werden en plotseling felblauw konden oplichten. Ze was net zo lang als de Man was geweest en heel slank. Een vrouw van een modellenbureau had haar 'ontdekt' toen ze in de vijfde klas zat op de St. Hildegard's school en had haar gesmeekt naar Londen te komen.
De Man had zich krom gelachen bij de gedachte dat zijn oudste en dierbaarste dochter zou worden blootgesteld aan het ordinaire gestaar van gewone mensen. Ze hadden het er nooit meer over gehad.
Nancy, die zesentwintig was, paste moeiteloos in een schilderij van Renoir. Ze had tedere rondingen en haar weelderigheid was eerder spiritueel dan lichamelijk. Ze was een andere, pornografische versie van Rufa – niet zo adembenemend mooi, maar schokkend, absoluut sexy. Nancy's haar was uitgesproken rood. Haar zusjes waren jaloers op haar grote, stevige borsten. Ze had slaperige, spottende ogen en volle, wulpse lippen. Ze was een orchidee tussen lelietjes-van-dalen.
De vierentwintigjarige Lydia leek meer op haar moeder dan op de

Man. Ze was fijntjes en fragiel gebouwd en elk detail aan haar was exquise. Ze was kleiner dan Rufa en Nancy. Ze had lichtere, helderblauwe ogen en een massa goudbruine krullen. Als ze op haar best was, leek ze op een Hilliard-miniatuur dat met een superdun penseel was beschilderd. Tegenwoordig zag ze er onverzorgd uit en had het naargeestige voorkomen van een met mos overdekte stenen engel in een geheime tuin.

Selena, het nakomertje van de Man, was zeventien. Ze was erg lang en slungelachtig, maar het was moeilijk te beschrijven hoe ze eruitzag. Haar haar, dat dezelfde kleur had als dat van Lydia, droeg ze in een samengeklit rastakapsel. Ze had zich nog verder vermomd met een klein rond brilletje en had sierknopjes door haar neus, onderlip en tong.

Selena zei op spijtige toon: 'Tegenwoordig trouwt niemand meer om geld.'

'De mensen zijn altijd al vanwege geld getrouwd,' kaatste Rufa terug, 'en dat zullen ze altijd blijven doen. Bijna al onze voorouders hebben het gedaan. Niemand hield zich vroeger bezig met romantiek.'

De anderen wisselden sluikse, betekenisvolle blikken. Ze wisten allemaal dat ze aan Jonathan dacht, de man die haar hart had gebroken.

'Een huwelijk zonder liefde heeft totaal geen zin.' Lydia, die normaal gesproken een passieve en teruggetrokken persoonlijkheid was, sprak met ongebruikelijke overtuiging. Ze was de enige van hen die ooit getrouwd was geweest. 'Het is trouwens alleen maar ellende. Ik was pas in staat Ran te verlaten toen ik niet meer verliefd op hem was.'

Dit keer deed Rufa mee met de betekenisvolle blikken. Lydia's zusjes geloofden niet dat haar liefde voor haar hopeloze echtgenoot ooit was verdwenen.

'Het had zin gehad als Ran stinkend rijk was geweest,' zei Selena.

Rufa schonk nog wat wijn in haar theekopje. 'We hebben in deze familie altijd te veel waarde gehecht aan liefde. Het heeft ons alleen maar gedoe opgeleverd.'

'Dankzij de liefde heb ik Linnet gekregen,' wees Lydia hen terecht.

'Afgezien van Linnet dan.' Rufa kruiste haar lange benen en veegde haar haar ongeduldig over haar schouder. 'Misschien moeten we overwegen om een rijk huwelijk te sluiten. Honderd jaar geleden zou men dat als een verstandige zet hebben beschouwd.'

Met veel tegenzin richtten de drie anderen hun aandacht weer op de harde werkelijkheid.

'Ik zou het misschien kunnen opbrengen om met een man te trouwen van wie ik niet zou houden,' zei Nancy nadenkend. 'Maar ik trek de grens bij iemand die ik niet eens leuk vind.'
'Ik weet zeker dat je het zou kunnen proberen,' zei Rufa, 'aangezien je zo ongeveer op alles valt met een broek aan.'
Nancy glimlachte zelfingenomen. 'Als ik zo lastig was als jij, zou ik nooit een beetje lol beleven.'
Rufa zuchtte. 'Dat lastige karakter van mij heeft me niet veel goeds gebracht, hè?'
Ze praatte niet vaak over deze episode in haar leven – de enige keer dat ze onenigheid met de Man had gehad. Hij had haar onophoudelijk geplaagd met haar relatie met Jonathan. Hij had het gezin geamuseerd met zulke perfecte imitaties van Jonathan dat zelfs Rufa erom moest lachen. De ernst van de verliefde Rufa had hem schrik aangejaagd. Voor het eerst in zijn leven moest de Man zijn troon delen.
'Het lijkt wel een smakelijke film op Channel Four,' zei hij vaak terwijl hij glimlachend over Rufa's gebogen hoofd de eettafel rondkeek. 'Vanavond, na het nieuws: verwijfde Londense schrijver huurt landhuisje, valt voor plaatselijke roodharige schone, en snelt dan terug naar zijn vrouw om het allemaal op te schrijven.'
Daar was het in een notendop ongeveer op neergekomen. Op dat moment, drie jaar geleden, had Rufa niet geweten dat het een cliché was om haar hart aan Jonathan Wilby te verliezen. Ze was bereid geweest hem haar lichaam en ziel te schenken, en hij was niet in staat geweest met de intensiteit van deze dorpsschone om te gaan, net zomin als met de fratsen van haar luidruchtige adellijke familie. Rufa was er nooit achter gekomen waarom Jonathan er zo plotseling vandoor was gegaan. Ze koesterde verdenkingen tegen de Man – welke verdenkingen wist ze niet; maar de gebeurtenis was pijnlijk in haar herinnering.
'Als je het mij vraagt,' zei Nancy terwijl ze de wijnfles pakte, 'is verliefdheid het enige dat het leven op aarde de moeite waard maakt. Maar over het huwelijk ben ik niet zo zeker. Ik bedoel maar, kijk naar Liddy.'
'God, ja,' zuchtte Liddy, 'kijk mij maar.'
Tien jaar geleden was Liddy, die toen nog maar een tiener was, halsoverkop verliefd geworden op Randolph Verral, die geiten fokte op een naburig stukje akkerland en geloofde dat zijn seksuele potentie werd verhoogd als hij een stuk kristal in zijn onderbroekenla bewaarde. Rans moeder woonde in de ruïne van een Schots kasteel, waar ze een commune had gesticht. Zijn vader, die allang dood was,

had hem een boerderij nagelaten uit de tijd van koning George, en een paar hectare waardeloze grond. Daar verzorgde Ran zijn geiten, organiseerde weekenden waar mensen over hete as moesten lopen en zat in zijn blootje te mediteren.
De buitengewone, donkere aantrekkelijkheid van Ran had Liddy blind gemaakt voor zijn absurditeit. Net als de Man was hij een oud-student van Eton van het puur decoratieve soort. Lydia was met hem getrouwd in een weiland, in een Indiaas katoenen gewaad en met een krans van boterbloemen op haar hoofd.
Zoals de Man opgewekt vanaf de eerste dag had voorspeld, eindigde het huwelijk in over en weer met modder gooien en teleurstelling. Ran had het tot kunst verheven om niets te presteren. Nadat zijn geiten ziek waren geworden en waren doodgegaan had hij diverse methoden uitgeprobeerd om geld te verdienen zonder al te hard te werken. Alles wat hij aanraakte was gedoemd te mislukken.
Lydia was gewend aan financiële problemen. Maar ze kon niet tegen zijn ontrouw. Ran pleegde buitensporig vaak overspel, ook hierin leek hij op de Man. Uiteindelijk had Lydia het opgegeven en was met hangende pootjes naar huis teruggekeerd. De familie was dolblij dat ze terug was; de Man had een porseleinen voetbad geruild voor twee flessen champagne om het te vieren. Het betekende dat ze Linnet terugkregen, en allemaal adoreerden ze Lydia's kleine meisje.
De zusjes waren op Ran gesteld, omdat hij de vader was van de aanbeden Linnet en omdat hij wel een prettig mens was. Hij was een liefhebbende vader en een vriendelijke buurman, maar je kon hem moeilijk omschrijven als een aanprijzing voor het huwelijk. Of, wat dat betreft, voor de liefde.
'Mensen hechten veel te veel waarde aan verliefd worden,' verklaarde Rufa.
Nancy slaakte een gilletje bij dit ontkennen van haar *raison d'être*.
'O, ja hoor, ernstig overschat, door miljoenen mensen. Maar we zien het allemaal verkeerd. Luister maar niet naar ons.'
'Is Tim Dent echt zo geweldig?'
'Tim is fantastisch,' zei Nancy vastbesloten. 'Je zou eens een van zijn gedichten moeten horen.'
'Even serieus.' Rufa liet zich niet afleiden. 'De zoektocht naar een rijke echtgenoot moet toch beter zijn dan een vrijpartij in een caravan.'
Nancy kreunde zachtjes. 'Nou, én? Ik zou binnenkort weleens dankbaar voor die caravan kunnen zijn. Als dit huis is verkocht hebben

we geen tijd meer om rijke mannen achterna te zitten. Dan hebben we het veel te druk met ons brood verdienen en zoeken naar een plekje om te wonen.'

'Ik niet,' zei Selena mopperig. 'Ik moet in dat rottige huisje in Bangham wonen, samen met mam en Roger. Ze zegt dat ik mijn middelbare school moet afmaken.'

'Dat moet je ook,' zei Rufa.

'Ik ga niet naar de universiteit, oké?'

'Houd je mond. Natuurlijk ga je naar de universiteit.'

Lydia trok een bezorgd gezicht. 'Mammie zei dat ze altijd een plekje had voor Linnet, maar dat er voor mij geen ruimte is. En ik kan toch niet zonder haar. Dus het ziet ernaar uit dat ik zal moeten kamperen in Rans schuur, met een chemisch toilet en dat weerzinwekkende vriendinnetje van hem in de boerderij.'

'Dan blijven jij en ik over, Ru,' zei Nancy. 'En ik heb geen gebrek aan ambitie, zoals jij schijnt te denken. Ik heb toekomstplannen gemaakt, hoor. Als het zover is, ga ik extra diensten draaien in de kroeg.'

Rufa lachte. 'Dat versta jij onder ambitie?'

'En dan accepteer ik geen fooien meer in de vorm van een drankje.'

De overheid maakte gelukkig geen verschil tussen verpauperde adel en huis-, tuin- en keukenarmoede. Lydia ontving als alleenstaande moeder met een echtgenoot zonder geld een bescheiden uitkering – ze betitelde het als 'aalmoes', omdat het zo weinig was. Selena had zich voorgenomen om een uitkering aan te vragen zodra ze van St. Hildegard's af was, ongeacht wat Rufa ervan zou zeggen.

Nancy, die nooit hoge cijfers had gehaald en het nooit tot de universiteit had geschopt, droeg haar steentje bij aan de financiële gezinssituatie door te werken als barmeid in de dorpskroeg. De kroeg heette *The Hasty Arms*, en toen de Man hoorde dat ze er een baantje had, wist hij niet of hij moest lachen of huilen. Zijn eigen familiewapen sierde het krakende uithangbord van de kroeg met het familiemotto eronder, *Evite La Pesne*. De Man beweerde dat dit 'vermijd vermoeidheid' betekende en dat het niet paste dat een honderd procent zuivere Hasty, met puur Normandisch bloed, biertjes stond te tappen en het laatste rondje aankondigde. Hij was nogal gevoelig geweest over de kwaliteit van het familiebloed – dat was nog erger geworden sinds hij beneden zijn stand was getrouwd en zijn genetische wondertjes had geproduceerd. Nancy had hem echter kunnen overtuigen door hem gratis drankjes te geven en hem erop te wijzen hoe hard hij het extra geld nodig had. Toen had de

Man gezegd: 'O, vooruit dan maar,' en dat hij altijd al een dochter had willen hebben die achter de bar werkte.
Nancy had plezier in haar werk. Ze was er goed in en koesterde geen enkele ambitie, behalve om de kroegbaas over te halen meer klanten te trekken door de aanschaf van een karaokemachine. In een kroeg kon je er zeker van zijn dat je gelijkgestemde zielen zou tegenkomen – en zoals Nancy steeds had beweerd tegen de Man: 'Ik ga er toch heen, dus dan kunnen ze me er net zo goed voor betalen.' Er deden zich eindeloos veel mogelijkheden voor om verliefd te worden. Nancy was een aantal keren wanhopig verliefd geweest. Ze zei dat haar hart overal barsten vertoonde op de plekken waar het was gebroken en weer aan elkaar gelijmd. Rufa, die vermoedde dat haar lievelingszusje de slimste van hen allemaal was, wenste soms dat ze iets beters met haar leven had gedaan. Toen ze dit gevoel onder woorden bracht, antwoordde Nancy: 'Wat dan, bijvoorbeeld? Zoveel mogelijkheden zijn er niet voor een goedgehumeurde plattelandsslet. Het eind van het liedje zou zijn dat ik van een uitkering zou moeten leven.'
Rufa was nog nooit afhankelijk geweest van een uitkering. Ze was de enige in de familie met goede cijfers (voor Engels, Latijn en kunstgeschiedenis) en was zeker naar de universiteit gegaan, als de Man er niet zo hevig op tegen was geweest. Hij had Rufa gesmeekt hem nooit in de steek te laten, terwijl er dikke tranen uit zijn hemelse ogen stroomden. Hij wilde al zijn gezinsleden altijd om zich heen hebben.
Het gedwongen verblijf op Melismate had Rufa's natuurlijke aanleg om geld te verdienen echter niet verminderd. Dankzij een of andere genetische afwijking bruiste de dochter, die het meest op de Man leek, van energie en ondernemingslust. Een klein, merkwaardig deeltje van haar DNA stuurde haar in de richting van normaliteit, vergelijkbaar met een kompasnaald die het noorden opzoekt. Ze was de enige van de zusjes die rijexamen had gedaan en ervoor was geslaagd. Ze had haar bij elkaar geschraapte spaarcentjes besteed aan een oude blauwe Volvo en de Man was erg boos geweest toen hij besefte dat er zo'n groot geldbedrag binnen het gezin beschikbaar was geweest.
In de tijd van de fruitoogst maakte Rufa enorme hoeveelheden uitstekende jam en reed in de Cotswolds rond om die aan toeristenwinkeltjes te verkopen. In de afgelopen zes weken had ze pasteivulling gemaakt, en cognacbotertaartjes, versierd met vrolijke labeltjes die ze zelf had getekend (het verbergen van de cognac voor haar familieleden was moeilijker geweest dan het splijten van ato-

men). Ook werd ze ingehuurd als kok voor plaatselijke etentjes en breide prachtige kleding voor een Londense ontwerper. Het leverde weinig op en kostte enorm veel inspanning, maar alle beetjes hielpen.
'Ik moet toegeven,' had de Man een keer gezegd, 'dat jouw burgerlijke capriolen ons wel voor de hongerdood behoeden.'
De Man had haar onophoudelijk geplaagd met het werk. Hoewel het komisch was, was het een uiting geweest van tegenzin of zelfs vijandigheid. Hij had het overdreven lachwekkend gevonden dat een Hasty met Normandisch bloed maaltijden bereidde in opdracht van mensen die hun afstamming niet konden herleiden tot William Rufus.
Hij had Nancy's werk achter de bar geaccepteerd door het als een grap te beschouwen, maar met Rufa lag het anders. Hij plaatste haar in dezelfde categorie als zijn overleden moeder, die veruit de mooiste debutante van haar generatie was geweest. Hij kon wel verdragen dat halvegare dorpelingen Nancy aanspraken met 'liefje', maar hij verafschuwde de gedachte dat Rufa orders kreeg van de naburige lagere landadel. De Man vond zichzelf geen snob. Zijn definitie van een snob was iemand die overdreven geobsedeerd werd door het smetteloos houden van zijn huis en gezin. Volgens zijn maatstaven maakten alleen mensen die uit de goot kwamen zich druk om hygiëne en hoefde hijzelf zijn adellijke afkomst niet te bewijzen door uiterlijk vertoon. De Man had zijn opleiding genoten op Eton, in de voetsporen van een lange rij aantrekkelijke, rossige voorouders en had een huis geërfd dat boven aan de monumentenlijst stond. Het had jaren geduurd voordat hij begreep dat dit hem geen recht gaf op een speciale behandeling.
Ondanks haar grote liefde voor de Man koesterde Rufa dergelijke illusies niet. Vastberaden, maar tegen haar wil levend in de boze buitenwereld, was zij de Kleine Dorrit van de familie, en ze moest zich afbeulen om een fantasie te financieren waaraan ze part noch deel had. Soms was ze jaloers op Lydia en Selena vanwege hun vermogen om door de wereld te zweven zonder die werkelijk te zien. Nancy, wier weigering zich als een dame op te stellen een zekere koppige energie inhield, was uit ander hout gesneden. En Rufa richtte nu het woord tot Nancy.
'Goed dan, kijk naar de keuzes die je hebt. Je zou kunnen doorgaan met werken achter de bar en blijven wonen in Tims caravan, in de wetenschap dat mam, Roger en Selena in een onooglijk huisje gepropt zitten dat naast een tuincentrum staat. En in de wetenschap dat Liddy en Linnet op een kermisbedje moeten slapen in

Rans schuur – op loopafstand van die lichtekooi van de boekwinkel, die altijd in het openbaar aan zijn oor zit te knabbelen.' Rufa zweeg even zodat ze de stijgende verontwaardiging in haar stem kon onderdrukken. 'Of je zou een poging kunnen doen een rijke vent aan de haak te slaan, met in je achterhoofd dat het hard werken betekent en dat je je het grootste gedeelte van de tijd als een dame zult moeten gedragen.'
'Een wat?' mompelde Nancy. 'Mijn god, ze meent het echt!'
'Ja, dat doe ik inderdaad.' Tot haar eigen verbazing hoorde Rufa het zichzelf zeggen. 'Volgens mij moet het mogelijk zijn. Er lopen vast rijke mannen rond die rijp zijn om verliefd te worden op iemand met opvoeding en achtergrond. En die eigenschappen hebben we in overvloed te bieden.'
Selena, die zich langzaam weer in haar boek had teruggetrokken, keerde terug naar de werkelijkheid. 'Je kunt altijd weer gaan scheiden zodra je het geld in handen hebt.'
Nancy was ondanks zichzelf geïnteresseerd. 'Nou, vind maar een rijke kerel en dan zal ik het weleens overwegen.'
'Ik zou het nooit kunnen doen met een vent met een dikke pens,' verklaarde Selena.
'Neemt u me niet kwalijk, mevrouw,' zei Nancy op gemaakt strenge toon, 'u bent nog wat jong om iets anders met een vent "te doen" dan boodschappen.'
Met veel gerinkel van haar armbanden strekte ze haar hand uit om op Rufa's horloge te kijken. 'Ik moet als een speer in bad. Ik ga dineren bij de Dents.'
'Mag je tegenwoordig bij ze binnenkomen?' vroeg Rufa.
Nancy kwam overeind op het versleten haardkleed en rekte zich eens lekker uit. Haar strakke zwarte truitje spande zich over haar borsten en kroop omhoog zodat haar navel zichtbaar werd. Nancy's kleren leken vaak van haar af te glijden.
'Het zal wel onwaarschijnlijk saai zijn, maar ik heb belangrijke zaken te regelen. Dankzij mijn niet-aflatende inspanningen ligt er een geweldig cadeau op me te wachten onder de kerstboom van de familie Dent.'
'Bofkont,' sputterde Selena. 'Wat dan?'
'Ma Dent vroeg of ik nog bijzondere wensen had ten aanzien van een cadeautje. Ik zei dat ik die inderdaad had en heb haar meteen uitgelegd waar ze het kon kopen.' Ze glimlachte haar zusjes toe en genoot ervan ze nog even in spanning te laten. 'Het is een feeënpakje, met veelkleurig tule...'
'O, Nancy!' riep Lydia opgetogen uit.

'... inclusief een wijd rokje, vleugels, een toverstaf met een sterretje en een kroontje.'
'Jij, lieve engel.' Lydia moest er bijna van huilen. 'Ze zal in de zevende hemel zijn.'
Rufa straalde. 'Linnet zal dolblij zijn. Je bent een lieverd, Nance.'
'Ik wou maar dat ze die pakjes ook in maat veertig maakten,' zei Nancy. 'Dan zou ik met mijn toverstokje kunnen zwaaien en de Dents interessanter maken. Wees een beetje menselijk, drink niet alle wijn op terwijl ik weg ben – in het huis van de dokter is geen druppel drank te vinden.' Ze wierp een berekenende blik op Rufa. 'Mag ik de auto lenen?'
'Nee, dat mag je niet,' zei Rufa op scherpe toon. 'Ik zeg het nog één keer: pas als je je rijbewijs hebt. En trouwens, Roger is ermee weg.'
'Nou ja, het was de moeite van het proberen waard.' Toen ze bijna om het scherm heen was gelopen, draaide Nancy zich om en voegde eraan toe: 'Welke positie heb je voor mij in gedachten binnen je plannetje, schat? Ik heb het gevoel dat ik uitzonderlijk goed zal zijn in het Huwelijksspel.'

Hoofdstuk twee

'"... en er werd altijd over hem gezegd, dat als iemand wist hoe het met kerst hoorde, hij het was..."'
Rufa hoorde de lage, door tranen verstikte stem van haar moeder toen ze de spelonkachtige keuken binnenkwam. Rose Hasty zat naast het grote, met as aangekoekte fornuis, met haar door plakband bij elkaar gehouden leesbril voor op haar neus, een beduimeld pocketboek in haar hand en Linnet op haar knie.
'"Mogen de mensen dat over ons allemaal zeggen, over ons allemaal! En zo, terwijl Kleine Tim toekeek..."'
Haar stem haperde en stierf toen weg.
Linnet maakte het voor haar af. '"God zegene ons, allemaal!"' Ze wurmde zich van Roses knie af. '"Einde."'
Rose sloeg het boek dicht en leunde met luid gesnuif in haar stoel naar achteren. 'Mijn god, al die emoties!'
'Tja, dat weet je als je Dickens leest,' zei Rufa.
'Ik weet het, ik lijk wel gek.'
Rose was vijftig: een voormalige schoonheid die in hoog tempo was verlept. De lichte huid rond haar ogen had zich ontwikkeld tot een heel netwerk van rimpels. Het zachte vlees hing van haar kaken en haar wilde krullen waren teruggebracht tot een saaie, dikke wrong van peper- en zoutkleurig haar. Toch was het nog mogelijk de contouren te zien van het verrukkelijke hippiekind dat de Man dertig jaar geleden voor zich had gewonnen, tijdens een modderig rockfestival in de West Country.
'Het water staat op,' zei ze. 'Maak even wat thee voor ons, wil je, lieverd?'
Rufa was het enige familielid aan wie je om thee kon vragen zonder dat ze er ruzie om maakte of eindeloze smoesjes verzon. Ze deed twee theezakjes in twee mokken en goot er water op uit de zware ketel die op het fornuis stond.
'Roger nog niet terug?'
Roger was de minnaar van Rose en speelde de rol van Nutteloze Man nu de Man zelf er niet meer was. Hij was tien jaar geleden

per ongeluk op Melismate terechtgekomen en had sindsdien Roses bed gedeeld. De Man, die blij was dat het bed van zijn vrouw op een behoorlijke manier werd gebruikt, was op hem gesteld geraakt. En ze hadden allemaal geprofiteerd van zijn minuscule privé-inkomen.
'Hij is naar Ran gegaan,' zei Rose. 'Daar was blijkbaar een noodsituatie ontstaan.'
Vanonder de enorme, antieke keukentafel steeg Linnets stemmetje op. 'Dat oude wijf van de boekwinkel heeft hem in de steek gelaten. Hij belde huilend op, en ik heb gezegd dat het me niks kon schelen.'
Rufa's gevoel voor fatsoen deed haar afkeurend in elkaar krimpen. Het had hier totaal geen zin om wie dan ook eraan te herinneren dat kleine potjes grote oren hadden. Het gevoel van verlegenheid was hen allen vreemd.
'Over twintig minuten moet je naar bed, lieverdje,' zei ze.
Linnet gromde geërgerd. 'Zie je het dan niet? Ik ben bezig in mijn huis.'
Ze was vijf en het mooiste kind dat je ooit had gezien. De fijne trekken en blauwe ogen van haar moeder waren in de genetische mengbeker gegaan met Rans glanzende, steile zwarte haar en het resultaat was een bleek, ernstig Repelsteeltje. Ze had een felgroene trui aan, waaronder een geel truitje zichtbaar was, en ze slaagde er op een of andere manier in waardigheid uit te stralen.
Rufa nam een slokje thee en knielde op de stenen vloer naast de tafel. Linnet had haar huis gestoffeerd met een uiterst smerig kussen en een kale tak, die een kerstboom moest voorstellen. Haar twee bruine beertjes, de Gebroeders Ressany, waren op een handdoek neergesmeten en lagen er slordig bij. Twee van Linnets sokken waren op berenhoogte aan de tafelpoot vastgeknoopt.
'Dit is hun haard,' legde ze uit. 'Ze hebben net hun sok opgehangen.'
Rufa vond het een goed teken dat ze sokken ter sprake bracht. Een paar weken geleden had Linnet haar grootmoeder snikkend vanwege een elektriciteitsrekening aangetroffen. Aangezien niemand er ooit aan dacht discreet te zijn in aanwezigheid van het kleine meisje, was ze ook getuige geweest van luidruchtige discussies over de keuze tussen elektriciteit of alcohol voor hun laatste kerst op Melismate.
Een tijdje daarna had ze met bestudeerde onverschilligheid tegen Rufa gezegd: 'Er zullen dit jaar niet veel cadeautjes zijn, denk ik.'
De dapperheid van deze opmerking had de zusjes onnoemelijk veel

pijn gedaan. De gedachte aan een teleurgestelde Linnet op kerstochtend had hen allen uit de algemene, wanhopige chaos opgeschrikt. Zelfs Selena, die haar hoofd meestal niet lang genoeg uit haar boek ophief om iets te kunnen mompelen, was erin geslaagd genoeg bij elkaar te schrapen voor haar chocoladetoffees. Nancy had op grootse wijze verklaard dat ze een cadeautje voor Linnet zou kopen, al zou ze met het gehele Mannenkoor van Wales moeten slapen, die allemaal 'Myfawny' zongen (dit was gelukkig niet nodig gebleken). Rufa had tot diep in de nacht gewerkt om zo lang mogelijk te doen met het geld dat over was nadat de elektriciteitsrekening was betaald.

Nu, dolblij in de wetenschap dat het goed zou komen, dat Linnets opgetogenheid een beetje positief gevoel zou brengen in de allesoverheersende malaise, voelde Rufa zich bijna gelukkig. Ze had een schitterende trui gebreid van overgebleven felgekleurde wol. Ze had twee pierrotpakjes gemaakt voor de Gebroeders Ressany en had illustraties getekend bij een verhaal van Nancy, getiteld 'Moeilijkheden in het Ressany-huis'.

De geest van de Man is in me gevaren, dacht ze, ik heb uit het niets iets magisch tot stand gebracht.

Er was geen druppel gin in huis, en ook andere basisbenodigdheden waren nauwelijks aanwezig, maar het was de opoffering waard geweest. Morgenochtend zou Linnet aan het voeteneinde van het bed waarin ze met haar moeder sliep een sok aantreffen die uitpuilde van de cadeautjes.

Linnet was onder de tafel bezig twee gerimpelde kastanjes en een dof geworden koperen deurknop in aluminiumfolie te wikkelen.

'Die schatten,' zei ze toegeeflijk, terwijl ze in de richting van haar beren knikte. 'Ze zijn zo opgewonden. Rustig maar, jochies.'

'Het is bijna tijd om je eigen sok op te hangen,' zei Rufa. 'En we moeten ook niet vergeten een kleinigheidje voor de kerstman neer te leggen.'

Het deed haar pijn de scherpe, voorzichtige blik van Linnet te zien. De Man had op kerstavond altijd een lekker hapje neergelegd voor de overwerkte heilige man. Maar de Man was dood, en alles was op een afschuwelijke manier veranderd.

Linnet kroop op handen en voeten haar huis uit. 'De laatste keer hebben we hem een gin-tonic gegeven.'

'Geen gin,' zuchtte Rose.

'Een kopje thee met een biskwietje,' stelde Rufa voor. 'Dat zou ik zelf wel lusten op zo'n avond als deze.'

Linnet knikte tevreden. 'En een beetje gras.'

'O, nee, lieverd,' zei Rose. 'Ik geloof niet dat de kerstman stickies rookt.'

'Niet dát soort gras, dommerd. Ik bedoel gras voor het rendier.'

Rufa kon nog net een schelms lachje inhouden – Linnet haatte het als er iemand om haar lachte. 'Het is te koud om naar buiten te gaan. Wat dacht je van een suikerklontje?'

'Oké.'

Rufa gaf Linnet een kusje op haar hoofd, dat naar houtvuur rook, en ging op zoek naar een suikerklontje en een schoteltje. De suikerklontjes waren overjarig en hadden een sinistere bruine kleur.

Linnet giechelde. 'Het lijken net kleine poepjes.'

De deur vloog open en Nancy tuimelde door de tocht naar binnen. 'Juffrouw Linnet, je moeder wil dat je boven komt.'

Ze kwam net uit bad in een wolk van indrukwekkend haar en een onherkenbaar parfum. Ze had een zwarte gebreide jurk aangetrokken waarin haar tepels zichtbaar waren en die als gegoten zat om haar bh-loze borsten.

'Hè, nu nog niet,' protesteerde Linnet.

Met een parmantig piepstemmetje zei Nancy: 'Kom op, Linnet, ik heb slaap.' En met een diepe, norse stem voegde ze eraan toe: 'Des te eerder is het kerst!' Nancy, aan wie je niets had als het op kinderverzorging aankwam, kon ontzettend goed stemmen nadoen. Ze had stemmen verzonnen voor al Linnets belangrijkste speelgoedfiguurtjes en ze kon de Gebroeders Ressany urenlang 'doen'.

'Ga mee naar boven,' beval Linnet.

'Vooruit dan maar.'

'Die jurk staat je goed,' zei Rufa.

'Ja, hè? Sorry dat ik het je niet gevraagd heb. Maar je vindt het toch niet erg?'

'Nee. Ik wou alleen maar dat ik er ook zo welgevormd in uitzag.'

'Bedankt.' Nancy pakte Rufa's kopje thee en liet er drie van de verkleurde suikerklontjes in vallen.

Linnet gaf iedereen een nachtkusje en getweeën vertrokken ze, vergezeld door de twee andere 'aanwezigen' – gedurende de hele klim op de trap kon je de Gebroeders Ressany horen ruzie maken.

Rufa liep naar het fornuis om een nieuw kopje thee voor zichzelf te maken. Ze bedacht dat Nancy er echt geweldig uit zou kunnen zien als ze zich als een dame zou kleden, in plaats van als een mengeling tussen Dorelia John en Posh Spice. Het idee van trouwen met een rijke man nam vastere vormen aan in Rufa's hoofd.

Ze keek rond in de ruimte terwijl ze wachtte tot het water weer zou gaan koken. Deze enorme keuken en de aangrenzende, gewelfde

Grote Hal vormden het oudste gedeelte van Melismate. Ze waren in de veertiende eeuw gebouwd en waren met hun massieve muren diep verzonken in de aarde van Gloucestershire. Nu ze op het punt stond haar thuis te verliezen dacht Rufa aan alle gemiste kansen. Wat een huis zou het geweest kunnen zijn als er geld genoeg was geweest om het doorzichtige dak en de verzakte balken te restaureren. Ze haatte de verspilling van zoveel schoonheid.
Ze maakte haar thee in een mok waarop gedrukt stond: 'IK HEB DE VARKENS OP DE BOERDERIJ VAN SEMPLE GEZIEN!' Op de boerderij van Semple woonde Ran en varkens waren er nooit geweest. De mokken waren de enige overblijfselen van dat mislukte project.
Ze vroeg: 'Is Rans vriendinnetje er echt vandoor?'
Rose strekte haar benen in de verbleekte blauwe corduroybroek. 'Ik wist wel dat het niet kon standhouden. Ze was veel te schoon.'
Rufa lachte. 'Ik zweer je dat ze haar voeten veegde bij het naar buiten gaan, toen ze hier een keer kwam eten.' Ze ging aan de keukentafel zitten. 'Ik wed dat Linnet het wel prima vindt, trouwens.'
'En Lydia ongetwijfeld ook,' zei Rose gemaakt ernstig. 'Dat gekke mens is nog steeds verliefd op Ran.'
Rufa zuchtte. 'Ze zegt dat ze er tegenop ziet om weer op de boerderij te wonen, maar alleen omdat ze niet weet om te gaan met haar jaloezie.'
Rose zuchtte ook en tevreden zaten ze bij elkaar. Rose had niet altijd zo goed kunnen opschieten met haar oudste dochter, ondanks haar niet-aflatende inspanningen om haar te plezieren. Rufa's normaliteit had haar op de zenuwen gewerkt. Rose was als tiener weggelopen uit een snoepwinkel om aan de normaliteit te ontsnappen. Ze was verliefd geworden op Rufus Hasty omdat hij het tegenovergestelde van normaal was. Rose had ervoor gekozen om anders te zijn en Rufa's ingebouwde normaliteit was soms als een verwijt op haar overgekomen.
De komst van Linnet had echter Roses latente burgerlijke waarden doen ontwaken. Als moeder had ze afwijkend gedrag tot kunst verheven. Maar als grootmoeder wilde ze dat Linnet alle goede, betrouwbare, saaie dingen zou krijgen die andere kleine meisjes ook hadden. Rufa, die Linnet aanbad, wilde dit ook. Rose was er plotseling achter gekomen dat ze veel gemeen had met haar eerstgeborene. Ze rekende tegenwoordig op Rufa, terwijl ze nooit op de Man had gerekend, of op Roger. Je kon Rufa confronteren met normale gevoelens zonder een stapelgekke reactie te krijgen.
'Mam,' zei Rufa, 'wat vind jij van een huwelijk om geld?'
'Serieus? Ach, natuurlijk meen je het serieus, je bent altijd serieus.

Heb je een rijke man ontmoet?'
'Nee, op dit moment is het nog een theoretische vraag. Wat zou je ervan vinden als ik met een rijke man trouwde, zonder per se verliefd op hem te hoeven zijn?'
Rose kneep haar ogen nadenkend toe. 'Ik zou denken,' zei ze langzaam, 'dat je erg cynisch bent of erg naïef. Cynisch vanwege het trouwen zonder liefde. En naïef om te denken dat je zonder liefde kunt leven.'
'Dat kan ik wel,' zei Rufa ongeïnteresseerd.
'Je zult wel over Jonathan heenkomen, hoor. Je kunt niet trouwen met iemand van wie je niet houdt, Ru. Je zou instorten. Nancy zou het wel redden – zij kan zichzelf wijsmaken dat ze verliefd is – maar jij niet. Je bent te gevoelig, hoe gek dat ook klinkt over een dochter van mij; Rose leunde naar voren om haar belangrijkste argument kracht bij te zetten. 'Je zou ook naar bed moeten gaan met die rijke echtgenoot van je, neem ik aan.'
Even was het stil en Rufa staarde naar het vuur door de open deur van het fornuis. Ze zei: 'Ik zou wel met Godzilla willen vrijen als dat ons uit de nesten zou halen.'
Rose kromp in elkaar bij deze onverbloemde verwijzing naar de 'rotzooi' die ze allemaal probeerden te negeren. 'Lieverd, we redden het heus wel, hoor. Zo erg zal het niet zijn. De Man zeurde altijd over het huis en de familiegeschiedenis, maar niemand kan ons die geschiedenis ontnemen, en we zullen gewoon leven als miljoenen anderen.'
Rufa bleef met haar blauwe ogen staren. 'Het heeft te veel waarde om het op te geven. Ik kan het niet.'
'Je bent nog jong,' zei Rose. 'Ga nou niet je leven verpesten.' Ze stond op en pakte een fles rode wijn van de keukenkast. Behendig trok ze de kurk eruit en pakte twee smoezelige glazen. 'Afgezien van al het andere zul je toch eerst wat rijke mannen moeten opsnorren.'
'Daarvoor moeten we in Londen zijn,' mompelde Rufa. 'We moeten naar Londen.'
'O, god, is je script weer door Tsjechov geschreven? Geef mij Benny Hill maar.' Rose nam een grote slok wijn alsof het een medicijn was.
'En we moeten wat behoorlijke kleren kopen.'
'Word wakker, liefje. Waarmee? We hebben geen cent.'
'Nancy en ik zouden als eersten kunnen gaan,' vervolgde Rufa. 'We doen net alsof het een van de spelletjes van de Man is... het Huwelijksspel.'

'Het huwelijk is geen spelletje.'
'En we kunnen bij Wendy logeren. Ik weet zeker dat ze dat goed vindt.'
Wendy Withers was hun kindermeisje geweest. Ze had de toestand van het huis voor lief genomen, evenals het feit dat ze onregelmatig betaald kreeg, omdat ze hopeloos verliefd was op de Man. Ze hadden een van zijn korte, intense liefdesaffaires gehad, en haar gevoelens waren zo sterk dat ze hem was gevolgd naar het huis. De meisjes waren dol op haar en Rose was erg op haar gesteld geraakt. Toen Wendy na vijf jaar plaats had moeten maken voor een of andere Balinese danseres, hadden beide vrouwen geweend. Rose was onder de indruk dat Rufa haar idee zo ver doorvoerde.
'Je hebt gelijk, ze zal het heerlijk vinden als jullie komen.'
Rufa was aan het plannen. 'Ik krijg wel een paar duizend voor de auto, en we redden het waarschijnlijk net.' Ze fronste bezorgd haar voorhoofd. 'Maar dan moet Linnet naar school lopen. En hoe kom jij dan bij de winkels? Misschien is het niet het risico waard.'
Het vuur, dat was geslonken tot roodgloeiende spaanders, gaf haar kastanjebruine haar de kleur van de wijn. Het lichtschijnsel lag als een gouden gloed op haar wangen. Ze was zo mooi, dacht Rose. En ze verspilde haar leven hier, omdat de Man haar had laten beloven dat ze voor altijd zou blijven.
'Neem een risico,' zei ze impulsief. 'Doe één keer in je leven iets geks. Ik wil je niet ongelukkig zien, lieverd, maar dat Huwelijksspel van je is het beste verdomde idee dat ik in tijden heb gehoord.'
Rufa was verrast. De twee vrouwen staarden elkaar geïntrigeerd aan.
Het onverwachte intieme moment werd verbroken door het donderende geluid van de voordeur die werd geopend met een gekraak als van Dracula's doodskist. Een toonloze, diepe stem zong:

'We zijn geen dagelijkse bedelaars,
die gaan van deur tot deur;
Wij zijn de kinderen van de buren,
Die u kent van hierveur!'

'O, dat is Ran,' zei Rose glimlachend, terwijl ze met haar ogen rolde. 'Snel, bedenk iets wat we nog bij de soep kunnen gooien, anders hebben we nooit genoeg.'
Rufa stond op en borg haar Huwelijksspel op in een hoekje van haar geest. 'Een gymschoen?'
'Kun je geen aardappel missen?'

'Twee tellen geleden zei je dat ik me bij de werkelijkheid moest houden,' zei Rufa. 'We hebben hier nergens nog een extra aardappel liggen.'
De massieve, geaderde deur tussen de Grote Hal en de keuken zwaaide open en bracht een ijskoude luchtstroom in de rokerige warmte. Roger kwam binnen terwijl hij het oude jack van de Man openritste. Hij was een bleke, slungelige man van vijfendertig. Zijn pluizige haar had zich tot halverwege zijn schedel teruggetrokken en er hing een dunne bruine paardenstaart tot op zijn schouders. Het belangrijkste feit in Rogers leven – en alles wat je over hem hoefde te weten – was dat hij al tien jaar van Rose hield, en dat toegewijd zou blijven doen tot zijn dood. Hij straalde een welwillende rust uit en bracht een onbekende zweem van gezond verstand in het huishouden. Ondanks zijn omgeving was Roger op een stille en volhardende manier normaal.
'Sorry dat ik zo laat ben,' zei hij minzaam. 'Ran wilde niet dat ik hem alleen zou laten, dus heb ik hem maar meegenomen.'
'Nog een mond om te voeden,' zei Rose, 'maar ik kan het niet over mijn hart verkrijgen om te protesteren. Het liefdesleven van die jongen lijkt wel een televisiefilm.'
Ran stormde de keuken binnen, waarbij hij Roger opzij duwde. 'Gelukkig kerstfeest, meisjes.' Hij gooide een vochtige zak op de tafel en haastte zich Rose en Rufa te kussen. 'God, wat is het koud. Geef me iets te drinken.'
'Dan moet je geluk hebben,' zei Rose. 'Er is een lange wachtlijst voor deze wijn.'
Ran was er nog zo eentje, dacht ze bij zichzelf, die zijn knappe uiterlijk in dit achterafgelegen plattelandsgebied liet verschimmelen. Hij droeg een geweven halflange jas en een belachelijk geborduurd hoedje, maar die verborgen zijn knapheid niet. Zijn ogen en schouderlange haar staken donker en vol af tegen zijn perkamentachtige huid. Linnets gekke jonge vader had het gezicht van een renaissance-engel.
'Het is erg lief dat jullie me erbij willen hebben,' zei hij terwijl hij Rose en Rufa doordringend aankeek. 'Ik weet hoe krap jullie zitten, dus ben ik niet met lege handen gekomen. Ik heb een lading houtblokken meegenomen plus de uien die ik niet kwijt kon op de boerenmarkt.'
Rufa bekeek de zak op de tafel. 'Briljant. Nu heb ik tenminste iets om bij de soep te gooien.'
Ran keek hoopvol om zich heen. 'Waar is Linnet?'
'Boven. Liddy legt haar op bed.'

'En als ze door jou een van haar buien krijgt,' zei Rose streng, 'is het jouw verantwoordelijkheid om haar in slaap te krijgen.'
Ran vroeg: 'Mag ze niet opblijven en mee-eten?'
'Nee, we zijn veel te afgepeigerd. Roger, maak jezelf eens nuttig. Rol een joint voor ons.'
'Hmmm. Beter van niet,' zei Roger. Hij dempte zijn stem. 'We hebben Edward bij ons.'
Rose kreunde zachtjes. 'Kan hij niet iemand anders vinden om de les te lezen?'
Rufa keek op van de uien die ze aan het snijden was. 'Laat toch, mam. Hij probeert alleen aardig te zijn.'
'Goed, vooruit dan maar. Maar ik wou dat hij zich eens kon ontspannen, één avondje maar.'
Edward Reculver, wiens boerderij grensde aan Rans verdoemde hectares, was Rufa's peetvader en de trouwste vriend van de familie. De Reculvers hadden al eeuwenlang geboerd in dit gedeelte van Gloucester en hadden ruzie gekregen met de Hasty's tijdens de Burgeroorlog. De Hasty's waren koningsgezind, terwijl de Reculvers een parlement wilden. Ofschoon dit oude meningsverschil niet meer dan een historische curiositeit was toen Edward Reculver samen met de Man opgroeide, zag hij er nog steeds uit als een strijdvaardige, zeventiende-eeuwse radicaal naast de krulharige Hasty-cavalier. Merkwaardig genoeg was deze dikkop de beste vriend van de Man geweest.
Hij had de Man meedogenloos bekritiseerd, maar de Man had hem gerespecteerd als een soort extern geweten en had onbevangen zijn rechtlijnige denkbeelden aangehoord. Reculver woonde in een eenzame, misantropische wereld, die vlekkeloos schoon was en sober. Hij kweekte kruiden, hergebruikte alles en was de laatste mens op aarde die zonder ironie zijn sokken stopte. Elke vorm van overvloed maakte hem achterdochtig.
Hij was niet altijd zo geweest. Tot zes jaar geleden was hij legerofficier geweest. Hij had zijn boerderij verhuurd en viel af en toe op een dramatische manier binnen in het leven van de Hasty-kinderen om hen op het circus of een pantomimevoorstelling te trakteren. Rufa herinnerde zich levendig de keren in haar kindertijd dat Edward gebruind en raadselachtig terugkeerde van allerlei exotische probleemgebieden. Hij was onderscheiden na de Falkland-oorlog en had een klein litteken op zijn bovenarm, waar de kogel van een sluipschutter hem had geraakt in Bosnië.
Rufa bewonderde Edward en was altijd een beetje bang voor hem geweest. Zoals iedereen was ook zij ervan uitgegaan dat hij soldaat

in hart en nieren was. Toen hij ontslag uit het leger had genomen was het in het begin vreemd geweest om hem voortdurend in de buurt te hebben. De Man had zich vaak afgevraagd waarom hij uit het leger was gegaan. Als hij een onaardige bui had, zei hij: 'Edward wist dat hij het nooit tot kolonel zou schoppen. Hij is radicaler dan goed voor hem is.' Als hij echter milder gestemd was, zuchtte hij en zei: 'Arme Edward, hij is uit het leger gegaan omdat zijn hart gebroken was. Hij kan nog steeds niet zonder haar.'
In de vijftien jaar na de dood van zijn vrouw had Edward zich langzaam maar zeker uit de wereld teruggetrokken. Rufa kon zich Alice nog vaag herinneren: een stille, blonde vrouw die er op foto's altijd wat achteraf bij stond, zodat ze nooit duidelijk in de herinnering bleef hangen. Ze hadden geen kinderen en Edward had geen aanstalten gemaakt om opnieuw te trouwen. In tegenstelling tot de Man kon hij blijkbaar wel zonder romantiek leven. Zijn leven leek van de weg te zijn afgegleden en gestrand.
Na de dood van de Man had Edward de voortdurende chaos en misère op Melismate afgekeurd. Maar tussen zijn vermaningen door overspoelde hij de Hasty's met vriendelijkheid. De Man had bij zijn dood een enorme schuld aan hem, waarover hij nooit sprak. Na het overlijden van de Man had hij al zijn spullen opgeruimd, omdat niemand anders het kon opbrengen. Toen Selena een keer haar enkel had gebroken door een val van haar fiets, had hij haar elke ochtend in zijn landrover naar school gebracht. Selena had zich niet dankbaar getoond. Zoals Rose zei, Edwards gunsten hadden iets bestraffends. Hij wilde dat ze de werkelijkheid onder ogen zagen en hun idee van de werkelijkheid verschilde van het zijne.
Rose stond boos op. 'Ik weet ook wel dat hij alleen aardig probeert te zijn,' mopperde ze, terwijl ze haar wijnglas volschonk. 'Dat is het vervelende. Waarom is het zo makkelijk een hekel te hebben aan iemand die vriendelijk probeert te zijn? En die arme ziel zal hier niet veel kerstvreugde aantreffen.'
Opeens zweeg ze. Reculver stond in de deuropening. Hij keek Rufa en Rose plechtig aan en keek om zich heen. Zijn blik leek een akelig, meedogenloos licht te werpen op de schoteltjes met peuken, poepkleurige suikerklontjes en de zielige pan soep op het fornuis.
'Hallo,' zei hij.
Hij kuste nooit iemand, maar Rufa vond het nodig om naar hem toe te lopen en hem een kus op zijn wang te geven. Hij was tenslotte haar peetvader en zij had meer last dan de anderen van het feit dat ze niet dankbaar genoeg waren. Reculver was een lange, magere man, die snel was verouderd toen hij een jaar of veertig

was. Officieel was hij een behoorlijk aantal jaren jonger dan de Man, maar ouderdom is afhankelijk van de geestelijke gesteldheid, en Edward had toegestaan dat zijn levenslustige buurman hem had behandeld als een eerbiedwaardig staatsman. Hij droeg een korte grijze baard. Zijn dikke haar was eveneens grijs; hij liet het elke marktdag kort knippen door de barbier. Hij was erg knap, ofschoon dat nooit het eerste was dat mensen opviel.
'Edward,' zei Rose vermoeid, 'wat een leuke verrassing.'
Reculver hield niet van woorden verspillen. 'Haal wat droge kleren of die man zal aan longontsteking sterven.'
'Man?' echode Rose, 'welke man?'
Reculver keek over zijn schouder. 'Kom binnen, het is hier iets warmer.'
Hij stapte opzij om de vreemdeling door te laten. Deze was gekleed in een pak met das en stadse schoenen. Hij was doornat en zat onder de modder.
'O, ja, dit is Berry,' zei Ran nonchalant. 'Hij heeft bij mij op school gezeten.'
Berry was een ronde, rozige jongeman met verschrikte hertenogen achter een design-bril.
'Hector Berowne,' zei hij. En, alsof hij dat bij nadere beschouwing bedacht: 'Hallo.'

Hoofdstuk drie

Toen Hector Berowne in zijn nieuwe BMW over de bevroren weggetjes reed kon hij nog niet vermoeden dat hij in een andere dimensie terecht zou komen. Hij had aangenomen dat hij op weg was naar een gezellige boerderij, een en al open haard en goudkleurige stenen, die hij en zijn verloofde Polly voor veel geld hadden gehuurd voor de vakantie.

'Good King hoe heet het pom-pom-pom,' zong hij zachtjes in zichzelf.

Berry had de gave tevreden te kunnen zijn. De ergernissen van zijn werk vielen van hem af bij de gedachte aan de heerlijke tijd die hem te wachten stond. Zijn ouders, bij wie hij normaal gesproken zijn vakantie zou hebben doorgebracht, waren op bezoek in Bermuda bij vrienden uit de diplomatie. Zijn kantoor in de City lag achter hem, twee hele weken lang. Niet meer opstaan om kwart voor zes. Niet langer te uitgeput zijn voor seks. En hij was nog steeds dol op dat verwachtingsvolle gevoel van de avond voor kerst. Een knapperend houtvuur en een glas rode wijn – hij wist zeker dat het perfect zou worden.

In september was Polly begonnen cirkels te trekken rond huurwoningen op het platteland en had de afgelopen zes weken doorgebracht met ham bestellen, lakens strijken en nieuwe corduroy broeken indragen. Polly, met wie Berry sinds hun laatste jaar op Oxford een comfortabele liefdesrelatie had, hechtte zeer aan de Juiste Dingen – ontvangkamer en servetten, het rondgaan met port en geen gele bloemen in de tuin. Ze had de neiging een beetje neurotisch te zijn met betrekking tot het sociale gezicht dat ze aan de wereld toonde. Haar geobsedeerdheid met de Edwardiaanse attributen van de perfecte landadel was te diepgeworteld om af te doen als gewoon snobisme. Ze marineerde zichzelf in hoffelijkheid, om het betreurenswaardige feit te verhullen dat haar ouders Australiërs waren. Je kon wel praten over Australiërs van hoge afkomst en koloniale aristocratie, maar in Polly's ogen was het bijna net zo erg als onder geheimhouding in Wales geboren zijn.

Op basis van vroegere ervaringen wist Berry dat deze kerst overeenkomst zou vertonen met een dubbele pagina in *Harpers*, het soort kerst dat niemand in het werkelijke leven, behalve een verholen Australische, zou proberen voor elkaar te krijgen. Krans van dennentakken aan de deur, klimop rond de fotolijstjes enzovoort. Het zou ruiken naar brandend hout, potpourri, lavendel en bijenwas – Polly had zelfs over de geuren nagedacht.
Sommige mensen, zijn zusje Annabel bijvoorbeeld, hadden Berry ervan beschuldigd dat hij bang was voor Polly. Wat een onzin. Hij was gewoon onder de indruk van zijn eigen geluk, dat hij zo'n opvallend mooie en charmante vrouw had gestrikt.
'Sire, de avond wordt donkerder,' zong Berry.
Het leek inderdaad donkerder te worden. Berry minderde vaart met zijn BMW, en stond toen stil. Het enige licht dat in de wijde omtrek te zien viel kwam van een Volvo, die het smalle weggetje volledig versperde. De twee voorportieren stonden open. Berry wachtte een tijdje, terwijl hij luisterde naar de allesoverheersende stilte. Er kwam niemand. De verlaten Volvo bleef licht uitstralen, als de *Mary Celeste*. Hij deed de motor uit, trok het sleuteltje uit het contact en stapte uit de auto. De plotselinge kou benam hem de adem. Bibberend in zijn blauwe pak en dunne stadsschoenen liep Berry naar een berg puntige kale takken, die een meter of vijf naast de weg lag. Achter dit doornige scherm werd het licht van de Volvo gedimd en afgewisseld door schaduw. Door de wolk van zijn eigen adem kon Berry twee gestalten onderscheiden die aan de rand stonden van wat een vijvertje leek.
Er lag een dode fazant op de bevroren grond. Een van de gestaltes knielde ernaast. Met gekwelde stem zei hij: 'Ik zal het mezelf nooit vergeven. Ik laat jou een binnendoorweggetje nemen en nu heb ik dit leven vernietigd. Alles wat ik aanraak verandert in stof.'
Een andere stem zei: 'Mijn ballen vriezen eraf, hier. Begraaf hem, of geef hem mond-op-mondbeademing, dan kunnen we naar huis.'
De geknielde man brak in snikken uit. Hij draaide zijn hoofd in de richting van Berry. De lichtval toverde de tranen in zijn mooie donkere ogen om tot diamanten.
Ze staarden elkaar aan. De ontmoeting was zo onverwacht dat geen van beiden verrassing toonde.
'Ran?' zei Berry aarzelend. 'Jij bent Ran Verrall, toch? Van school?'
Ran sprong op terwijl hij met zijn arm over zijn gezicht veegde. 'Shit, dit is niet te geloven... Hector Berowne.'
'Hallo, zeg!' zei Berry. 'Ik zat me net af te vragen van wie die auto...'

'Mijn hoofdrolspeler in *The Mikado*,' zei Ran, die opeens begon te grinniken. Hij gebaarde naar de in schaduw gehulde gestalte van de andere man. 'Dit is Roger.'
Berry en Roger glimlachten elkaar onzeker toe, niet wetend of ze elkaar de hand zouden moeten schudden.
'Dit is ongelooflijk,' zei Ran opgetogen.'Berry en ik hebben samen op school gezeten, Rodge. Ik speelde Yum-Yum en hij Nanki-Poo. Ik moest hem op de mond kussen, en dat vergeet je niet zo gauw.'
Berry had zichzelf gedwongen het te vergeten. Het kwam nu weer terug in zijn herinnering en hij was blij dat hij het te koud had om te kunnen blozen. Destijds werd hij door de halve school benijd en die wetenschap had hem bijna doen sterven van verlegenheid.
'Hij had een prachtige stem,' vervolgde Ran, die zo te zien geen last had van de bittere kou. 'Ik werd alleen gekozen omdat ik er zo lief uitzag in een kimono. Nou, nou. Hoe gaat het met je, ouwe zwevende minstreel?'
'O, absoluut prima,' zei Berry. 'Eh... zou je misschien je auto kunnen verplaatsen? Hij staat nogal in de weg.'
'Dat is zeker tien jaar geleden,' zei Ran.
'Ja.' Berry bekroop een overheersend gevoel dat hij de greep op het gesprek begon kwijt te raken. 'Als je me erdoor zou willen laten...'
'Laat die man door,' zei Roger. 'Ik wil naar huis, Rose zal wel bezorgd zijn.'
'Ik heb een dochter,' verklaarde Ran. 'Ze heet Linnet. Ze is vijf. Heb jij al kinderen?'
'Nog niet. Ik ga volgende zomer trouwen.' Wat idioot, dacht Berry bij zichzelf, om hier buiten een borrelpraatje te houden.
'Zorg dat je veel kinderen krijgt,' zei Ran. 'Dat is het enige dat het leven de moeite waard maakt.' Hij keek neer op de fazant, die dood op de koude grond lag. 'Mijn Linnet zou gek geweest zijn op die vogel. Ze heeft zoveel gevoel voor levende wezens. Ik ga haar een cavia geven.'
'Rose zal uit haar dak gaan,' voorspelde Roger. 'Je hoeft er niet van op te kijken als ze hem gaat bakken.'
Ran richtte zijn aandacht rouwend op de dode fazant. Ondanks de kou leek hij van plan een begrafenistoespraak te gaan houden.
'We hebben hem overreden. Ik zei Roger dat hij moest stoppen, maar ik kon er niets meer aan doen. Het was al te laat.' Een snik doorvoer hem.
Ran had op school bekendgestaan om dit gedrag. Berry herinnerde zich dat hij werd weggeleid bij examens en de dienst in de kapel, terwijl hij tranen met tuiten huilde. Hij stond hulpeloos toe te

kijken, wensend dat hij de moed kon opbrengen om nogmaals over zijn auto te beginnen. Polly zou op hem zitten wachten, en haar diners waren van het soort dat niet lang goed bleef.
'Zijn vriendin heeft hem in de steek gelaten,' legde Roger uit.
'O.'
'Kom op, Sint Franciscus. Laten we teruggaan naar Assisi.'
'Ik moet zijn ziel volgen,' zei Ran. 'Die hangt hier nog steeds rond.'
De fazant begon op een afschuwelijke onverhoedse manier tekenen van leven te vertonen. Met een enorm gefladder van vleugels steeg hij omhoog en kwam met een dronken zwaai in Berry's gezicht terecht. Zijn handgemaakte leren zolen gleden over de bevroren aarde.
De volgende paar seconden ontvouwden zich in slowmotion. Berry voelde een klein ogenblik van stille, eenzame wanhoop voordat hij voorover duikelde. Hij zag de zwarte vijver razendsnel, maar tot in detail, op hem afkomen. Hij stortte door een dun laagje ijs in het zestig centimeter diepe, ijskoude water. De ijzige kou sneed als een mes door zijn kleren. De schok van de kou smoorde Berry's gepijnigde schreeuw. De kou beet in zijn buik en stuurde zijn testikels richting *Terugtocht uit Moskou*.
De gênante stank vergrootte zijn afschuw. Berry worstelde zich overeind, waarbij hij slijmerige slierten onkruid met zich meetrok. Hij slaagde erin Rogers uitgestrekte hand te grijpen en strompelde de oever op. Zijn bril zat onder de modder. Happend naar adem deed hij hem af en voelde automatisch in zijn natte zakken naar een zakdoek.
'Hier.' Roger overhandigde hem een tissue.
'D-d... dank je.'
'Gaat het?'
'Ik geloof het wel...'
'Ik heb hem niet vermoord!' zei Ran opgetogen. Hij wees naar de fazant, die de bosjes inkroop. 'Ik heb geen bloed aan mijn handen.'
Op datzelfde moment besefte Berry met een akelig gevoel in zijn maag dat hij zijn autosleutels niet meer vast had.
'Ik heb mijn sleutels laten vallen!' bracht hij met krakende stem uit. 'O, God in de hemel!'
Niet dat hij op welke manier dan ook bang was voor Polly, maar ze zou hem hierom vermoorden. En – god! god! – het telefoonnummer van de boerderij zat in zijn kofferbak! Hij zou Polly pas kunnen bellen en haar laten weten dat hij nog leefde als hij in zijn auto kon komen.
Kreunend en in de greep van hevige rillingen stond hij aan de rand

van de vijver. Roger stroopte zijn mouwen op, ging liggen en begon met zijn hand te wroeten in het ijskoude water. Ran deed zijn jekker uit, legde die rond Berry's schouders en ging naast hem liggen. De twee spetterden en vloekten. Roger sneed zijn vinger aan een gebroken bierflesje. Berry vocht tegen een ziekmakend gevoel van sluipende surrealiteit. Hoe was hij in vredesnaam in deze monsterlijke situatie verzeild geraakt?
Er kwam een andere auto aan over het weggetje. Ze hoorden hem hard remmen achter de Volvo. Er klonk een geïrriteerd getoeter.
'Ook dat nog,' mompelde Roger.
Een autoportier sloeg dicht. Een lange man stapte in het zilveren schijnsel van de koplampen. Hij zag Ran en zei kortaf: 'Ik had het kunnen weten. Wat is er aan de hand?'
Hij was erg knap, op een toornige, bebaarde, oudtestamentische manier. Zwijgend hoorde hij de verwarrende uitleg aan. Ran stelde hem voor als Edward Reculver. Hij fronste toen hij Berry een hand gaf.
'U vergaat van de kou,' zei hij. 'Waar staat uw huis?'
'Ik weet het niet... een kilometer of dertig...'
'We kunnen u beter meenemen naar Melismate.'
'Ik k... kan mijn auto niet achterl...'
'Maakt u zich geen zorgen om de auto. Ik kom later wel terug met een net om de vijver goed te dreggen. Hij is niet diep.'
Terwijl hij nog in zijn sint-vitusdans van rillingen verkeerde drong het tot Berry door dat Reculver eindelijk wat gezond verstand in deze nachtmerrie bracht. Het portier van de BMW zat niet op slot. Reculver stapte in, deed hem van de handrem en beval Ran en Roger om hem van de weg af te duwen.
'Ik ben bang dat we hem niet kunnen meenemen in de Volvo,' zei Roger. 'Die zit achterin vol houtblokken.'
Reculver vroeg: 'Heb je geen brandstof meer? Dat had je moeten zeggen. Ik neem Berowne wel mee.' Hij had Berry's naam al onthouden.
Berry was niet meer in staat zich te bewegen. Reculver moest hem zowat in de passagiersstoel van zijn Land Rover tillen. In de auto was het heerlijk warm. Door de warmte gingen zijn handen pijn doen. Zijn oren voelden aan alsof ze tegen de zijkant van zijn hoofd waren gespijkerd. Reculver gebaarde dat de Volvo, met Roger en Ran erin, weg moest rijden. Hij klom in de Land Rover en met brullende motor reden ze de weg af.
Berry wierp een blik opzij naar zijn onverzoenlijke, rechtschapen profiel. Reculver zag er jonger uit dan hij bij de eerste indruk had

gedacht. 'Dit is werkelijk erg aardig van u.'
'Geen moeite,' zei Reculver.
'W... waar zei u dat u me heen zou brengen?'
'Naar Melismate. Het oude landhuis, waar Roger woont. Het is slechts een paar kilometer verderop.'
Berry stopte zijn handen onder zijn oksels en begon zich iets beter te voelen. Polly zou niet al te boos zijn als hij haar op een gegeven moment zou bellen vanuit een echt landhuis. Hij zou wat kleren kunnen lenen en de verstandige meneer Reculver zou hem weer verenigen met zijn gestrande BMW. Dan zou hij kunnen ontsnappen aan die geschifte Ran Verrall en hem de eerstkomende tien jaar niet weerzien.
'Wat zullen ze wel van me denken,' zei hij. 'Ik kan niet geloven dat ik mezelf in deze bespottelijke situatie heb gebracht.'
'Ja,' zei Reculver. 'Randolph heeft dat effect wel vaker.'
'Ik weet het. Ik had het moeten weten, van school.'
'Aha, daarom bent u in zijn invloedssfeer terechtgekomen. Wel, maakt u zich maar geen zorgen. Ik kan zien dat u in principe normaal bent. U hebt er niet voor gekozen weer met hem verweven te raken.'
'God, nee,' zei Berry, terwijl hij verlangend aan Polly en haar warme boerderij dacht.
'Ran is getrouwd geweest met een van de meisjes van Melismate,' zei Reculver. 'Ik moet u even waarschuwen voor het huis. Het is er een vreselijke puinhoop. Ze staan op het punt het te verkopen. Ze hebben geen cent.' Hij fronste toen hij de reflecterende wegmarkering voor zich zag. 'Dit is hun eerste kerst zonder hun vader. Hij is in juni gestorven.'
'O,' zei Berry, 'wat afschuwelijk.'
'Dat was het zeker,' zei Reculver. 'We hebben het geen van allen nog verwerkt, wat dat ook moge betekenen. Hij maakte altijd een feest van kerst. Ze moeten hem ondraaglijk missen.' Hij wierp een schattende blik op Berry. 'Ik in ieder geval wel. Ik ben met hem opgegroeid. En ik ken de meisjes al sinds ze baby waren. Hij zou van me verwachten dat ik een beetje op hen zou letten.'
'U bent op hen gesteld,' merkte Berry op.
'Ja,' zei Reculver. 'Ontdooit u al wat?'
'Een beetje.'
'We zullen u thee geven, en een slok brandy.'
Berry voelde zich getroost. Reculver had waarschijnlijk gemerkt dat hij het kouder kreeg door dat gepraat over de dood. Hij richtte zijn fantasie op de in het vooruitzicht gestelde thee en alcohol. Zijn tan-

den klapperden niet meer en hij was doodmoe.
Hij besefte niet dat hij was ingedoezeld tot hij wakker werd. De auto stond stil en Reculver schudde zachtjes aan zijn schouder.
'Kom er maar uit. We zijn er.'
Berry kreeg een wirwar van indrukken vanuit de duisternis, als de uiteengevallen fragmenten van een of andere rare droom. Hij zag een grote deur, waarboven in de steen woorden waren uitgehakt, en een verweerd wapenschild.
'Doe aardig tegen hen,' zei Reculver. 'Ze zijn allemaal een beetje gek. Maar ze hebben een excuus. Ze zullen alles doen om de waarheid over hun vader te vermijden.' Hij hielp Berry uit de auto. 'Het zit namelijk zo: hij heeft zich voor zijn kop geschoten; de zitkamer beneden zat onder de stukjes hersens. Houd dat in gedachten als ze je bestoken met onzin.'

Hoofdstuk vier

Rufa wees de bibberende vreemdeling de weg naar de enige operationele badkamer: een bedompte, echoënde tunnel op de eerste etage. Berry deed zichtbaar moeite om zijn afschuw te verbergen toen hij er binnenging. Rufa schaamde zich. Het was een smerige boel in de badkamer. Om een of andere reden, die ze zich nu niet meer kon herinneren, stond hij vol oude fietsen. De enorme, smeedijzeren badkuip vertoonde aan één kant een groenige vlek, waar generaties achterwerken het emaille hadden afgesleten. De geiser, die aan de muur zat vastgeklonken als een venijnig insect, voorzag in een gierig straaltje lauw water.

Het was Rufa duidelijk dat Berry er niet aan gewend was warm water als luxe artikel te beschouwen. Hij zei geen woord, maar gedroeg zich alsof hij zojuist in een barakkendorp was aangekomen en te veel medelijden had om enige kritiek te uiten. Rufa ontweek zijn verbijsterde, onschuldige blik en gaf hem een handdoek – hard en versleten, maar schoon. Zowel zij als Berry deed net alsof ze de rommelige hoop kleren niet zagen, waarvan Roger zich had ontdaan.

Onderweg naar beneden stelde Rufa zich Berry's badkamer voor – tropisch warm met dikke kleden en bergen donzige handdoeken in smaakvolle kleuren. Wellicht hoge potten met gekleurde zeepjes, zoals je in tijdschriften zag. Zij verlangde hevig naar zo'n badkamer, hoewel ze wist dat de Man haar zou hebben uitgelachen. Wat was er zo verkeerd aan?

Aan de voet van de trap kwam ze Edward tegen. Hij had nog steeds zijn buitenkleren aan en had een gerafeld visnet bij zich. 'Kijk eens wat ik heb gevonden. Precies wat we nodig hebben.'

'Je gaat toch niet meteen weer naar buiten?'

Hij lachte. 'Roger en ik moeten de sleutels van die arme kerel zien op te graven. En dat kan wel even duren, net als bij kapitein Oates.'

'Dat is erg aardig van je.' Rufa vond dat dit niet vaak genoeg tegen Edward werd gezegd. Zijn goedheid werd schandelijk genoeg als normaal beschouwd.

'Ik vind het niet erg,' zei Edward ongeïnteresseerd. 'Het lijkt me een aardige jongen.'
'Nou, ga daarbuiten niet dood van de kou.'
'Wacht even...' Hij pakte haar arm om te voorkomen dat ze naar de keuken zou gaan. 'Ik krijg nooit de kans om je alleen te spreken. Gaat het... goed met je?'
'Met mij? Natuurlijk. Het gaat prima.'
'Je ziet er uitgeput uit. Waar ik tegenwoordig ook kom, overal zie ik jouw potten pasteivulling.'
'Ik hoop dat je er een paar hebt gekocht.'
Hij meende het serieus en liet niet toe dat ze een lichtere toon in het gesprek bracht. 'Je hebt je afgebeuld. Dat gaat zo niet, Rufa. Het kan niet de bedoeling zijn dat jij je tijd doorbrengt met het roeren in pasteivulling.'
Rufa zuchtte. Ze was dol op poëzie, maar Edwards eenvoudige proza kon erg vertroostend werken, zoals droog brood na kilo's chocolademousse. 'Het werk was niet het ergste,' zei ze. 'Ik heb geen moeite met een paar blaren. Het moeilijkste was ze allemaal ervan te overtuigen dat ze de elektriciteitsrekening moesten betalen, in plaats van gin te kopen.'
Hij liet een sombere lach ontsnappen. 'Het is een stelletje luiwammesen.'
'Ach, zo slecht zijn ze niet. Nancy heeft heel veel overgewerkt. Gisteravond had ze een van haar truitjes aan waarin haar borsten goed uitkomen, en ze kwam thuis met een fortuin aan fooien.'
'Nancy is een echte barmeid,' zei Edward. 'Het is een roeping voor haar. Maar jij bent een intelligent meisje, en bij god, ik wou maar dat je iets van je leven zou maken. Ik heb altijd tegen je vader gezegd dat hij een walgelijke egoïst was omdat hij je heeft overreed niet naar de universiteit te gaan. Je bent nog steeds jong genoeg om het alsnog te doen, weet je.'
'Je vindt dat ik hem had moeten negeren,' zei Rufa zonder rancune.
'Je hebt hem verwend, dat hebben we allemaal gedaan.' Edward zuchtte. 'God weet dat ik hem ook niets kon weigeren.'
'Als je de universiteit zo belangrijk vindt, probeer Selena dan zover te krijgen.'
Edward begreep dat ze van onderwerp wilde veranderen. 'Hmm.'
'Je wil me niet geloven, maar ze is vreselijk slim. Een meisje dat Milton en Spenser voor haar plezier leest zou Engelse literatuur moeten gaan studeren.'
'Ik heb het over jou,' zei Edward. Hij deed een stap naar achteren

zodat hij haar kon aankijken. 'Ik zou een waardeloze peetvader zijn als ik zou toestaan dat je je leven vergooit.'
Rufa wist absoluut zeker dat Edward ernstig bezwaar tegen het Huwelijksspel zou hebben. Het idee alleen al zou hem woedend maken; ze zou hem net zo goed kunnen vertellen dat ze dat andere spelletje wilde spelen. Ze wilde hem van het onderwerp 'toekomst' afbrengen.
'Ik denk niet dat het de bedoeling van de Man is geweest om het beroep van peetvader zo hoog op te nemen,' zei ze glimlachend. Edward was zeventien geweest toen de Man had besloten hem de eer te gunnen en vanaf het begin (dit volledig in tegenstelling tot elke andere peetouder die toevallig was aangewezen om de meisjes te sponsoren) had hij zijn plicht met grote ernst vervuld.
Hij schonk haar een van zijn zeldzame glimlachjes, ernstig en teder. 'Ik zie het niet als werk. En ik denk dat ik me altijd zorgen over je zou maken, of je mijn petekind bent of niet.'
Rufa was ontroerd. Ze vergat vaak lange tijd dat Edward zo'n knappe man was. Het viel haar nu plotseling weer op, nu ze zijn gezicht zag in het halfdonker, en het gaf haar een opgelaten gevoel – aantrekkelijk zijn was nooit onderdeel geweest van Edwards functieomschrijving. 'Maak je toch niet druk.'
'Het valt niet mee, maar iemand moet het doen.'
'De dingen zullen beter worden. Dat moet gewoon.'
Edward zei: 'Het verlies van Melismate zou weleens het beste kunnen zijn dat je ooit is overkomen.'
Haar adem stokte. Dit was godslastering.
'Nee, luister nou. Ik bedoel natuurlijk niet het overlijden van de Man. Maar zijn dood zou als positief effect kunnen hebben dat jij vrij wordt. Ik heb veel om je vader gegeven en ben erg gesteld op zijn gezin. Maar om jou geef ik het meest. Jij bent net zoveel waard als het hele stelletje samen.' 'Om iemand geven' was Edwards manier om 'houden van' uit te drukken. 'Op deze manier hoef ik tenminste niet werkeloos toe te zien hoe jij in dezelfde valkuil terechtkomt, het waanbeeld dat je afgesneden bent van de gewone wereld omdat je toevallig wat oude stenen geërfd hebt. Dat is wat tot de dood van je vader heeft geleid.'
Hij gaf haar geen kans te protesteren.
'Zodra dit huis is verkocht, wil ik dat je de echte wereld ingaat. Het maakt me niet uit wat je gaat doen, als het maar opbouwender is dan het vuile werk opknappen voor je hopeloze familie.'
Voor Edwards doen was dit een erg lange en zeer onthullende toespraak – en hij was nog niet klaar. Hij haalde iets uit zijn binnen-

zak. 'Ik wil je dit geven. Het was van mijn moeder.'
Hij stopte een klein, versleten leren doosje in Rufa's hand. Verbaasd omdat ze niet van Edward verwachtte een cadeautje te krijgen dat niet als nuttig was bedoeld, opende Rufa het doosje. Op het verschoten, fluwelen bedje lag een Victoriaanse, massief gouden broche, ingelegd met grote, beduimelde stenen.
'Diamanten en saffieren,' zei Edward.
'Hij is prachtig... maar... ik kan echt niet...' stamelde Rufa.
'Ze zou gewild hebben dat jij hem kreeg, om eerlijk te zijn. Jij was altijd al haar lievelingetje.' Hij grinnikte zachtjes. 'En ze zou verwachten dat je hem zou verkopen. Ik heb begrepen dat hij heel wat waard is.'
'O, Edward...' Het Huwelijksspel schoot meteen weer in Rufa's gedachten. De broche zou misschien genoeg opbrengen om haar aanval op Londen te financieren, zonder dat ze de auto zou hoeven verkopen. Edward hoefde niet te weten hoe zijn geschenk werd gebruikt, tot hij de gegraveerde huwelijksuitnodiging zou hebben ontvangen.
Ze stapte over haar schuldgevoel heen door zichzelf voor te houden dat zijn moeder haar gesteund zou hebben. Ze had de oude mevrouw Reculver aardig gevonden – een kordate, grofgebouwde dame, die vijf jaar geleden was overleden. Edwards moeder zou trouwen voor geld hebben beschouwd als plicht voor een verarmd meisje van goede afkomst. Ze had de radicale denkbeelden van haar zoon over klasse en erfenissen niet gedeeld.
Ze glimlachte hem toe. 'Dank je wel.'
Edward kuste haar op het voorhoofd. 'Vrolijk kerstfeest.' Hij kneep in haar neus, zoals hij had gedaan toen ze klein was. 'En waag het niet de anderen hierover iets te vertellen.'

Voordat hij met Roger vertrok om in de vijver naar Berry's sleutels te dreggen overhandigde Edward zijn officiële kerstgeschenk aan de familie – een grote doos vol verschillende flessen drank. Rose jodelde van vreugde en omhelsde hem stevig. Maar toen hij weg was merkte ze op dat het leek op een beloning van God vanwege haar onzelfzuchtigheid.
'Hij onderwierp hen aan een test, en zij faalden niet. Ja, zij kochten geen gin, en zij waren braaf in Zijn aangezicht.' Ze schonk een flinke scheut Gordon's gin in het dichtstbijzijnde glas.
Lydia en Selena waren naar beneden gekomen, aangetrokken door het geluid van mensen en de geur van uien in de keuken. Lydia straalde, omdat Linnet in slaap was gevallen en Rans laatste vrien-

dinnetje hem in de steek had gelaten. Ze ging op zoek naar glazen, terwijl Selena haar boek lang genoeg opzij legde om een fles Barolo te ontkurken.
De deur ging open. Berry sloop heel langzaam en voorzichtig binnen. Hij was lang en had een behoorlijk buikje. Zijn geleende bruine corduroy broek kon niet helemaal dicht en de openstaande gulp werd slechts gedeeltelijk bedekt door een ruime roze trui. Zijn haar was opgedroogd in de vorm van een ruwe borstel en de naad van zijn broek zat strak tussen zijn billen.
Iedereen schaterde en huilde van het lachen. Het zou pijnlijk geweest kunnen zijn, zoals Rufa later zei, als Berry het niet zo sportief had opgevat. Na enige verbijstering begon hij te grinniken en tilde de broekspijpen omhoog om het komische effect te verhogen.
Wonderbaarlijk genoeg voelde het plotseling als een echte kerst. De keuken was vol met lachende mensen, wat sinds de dood van de Man niet meer was voorgekomen. Berry was nu een beetje gewend geraakt aan deze merkwaardige familie. Nu wist hij alleen nog maar dat ze hun vader verloren hadden, onder afschuwelijke omstandigheden, en dat ze op het punt stonden hun huis ook kwijt te raken. De meisjes waren bloedstollend mooi, maar Berry's verlangen om hen te troosten was niet van zelfzuchtige aard. Hij had zelfs besloten om Ran aardig te vinden.
De hongerverwekkende geur van de soep, die royaal was voorzien van peper en uien, hulde de keuken in een waas van stoom. Berry hielp de tafel te dekken met kommen en een broodplank en zijn goede humeur had een positief effect op de aanwezige hoeveelheid soep. Hij kwam tot de ontdekking dat niemand in het gezin van droge sherry hield en goot de helft van Reculvers fles Tio Pepe bij de soep.
Ze werden verwarmd door de alcohol, die ze in een ongelooflijk tempo tot zich namen, en begonnen kerstliedjes te zingen. Toen ze op een gegeven moment alle soep hadden verorberd alsmede twee broden, werd er een stukje papier onder de deur naar de trap doorgeschoven.
'O, god, dat is Linnet,' zei Rose. 'We hebben haar wakker gemaakt, en nu gaat ze foldertjes verspreiden.'
Op het briefje stond: WAT IS DAT AFSGUWELIJKE LAAWAAI?
Lydia, die dromerig en straalbezopen tegen haar ex-echtgenoot aanhing, zuchtte. 'Mammie, mag ze niet...'
'Vooruit dan maar.' Rose liep over van door gin tot stand gebrachte toegeeflijkheid. 'Laat die kleine stakker maar binnen. Het is tenslotte kerstavond.'

Ran sprong op om de deur open te doen en liep terug naar de tafel met zijn dochter in de armen. Ze had haar blauwe duffelse jasje aan over haar barbiepyjama en droeg een van de Gebroeders Ressany onder elke arm. Ze maakte het zich gemakkelijk op Rans knie en zag eruit als een opgeprikt prinsesje.
'Wie is die man met oma's trui aan?'
Berry bleek uitstekend met Linnet overweg te kunnen, omdat hij niet de fatale vergissing beging om zich anders te gedragen als hij met haar sprak. Hij vertelde het verhaal van de verloren autosleuteltjes alsof ze een van zijn collega's van de bank was, en ze luisterde verrukt toe. Rufa, die iedereen beoordeelde aan de hand van Linnets reactie, beloonde Berry met een kop thee zonder dat hij erom had gevraagd.
Ze was bezig ruzie te maken met de anderen over het openmaken van de brandy, die zij wilde gebruiken voor de pudding van de volgende dag, toen Nancy terugkwam van haar bezoek aan de familie Dent. Ze rende rechtstreeks naar het fornuis, terwijl ze zich uit haar jas wurmde.
'Het is verdomde koud buiten. Moet je mijn tepels zien; ze steken uit als een paar flessendoppen.'
Ze stak haar borst naar voren en iedereen bekeek haar tepels.
Rufa zei: 'Je bent vroeg terug.'
'Ja, godzijdank. De familie Dent is op weg naar een of andere chique nachtmis, kilometers rijden. Ik ben ontkomen voordat ze me konden dwingen mee te gaan.'
Ze zag Berry. Haar lippen vormden zich tot een wulpse glimlach.
'Hallo, ik ben Nancy. Jij bent waarschijnlijk mijn kerstcadeautje – ach, meisjes, dat hadden jullie niet moeten doen.'
'Houd je mond, plaag hem niet,' zei Rufa lachend. 'Hij heet Berry. Hij heeft bij Ran op school gezeten.'
'En hij is heel aardig,' zei Linnet. 'Hij heeft in mijn oor gefluisterd dat hij een plasje moest doen toen hij in de vijver lag.'
Iedereen barstte in lachen uit. Berry's ronde gezicht werd knalrood.
Met trage, verbaasde stem, vroeg Nancy: 'Waarom kunnen we geen cadeautje op Melismate afleveren, kerstman?'
En met diepe, geaffecteerde stem, antwoordde ze: 'Het spijt me, rendier, maar er zit een ondeugend klein meisje dat niet wil gaan slapen.'
Linnet beval: 'Laat de Gebroeders Ressany zeggen dat het allemaal hun schuld is.'
Een diepe stem: 'Hoe durf je die onschuldige beren zo te belasteren? Naar bed, jij!'

Ran stond op en kneep met zijn ene hand Lydia in de schouder. 'Ik breng haar wel naar boven, lieveling.'
'Nou, maar ik ga niet,' zei Linnet knorrig. 'Waarom moet ik altijd naar bed? Wat heeft het voor zin als ik helemaal niet moe ben?'
'Kom mee, mevrouw. Je hebt al genoeg je zin gehad.' Ran tilde zijn dochter op. 'Geef iedereen een kushandje en wens hun vrolijk kerstfeest.'
'Vrolijke kerst.' Linnet kuste haar zeestervormige handje, en zei toen: 'Wacht! Ik wil die meneer die in de vijver heeft geplast, graag een echt kusje geven.'
Ran liep met haar naar Berry. Iedereen probeerde zijn of haar geamuseerde lach in te houden, maar Linnet gedroeg zich uiterst waardig en gaf Berry een koninklijke kus op zijn wang. Ran had een van zijn plotselinge gedaanteverwisselingen ondergaan. De in de steek gelaten minnaar was nu omgetoverd in een zorgzame echtgenoot en vader. Toen hij liefhebbend met het kind de keuken had verlaten, wisselden Rose en Rufa sceptische blikken met elkaar.
Nancy zei: 'Moeder Dent heeft de vrouw van de boekwinkel huilend zien zitten in een wijnbar. Moet ik daaruit opmaken dat ze hem heeft verlaten?'
'Je hebt zijn zelfmoordneigingen van verdriet gemist,' zei Rose.
'Wat jammer. Dat vind ik altijd zo leuk.'
'Maakt niet uit,' zei Selena. 'Er komt wel weer een nieuwe kans.'
'Krengen,' zei Lydia klagend. 'Hij doet zijn best om vrolijk te zijn, en dat allemaal voor Linnet. Jullie moeten niet zo gemeen doen.'
Nancy wierp Berry nogmaals een vriendelijk lachje toe. 'Ik vraag me af wie de volgende zal zijn? Er zijn niet zoveel mogelijkheden meer.'
'Die oude hippie in Bangham, die kristallen sieraden verkoopt,' voorspelde Selena. 'Ik zweer je dat ze gek op Ran is.'
'Stelletje rotwijven!'
Rose moest zo hard lachen dat ze van haar stoel gleed. Met een dronken zucht hield ze zichzelf tegen. 'Stel je niet zo aan, je weet toch dat we allemaal gek zijn op de dorpsidioot. Ik ga hem voordragen voor dorpsidioot van het Jaar.'
Om kwart voor elf kwamen Edward en Roger triomfantelijk terug.
'Ik heb in een nieuwe BMW gereden, nu kan ik rustig sterven,' zei Edward, terwijl hij Berry's sleutels omhoog hield. 'En ik heb jouw auto volgetankt, Rufa, je moet niet zo lang wachten met tanken.'
Rose, die buiten zijn gezichtsveld zat, trok een lange neus.
'Bedankt,' zei Rufa vriendelijk. Ze raakte Berry's arm aan. 'Hier, je bent weer vrij.'

Berry wendde met zoveel weerzin zijn ogen van Nancy af dat je het haast kon horen scheuren. 'Wat zei je?'
'Je sleutels.' Edward stopte ze hem in de hand. 'Je kunt weg.'
'O, ga niet weg!' riep Selena uit.
Berry zei: 'Ik ben helemaal niet van plan om weg te gaan. Ik moet alleen even iets uit de kofferbak halen.'

De kou maakte zijn hoofd helder, maar bracht hem niet bij zijn positieven. Die was hij kwijtgeraakt op het moment dat hij Nancy had gezien. Hij voelde zich opgetogen, doodsbang, herboren. Ze was een roodharige godin, met borsten die hij wilde aflikken. Hij had nooit beseft dat seksueel verlangen zo dringend kon zijn, zo specifiek. Hij had natuurlijk wel meer vrouwen aantrekkelijk gevonden. Maar dit was veel sterker. Seconden nadat zijn oog op Nancy was gevallen, wist hij precies hoe hij de liefde met haar moest bedrijven.
Goeie god, wat zou ze van hem gedacht hebben? Na één blik op haar harde tepels onder die nauwsluitende zwarte jurk was hij gereduceerd tot een stotterende schertsfiguur.
Hij deed de kofferbak van zijn auto open. Zijn adresboekje met het telefoonnummer van Polly's boerderij lag boven op een rieten mand. Berry gooide het boekje ongeduldig opzij. De mand bevatte allerlei heerlijkheden in potten en blikken, en een enorme kalkoen. Hij had hem die ochtend van een klant gekregen, en Polly hoefde er niets van te weten – ze hield trouwens toch niet van dat soort dingen. Hij tilde de mand uit de auto en zette hem op de keien, in zichzelf grinnikend toen hij het gewicht voelde. Dit was een godsgeschenk, besloot hij, dat hij aan de voeten zou leggen van de voedselloze, vaderloze Hasty's.

Hoofdstuk vijf

Berry vertrok om een uur 's nachts, na een plotselinge aanval van schuldgevoel. Verlegen stopte hij een briefje met zijn telefoonnummer in Rans hand, dat Ran meteen kwijtraakte. Dankzij Berry's mand was kerst op Melismate gevierd in een stijl die niet meer vertoond was sinds de laatste winkelkaart van de Man was geblokkeerd. De kalkoen had het formaat van een summoworstelaar. Rose gaf hem een dronken kus voor ze hem in de oven stopte – 'Hij is twee keer zo groot als Kleine Tim!' Tot ieders ongeloof slaagden ze erin een paar dagen niet te rouwen.
Rufa verrichtte wonderen om zo lang mogelijk te doen met het voedsel. Ze maakte kalkoentaart, kalkoencurry en kalkoenrisotto; er zou geen flintertje van het beest verspild worden. Uiteindelijk verzamelde ze op oudejaarsavond de overgebleven botjes waarvan ze een heerlijke bouillon trok. Geduldig stond ze bij de pruttelende pan en schepte het vet van de bouillon. Haar opgewekte stemming was samen met de vogel geslonken. De wolf stond nog steeds voor de deur. De Man was nog steeds dood.
Dit, kon ze niet nalaten te denken, is de laatste dag van het vreselijkste jaar in ons leven.
Ze had er alles, werkelijk alles, voor overgehad om terug te gaan in de tijd, om hem nog één keer te zien en zijn stem te horen. Vorig jaar om deze tijd had de Man een koffer met oude kleren gevonden. Hij en Rose hadden zich uitgedost als hun jongere ik en hadden een demonstratie gegeven van dansen in de jaren zeventig, waardoor ze allemaal huilden van het lachen. Roses etnische jurk was aangevreten door de motten en een van de mouwen was plotseling losgeraakt bij de elleboog en op de grond gevallen. De buik van de Man puilde over de broekband van zijn belachelijke, paarsfluwelen pantalon. Hij en Roger hadden hun gitaar gehaald en gênante oude hits getokkeld van Mott the Hoople en Fleetwood Mac. Edward, die sinds zijn vertrek uit het leger elke oudejaarsavond op Melismate had doorgebracht, had gezegd: 'Bedenk eens wat ik gemist heb, al die jaren op dat afgelegen Sandhurst – de enige plek

op aarde waar kort haar en strakke broeken koppig gehandhaafd werden.'
De Man had gezegd: 'Je moet nog heel wat inhalen, Ed, maar het is nooit te laat om je uit de samenleving terug te trekken.'
Hij was in een zeer goede bui die avond, zich op het onzichtbare nieuwe jaar verheugend als een onsterfelijke twintigjarige.
Rufa kneep haar ogen halfdicht om het beeld van de Man onder het vage keukenpeertje op te roepen. Er was nauwelijks een grijze haar in zijn dikke, kastanjebruine haar te zien. Om middernacht had hij Rose in zijn armen genomen en een paar seconden keken ze elkaar in de ogen alsof de rest van de wereld niet bestond, zoals ze dat altijd deden. Hun liefde, onaangetast door ouderdom of ontrouw, was de rots die hen allemaal beschermde.
Toen, zoals ze altijd deden, spreidden Rose en de Man hun armen om alle vier hun dochters tegelijk te omhelzen.
'Mijn zijdeprinsesjes, mijn vlindertjes, mijn orchideetjes! Wie wil er nou zonen?' Hij zou nooit accepteren dat hij een zoon had moeten wensen, die de eerbiedwaardige naam van de Hasty's had moeten voortzetten. Hij had Linnet wakker gemaakt, die chagrijnig en slaperig was, om haar een slokje wijn te geven, zoals hij ook had gedaan toen zijn eigen dochtertjes klein waren. Hij had Linnet verrukt door net te doen alsof hij de Gebroeders Ressany ook wat gaf, om hen vervolgens een cent boete op te leggen vanwege dronkenschap en afkeurenswaardig gedrag. Hij had Roger omhelsd en Edward gekust, voornamelijk om hem te plagen. Ten slotte had hij, geheel volgens traditie, zijn glas geheven en met tranen in zijn ogen gemompeld: 'Op afwezige vrienden.'
Rufa knipperde met haar ogen de opkomende tranen weg. Hij had zijn aanbeden moeder bedoeld, die al dood was sinds zijn puberteit. En nu was hij zelf de afwezige vriend. Ze had alle herinneringen opgeroepen, op zoek naar aanwijzingen. Later waren er wat minder prettige perioden geweest, maar afgelopen kerst was probleemloos verlopen. De Man had een overwinninkje gevierd dat hij had behaald op 'de verschrikkelijke dokter Phibes', alias Sir Gerard Bute, de plaatselijke jachtopziener. De Man was opgehouden met jagen toen hij begon achter te lopen met zijn contributie en te fors was geworden om zijn vaders oude roze jas nog aan te kunnen. Typisch voor hem had hij toen besloten dat jagen verkeerd was en de jacht van zijn land verbannen.
Dat was het jaar geweest van Edwards terugkomst en Edward had, tot grote woede van de verschrikkelijke dokter Phibes, meegedaan met de strijd van de Man tegen de wrede behandeling van vossen.

Sindsdien hadden ze allebei elk jaar meegelopen in de protestmars op Boxing Day. De overige protestanten waren voornamelijk 'volkoren stadstypes' (in de woorden van Sir Gerald) en hij beschouwde zijn buren als verraders – met name Edward, die ooit officier en heer was geweest en een onversaagd ruiter die met de honden reed. Edward had de jachtpartij gevolgd in zijn Land Rover, met de Man die uit het raam hing en antibloedsportfoldertjes rondstrooide en rauwe kreten slaakte door een megafoon. Rufa kreeg warme gevoelens bij de herinnering aan de twee, die na donker thuiskwamen, onder de modder en soms met een verbijsterde, ondankbare vos. Dit waren de enige gelegenheden waarbij ze Edward dronken hadden meegemaakt. Hij en de Man goten zichzelf de hele dag vol met zijn gortdroge, zelfgemaakte sleedoorngin en je kon hen van verre al horen zingen. Het nieuwe jaar was niet compleet geweest zonder een boze brief van Sir Gerald.

Rufa hield even op met het afschuimen om haar ogen af te vegen. Sir Gerald Bute had geen letter geschreven toen de Man was gestorven en Edward had hem fier verworpen als een 'schijterd'. Deze Boxing Day was erg moeilijk geweest voor Edward. Iedereen kende momenten en plekken waar de afwezigheid van de Man onverdraaglijk was. Edward was gevlucht naar Melismate, omdat hij er niet tegen kon de honden te horen blaffen op de weg die naast zijn boerderij liep.

Roger kuierde de keuken binnen. 'Nog bezig?'

'Nog maar eventjes.' Ze hield haar blik gericht op de pan, zodat hij niet zou zien dat ze huilde.

Hij kneep haar even zachtjes in de schouder. 'Je staat hier al uren. Gun jezelf even wat rust.'

'Ach, ik ben bijna klaar.'

'Hier. Laat mij het maar doen.' Roger nam de schuimspaan van haar over en duwde haar zachtjes weg van het fornuis. 'Je kunt me vertrouwen. Ik ben befaamd vanwege mijn geduld.'

Dit was waar, en een warm gevoel voor hem doorstroomde Rufa. Goeie ouwe Roger. Zijn geduld en zijn onopvallende, gulle toewijding hadden voorkomen dat Rose haar hoofd had verloren tijdens de dagen na de trieste gebeurtenis.

'Bedankt, Rodge. Het moet nog ongeveer anderhalve centimeter inkoken.'

'Oké.'

Rufa maakte een mok thee en besteeg de gammele trap naar de kinderkamer. Het grijze platteland was verlost van de intense kou en zware regen sloeg tegen het daklood. Er druppelde water door de gaten in het plafond, dat weerzinwekkende klanken produceerde wanneer het in een emaillen emmer en twee po's viel. Nancy lag op de sofa terwijl ze een minuscuul vuurtje brandend hield en een gescheurd exemplaar van *Woman's Weekly* las, dat ze had gevonden in een van de stapels afgedankte rommel.

'Hallo,' zei ze. 'Is de soep klaar?'

'Bijna.'

'Mag ik een beetje voordat ik naar de pub ga? Ik moet om zes uur beginnen.'

Rufa zei: 'Ook jammer, dat je op oudejaarsavond moet werken.'

Zonder haar ogen op te slaan zei Nancy: 'Het verdient goed en de hemel weet dat we het nodig hebben.' Ze keek op. 'Ik wil ook niet hier blijven. De herinneringen zouden me verstikken.'

'Ik weet het. Maar ik zal je missen.'

'Hou op, Ru. Het spijt me.' Nancy fronste haar wenkbrauwen. 'Wat een vreselijke rotdag. Water dat door het plafond komt is alleen maar grappig in boekjes over sympathieke, dwaze families. In het echt is het alleen maar deprimerend.'

'Schuif eens op,' zei Rufa. 'Ik moet even op de bank liggen. Ik heb het gevoel alsof ik die hele, acht kilo zware kalkoen in mijn eentje heb verorberd.'

Nancy ging tegen een van de leuningen zitten om plaats te maken voor Rufa. 'Er staat een geweldig verhaal in dit blad. Het gaat over een secretaresse die met haar baas trouwt. Ze probeert er onaantrekkelijk uit te zien, zodat hij haar efficiency zal bewonderen. Dan komt er een windvlaag die haar bril wegblaast en haar haar losmaakt, en opeens ziet hij dat ze mooi is. Zo'n domoor hoort in een gesticht thuis.'

'De Man zei altijd dat je mannen alles kon wijsmaken. Hij zei dat als een onaantrekkelijke vrouw met redelijke benen jarretels draagt, een gemiddelde man een aantal uren nodig heeft om tot het besef te komen dat ze niet bloedmooi is.' Ze moesten lachen. Door de uitspraken van de Man tegenover elkaar te herhalen leek hij even dichtbij te zijn, en vervolgens verder weg dan ooit.

'O, wisten we maar waarom,' zuchtte Rufa. 'Waarom heeft hij het gedaan, Nance?'

'Dat zullen we nooit te weten komen,' zei Nancy verdrietig. 'Dus kunnen we net zo goed ophouden het ons af te vragen, en hem laten gaan.'

Rufa schudde haar hoofd. Ze weigerde de Man te laten gaan. 'Er had een briefje moeten zijn. Jij weet toch ook dat hij niets kon doen zonder een hoop tamtam. Waarom heeft hij niet tenminste

een briefje voor ons achtergelaten?'
Nancy boog zich over het kleed om een houtblok vol spinrag op het vuur te gooien. 'Dat had ons toch niet voldoende uitleg gegeven. We zouden altijd meer hebben willen weten.'
'Gewoon "vaarwel" zou genoeg zijn geweest,' zei Rufa. 'Vaarwel en ik houd van jullie.'
'Houd op jezelf te kwellen.' Nancy's gezichtsuitdrukking was vriendelijk, maar haar stem klonk ferm. 'Het is nu het nieuwe jaar en we moeten ophouden net te doen alsof het gisteren gebeurd is – daarin heeft Edward absoluut gelijk. We moeten aan de toekomst denken.'
'Ik weiger zomaar toe te geven, Nance.'
'Wat bedoel je?'
'Ik ga niet ten onder zonder te vechten.' Bleek en vastbesloten en met in elkaar geklemde handen door de opwinding, vertelde Rufa Nancy over Edwards broche. 'Hij zegt dat hij me zal helpen er een goede prijs voor te krijgen, op voorwaarde dat ik hem beloof er iets nuttigs mee te doen.'
'Zoals je tieten laten vergroten,' stelde Nancy voor.
'O, ha, ha. Ik probeer serieus te zijn.'
Nancy leunde voorover. 'Waarom kan Edward je niet gewoon geld geven in plaats van zo'n poppenkast op te voeren?'
Rufa bleef geduldig. Deze vraag was ook bij haar opgekomen en ze had haar antwoord klaar. 'Je weet hoe moeilijk hij kan doen over contant geld, hij wil er niks mee te maken hebben. En toch kun je hem niet gierig noemen.'
'Nee, maar hij wil wel altijd de touwtjes in handen hebben. Het komt erop neer dat hij je geen cent zal geven, tenzij je doet wat hij zegt.'
'Hij vertrouwt me,' zei Rufa. 'Als ik zeg dat ik het geld van de broche zal gebruiken om een cursus te betalen, of om een zaakje te beginnen, zal hij me geloven.'
De betekenis van haar woorden ontging Nancy. 'Natuurlijk zal hij je geloven, hij weet dat je niet kunt liegen, al hangt je leven ervan af.'
'Ik heb al een belofte verbroken. Ik heb gezegd dat ik niemand van jullie over de broche zou vertellen.'
'Die ouwe zeur dacht natuurlijk dat we je het geld afhandig zouden maken.' Nancy kon niet altijd goed met Edward opschieten. De Man had gezegd dat ze elkaars tegenpolen waren – heet en koud, los en vast, oraal en anaal. 'Waarom vertel je het me eigenlijk?'
'Ik wilde je iets vragen.'

Nancy gooide haar tijdschrift opzij en kwam dichter bij Rufa zitten. 'Lieverd, je gaat me toch niet vertellen dat je nog steeds aan dat belachelijke Huwelijksspel denkt.'
'Ik krijg het niet uit mijn gedachten,' zei Rufa ernstig.
'O, god, ik had het kunnen weten. Dus zo wanhopig ben je!'
'Je beseft toch dat het in theorie mogelijk is, nu we wat geld hebben,' vervolgde Rufa koppig. 'We kunnen investeren in de juiste kleding, naar de juiste gelegenheden gaan...'
'En als het niet lukt? Ik wil niet dat Edward me ervan gaat beschuldigen dat ik je op het verkeerde pad heb gebracht.'
Hieraan had Rufa nog niet gedacht en ze moest bekennen dat dat precies was wat Edward zou doen. 'Als we falen, zal ik bekennen. Ik zal alle schuld op me nemen.'
'Nou,' zei Nancy. 'Ik weet het niet, hoor.' Ze zweeg, keek bedenkelijk naar Rufa en woog haar kansen af. 'Wat ga je doen als ik nee zeg?'
'Ik weet niet.' Rufa bleef even stil en zei toen snel: 'Dan doe ik het zelf.'
Nancy begon opeens te lachen. 'Ik was al bang dat je dat zou zeggen. Je weet dat ik je nooit alleen naar Londen zou laten gaan.'
'Waarom niet? Ik ben niet achterlijk,' zei Rufa geprikkeld. 'Ik kan heus wel voor mezelf zorgen.'
'Dat zal niet nodig zijn. Ik ga met je mee.'
'Betekent dit dat je het zult doen? Het Huwelijksspel?'
Nancy zuchtte en staarde nadenkend in het vuur. 'Ja, ik neem aan van wel. Het komt me eigenlijk wel goed uit nu. Mijn verhouding met Tim... tja, hij is niet de man die ik had gedacht. Zijn moeder geeft alsmaar hints dat hij terug naar de universiteit zal gaan zodra ik van het toneel verdwenen ben. Ik moet mijn horizon verbreden.'
Het Huwelijksspel had stevig post gevat in Rufa's gedachten. Ze had niets en kende niemand, en vanuit die positie had ze de kerst doorgebracht met het bouwen van een hoopvol kaartenhuis. 'De mannen, onze potentiële echtgenoten, moeten wel zeer, zeer rijk zijn,' zei ze. 'Niet alleen wat de oude mevrouw Reculver "in goeden doen" noemde. We hebben een ruïne van een huis en een enorme berg schulden op onze nek. Alleen een tycoon kan ons uit de penarie helpen zonder dat hij er last van heeft. We moeten op zoek naar een popster die miljardair is.'
'Prima,' zei Nancy, 'als we er maar een paar kunnen vinden die geen vette ouwe trollen zijn.'
Rufa hield vol. 'Dan maar vette ouwe trollen, als het moet. We doen dit niet voor de lol. We hebben gewoon de opdracht om een paar

heel rijke mannen op te snorren en ervoor te zorgen dat ze verliefd op ons worden. Hoe ze er ook uitzien.'
Nancy kreunde. 'Houd op, je maakt me bang. Er moeten toch rijke mannen te vinden zijn die zonder Gucci-tas over hun hoofd naar buiten durven.'
'Nance, wees alsjeblieft serieus!'
'Het spijt me.' Nancy's blik verzachtte zich, toen ze zag hoeveel het Huwelijksspel voor Rufa was gaan betekenen. 'Ik ben er gewoon niet aan gewend dat jij zo stapelgek doet, jij was toch altijd de verstandigste thuis. Ik wil maar zeggen, dit heeft geen enkele kans van slagen.'
'Een piepklein kansje, en dat moet genoeg zijn. De vraag is: kun je het aan?'
'Ik denk het wel,' zei Nancy.'Het lijkt me heerlijk om naar Londen te gaan. Ik heb het gevoel dat ik hier niet goed uit de verf kom. Ik heb zoveel behoefte aan liefde.'
Rufa lachte zachtjes. 'Berry viel op je.'
'Ja, hè? Maar ik geloof niet dat hij mijn type is. Hij heeft een buikje, en dan dat borstelhaar.' Ze ging kordaat rechtop zitten. 'Nou, wanneer verlaten we de Kersentuin en gaan op weg naar Moskou?'
'Zodra ik de broche heb verkocht en Edward wat leugens op de mouw heb gespeld, zal ik Wendy bellen. Maar, Nance...' Rufa's gezicht, dat gewoonlijk een gereserveerde uitdrukking had, was nu smekend. 'Je zult toch echt je best doen, hè? Ik noem het steeds een spel, maar het is geen spelletje. Ik zou het niet kunnen verdragen als je het als een grap zou beschouwen.'
Nancy glimlachte en raakte haar lievelingszusje liefkozend met haar voet aan. 'Maak je geen zorgen, ik zal het niet verpesten. Ik zal me ongelooflijk serieus opstellen. En ik wed dat ik als eerste zal scoren.'
'O, daaraan twijfel ik niet,' zei Rufa. 'Maar ik wed dat ik het eerste voorstel zal krijgen dat niet onbehoorlijk is.'

Wendy Withers had zich juist teruggetrokken uit een heftige ruzie met haar veeleisende, homoseksuele huurder (in tegenstelling tot haar ongemanierde heteroseksuele huurder), toen Rufa's telefoontje kwam. Dit verlichtte de januariochtend als een bliksemflits. Na het gesprek was Wendy zo opgewonden dat ze een pak Mr. Kipling-amandelkoekjes openmaakte. Laat de calorieën maar barsten. Rufa en Nancy zouden naar Londen komen, en dat moest gevierd worden.
Wendy was een grote vrouw, die haar leeftijd niet meer bijhield

sinds ze een paar jaar daarvoor vijftig was geworden. Sinds ze niet meer op Melismate woonde had haar leven bestaan uit een vervelende strijd tegen de armoede en de oprukkende middelbare leeftijd. Ze hulde haar zachte, omvangrijke lichaam in doorzichtige Indiase gewaden, die in de jaren zeventig in de mode waren. Haar hennakleurige haar droeg ze lang, omdat de Man ooit had gezegd dat dit haar aantrekkelijkste lichamelijke kenmerk was. Ze had altijd rouge op haar talkbleke wangen, zelfs als ze de hele dag in de kelder zat met haar reflextherapieklanten – alternatieve therapieën waren een grote aanwinst geweest, dacht ze vaak, voor vrouwen zoals zij, die geen familie, kwalificaties of talent bezaten. Melismate en zijn bewoners waren de liefde van haar leven.
'We staan erop je te betalen,' had Rufa gezegd. 'Anders komen we niet. Ik heb net iets verkocht, dus we zitten niet zo krap als gewoonlijk.'
'Een symbolisch bedragje dan,' had Wendy toegegeven. Innerlijk feliciteerde ze Rufa dat ze nog een stukje roerend goed had kunnen opduikelen. Toen zij in Melismate woonde was er een voortdurende uittocht geweest van zilver, porselein, meubilair en alle andere dingen die niet vastgespijkerd zaten.
'We willen zo weinig mogelijk ruimte in beslag nemen,' had Rufa gezegd. 'Stop ons maar op zolder of zo.'
Wendy piekerde daar niet over. God wist dat er genoeg ruimte in dit sjofele oude huis was. Het bevatte vijf slaapkamers en naast haarzelf woonden er nog slechts haar twee huurders, Max en Roshan. Ze woonden op de bovenste verdieping. Haar geliefde meisjes konden de grote kamer aan de voorkant op de eerste verdieping krijgen.
Ze wapende zichzelf met nog een amandelkoekje en Wendy ging naar boven om de kamer te inspecteren. Bekijk het maar van de positieve kant, dacht ze. Hij was spaarzaam gemeubileerd en sommige mensen zouden hem deprimerend kunnen noemen. Maar hij lag vlak bij de badkamer en was voorzien van een erker met een leuk uitzicht op Tufnell Park Road.
Er stonden twee eenpersoonsdivans, een kaptafel met laatjes en een kledingkast. Als je langs de kledingkast liep, kletterden de metalen hangertjes die erin hingen onheilspellend. Wendy besloot de kamer op te vrolijken met een ingelijste poster van Gandalf, die nu nog in de kelder hing.
De meisjes zouden naast haar kamer verblijven, en wat een plezier zouden ze met elkaar hebben – kletspraatjes en vertrouwelijke gesprekken en lekkere verboden hapjes op de gekste uren. Ze zou ten-

minste iemand hebben om de kleine beloningen mee te delen die ze zichzelf toestond om verder te kunnen. Max en Roshan verwaardigden zich af en toe om een afhaalmaaltijd met haar te eten, maar er ging niets boven meidengezelschap. 'Andere meiden', zoals ze nog slechts een paar jaar geleden zou hebben gezegd.
Wendy had het huis in Tufnell Park geërfd van een oudtante. Het was vol krullerige kroegtapijten en sombere formicameubeltjes uit de jaren zestig, waarvan de poten op een spoetnik leken. Wendy was erg dankbaar dat ze een dak boven haar hoofd had, maar het huis gaf haar een gevoel van verslagenheid en hulpeloosheid. Ze had het decor niet gekozen en de kracht ontbrak haar om de baas te zijn over haar omgeving. Er was nooit genoeg geld om meer te doen dan een paar Indiase kleedjes neer te leggen. Er was niets dat de koppige geur van tante Barbara kon verwijderen. Het smalle, vier verdiepingen tellende halfvrijstaande huis schreeuwde van behoefte aan de jeugd en energie van de Hasty-meisjes.

Rufa en Nancy arriveerden de volgende middag. Roger had hen naar het station gebracht en Nancy had nog steeds een beetje de smoor in dat Rufa haar Volvo op Melismate had gelaten.
Rufa had gezegd: 'Mammie heeft hem nodig, al zegt ze van niet. En gezien worden in een oude, aftandse bak is erger dan helemaal geen auto hebben.'
Ze had geld willen uitsparen door de metro te nemen, maar Nancy stond op een taxi. Wendy kwam hen met vreugdekreten en een vochtige uitbarsting van tranen tegemoet op de trap naar de ingang. Ze had de meisjes niet meer gezien sinds de begrafenis van de Man en kon haar tranen niet bedwingen.
De vriendelijke, geduldige Rufa klopte haar op de schouders en kalmeerde haar en maakte thee voor hen allemaal in het keukentje achter de behandelkamer. Nancy zat aan de tafel en at de amandelkoekjes op, terwijl de arme Wendy zat te snikken vanwege het verlies van haar grote liefde. Bij de begrafenis bleek ze een van ongeveer tien ontroostbare vrouwen te zijn. Rufa vond het niet meer dan terecht om haar nu de luxe te gunnen om uiting te geven aan haar verdriet, nu er geen concurrentie was.
Twee kommen thee en een pakje Maryland-koekjes later snoot Wendy haar rode neus en ging hen voor naar boven. De twee meisjes waren opgetogen over hun kamer.
'Wat is het hier schoon, hè?' zuchtte Rufa.
'En zo heerlijk warm!' riep Nancy uit. Ze liet haar rugzak op een van de bedden vallen en knikte naar de poster van Gandalf. 'Is dat

een ouder familielid van je?'
Wendy giechelde vrolijk. De Man had haar ook altijd op deze manier geplaagd. 'De badkamer is op de overloop en beneden is er nog een wc. Ik ben bang dat jullie die zullen moeten delen met mijn huurders.'
Nancy vroeg: 'Hoeveel huurders?'
'Twee maar.'
'Sekse?'
'Niet hier in huis,' zei Wendy ernstig. 'Dat maakt te veel lawaai.'
Nancy stikte bijna van het lachen. 'Ik bedoel: zijn het mannen of vrouwen?'
'Allebei mannen.' Wendy's huurders vormden haar belangrijkste gespreksonderwerp, en de interesse in Nancy's ogen ontging haar. 'Roshan huurt de bovenste verdieping aan de voorzijde. Hij is een Indiër uit Leicester en journalist. En homo.'
'O.' Nancy's interesse nam af. 'En die andere is zeker zijn vriend.'
Wendy keek nog ernstiger. 'Ik vind het helemaal niet erg dat Roshan homo is. Ik heb alleen bezwaar tegen mensen die de gezamenlijke badkamer in beslag nemen; hij zit daar altijd zijn borst te ontharen. En als hij het warme water gebruikt heeft moet de boiler weer helemaal opnieuw opwarmen.'
'Misschien moeten we een rooster opstellen,' stelde Rufa voor.
'O, dat heb ik al geprobeerd. Hij trok zich er niets van aan. En Max ook niet. Die niet zijn vriendje is, trouwens.'
Nancy, wier ogen weer begonnen te schitteren, vroeg: 'Is hij geen homo?'
'Integendeel,' zei Wendy nuffig. 'Ik heb een seksverbod moeten instellen omdat ik steeds andere meisjes in de keuken tegenkwam. Hij werkt bij de BBC en beweert dat hij bezig is een boek te schrijven.'
Nancy trok haar wenkbrauwen op en keek Rufa aan. 'Misschien meer jouw type.'
'Hij kan best aardig zijn,' kletste Wendy onschuldig door, 'alleen zit de wastafel vol zwarte haarjes als hij zich geschoren heeft, wat hij niet vaak doet. En je moet Max in de gaten houden als je iets in de ijskast hebt staan – en denk maar niet dat het helpt om er je naam op te zetten. Roshan daarentegen zal de spullen in mijn keuken nog met geen tang aanraken. O, nee. De gedachte alleen al. Hij heeft zijn eigen ijskast, jawel, en een magnetron.'
Rufa besteedde geen aandacht aan de opsomming van al deze ergernisjes. Ze keek Nancy streng aan. 'Ik verbied je verliefd op hen te worden, hoor.'
'De wind waait waar hij gaat, lieverd, zoals de Man altijd zei. Ik

zal mijn best doen, maar ik kan mijn hart niet dwingen.'
'Nou, je zorgt maar dat je dat hart van je in bedwang houdt, anders wordt het niks.'
Nancy zuchtte en rolde met haar ogen. 'Je bent wreed. Eerst laat je de auto thuis, dan dwing je me om ondergoed te dragen, en nu zeg je dat ik niet verliefd mag worden.'
Rufa wilde iets terugzeggen, maar toen zag ze Wendy's verbijsterde gezicht. 'Ik barst van de honger,' zei ze snel. 'Zullen we pizza bestellen?'
Ze had helemaal geen honger, maar hoopte dat de pizza Nancy's gedachten over romantiek die niets opleverde zou afleiden. Het werkte; eten was, naast de liefde bedrijven, Nancy's lievelingsbezigheid. Kreunend van verrukking verslond ze plakken ham en pizza met ananas, terwijl Rufa Wendy inlichtte over het Huwelijksspel.
Wendy vroeg: 'Is het niet een beetje overhaast om naar Londen te komen om met die mannen te trouwen, terwijl ze nog niet eens een aanzoek hebben gedaan?'
'Dat is nou juist het punt,' zei Nancy, die zich weer zakelijk opstelde. 'We hebben onze echtgenoten nog niet ontmoet. We weten niet eens wie ze zijn.'
'O... ik begrijp het...' stamelde Wendy.
'Het moeilijkste zal zijn om onze doelwitten te identificeren,' zei Rufa. 'Maar zodra dat gelukt is, gaan we naar de plaatsen waar ze zich ophouden. Het moet mogelijk zijn. We hebben natuurlijk nieuwe kleren nodig. De Man zei altijd dat je overal naar binnen kon zolang je er maar uitzag of je er thuishoorde.'
Wendy bekeek de meisjes eens goed. Ze droegen allebei een spijkerbroek met een trui en zagen er toch volkomen verschillend uit. Nancy's prachtige haar hing los. Ondanks de januarikou had haar strakke zwarte trui een diep decolleté. Rufa's haar was netjes gevlochten. Ze had haar spijkerbroek gestreken en ze droeg een blauwe zeemanstrui. Ze waren bloedmooi, maar het was moeilijk om je hen voor te stellen bij een van die highsociety-bijeenkomsten waarover Wendy in haar krant had gelezen. 'Zal het niet verschrikkelijk veel geld kosten?'
Rufa voelde zich ongemakkelijk toen het geld ter sprake werd gebracht. Ze sprak geërgerd. 'Veel hebben we niet, we moeten ons tot het absoluut noodzakelijke beperken.'
'Ondergoed,' verklaarde Nancy, 'is niet absoluut noodzakelijk.'
'Wel waar. Probeer dit moeilijke concept te begrijpen, je moet eruitzien als een dame. En je zodanig gedragen.'

'Moet je haar horen,' zei Nancy, kauwend op slierten gesmolten mozzarella. 'Ze denkt dat ik de verkeerde vork zal gebruiken bij het diner en aan mijn achterwerk zal krabben voordat ze een toast op de koningin hebben uitgebracht. Doe even normaal, meisje.'
Rufa was echter vastbesloten om Nancy te dwingen volgens strikte regels te spelen. Zodra ze samen waren, zei ze: 'Ik meende het, over die huurder.'
'O, goed hoor. Maak je niet druk. Als hij een boek aan het schrijven is, lijkt hij waarschijnlijk toch te veel op die slome Jonathan.'
'Je moet het zweren.'
'In godsnaam!'
'Herhaal wat ik zeg: ik, Nancy Veronica Hasty...'
'Ik zweer het, oké?' Nancy's stem veranderde in een perfecte imitatie van die van Wendy: 'Ik zal niet eens naar hem kijken, de gedachte alleen al.'
Rufa barstte in lachen uit. 'Kreng. Je zit nu al te duimen.'
Roshan Lal was een tengere, broze jongeman, wiens huid de kleur van sterke thee had. Wendy vond hem prikkelbaar en klagerig en ze was van mening dat hij veel te veel eisen stelde voor de huur die hij betaalde. Maar hij was een betrouwbare huurder en ze hoopte dat hij de invasie van de Hasty's niet erg zou vinden.
Ze had zich geen zorgen hoeven maken. Toen Roshan de volgende ochtend de onafgesloten badkamer binnenkwam, trof hij Nancy aan, die in bad lag, een sigaret rookte en *Private Eye* las.
'Hallo,' zei ze. 'Jij zult de homo wel zijn. Kun je me even een washandje aangeven?'
Binnen een paar minuten zat hij gierend van de lach op het deksel van de wc en beloofde Nancy mee te nemen naar alle homobars in Camden Town. Toen hij Rufa ontmoette, slank en afstandelijk als een lelie, aanbad hij haar onmiddellijk.
Voordat Rufa haar kon tegenhouden vertelde Nancy Roshan over het Huwelijksspel. Hij vond het prachtig en wilde meteen plaatsnemen in het comité. 'Ik ben precies de persoon die jullie nodig hebben. Ik lees elk tijdschrift dat bestaat en ik weet wie de echte homo's zijn. Jullie zullen versteld staan.'
Hij keek Rufa eerbiedig aan en nodigde de zusjes uit om in zijn slaapkamer op de bovenste verdieping te komen ontbijten. De kamer was uiterst schoon en stond zo volgestouwd met comfortabele en mooie dingen dat ze op de graftombe van een farao leek. Er stond een vlekkeloze Apple Mac op een stofvrij bureau. De muren waren wit geverfd. Hij had een magnetron, een stoomstrijkijzer en een sissend koffiezetapparaat. Nancy, gehuld in een knalroze badjas die vrese-

lijk vloekte bij haar haar, ging op het tweepersoonsbed liggen. Roshan schonk koffie in tere Conran-mokken. Hij legde chocoladecroissants in zijn magnetron.
'Het is geweldig om jullie in levenden lijve te ontmoeten,' zei hij. 'Wendy heeft het altijd over jullie. Haar slaapkamer hangt vol met foto's van jullie vader.'
'Ik vind het onbegrijpelijk dat jullie in één huis wonen,' zei Nancy. 'Hoe hebben jullie elkaar in vredesnaam gevonden?'
'Op yogales in Highgate. We raakten een keer aan de praat en ze vertelde dat ze een kamer te huur had. Ik kan je niet duidelijk maken hoe ze eruitziet in een gympakje. Arm worstenbroodje, ik denk dat ze zich bewust is van haar leeftijd nu ze met ons in één huis woont. Max en ik zijn tenslotte een jaar of dertig jonger dan zij. We beschouwen een computer niet als iets van een andere planeet en we waren nog niet eens geboren toen Bob Dylan begon met zijn elektrische gitaar.'
'Ze is blijven steken in de tijd dat ze onze vader heeft leren kennen,' legde Nancy uit. 'Ze is een soort Miss Havisham van de jaren zeventig.'
Roshan deelde de croissants rond. Hij knabbelde aan de zijne als een vogeltje. 'Ik reken op jullie om een einde te maken aan een meningsverschil. Max en ik willen dolgraag weten of jullie seksgod van een vader werkelijk met Wendy heeft geslapen. Max wedt om tien pond dat het nooit gebeurd is. Ik ben ervan overtuigd dat het wel zo is.'
Nancy grinnikte niet onvriendelijk. 'Jij wint. Hij heeft beslist met haar geslapen.'
'Hij was erg op haar gesteld.' Rufa vond dat ze dit eraan toe moest voegen.
'O, zeker,' stemde Nancy in. 'De Man ging alleen naar bed met vrouwen van wie hij hield. En meestal bleef hij na afloop altijd een beetje verliefd op hen.'
Roshans grote, natte ogen keken smachtend. 'O, god. Hij klinkt absoluut goddelijk.'
'Ja, dat was hij ook,' zei Nancy. 'Hoewel het in het algemeen gesproken geen goed idee was om verliefd op hem te worden.'
'Nance!' Rufa was geshockeerd. Dit was godslastering.
'Hij was de grootste lieverd van de wereld,' zei Nancy rustig. 'Maar hij liet mensen niet los. Oppervlakkig gezien leek het een schoft.'
Rufa had zichzelf nooit toegestaan de Man in dit ongunstige licht te zien, en ook nu weigerde ze dat te doen. Zwijgend dronk ze haar koffie op. Haar vaders hart was even vriendelijk geweest als zijn

gezicht. Niets wat hij deed kon zijn lieve karakter bederven.
Roshan en Nancy hadden gierend van de lach de aanval geopend op een stapel tijdschriften. Ze waren op zoek naar geschikte echtgenoten, maar volgens Roshan was iedereen behalve de aartsbisschop van Canterbury in het geniep homoseksueel. Rufa liet het zoeken aan hen over en ging naar beneden om haar was uit Wendy's wasmachine te halen.
Toen ze bezig was Nancy's verzameling piepkleine T-shirts en haar eigen keurige onderbroeken op te vouwen ontmoette Rufa de andere huurder. Max Zangwill dook de keuken in, smeet een sleutelbos neer en trok de ijskast open. Nadat hij de melk had gepakt bekeek hij Rufa eens goed en besefte dat zij waarschijnlijk niet een van Wendy's linzen etende klantjes was.
Terneergeslagen stelde Rufa zichzelf voor. Ze zou Nancy nooit bij deze man weg kunnen houden. Hij was zeer aantrekkelijk – lang en gespierd, met ondeugende, amandelvormige ogen en dik zwart haar. Zijn kapotte spijkerbroek en verbleekte geruite hemd markeerden hem als de zoveelste verarmde knapperd van het type dat Rufa maar al te goed kende.
Max maakte een kop thee voor Rufa en legde vier van Wendy's beschuitbollen in de oven.
'Ik barst van de honger,' zei hij. 'Ik ben helemaal uit Sevenoaks komen rijden. Je bent op de hoogte van Wendy's "geen seks in dit huis"-regel, neem ik aan?'
Ondanks zichzelf moest Rufa lachen. 'Ze zegt dat het door jou komt.'
'Ze vindt het leuk om me af te schilderen als een op seks belust varken, omdat ik de enige persoon in dit huis ben met een normaal seksleven.'
Vanboven in het huis hoorden ze Nancy een harde schreeuw geven, die gevolgd werd door hard gelach. Max keek nieuwgierig omhoog.
'Ru!' Het geluid van rennende blote voeten klonk op de trap. Nancy vloog de keuken binnen met een tijdschrift onder haar arm. 'Ru... o, sorry...' Haar bleke huid, die ze als rossig type had, kreeg een charmante rode kleur. Ze trok de ceintuur van haar kamerjas die door het onbevangen, bewonderende gestaar van haar af leek te glijden strakker om zich heen.
'Dit is Max,' zei Rufa berustend. Er waren toch genoeg onopvallende mannen in de wereld, God wist het, waarom had Wendy niet een van hen als huurder kunnen nemen? Nancy slaagde erin er fantastisch uit te zien, hoewel ze nauwelijks gekleed was.

'Hoi.' Ze glimlachte tegen zijn vrijpostige, donkere ogen. 'Ik ben Nancy. Ru's zusje.'
'Ja, ik kan zien dat jullie op elkaar lijken. Ik ben Max, de heteroseksuele huurder, die vreselijk aangedaan is door de aanblik van mooie, schaars geklede jongedames. Ik vrees voor mijn bloeddruk met jullie twee in de buurt.'
Roshan kwam net op tijd de keuken in om dit te kunnen horen. 'Goedemorgen, Max, ik zie dat je al bent begonnen.'
'Waarmee begonnen?' vroeg Max, die nog steeds naar Nancy staarde.
'Ik zou een couplet moeten zingen van "De waarschuwing van de zigeuner",' zei Roshan. 'Let niet op hem, meisjes. Hij heeft een studiegraad in flauwe versieropmerkingen.'
Max lachte. 'Ik heb samen met deze lieve, bruine man op Cambridge gezeten. Hij is werkelijk dol op me, lief, en een beetje triest. We lijken op A.E. Housman en Moses Jackson.'
Nancy vroeg: 'Wie?'
'A.E. Housman was een dichter,' zei Rufa, die wenste dat Nancy naar haar zou kijken, zodat ze kon seinen dat ze niet mocht flirten.
Max rukte zijn blik los van Nancy en wendde zich tot Rufa. 'Dus jij bent degene met hersens?'
'Niet noodzakelijkerwijs,' zei Nancy. 'De mensen denken alleen maar dat ze slimmer is, omdat ze kleinere borsten heeft.'
Rufa kon haar lachen niet bedwingen, hoewel ze nog steeds van haar stuk was door de niet van pas komende aantrekkelijkheid van Wendy's huurder. 'Voor het geval je dat nog niet was opgevallen.'
Nancy, die zich herinnerde waarom ze naar beneden was gekomen, hield Rufa het damesblad voor. 'Dit moet je zien, Ru, het is om je dood te lachen.'
Het tijdschrift was opengeslagen bij een pagina met societyfoto's die genomen waren tijdens een liefdadigheidsbal voor onderzoek naar leukemie. Rufa bekeek ze niet-begrijpend, tot Nancy een foto bovenaan aanwees. Er stonden twee mensen in avondkleding op, die aan weerszijden van de hertogin van Gloucester poseerden. De een was een slanke, blonde, elegante vrouw in een donkerblauwe fluwelen avondjurk, en de ander...
'O, mijn god,' hijgde Rufa. 'Dat is Edward!'
Hij stond met rechte rug en een grimmige uitdrukking op zijn gezicht; zijn kortgeknipte haar en baard vielen uit de toon bij de smoking waarvan ze niet hadden geweten dat hij die bezat.
'Het geheime leven van majoor Edward Reculver,' zei Nancy. 'Overdag draagt hij rubberlaarzen en maakt de motor van zijn tractor

schoon. 's Avonds verkeert hij in het gezelschap van mensen van koninklijken bloede.'
'Hij ziet er nogal aantrekkelijk uit, als je het mij vraagt,' zei Roshan. 'Ik vind dat ontwerpersbaardje wel leuk.'
Nancy en Rufa moesten allebei lachen bij het idee dat Edwards baard iets met ontwerpers te maken zou hebben.
'Sorry,' zei Nancy. 'Hij is zo hetero als het maar zijn kan.'
'Maar hij ziet er wel knap uit,' zei Rufa. 'Vinden jullie niet?'
Nancy wierp nogmaals een zijdelingse blik op Max. 'Ach, iedereen ziet er in smoking wel min of meer smakelijk uit.'
'Ik kan me niet herinneren dat Edward hier iets over heeft verteld,' merkte Rufa op, terwijl ze de pagina nieuwsgierig bestudeerde. 'Er staat hier dat hij beschermheer is van de Fox Trust, wat dat dan ook moge zijn. O, wacht even, het heeft iets te maken met leukemie, en daaraan is Alice gestorven, de arme ziel. Het heeft met zijn familie te maken, en je weet dat Edward niet graag over zijn familie praat. Ik denk dat die andere vrouw waarschijnlijk de halfzus van Alice is, Prudence.' Ze gaf het tijdschrift terug aan Nancy. 'Die zus voor wie hij geen goed woord over heeft.'
'Zij stort zich steeds weer in het huwelijk,' legde Nancy uit aan Max en Roshan. Ze schonk hen allebei een stralende glimlach. 'Ze zou ons rolmodel moeten zijn. We zijn immers net zelf begonnen huwelijkscarrière te maken.'

Hoofdstuk zes

De volgende avond hielden ze hun eerste vergadering. Max wilde per se ook van de partij zijn. Hij kon voor zichzelf niet besluiten of het Huwelijksspel ontzettend grappig was of dat het een vreselijke belediging was voor zijn socialistische principes, maar hij werd te zeer gefascineerd door de Hasty-meisjes om weg te blijven. Hij bracht twee flessen champagne mee en ging zo zitten dat hij broeierige blikken met Nancy kon wisselen. Roshan had Thais eten bij een afhaalrestaurant gehaald en een stapel damestijdschriften meegenomen: *Harpers, Tatler, Vogue, Hello!, O.K.!* Ze zaten op de grond in Wendy's zitkamer rond de lelijke maar warme gashaard met nephoutblokken. Wendy deelde notitieblokjes van Woolworth uit en ballpoints; ze herkende het idiote optimisme van de Man in deze belachelijke onderneming en had in jaren niet zoveel lol gehad.

Rufa had Nancy gesmeekt om niet alles te verpesten door erom te lachen, maar ze had zich geen zorgen hoeven maken. Ze stelden zich allemaal serieus op; het was bijna potsierlijk, het leek een echte vergadering. 'Goed,' zei Rufa, zich ervan bewust dat iedereen verwachtingsvol naar haar keek. 'Om te beginnen moeten we onze doelwitten vinden.'

'Doelwitten!' protesteerde Max. 'Is dat jullie benaming voor die arme, ongelukkige dwazen?'

'Onze toekomstige echtgenoten, bedoel ik,' zei Rufa snel. 'Ik stel voor dat we een lijst maken met geschikte kandidaten, waaruit we er vervolgens twee kiezen, zodat we er allebei een overhouden.' Ze verdeelde de enorme stapel tijdschriften in vijf kleinere stapels en schoof ieder over het kleed een stapeltje toe. Roshan ging meteen aan het werk en bladerde door zijn stapel heen, zelfverzekerd en zakelijk als een bankbediende.

Max vroeg: 'Zijn we op zoek naar rijk en sexy, of alleen rijk?'

'Alleen rijk,' zei Rufa. 'Zodra we eenmaal onze eerste lijst met rijke mannen klaar hebben, kunnen we kijken wie van hen sexy is.'

'En als er geen tussen zit?'

'Je begrijpt het niet,' zei Nancy nogal scherp. Max had zich opgeworpen als advocaat van de duivel, maar ze zou niet toestaan dat hij Rufa van haar stuk zou brengen. 'Een vette bankrekening is net zoiets als een grote piemel: als een man die bezit, kun je altijd wel iets aardigs over hem bedenken.'
Max pakte een exemplaar van *O.K.!* van zijn stapel tijdschriften en begon door de opzichtige pagina's te bladeren. 'Jullie schijnen niet te beseffen waaraan je begint. Bedenk bijvoorbeeld maar eens iets aardigs over deze figuur.'
Hij sloeg een foto op van een opvallend onnozele, oudere popster en allemaal, zelfs Rufa, barstten ze in lachen uit.
'Hij heeft goede tanden,' zei Wendy, waardoor ze nog harder moesten lachen.
'Dit is een serieuze test,' zei Max, terwijl hij Nancy aankeek. 'Zou je met zo'n vent kunnen trouwen?'
'Hij is niet rijk genoeg,' zei Nancy nuffig. 'Zo simpel is het. Persoonlijk vind ik hem een absolute adonis, maar we spelen dit spel niet voor de lol.'
Roshan, die hevig zat te giechelen, zat in een *Tatler* te bladeren. 'Ik heb ook een test. Aha, hier is hij, die pruilende duivel.' Hij liet een foto zien van een aantrekkelijke jongeman in smoking en bedekte het onderschrift met zijn hand. 'Zou je hem je bed uitgooien als hij zat te kruimelen? Ik denk het niet. Elke nietsvermoedende maagd zou met hem willen trouwen, al had hij geen cent.'
'Dat lijkt er meer op,' verklaarde Nancy. 'Wat vind jij, Ru?'
'Ik weet niet. Tamelijk aantrekkelijk, neem ik aan.' Rufa, wier hart volledig was gebroken door Jonathan, was er niet aan gewend om de aantrekkelijke kanten van andere mannen te beoordelen. 'Wat is de zin van deze test?'
'We moeten Max laten ophouden zo'n slimmerik te zijn of we moeten hem uit het comité gooien,' zei Roshan. 'Nou, vooruit, slimmerik, wat vind je van dit exemplaar?'
Max haalde zijn schouders op. 'Hij lijkt op een croupier. Maar jij gaat me vast vertellen dat het een of ander chic persoon is.'
'Dat is hij inderdaad, een markies, vrijgezel, en een van de rijkste mannen in Engeland.'
'Die moeten we maar op onze lijst zetten,' zei Rufa.
Max schonk zichzelf nog wat champagne in en leunde achterover tegen de Dralon bank. 'Waarom beperk je je niet tot hem? Dan hoeven jullie er nog maar een te vinden, en zijn we op tijd klaar om naar *Frasier* te kijken.'
'Je begrijpt toch wel,' zei Rufa geduldig, 'dat het niet zo simpel is.

Als we eenmaal een lijst met rijke mannen hebben, gaan we een andere lijst maken met diegenen die voor ons het makkelijkst op te sporen en te benaderen zijn. We zitten nu nog in het puur wetenschappelijke stadium. Onze persoonlijke voorkeur gaat pas een rol spelen als we de mannen hebben geïdentificeerd die het hoogst scoren op hoeveelheid geld en benaderbaarheid. Dan gaan we onze campagne tot in detail plannen.'

Het was even stil. Max hing tegen de kussens en keek Rufa met zijn ondeugende zwarte ogen spottend aan. 'Je hebt het allemaal al uitgedacht, hè?'

'Ja. Voor zover mogelijk,' zei ze verdedigend.

'Dus we beoordelen eerst de hoeveelheid geld en dan de benaderbaarheid. Daarna komt de persoonlijke voorkeur.'

'Precies,' zei Wendy. 'Zal ik de prins van Wales erbij zetten, Rufa? Of is die zo onbenaderbaar dat het geld niet telt?'

'Zijn geld telt niet vanwege zijn oren,' zei Nancy. 'Nog afgezien van dat kleine probleempje, zijn vriendin.'

Rufa voelde zich stijf en ongemakkelijk en was zich ervan bewust dat Max haar nog steeds aankeek, in afwachting van haar antwoord. 'Ja, laat hem maar weg. We moeten wel een beetje realistisch zijn.'

'Trouwens,' zei Nancy, 'de prins zou Melismate toch niet kunnen redden, tenzij hij de regering zover zou krijgen om ervoor te stemmen.'

'En er zou een revolutie kunnen uitbreken,' zei Max, zijn lachende ogen nog steeds op Rufa gericht. 'Je wil toch niet je hoofd kwijtraken.'

Roshan gooide een tijdschrift opzij en pakte een nieuwe. 'Max, houd op met je pogingen het Huwelijksspel om zeep te helpen. We weten heus wel dat het tegen je principes is, oké?'

'Ik snap het gewoon niet,' zei Max. Hij keek nu naar Nancy en ging plotseling heel energiek rechtop zitten. 'Jullie hebben het over opoffering, en niet eerst aan jezelf denken, alsof jullie iets deugdzaams doen. Alsof jullie zo verslaafd zijn aan bekaktheid dat je jezelf wilt verkopen aan mannen die jullie niet eens leuk vinden!'

Rufa's lippen waren wit weggetrokken. Ze wist niet hoe ze moest antwoorden. Max had haar van de ergste vorm van hypocrisie beschuldigd. Hij weigerde te begrijpen dat ze het Huwelijksspel speelden voor een beloning die elke opoffering waard was.

Nancy wierp een blik op haar en zei snel: 'Het gaat er niet om dat we bekakt willen zijn. Het gaat om het behouden van ons familiehuis, dat veel voor ons allemaal betekent, en alles betekende voor

onze vader. Dit is iets wat we moeten doen. We zijn het verschuldigd aan zijn nagedachtenis.'
'Zijn ziel zit in elke steen van het huis,' zei Wendy met tranen in haar ogen.
Rufa zei: 'Jij hebt hem niet gekend, Max. Ik kan het je niet uitleggen, tenzij ik je de Man zou kunnen laten zien. En wat een fantastisch mens hij was.' Ze bleef rustig, maar haar stem trilde een beetje.
Max houding verzachtte. 'Het spijt me. Maar het heeft iets vreselijk triests. Jullie zijn allebei prachtig. Jullie zijn op de wereld gezet om aanbeden te worden. En jullie ontnemen jezelf de kans om gewoon verliefd te worden.'
Het bleef weer even stil. Nancy zag dat Rufa probeerde niet toe te geven aan de golf van wanhoop, die haar overviel. Het was allemaal veel te zwaarwichtig geworden.
'Hoe weet jij nou dat we niet verliefd zullen worden?' wilde ze weten. 'Als je ons niet wilt helpen, ga dan maar thee zetten.'
'Max zet nooit thee,' zei Wendy. Ze keek van haar tijdschrift op naar Rufa. 'Is Harold Pinter rijk genoeg?'
'Waarschijnlijk niet,' zei Nancy. 'En denk eens aan die gesprekken, al die pauzes.'
Roshan sprong elegant overeind. 'Ik loop kilometers voor op jullie, dus ik zal wel thee maken. Max, ben je vóór of tegen ons?'
Max wierp een blik op Nancy en trok zijn stapel tijdschriften naar zich toe. 'Vóór. Ik vind het idioot, maar jullie hebben me nodig.'

Na uren van giechelend geblader door party's, filmpremières en racebijeenkomsten hadden ze hun eerste twee doelwitten genoteerd. Ze hadden hevig gediscussieerd, namen opgeschreven en weer doorgestreept. Tussen de theekopjes lagen proppen papier, stukken biscuitverpakking en stapels damestijdschriften. Max, die alles wat hij deed met verve scheen te moeten doen, had nu al zijn energie op het Huwelijksspel gericht. Hij had nuttige bijdragen geleverd. Hij had fantasie van werkelijkheid gescheiden en de mannen eruit gepikt die het makkelijkst te benaderen zouden zijn.
'Nou, ik denk dat we de vergadering wel kunnen beëindigen,' kondigde hij om halféén 's nachts aan. 'Roshan en ik kunnen op het werk de knipsels van de bibliotheek doorzoeken, zodat we behoorlijke dossiers kunnen aanleggen.' Max was stagiair bij de productieleiding van de afdeling kunst van Radio Four van de BBC en Roshan was assistent plaatsvervangend moderedacteur van een zondagskrant. Rufa dankte nu de hemel voor de bruikbaarheid van

Wendy's huurders. 'Nancy's doelwit zal weinig problemen opleveren,' vervolgde Max, 'al zullen we een kotszakje nodig hebben als we al zijn knipsels doornemen. Die van Rufa zal iets moeilijker zijn, maar die gaat tenminste nog weleens naar de opera. Je kunt hem altijd volgen naar Glyndebourne en aan zijn voeten flauwvallen.'
Roshan was nog niet helemaal tevreden. 'Ik vind toch dat Rufa op de markies zou moeten afgaan. Ze zouden zo'n schattig paartje vormen.'
'We zouden jaren nodig hebben om bij hem in de buurt te komen. Laten we tenminste onze bestaande contacten inschakelen.' Max gaapte luidruchtig, waarbij hij zich uitrekte en zijn prachtige tanden zichtbaar werden. 'Hoewel ik moet zeggen dat het me teleurstelt dat jullie meisjes zo weinig eigen contacten hebben. Ik dacht dat jullie mensen van hoge afkomst elkaar allemaal kenden, en met je neven trouwden.'
'De Man hield niet van de conventionele hogere-klassesociety,' zei Rufa. 'Hij liet die gemeenschap achter zich toen hij met onze moeder trouwde. Zij komt uit een andere wereld.'
Dit intrigeerde Max. 'Hij trouwde beneden zijn stand, hè? Dat verklaart een boel. Ik heb een oom die beneden zijn stand is getrouwd, en al jaren heeft niemand meer tegen hem gesproken. Engelse landadeltypes hebben blijkbaar veel gemeen met de joodse chic.'
'Niet dat de mensen onze moeder niet goedkeurden,' voegde Rufa er snel aan toe. 'Hij heeft haar alleen aan niemand voorgesteld, omdat niemand goed genoeg was. En haar ouders waren helemaal niet chic. Ze hadden een winkel.'
'Een sigarenwinkel, waar ook kranten en kleding werden verkocht,' zei Nancy, die elk woord met een uiterst bekakt accent uitsprak. 'Ze zijn nu allebei dood. Onze moeder zegt altijd dat ze van een andere planeet afkomstig waren. Ze spraken niet meer tegen haar toen ze was weggelopen en zwanger werd van Ru. Ik had hen echter graag willen leren kennen. Ik heb vaak het gevoel dat ik erg op hen lijk.'
Rufa lachte zachtjes. 'De Man zei altijd dat ik degene was die het winkeltje spelen had geërfd.'
Nancy, tevreden dat ze erin was geslaagd Rufa te laten lachen, leunde naar haar over om haar liefhebbend te knuffelen. 'Nee, lieverd, jij lijkt op de blauwbloedkant van de familie. Ik weet zeker dat je er meer van hebt gekregen dan ik. In feite zijn we hybriden, half adellijk, met een bloedlijn die teruggaat tot Willem de Veroveraar. En half winkelmeisje, gesloten op woensdagmiddag. Daarom kennen we niemand. De Man werd afgewezen door de

meesten van zijn vrienden...'
'Behalve door de Reculvers,' droeg Rufa haar steentje bij.
'- en de meeste buren ergerden zich aan hem. Ze noemden ons altijd "die zielige hippiemeisjes van het landhuis".'
Max en Roshan hadden met grote interesse geluisterd.
Max vroeg: 'Vinden de mensen tegenwoordig afkomst echt nog zo belangrijk?'
Roshan slaakte een zucht en zei: 'God, wat romantisch, liefde over de sociale grenzen heen!'
'De Man was de meest romantische man in de hele wereld,' zei Wendy plechtig. 'Meer hoefde je niet over hem te weten. Normale barrières bestonden niet voor hem. Ik kan me bijvoorbeeld een Bath en West Country-show herinneren, ergens in... achter in de jaren tachtig in ieder geval, toen hij lady Garber haar stoel aan mij liet afstaan, omdat er een varken op mijn voet getrapt had...'
Nancy, Max en Roshan bulderden van het lachen. Rufa's lippen vertrokken, maar ze slaagde erin serieus te blijven. 'Max, zei jij niet dat je morgenochtend een interview had? Volgens mij kunnen we beter naar bed gaan, anders zitten we hier morgenochtend nog.'
Wendy keek hen stralend aan, ze had een geweldige avond gehad. Nancy en Rufa hadden hun vaders gave om uit het niets een feestje te bouwen. Ze voelde zich tien jaar jonger. 'Goed dan. Maar laten we nog één keer onze aantekeningen doorlezen. Ik haal ze steeds door elkaar.'
Max had de basisgegevens van de twee doelwitten op aparte velletjes papier geschreven. Aan elk vel had hij met een paperclip relevante artikelen en foto's vastgemaakt, die ze uit de tijdschriften hadden geknipt. Hij las de aantekeningen met lijzige, brutale en uitdagende stem voor, waarbij hij zich voornamelijk tot Nancy richtte.

'1. George Hyssop, graaf Sheringham van Sheringham.
Leeftijd: 32.
Huwelijkse staat: Ongehuwd.
Financiële positie: Bijzonder rijk. Is eigenaar van verschillende Londense districten en een groot stuk land in Canada.
Adres: Lynn Castle, Sheringham, Norfolk.
Privételefoonnummer: niet bekend.
Opmerkingen: Onderhoudt relaties met diverse vrouwen, maar geen langdurige. Wordt zelden gefotografeerd, er wordt zelden over hem geschreven. Gaat af en toe naar liefdadigheidsevenementen, klas-

sieke concerten en opera. Staat bekend als uitgesproken bekakt en beschaafd op een theatrale manier. Is wellicht aanvankelijk moeilijk benaderbaar, maar het comité vindt hem zo ideaal voor Rufa dat dit geen probleem mag zijn. Het comité vindt dat Rufa haar Normandische bloed moet uitspelen en net moet doen alsof ze zijn soort als parvenu's beschouwt. We hebben het idee dat de voor hem nieuwe ervaring dat er op hem wordt neergekeken hem wellicht een perverse vorm van opwinding geeft.

2. Timothy "Tiger" Durward.
Leeftijd: 29.
Huwelijkse staat: Gescheiden. Geen kinderen.
Financiële positie: Enorm fortuin van grootvaders supermarktketens. Zijn moeder is de dochter van een graaf.
Adres: Hooper Park, Wooton, Wiltshire.
Privételefoonnummer: niet bekend.
Opmerkingen: Tiger kom je in ieder geval makkelijk tegen. Hij staat regelmatig in de roddelbladen, hij is zo vatbaar als uitslag. Zijn hobby's zijn: vechten, te veel whisky drinken en dronken worden. Hij is zo luidruchtig, liederlijk en nutteloos als een neger uit de Regency-periode. Houdt van spelletjes met harde ballen en van vrouwen met grote borsten. Werd beroemd door naaktloperij bij de Twickenham-races, een dwaas verliest zijn onderbroek makkelijk. Trouwde op zijn eenentwintigste met een topmodel. Scheidde twee jaar later van haar na betaling van een forse afkoopsom, maar had eerst obsceniteiten door haar brievenbus geroepen. Sindsdien wat geflirt met andere topless modellen, niets blijvends. Het comité beschouwt deze grote lomperd als beneden alle peil, maar Nancy is koppig en houdt vol dat ze hem wel aan kan.'

De anderen hadden de hele tijd zitten lachen en joelen, en de term 'grote lomperd' deed hen huilen van het lachen.
'Natuurlijk kan ik hem aan,' verklaarde Nancy terwijl ze haar tranen droogde. 'Ik gooi regelmatig twee of drie van dat soort mannen op vrijdagavond uit de Hasty Arms, ze komen van de tuinbouwhogeschool in Cirencester. Hun idee van voorspel bestaat uit het grommen van "Hellair" voordat ze je in je tieten knijpen.'
Rufa bekeek de foto's die Max aan de pagina's had bevestigd. Het zou zeker een uitdaging zijn om achter een man als graaf Sheringham aan te gaan. Hij was lang en mager, met witblond haar dat hem als een zilveren aureool leek te omgeven. Alles aan hem was verfijnd. Hij had lichtblauwe ogen en dun blauw bloed. Hij

zag eruit alsof een sterke windvlaag hem omver zou blazen als een orchidee. Rufa wist dat ze alleen al voor de verfijndheid van de man respect zou kunnen hebben. Ze kon hem de rol geven van de Knappe Prins, die voorbestemd was haar vaders koninkrijk te redden.

Het was jammer dat ze tegelijkertijd achter een man als Tiger Durward aan moesten. De enige roddelbladen die Rufa ooit zag dienden als verpakking van groenten, maar zelfs zij had over hem gehoord. Zijn vlezige, slungelige lichaam en zijn rossige, ruw lachende gezicht kwam je vaak tegen, onder koppen als "Zuinige erfgenaam vraagt meer tijd om bekeuring wegens te snel rijden te betalen" en "Exclusief: mijn liefdesspelletjes in het bubbelblad met Tiger". Maar misschien was hij niet zo slecht als hij werd afgeschilderd.

Wendy begon zichzelf met veel gepuf en gekreun van de vloer omhoog te werken. 'Ik ga naar bed. Laten jullie de keuken een beetje netjes achter?'

'Goed, hoor.' Rufa ging op haar knieën zitten om de kopjes en borden te verzamelen. 'Morgen gaan we de eerste zetten bedenken.'

'Neem me even niet kwalijk,' zei Roshan. 'We gaan morgen wat behoorlijke kleren voor jullie kopen.'

Roshan ondervroeg Rufa over de precieze hoeveelheid geld die ze op de bank had staan, waarbij hij haar gepijnigde gezichtsuitdrukking negeerde, en haar met wanhoop vervulde toen hij het gehele bedrag voor het winkelen bestemde.

'Ik weiger jullie dit halfslachtig te laten doen. Jullie zijn allebei spetters, maar dat is niet genoeg. Ik ben bang dat jullie eruitzien als twee kleine plattelandsmeisjes, en zo zul je de vraagprijs nooit krijgen.'

De mode was zijn religie en zijn bron van inkomsten. Hij vergezelde Rufa en Nancy naar Bond Street met de toegewijde eerbied van een koster die bezoekers in zijn kathedraal rondleidt.

'Als jullie werkelijk met een echt rijke man willen trouwen, is kleding je beste investering. Ik citeer jullie eigen, geheiligde vader: je moet eruitzien alsof je er thuishoort. Rijkelui flirten met allerlei soorten mensen, maar in hun hart zijn ze allemaal dynasten en trouwen ze meestal met hun eigen soort.'

'Het hoeft toch niet zo duur te zijn?' smeekte Rufa. 'Ik kan nog niet geloven dat ik zoveel heb uitgegeven aan vier paar schoenen en twee handtassen.' Ze waren de ochtend begonnen met een groot gat te slaan in het geld van Edwards broche. Haar lippen waren

wit weggetrokken van schrik.
'*Prada*-schoenen en handtassen,' zei Roshan overdreven geduldig. 'Maar als je liever met een vuilnisman wilt trouwen, ga je gang, koop de rest dan bij de British Home Stores. Als je niet bereid bent in duizendjes te denken, verdoe je je tijd.'
'Hij heeft gelijk, dat weet je best,' zei Nancy terwijl ze Rufa even knuffelde. 'Dus wees geen slome duikelaar.' Ze stond plotseling stil voor een glanzende etalage. Er stond één enkele modepop in, die gekleed was in een piepklein stukje limoenkleurig fluweel. 'Vind je dat niet het einde?'
'Moschino? Vergeet het maar.' Roshan trok aan haar mouw om haar weg te trekken. 'Het is prachtig en je zou waarschijnlijk het verkeer tot stilstand brengen als je het aantrok. Maar het straalt een totaal verkeerde boodschap uit.'
'Ja, nou, wat stel jij dan voor?' Nancy zag er niet de zin van in om dure kleren te kopen als ze geen indruk zouden maken. 'Een twinset met parelketting?'
'Ja,' zei Rufa. 'We moeten er chic uitzien.'
'Jullie moeten er stíjlvol uitzien,' verbeterde Roshan haar. 'Jullie moeten Chanel kopen, maar niet de accessoires, Jill Sander, Armani, Miu Miu en god mag weten wat nog meer. Ik zeg het nog één keer, laat het maar aan mij over.'
Nancy glimlachte schaamteloos. 'Goed, hoor. Waar gaan we nu heen?'
'Rigby en Peller.'
'God, wat is dat? Het klinkt als een begrafenisonderneming.'
'Ze maken korsetten voor de koningin,' zei Roshan hooghartig. 'Bh-fabrikanten, voor jullie.'
'O, we gaan ons niet met ondergoed bezighouden,' zei Rufa. 'Dat ziet toch niemand.'
Roshan zuchtte. 'Willen jullie een beetje meewerken? Stijlvol zijn begint bij de basis. De juiste bh is essentieel voor het imago dat ik voor jullie aan het opbouwen ben.'
'Maar ik stik van de verdomde bh's,' klaagde Nancy.
'Ja, wonderbra's en halve bh's en van die nylon niemandalletjes die die royale boezem van je tot onder je kin opduwen. Bij echte dames hangen ze lager.'
Ze moest lachen. 'Is het niet de bedoeling dat ik er sexy uitzie?'
'Tot op zekere hoogte,' zei Roshan. 'Jij hebt seks genoeg van jezelf. En Rufa zou eerlijk gezegd wel wat meer kunnen gebruiken. Wat draag je eigenlijk onder die monsterlijke trui?'
'Niets, om je de waarheid te zeggen...'

'En je borst lijkt wel een strijkplank. Je moet je deugden niet verbergen.' Hij pakte haar hand, keek haar diep in de ogen en voegde eraan toe: 'Vertrouw me maar.'
Roshan had Nancy meteen al gemogen en ze waren al maatjes geworden. Rufa was echter anders. Hij hield van Rufa met de seksloze passie van een middeleeuwse ridder en hij had zichzelf gezworen dat ze gekleed als een prinses de society zou betreden. Hij sleepte hen winkel in, winkel uit, totdat ze beladen waren met luxe tassen en dozen. Het werd al donker op de korte januaridag toen hij een taxi aanhield.
'Niet dat we al klaar zijn, we hebben zeker nog een week nodig om wat avondjurken te kopen.'
Rufa kon zichzelf niet zover krijgen om over avondjurken na te denken. Iedere keer als ze dacht aan de hoeveelheid geld die ze had uitgegeven en waar het vandaan kwam, kreeg ze pijn in haar maag. Het leek nog erger doordat ze zo genoot van de prachtige kleren – de zachte glans van dikke zijde, de boterachtige zachtheid van prachtig leer. De luxe en frivoliteit op deze schaal werkten verslavend. Ze had de Witte Heks ontmoet en haar betoverde Turkse snoepgoed gegeten; en nu verlangde ze alleen nog naar meer. Edward zou van afschuw vervuld zijn.
We kunnen niet meer terug, dacht ze. We moeten nu slagen.
Toen ze thuiskwamen wilde Nancy lekker gaan zitten met een kopje thee, maar geen van de anderen voelde daarvoor. Roshan liet de zusjes rechtstreeks naar boven lopen om de twee plattelandsmeisjes om te toveren in adellijke schoonheden, voorbestemd voor duizelingwekkende huwelijken.

Wendy en Max, die het publiek vormden, zaten in de keuken te wachten. Het verbaasde Wendy dat Max zoveel interesse toonde. Door Nancy's en Rufa's komst was hij geërgerd en afgeleid geraakt, maar hij was meer aanwezig dan hij ooit was geweest. Normaal gesproken deed hij het met veel vertoon voorkomen alsof Wendy's huis de tijdelijke rustplaats was van een genie met een veelbelovende toekomst. Vandaag was hij echter vroeg thuisgekomen en iedere keer als Wendy uit haar behandelkamer was gekomen, had ze hem zien rondsnuffelen.
'Ik kan de spanning bijna niet verdragen,' zei hij. 'Heb je trek in een kopje thee, Wendy?'
Ze was op haar hoede. 'Begrijp ik je goed, bied jij me een kopje thee aan?'
'Nee. Ik dacht alleen, als je toch thee gaat zetten...'

'Nou, je denkt maar een eind weg,' zei Wendy. 'Ik ben je dienstmeid niet.'
'Oké, oké.' Agressief pakte hij de ketel op. 'Dan heb ik wat te doen.'
'Je zit echt in spanning, hè?' Wendy keek haar aantrekkelijke huurder nadenkend aan. 'Het komt door Nancy, nietwaar? Ik had kunnen weten dat je haar leuk zou vinden.'
Max was geprikkeld, maar deed zijn best erom te lachen. 'Ze is bloedmooi. Rufa ook. Dat is me heus wel opgevallen.'
'Waag het niet de boel te verpesten.'
'In godsnaam, Wendy, doe niet zo moeilijk,' snauwde Max. 'Wat verwacht je nou als je twee roodharige godinnen hier binnen brengt? Ga je me eruit gooien omdat ik weg van hen ben?'
'Je weet best wat ik bedoel. Ze zijn hier gekomen om een rijke vent aan de haak te slaan.'
'Ik houd hen toch niet tegen?'
Wendy glimlachte. De nonchalante kracht van Max' seksualiteit deed haar denken aan de atmosfeer rond de Man. 'Het zou geen probleem zijn als Nancy jou niet zo aardig zou vinden.'
Hij grinnikte. 'Zou je denken?'
'Ze heeft maar een beetje aanmoediging nodig om stapelverliefd op je te worden.'
'Een beetje maar, hè? Bedankt, Wendy.'
Ondanks zichzelf moest ze lachen. 'Je bent vreselijk. Het enige wat ik probeerde te zeggen was: leid haar niet af als je het niet... je weet wel... serieus met haar meent.'
Max overhandigde haar een kopje grijzige, te kort getrokken thee en plofte in een stoel. Hij was niet bijzonder groot, maar leek altijd in elke ruimte te groot te zijn. 'Meen je het echt, dat trouwgedoe?'
Wendy nam een slokje thee. 'Zij in ieder geval wel, en ik kan niet zeggen dat ik er iets in zie. De hele familie heeft wanhopig geld nodig. Maar ik zou er de voorkeur aan geven als ze uit liefde trouwen.'
'Waarom kunnen ze niet gewoon verliefd worden? Waarom moet het een verdomd huwelijk zijn?'
'De Man was een groot liefhebber van het huwelijk.'
Max snoof. 'Zo te horen inderdaad, want het gaf hem een prima excuus om zich aan geen van zijn vriendinnen te binden.'
Ze moest toegeven dat hier een kern van waarheid in school. Maar ze kon niet toestaan dat Max zou denken dat hiermee het plaatje compleet was. 'Nee, hij geloofde werkelijk in een levenslange verbintenis met één persoon. En die persoon was Rose. Dat heb ik altijd geweten.'

'Maar wat had jij er dan aan?' wilde Max weten. 'Hoe kon je verliefd op hem worden terwijl je wist dat hij je uiteindelijk zou dumpen?'

'De Man heeft me nooit gedumpt,' zei Wendy. Haar lippen krulden zich in een dromerige, verlangende glimlach rond de rand van haar kopje. 'Dat deed hij bij niemand. Hij had gewoon een geweldige levensvisie.'

Ze wist dat dit onbevredigend klonk, dat ze het Max nooit kon doen begrijpen. In haar gedachten riep ze een van de verborgen herinneringen op die ze nog nooit met iemand had gedeeld.

De Man lag op een zachte middag op zijn rug in de wei naast het riviertje op Melismate. Als ze haar ogen halfdicht deed, zag ze hem helemaal voor zich – zijn armen achter zijn hoofd gevouwen, zijn prachtige profiel opgeheven naar de glimlachende blauwe hemel.

Hij zei: 'Jij hebt behoefte aan poëzie in je leven, Wendy. Je zult nooit gelukkig zijn tenzij je dat beetje poëzie in je leven houdt.'

Ze zat naast hem in het hoge gras. 'Hoe bedoel je? Hoe moet ik dat dan doen?'

'Zorg gewoon dat je zo dicht mogelijk woont bij de plaats waar je het liefste zou willen zijn.'

'O.' De plaats waar ze wilde zijn was hier, voor altijd, in deze cocon van zon en rust.

De Man zei: 'Ik meen het, lieveling. De mensen hebben ongelijk als ze ontevreden over hun leven zijn, als ze het gevoel hebben dat ze niet genoeg van iets hebben ontvangen. Zelfs vijfentwintig procent van wat je werkelijk wilt is beter dan honderd procent van iets waar je eigenlijk niet op zit te wachten.'

Deze levensvisie was moeilijk uit te leggen, het was zoiets als beter te hebben liefgehad en verloren dan helemaal nooit van iemand gehouden hebben. De mensen waren het daarmee niet altijd eens. Wendy had het echter een troostende gedachte gevonden. Als haar de keus zou zijn geboden tussen een huwelijk met een doorsneeman of haar kleine stukje van de ultieme Man, zou ze iedere keer opnieuw voor dat stukje hebben gekozen. Ze had haar vleugels verbrand door van de Man te houden, maar ze was liever een reflextherapeut van middelbare leeftijd met verbrande vleugels dan een doorsnee-echtgenote zonder vleugels.

Ze richtte haar aandacht weer op Max. 'Ik begrijp niet wat je tegen het huwelijk hebt. Wil jij niet ooit trouwen?'

Hij haalde zijn schouders op. 'Ooit wel. Ik loop geen gevaar zolang ik geen joodse ontmoet.'

'Hoezo?'

'Nou, waarom denk je?' zei Max kregelig.
'O, natuurlijk. Omdat je zelf joods bent.'
'Inderdaad, Einstein. En als ik met een niet-joodse zou trouwen, zou mijn moeder volledig instorten.' Hij glimlachte bitter. 'Dus je hoeft je geen zorgen te maken dat ik het Huwelijksspel van de Stekelige Hasty's om zeep zal helpen. Goed?'
'Ik probeer alleen goed voor hen te zorgen.' Wendy vroeg zich af waarom hij zo kwaad was.
'Stilte op de goedkope zitplaatsen!' Roshan sprong dramatisch de kamer binnen. 'Het moment is aangebroken dat jullie mijn artistieke kunsten kunnen bewonderen.' Hij deed een stap opzij om Nancy en Rufa door te laten.
Max en Wendy staarden hen met stomheid geslagen aan.
Wendy liet haar bevende adem ontsnappen. 'Jullie zien er allebei prachtig uit! O, kon de Man jullie nu maar zien, zijn zijden prinsesjes...'
Rufa droeg een wijdvallend zwart pak met daaronder een dun beige zijden truitje. Haar haar hing los. Ze zag er onwaarschijnlijk mooi, adembenemend duur en op de een of andere manier zachter uit – minder schoongeschrobd en hoekig, zachtaardiger en engelachtiger. Nancy was echter de grootste openbaring. Ze had een strak, taupekleurig jasje aan op een lange zwarte rok. Ze was niet langer een en al borsten en haren. De nieuwe Nancy had borsten die niet bewogen en haar schaamteloze rode haardos was netjes verwerkt in een vlecht. Ze kwam nog steeds levendig en wulps over, maar ze had het woord 'lichtekooi' niet meer in neonletters op haar voorhoofd staan. Het was ongelooflijk, maar ze was op en top een dame.
Max stond op, terwijl hij haar met enige verbolgenheid aanstaarde. 'God, wat heeft hij met je gedaan?'
'Bevalt het je niet?' vroeg Nancy.
'Natuurlijk wel.' Rufa straalde; ze had zich al bijna verzoend met de aanslag op haar bankrekening. 'Je ziet er sensationeel uit. De prinsen en hertogen zullen zich verdringen om met je te kunnen trouwen.'
'Het is niet alleen mijn verdienste,' zei Roshan. 'Ware adel verloochent zich niet. Ik hoefde alleen maar wat lagen te verwijderen.'
Nancy lachte. 'Charmant.' Haar blik hield die van Max vast, en hij was duidelijk volledig in haar ban.
'Nou, ik ben overtuigd,' verklaarde Wendy. 'Toen ik het voor het eerst hoorde had ik zo mijn twijfels, maar ik geloof nu echt dat ik lady Sheringham en mevrouw Durward voor me zie.'

Nancy grinnikte Rufa toe. ‘Maakt u zich niet bezorgd, mevrouw de gravin. Als we komen logeren op uw kasteel zal ik zorgen dat Tiger buiten in de kennel slaapt.’

Hoofdstuk zeven

Roshan kwam, zonder de tijd te nemen zijn grijze visgraatoverjas van Paul Smith uit te trekken, de keuken binnenstormen om hun het grote nieuws te vertellen: nauwelijks een week na de selectie van de doelwitten had hij hun gelegenheid om te beginnen ontdekt. De pianist Radu Lupu zou een recital geven in Sheringham House, ten bate van het Reumatoïde Artritis Genootschap. Sheringham House, dat in Kensington stond, was het huis van de graven van Sheringham in Londen. De toegangskaartjes waren afschrikwekkend duur en waren al maanden geleden uitverkocht aan vrienden en relaties van het organiserend comité. Het was Roshan gelukt om een van de zeldzame perskaarten te bemachtigen.

'Gelukkig kende ik de pr-mevrouw van school,' zei hij opgewekt. Hij richtte zich tot Max en voegde eraan toe: 'Hermione Porter, zie het voor je?'

Max knikte. 'Rijk en dom. Ik zie het voor me.'

'Ze is zeker dom. Toen ik zei dat ik muziekcriticus was geloofde ze me. Ik ga de dag voor het concert met haar lunchen. Ik hoop maar dat ze me niet controleert en erachter komt dat ik een broodschrijvertje ben die de modepagina's moet vullen, precies het type uitschot voor wie ze betaald krijgt om buiten de deur te houden.'

Roshan huppelde de keuken uit om zijn kostbare jas voorzichtig op een bekleed hangertje te hangen. Hij huppelde terug naar binnen en riep uit: 'O, god, wat zie ik nu? Is het werkelijk waar? Staat Nancy te koken?'

Max en Rufa zaten aan de tafel naar het nog nooit vertoonde schouwspel te kijken. Rufa zat er ongemakkelijk bij en omklemde een mok pepermuntthee, waarvan ze niet dronk. Max zat te grinniken; hij genoot van de manier waarop Nancy's heupen bewogen tijdens het uien snijden. Ze koesterde de illusie dat ze spaghetti bolognese kon klaarmaken. Zij en Max hadden met veel ophef een speciale tocht naar Sainsbury's gemaakt om de ingrediënten te kopen. Deze leken voornamelijk te bestaan uit flessen Barolo. Nancy

behandelde de overige spullen – goedkoop vlees, tomaten in blik, gedroogde kruiden – met een nonchalante ruwheid die Rufa in elkaar deed krimpen.
'Ik kan niet langer toestaan dat Ru een martelares van zichzelf maakt,' zei ze vrolijk. 'Ze wordt altijd opgezadeld met het koken en dat is gewoon niet eerlijk.'
'Ik ben geen martelares,' protesteerde Rufa. 'Echt waar, ik houd van koken. Ik kan het beter dan jij.'
'Je bent een befaamde kokkin, lieverd, maar je houdt niet van concurrentie. Ik denk dat mijn saus je zal verbazen.'
Rufa's lippen vertrokken. 'Ik ben nu al verbaasd, hartelijk dank.'
'Ontspan je, Ru. Laat het nou gewoon eens over je heen komen.'
Roshan keek in de borrelende moerasachtige substantie die op het fornuis stond en trok achter Nancy's rug een gezicht naar Rufa. Rufa proestte schuldbewust van het lachen. 'Dat is uitstekend nieuws, over het concert,' zei ze snel. 'Dat is precies wat we nodig hebben.'
'Je zult je toekomstige thuis kunnen bekijken,' zei Nancy, terwijl ze een half pakje oregano boven de pan uitschudde, 'en besluiten waar je de nieuwe oranjerie wilt hebben.'
'Radu Lupu is geweldig,' zei Rufa. 'De Man heeft me een keer meegenomen naar Cheltenham waar hij optrad. Weet je wat voor muziek hij speelt?'
Nancy zei: 'Het maakt mij niet uit, al speelt hij met eetstokjes. Wat trekken we aan en hoe krijg je ons binnen?'
Roshan ontkurkte met een beheerste en ongehaaste beweging een van de flessen wijn en pakte vier glazen uit de kast. 'Het is een avondkledinggelegenheid, dus jullie moeten echt héftige avondjurken hebben.'
De kwestie van de avondjurken zat Rufa al een tijdje dwars. Aan de ene kant wilde ze net zo hartstochtelijk graag een mooie jurk hebben als Assepoester. Aan de andere kant zat ze met het eeuwige geldprobleem. Rufa lag elke nacht slapeloos naar de ruitvormige lichtplekken te staren, die door de straatverlichting op het plafond werden geworpen, terwijl ze haar hersens pijnigde over geld, geld en nog eens geld. Ze voelde zich geketend.
'Kunnen we ze niet huren?' zei ze hoopvol.
'Nee,' snauwde Roshan. 'Ik weiger jullie mee te nemen naar Sheringham House terwijl jullie onder iemand anders' soepvlekken zitten. Al is de verhuurzaak maar een beetje behoorlijk, dan nog zullen de jurken wijd en zijd bekend zijn. Jullie kunnen je niet veroorloven op een verkeerde manier op te vallen, jullie moeten er

góddelijk uitzien.' Hij pakte de mok pepermuntthee uit Rufa's hand en verving die door een glas rode wijn.
Ze glimlachte. 'Je hebt gelijk. Het heeft alleen zin als we ons honderd procent inzetten. Ik zal proberen het als een investering te beschouwen.'
'Ik verheug me op het inbeuken van de poort,' zei Nancy. 'Ik ben altijd dol geweest op inbreken.'
Rufa zei: 'Ik hoop dat het een beetje soepel zal gaan. Ik ga geen dure jurk kopen als ik me door een wc-raampje moet wurmen.'
'We kunnen niet het risico lopen dat ons haar in de war raakt of dat we ladders in onze kousen krijgen,' merkte Nancy op.
Roshan schonk een glas wijn voor zichzelf in en ging zitten. 'Maak je geen zorgen. Als ik eenmaal binnen ben, vind ik vast wel een manier om jullie binnen te smokkelen, via een dienstingang of een achterdeur.'
'Het klinkt allemaal net zo spannend als een bankoverval,' grinnikte Max. 'We moeten eigenlijk proberen om van tevoren een plattegrond te bemachtigen. Zelfs van de buitenkant moet het mogelijk zijn uit te vinden waar de deuren en ramen zitten.' Hij leunde energiek voorover. 'En dan, weet je wat, bel ik vanaf mijn werk naar het huis en zeg dat ik van de catering ben en de afspraken wil controleren met betrekking tot de aflevering. Ik zal een of andere volkomen aanvaardbare reden verzinnen waarom ik alles dien te weten over de ramen en deuren.'
'Dat is een goed plan,' zei Rufa. 'En ontzettend aardig van je...'
'Ik heb altijd graag voor detective willen spelen. Ik doe voor de sport aan het Huwelijksspel mee.'
Rufa dacht: hij zit achter Nancy aan en hij is slim genoeg om het Huwelijksspel van binnenuit te saboteren; en als ze verliefd op hem wordt zal het allemaal op mij neerkomen.
Het was geen verheffende gedachtegang en ze wist dat ze zich zou moeten schamen. Ze was er niet van overtuigd dat de Man het zou hebben goedgekeurd als ze Nancy's geluk in de weg zou staan. Stel je voor dat Max haar grote liefde zou blijken te zijn: de liefde waarover Nancy het altijd had, maar die ze nooit tegenkwam?
Maar zover was het nog niet en ondertussen kon al die vermoeiende amoureuze energie beter nuttig gebruikt worden. Rufa glimlachte Max toe. 'Ik denk dat we je wel wat sport kunnen beloven.'
Ze glimlachte het hele gezelschap toe. 'Weten jullie dat ik werkelijk denk dat het zou kunnen slagen?'
Max hief zijn glas. 'Watson, de jacht is geopend.'
Ofschoon ze bleef glimlachen was Rufa toch een beetje geïrriteerd.

Watson, nou ja. Zij was degene die op jacht moest, en dat kon hij maar beter goed onthouden.

Roshan zei dat hij de meisjes de daaropvolgende zaterdag naar Harvey Nichols zou vergezellen. Op donderdagavond belde Rufa zoals gewoonlijk naar Melismate. Zij of Nancy belde elke avond met gebruikmaking van Wendy's telefoon om de rekening thuis laag te houden (Rufa hield nauwgezet bij wat ze Wendy schuldig waren). Dit telefoongesprek begon net als de meeste gesprekken, met de ademloze stem van Linnet. 'Hallo? Hallo?'
Rufa maakte het zich gemakkelijk met haar rug tegen het aanrecht en deed haar ogen halfdicht om het beeld op te roepen van Linnet in de keuken op Melismate. De zusjes misten Linnet vreselijk; een huis zonder een vijfjarig kind leek griezelig stil. Nancy smeekte Rufa bijna dagelijks om een beetje geld af te staan om een cadeautje naar Linnet te sturen. En meestal gaf Rufa toe. Diezelfde ochtend had ze nog een pluizige Pikachu-rugzak in een jiffy-envelop gestopt.
'Hoi, schatje. Met Ru.'
'Hallo, Ru. Wat ben je aan het doen?'
'Ik drink thee. Nancy is weg en Wendy kijkt naar *Animal Hospital*.'
Linnet wilde altijd precies weten waar iedereen was. Ze vroeg: 'En waar zijn die mannen?'
Spijtig merkte Rufa de grote interesse op van haar nichtje in leden van het andere geslacht. Ze dacht dat het waarschijnlijk erfelijk was. 'Nou, Max en Roshan zijn uit met Nancy. Ik had geen zin om mee te gaan. En jij? Wat ben jij aan het doen?'
'O, ik sta hier gewoon te staan met nieuwe roze sloffen aan die ik van pappie heb gekregen.'
Rufa glimlachte. Het beeld dat bij haar opkwam was aanbiddelijk. Ze verlangde er hevig naar het kattige, wurmende, waardige wezentje te omhelzen. 'Nieuwe sloffen? Dat klinkt goed. Arme Nancy, ze zal wel jaloers zijn.'
Dit was een spelletje dat Nancy altijd met Linnet speelde. Ze deed net alsof ze de nieuwe kleren van het kind wilde stelen en begon dan verdrietig te huilen omdat ze haar niet pasten. Linnet giechelde en toen bleef het lange tijd stil.
Rufa probeerde: 'Hoe gaat het met pappie en mammie?' Ze moest op de hoogte blijven van Rans liefdesleven. 'Gaat het goed met ze?'
'Ja,' zei Linnet. Ze moest even nadenken om de vraag te kunnen beantwoorden. 'Pappie komt ons heel vaak bezoeken. Ik denk omdat hij geen ander vriendinnetje kan vinden.'
Goed zo, dacht Rufa bij zichzelf. Dat betekent dat Liddy het naar

haar zin heeft. 'Hoe gaat het met Trotsky?'
Trotsky was de cavia die Ran Linnet voor kerst had gegeven.
Ze giechelde opgetogen. 'Oma heeft hem onder de tafel los laten lopen en hij... hij...' Ze stikte van het lachen. Rufa moest ook lachen; het klonk zo heerlijk. 'Hij... hij... *heeft in de boter gepoept!*'
'O, bah. Arme oma. Was ze boos?'
'Ja, ze heeft Trotsky een klapje op zijn billen gegeven. Ze zei dat ze de volgende keer een ijspriem zou gebruiken, maar ze meende het niet; zij en Roger moesten net zo hard lachen als ik. Ik ga er morgen in mijn dagboek over schrijven.'
'Ik wou maar dat ik het nu al kon lezen,' zei Rufa. 'Is oma in de buurt?'
'Ja. Ze wil met je praten als wij klaar zijn.'
'Goed. Nou, dag!'
Linnet klonk pruilend. 'Ik heb nog niet gezegd dat we klaar zijn.'
'Sorry.' Rufa vroeg zich ongerust af waarom Rose haar wilde spreken. 'Eh... hoe gaat het met de Gebroeders Ressany?'
'Ik heb echt Nancy nodig om de stemmetjes te doen,' zei Linnet klagend en min of meer beschuldigend. 'Het is lang niet zo leuk als zij er niet is.'
Het dramatische leven van de Gebroeders Ressany was door Nancy en de Man samen verzonnen. Een paar dagen na de dood van de Man had Nancy, die Linnets verwarring niet meer kon verdragen, de draad weer opgepakt en de sage in haar eentje voortgezet. 'Het is een manier om een stukje van hem te behouden,' had ze later tegen Rufa gezegd. 'Ik kon het niet over mijn hart verkrijgen hen ook te laten sterven.'
Linnet vervolgde: 'Als Roger ze laat praten zijn ze nooit ondeugend en doen ze nooit iets interessants. Wat? Wat?' Rufa hoorde op de achtergrond de stem van Roger die iets onverstaanbaars zei. 'WAT? IK VERSTA JE NIET!'
Roger kwam dichter bij de telefoon en ze hoorde hem zeggen: '... maar dan moet je nu komen, als je op mijn rug wil zitten.'
Linnet zei: 'Ja, dat wil ik! Ik moet nu gaan... daaag...'
Er klonk een schuifelend geluid en toen kwam Rose aan de telefoon. 'Ru? Lieverd, het spijt me zo, maar ik zal er geen doekjes om winden, er is hier weer een rampje gebeurd.'
Het was of ze een emmer koud water over zich heen kreeg. Weer een ramp, in het mijnenveld van rampen op Melismate. Je kon hen ook geen minuut alleen laten. 'O, god, wat is er nu weer gebeurd?'
Roses afgemeten stem werd zachter. 'Er is niemand gestorven, dat is het niet.'

'Dan gaat het over geld,' zei Rufa met tegenzin. 'Waarvoor en hoeveel?'
'Ik vind het naar om je hiermee lastig te vallen, liefje, maar ik weet me geen raad. De gemeente heeft een onregelmatigheid in de belastingbetaling ontdekt. Ze zeggen dat we hun bijna vijfduizend pond schuldig zijn.'
Rufa kneep zo hard in de hoorn dat haar knokkels wit werden. 'O, godallemachtig, wat een moment om een van de zielige pogingen tot oplichting van de Man te ontdekken!'
'Hij had het je moeten vertellen,' zei Rose droog. 'Ik weet zeker dat jij de gemeente op een slimmere manier had opgelicht.'
'Nee, zo bedoelde ik het niet. Maar wat moeten we in vredesnaam doen? Vijfduizend pond!' Rufa wreef over haar voorhoofd en probeerde wanhopig na te denken. 'Kun je niet aan de bank vragen of ze je een ruimer krediet geven tot na de verkoop?'
'Je maakt zeker een grapje,' zei Rose. 'Ik maak het haardvuur aan met dreigbrieven van de bank.'
'O. Nou, dan doe je maar wat de Man gedaan zou hebben: niet reageren tot er een deurwaarder komt.'
'Mijn schattebout, de deurwaarder is vanmorgen geweest.'
Beiden zwegen. Toen slaakte Rufa een beverige, verslagen zucht. 'Dan moet het maar. Dan moeten we Edward om hulp vragen.'
'Heb ik al gedaan.'
'Wat? En heeft hij geweigerd?'
'Hij heeft geen cent over tot na de oogst.' Rose lachte vreugdeloos. 'Hij was zo fatsoenlijk me te onderbreken voordat ik op mijn knieën kon vallen. Daar ben ik hem dankbaar voor. En toen wees hij me op de broche die hij jou heeft gegeven en zei dat je nog wel wat over zou hebben als je je cursus had betaald.'
'O, shit.'
'Ja, dat kun je wel zeggen. Edward zei dat jij nu die rekening moest betalen en dat hij je het later zou teruggeven. Dat was uiterst gul van hem. Het kostte me enorm veel moeite om wat dankbaarheid te tonen. Ik moet een Oscar krijgen. Ik wist verdomd niet meer wat voor cursus je zogenaamd doet.'
'Bij Prue Leith,' zei Rufa mat.
'O, dat was het, ik wist dat het iets met eten te maken had. Hoe dan ook, ik kon hem onmogelijk vertellen dat je al zijn geld hebt besteed aan trucs om een man aan de haak te slaan. Ik heb maar een soort bedankje gemompeld en ben hem gesmeerd.'
'We hebben nog niet alles uitgegeven,' zei Rufa. Door een waas van verdriet wist ze wat haar te doen stond. De oplicherspraktijk van

de Man (alstublieft, God, laat dit de laatste zijn die aan het licht komt) zou moeten worden goedgemaakt met het geld van Edwards broche. En dan zou er nog net genoeg over zijn voor een studentikoos hongerloontje tot ze haar cursus had afgemaakt en een baantje zou hebben gevonden. Avondjurken konden ze nu wel vergeten. En de rest ook.
Haar ogen prikten van teleurstelling. Juist toen de dingen er veelbelovend begonnen uit te zien was het Huwelijksspel blijkbaar volledig verloren.

'Dus we gaan niet naar Sheringham House. Als ik die verdomde rekening heb betaald, zullen we nog net genoeg over hebben om voor onszelf een paar vuilniszakken te kopen. Het is verschrikkelijk frustrerend en ik had het moeten zien aankomen. Toen ik mijn plannetje smeedde heb ik geen rekening gehouden met het Melismate-effect.'
Rufa leunde tegen de pluchen muurbank die onder de schroeiplekken van sigaretten zat. Ze had de voor haar onkarakteristieke stap genomen de anderen te gaan opzoeken in de Duke of Clarence, de pub die twee straten van Wendy's huis lag. Ze had een hekel aan pubs, maar ze kon het niet verdragen om zonder Nancy's aanwezigheid alle hoop te zien vervliegen. De anderen hoorden het slechte nieuws somber zwijgend aan.
Roshan kneep meelevend in haar hand. 'Wat ga je nu doen?'
Ze probeerde te lachen. 'Ik heb geen idee. Mezelf als gouvernante verhuren.'
'Je kunt het niet opgeven,' zei hij fronsend. 'Dat sta ik niet toe. Je hebt veel te veel geïnvesteerd. Er moeten een goedkopere manier zijn.'
'Onze basis is al zo smal. Als we het nog simpeler doen blijft er niets van ons over.'
Max stond op. 'Jij hebt een borrel nodig.'
'Ja, dat heb ik inderdaad,' zei Rufa dankbaar. 'Een witte wijn en een spa, alsjeblieft.'
De Duke of Clarence bestond uit een weerkaatsende, grauwe ruimte, waar country-and-westernmuziek werd gespeeld die droop van het zelfbeklag. De laatste mode in Londense pubs, menu's met krijt op schoolborden geschreven en Wener stoeltjes, was nog niet tot de zijstraten van Tufnell Park doorgedrongen. De Clarence was een authentieke, verwaarloosde gelegenheid waar een sfeer van verslagenheid heerste. Zwijgende mannen, gekleed in spijkergoed en behangen met goud zaten met hun enorme buiken tegen de bar ge-

perst. Rond een grote tafel in een hoek zat een groep meisjes luidruchtig wodka en Red Bull te drinken.
Max liep naar de bar toe. Nancy keek hem even na en sprong toen op. 'Je kunt geen wijn drinken in zo'n gelegenheid als deze, lieverd, die zal naar spiritus smaken. Ik haal wel een echt drankje voor je.'
Nancy herinnerde zich dat haar zusje een belachelijk beschermd leventje had geleid en vrijwel geen ervaring had met drinken in het openbaar, maar haar motieven waren niet geheel ontdaan van eigenbelang. Het veranderen van de bestelling gaf haar een goed excuus om aan de drukbezette bar tegen Max aan te schurken. Goeie god, wat was hij sexy – en hij was zich ervan bewust. Als Ru haar niet met argusogen in de gaten had gehouden, was ze hem tien minuten nadat ze hem had ontmoet in de armen gevallen. Hoe vaak ze zichzelf ook beval sterk te zijn, ze was als een baksteen voor hem gevallen.
Ze wurmde zich tegen Max' schouder aan. 'Wil je Ru's bestelling veranderen in een gin-tonic?'
Max lachte. 'God, jullie zijn dure dames om mee uit te nemen.'
'Heb je het niet gehoord? We hebben een schok te verwerken gekregen.'
Max draaide zich met moeite om naar Nancy, waarbij hij met zijn ribben tegen Nancy's borsten aandrukte. 'Jij schijnt er niet veel last van te hebben.'
Ze glimlachte hem toe. 'Mijn kijk op de wereld is wat makkelijker.'
'Ja, dat geloof ik ook. En waarom doe je dan mee aan dat Huwelijksspel?'
'Omdat,' zei Nancy vastbesloten, 'het een goed idee is.'
Max dempte zijn stem. 'Nee, het is geen goed idee. Het is een stom idee. Je kunt er een hoop lol om hebben... tot het de werkelijkheid in de weg gaat staan.' Hij daagde haar uit hun wederzijdse aantrekkingskracht toe te geven. Ze hadden al dagen seintjes uitgewisseld. Zijn warme en stevige lichaam maakte Nancy duizelig van verlangen. Even stond ze zichzelf de luxe toe zijn muskusachtige, kruidige geur in te ademen, rukte zich toen vastbesloten van hem los en liep met Rufa's gin-tonic terug naar hun tafel.
'Bekijk het maar als een tegenvaller,' zei Roshan op dat moment. 'Jouw belangrijkste troef in dit spel is altijd je schoonheid geweest en die kan niemand je afnemen.'
Max, die Nancy door de menigte volgde alsof hij aan haar vastgeplakt zat, zette drie glazen bier neer (Nancy hield van bier, tot Rufa's afschuw). 'Hebben jullie nog geld om van te leven nadat de gemeente betaald is?'

'Niet echt,' zei Rufa fronsend. 'Ik zal eerder een baantje moeten vinden dan ik had gedacht. Het probleem is echter dat iedereen die ik ken op het platteland woont.'
Nancy was al tot de slotsom gekomen dat ze niet van plan was om terug te gaan naar het platteland. Ze was dol op Londen. 'Maak je geen zorgen, ouwe schat. Ik zoek wel een baantje, je hebt geen chique kennissen nodig om biertjes te tappen.'
'Ik heb niet al die moeite gedaan zodat jij je zou moeten afsloven in een kroeg,' zei Rufa boos. 'Ik bedoel maar, stel je voor dat een van de doelwitten je zou zien?'
'Als hij dat decolleté ziet,' zei Max, 'is hij meteen verkocht.'
'Het hangt van de kroeg af,' zei Nancy. 'In deze zijn ze op zoek naar een parttimer.'
'Hier? Dat doe je toch niet!' Rufa was ontzet.
'Wat is er mis mee?'
'Wendy zegt dat hier elke vrijdagavond wordt gevochten...'
'Nou, en? In een beetje pub wordt vrijdagavonds gevochten. Dat stelt niks voor. Je slaat gewoon een paar koppen tegen elkaar en je belt de politie.'
'Dat heb je toch nooit in de Hasty Arms hoeven doen!' protesteerde Rufa.
Nancy begon te lachen. 'Natuurlijk wel. De menselijke natuur en kroegen zijn overal op de wereld hetzelfde. Hoe denk je dat ik aan twee politieagenten als minnaar kom? Toen we het rugbyteam van Bangham in huis hadden heb ik genoeg gebroken glas bij elkaar geveegd om het Crystal Palace te herbouwen.'
'Je hebt me nooit verteld...'
'De Man zei dat ik beter mijn mond kon houden. Hij vermoedde dat je je zorgen zou maken.'
'Mijn god, daarin had hij gelijk,' zei Rufa, die geschokt was en het nog niet helemaal kon geloven. 'Dergelijke dingen ga je hier niet doen!'
'Jullie hebben het geld nodig,' wees Max haar terecht. 'Het levert alleen een probleem op met het Huwelijksspel als iemand je ziet, en ik zie de graaf nog niet opduiken tijdens een karaokeavond in de Duke of Clarence.'
Roshan legde een bierviltje onder het glas van Max. 'Rufa heeft absoluut gelijk, het zou veel te link zijn.' Hij keek peinzend voor zich uit. 'Laten we proberen creatief te zijn. De overval op Sheringham House kan niet doorgaan, omdat jullie geen avondjurk hebben. Wat als ik een paar gratis jurken voor jullie kan regelen?'
'Waarvandaan?' wilde Nancy weten. 'Oxfam? Waarom zou iemand

ons avondjurken geven alleen uit liefdadigheid?'
'Ik denk niet dat hij het over liefdadigheid heeft,' zei Max. 'Let op, meisjes. Er schuilt een addertje onder het gras.'
'Helemaal niet! Ik zit er alleen aan te denken om een van mijn professionele kennissen aan te spreken.' Roshan werd opgewonden bij het idee. Hij richtte zich tot Rufa. 'Mijn redacteur is geobsedeerd door klasse, maar zelf is hij zo gewoon als het maar zijn kan. En zijn krant ook, wat hij er zelf ook van vindt. Wij worden nooit uitgenodigd voor welk beetje societygebeuren dan ook. En als we er een keer in slagen onszelf ergens binnen te praten kunnen we nooit iemand vinden die chic of knap genoeg is om te fotograferen. Als ik heel eerlijk ben zou hij er een moord voor doen om foto's van zo'n stelletje klassedames als jullie op een dubbele pagina in het modekatern te kunnen plaatsen. Zeker als we jullie kunnen kieken tijdens een feestje in Sheringham House.'
'Ik zei het toch?' zei Max. 'De kleine bruine man wil jullie Huwelijksspel in zijn krantje zetten. Doe het dan gelijk goed, en zet een advertentie!'
'Houd je mond,' snauwde Roshan. 'Wie heeft het over het spel? Als ik het artikel schrijf, zou het in mijn belang zijn om enorm uit te weiden over jullie Normandische bloed en het te laten overkomen alsof jullie officieel waren uitgenodigd. Niemand zal het controleren.'
'Misschien niet,' zei Max, 'maar hoe krijg je jullie fotograaf binnen?'
'Er is een ontvangst vóór het concert. Hermione liet zich ontvallen dat ze daar een paar fotografen zullen toelaten. Dat zullen natuurlijk de belangrijke fotografen zijn, van bladen als *Vogue* en *Jennifers Dagboek*. Ik ben ervan overtuigd dat ik er wel eentje langs haar heen kan smokkelen, als de afdeling fotografie maar niet een van hun lomperiken stuurt.'
Nancy en Rufa keken elkaar aan. Rufa was terughoudend. 'Dus jij zegt dat iemand ons gratis avondjurken zal geven zodat ze in de krant komen?'
'Natuurlijk, zeker als ze zien hoe fantastisch jullie erin uitzien,' zei Roshan vol vertrouwen. 'Een kleine vermelding in het artikel en ze zullen worden overspoeld door rijke ouwe tangen die er ook zo uit willen zien.'
Rufa zei: 'Ik weet het niet, hoor.'
'Jij denkt aan Edward,' zei Nancy. Ze leunde naar haar zusje over. 'Rustig maar. Hij is te gierig om een krant te kopen. Hij hoort al het nieuws wel op Radio Four.'

'Stel je voor dat hij patat gaat kopen... of de krant leest waarin zijn aardappelen verpakt zitten?'

Nancy gierde van het lachen. 'Wanneer heeft Edward ooit patat gekocht? En hij teelt zijn eigen aardappels. Al zou er een enorme foto van ons op pagina drie staan waarop we naakt uit een taart springen, hij zou het nooit weten.'

Dit was inderdaad waar. Rufa lachte met haar mee. 'Tja, als jullie echt denken dat we het voor elkaar kunnen krijgen. Maar zal jouw hoofdredacteur er geen bezwaar tegen hebben dat we geen echte societymeisjes zijn?'

Roshan glimlachte ondeugend. 'Alleen als hij het zou weten. Het enige wat voor hem telt is het eindresultaat. Bij twijfel geldt regel nummer een van de journalistiek...'

'Gewoon verzinnen!' zongen Max en hij tegelijk.

Hoofdstuk acht

Sheringham House nam één zijde in beslag van een driehoekig terrein dat uitkeek op Kensington Gardens. Het was een plat gebouw met vergeeld stucwerk uit de tijd van koning George met immense, langwerpige ramen die verlichte theaters van rijkdom en overvloed vormden. Een lange rij auto's en taxi's kroop langzaam in de richting van de rijkelijk bewerkte, door pilaren geflankeerde voordeur. Naast de pilaren stonden twee onbeweeglijke politieagenten, die toekeken hoe de mannen in smoking en vrouwen in bont uit hun voertuig het koude plaveisel op stapten.

Rufa staarde uit het raampje van de taxi naar de rij die over het plein kronkelde. Ze gedroeg zich bewonderenswaardig kalm, maar haar ogen schitterden koortsachtig van opwinding. 'Wat verbazingwekkend,' mompelde ze, 'om te bedenken dat dit zich gewoon... gewoon allemaal afspeelt. Ik bedoel, in dezelfde stad als waar Tufnell Park in ligt. Het is een andere wereld, hè?'

'Een andere dimensie,' zei Roshan, die zenuwachtig aan zijn strikje trok. Hij zat op de opklapbare stoel achter de bestuurder en de zijden rokken van de meisjes lagen rond zijn enkels gedrapeerd.

'Het is eigenlijk schandalig,' was Nancy's goedgemutste commentaar. 'Ik heb al drie Rolls Royces en vier Bentleys gezien en ik weet niet hoeveel met uitsterving bedreigde soorten. We zouden hen allemaal aan de dichtstbijzijnde lantaarnpaal moeten ophangen.'

Rufa lachte. 'Wat een moment om socialist te worden.'

'Nou, zo langzamerhand begin ik te denken dat het socialisme zo gek nog niet is,' zei Nancy. 'Het is in ieder geval goedkoop en je kunt er zonder moeite aanmonsteren.'

'Ja, maar denk eens aan de manier van kléden,' zei Roshan huiverend. 'Ze zien er nog erger uit dan christenen.'

'Dat kan me niet schelen. Ik weet zeker dat je veel meer lol hebt op de barricaden, met makkelijke schoenen aan. Ik wou nu maar dat ik had gekozen voor de surveillance buiten, samen met Max. Ben jij niet bang, Ru?'

'Zeker niet,' zei Rufa kordaat. 'Dit is de avond waarvoor we sinds kerst hebben gewerkt en we zien er allebei fantastisch uit. Als we nu terugkrabbelen kunnen we net zo goed rechtstreeks naar huis, naar Melismate gaan.' Ze werd aangestoken door de overdaad van deze wereld. Het deed zo uitermate veilig aan; alle gevaar en lelijkheid waren weggefilterd door een groot netwerk van oud geld. Terwijl de taxi voortkroop kon ze in kamers kijken vol verguldsel, damast en olieverfschilderijen en voelde ze zich als de fee aan de poorten van het paradijs.

Roshan keek voor de honderdste keer op zijn horloge. 'Waarom duurt het zo lang? Het is maar een graaf, al verbeeldt hij zich heel wat. Waarom zijn die politieagenten nodig? Het bevalt me niks hen daar te zien staan.'

'O, ik weet het niet,' zei Nancy met een verleidelijke glimlach op haar gezicht, 'die zwarte ziet er niet slecht uit.'

'Ik meen het serieus,' snauwde hij. 'Hermione heeft me niet verteld dat het zoiets zou zijn als inbreken in het Kremlin. Laten we alles nog een keer doornemen...' Beide zusjes zuchtten en rolden met hun ogen, maar hij gaf niet toe. 'Toe nou, we kunnen ons niet veroorloven slordig te zijn als we balanceren boven een absolute maalstroom van vernedering. Ik zal mijn uitnodiging bij de hand houden en daar wapper ik dan even mee als we naar binnen rennen. Ik zal zo dicht mogelijk bij de mensen vóór me blijven en jullie tweeën moeten bij mij blijven, en net doen of het huis van jullie is.' Terwijl hij naar hen keek begon de onrust uit zijn gezicht weg te trekken. 'Zo moeilijk kan het niet zijn, jullie zien er uit als engeltjes. Clare zou jullie moeten betalen om haar jurken te dragen.'

Roshan had in zijn Rolodex vol adressen een ware parel ontdekt: een ambitieuze jonge ontwerpster, die Clare Seal heette. Clare verdiende haar brood met het ontwerpen van de kledinglijn van een bekende winkelketen, maar ze beschouwde zichzelf als de Madame Grès van de eenentwintigste eeuw. In Roshans ogen was deze visie net zo heilig als de roeping tot het priesterschap. Hij had een artikel geschreven over haar afstudeershow van de opleiding op St. Martin. Dat had geholpen, maar haar jurken moesten gezien worden aan het lichaam van mooie en beroemde vrouwen. Volgens Roshan negeerden moderedacteuren de echte kwaliteit terwille van op publiciteit gerichte middelmatigheid.

'Clare moet lijden,' had hij Rufa verteld, 'omdat ze ervoor kiest te werken met zijde en fluweel in plaats van prikkeldraad en wegafzettingskegels.'

Hij had Rufa en Nancy meegenomen naar Clares stoffige zolderverdieping op City Road vlakbij Hoxton. Ze was een kleine, stevig gebouwde vrouw met Doc Marten-laarzen aan en een zwarte slobbertrui, maar ze had een rek met prachtige jurken te voorschijn getoverd, die voor zwanen leken te zijn ontworpen. Toen ze Nancy en Rufa zag en besefte dat Roshan niet had overdreven met betrekking tot hun uiterlijk, had ze aangeboden hun zoveel jurken te lenen als ze nodig hadden, in ruil voor foto's op de pagina's van Roshans modekatern en een vermelding in het artikel. Zo eenvoudig was het.

Rufa had zich bezorgd gemaakt dat ze misbruik van Clare maakten en was er niet van overtuigd dat ze een dergelijke jurk zelf zou hebben uitgekozen. Clare en Roshan hadden erop gestaan dat ze een lange, simpele, nauwsluitende jurk van zwaar, bronskleurig zijdefluweel zou nemen. De jurk was van een zeer bepaalde snit, een beetje als een middeleeuws gewaad. Ze moest echter toegeven dat de kleur geweldig paste bij haar haar, dat ze op aanraden van Roshan los en onopgesmukt droeg.

Nancy's lange, wilde krullen had hij geborsteld en in een gladde wrong achter in haar nek opgestoken. Zij droeg een jurk van donkergele zijden crêpe met een lage hals en een klokrok in de stijl van de jaren dertig. Rufa vond dat ze er sensationeel uitzag – steeds weer stond ze verbaasd van Nancy's potentie om een echte schoonheid te worden. Misschien, dacht ze bij zichzelf, zou de snobistische graaf liever haar zusje tot zijn gravin maken. Ze hoopte maar dat dit niet zou betekenen dat zijzelf met Tiger Durward zou worden opgezadeld.

Clare had er nog twee tafzijden, met fluweel gevoerde avondjasjes bij gedaan – donkerbruin fluweel voor Rufa en zwart voor Nancy – en Roshan had twee paar satijnen pumps bijgedragen, die bij Anello en Davide in de juiste kleur waren geverfd.

Rufa glimlachte hem vol genegenheid toe. 'Je bent zo lief voor ons geweest, Roshan. We hadden dit alles nooit voor elkaar gekregen zonder jou.'

'God, nee,' zei Nancy. 'Wij zijn slechts een paar onnozele provinciaaltjes. Lang leve de dag dat Wendy besloot yogalessen te gaan nemen.'

Roshan straalde. 'Jullie hoeven me niet te bedanken. Dankzij jullie heb ik alle fantasieën van vroeger over het aankleden van poppen kunnen waarmaken, die ik als kind moest onderdrukken.'

Nancy pakte een rolletje Polo-pepermunt uit haar overigens lege avondtasje. 'Zou het niet perfect zijn als we voor jou ook nog ergens een leuk vriendje konden oppikken?'

Zijn glimlach werd droevig. 'Ik heb de liefde opgegeven. Rufa's benadering is de juiste – een zinvolle verbintenis, of anders niets.' Hij keek Rufa betekenisvol aan. Hun beider hart was gebroken door een getrouwde man. Roshan had het trieste verhaal over Jonathan gehoord en had zijn eigen geschiedenis verteld over de notaris uit Epsom, die had besloten zijn homoseksualiteit te verdringen en in zijn gerieflijke buitenwijk te blijven wonen. Ze waren het erover eens dat zij, wier harten gebroken waren, een goed excuus hadden om de hartstocht te vermijden.

De taxi draaide met een bocht het plein op. Ze kwamen dichter bij de voordeur. Rufa zag de mensen voor hen uit hun auto stappen en de stoep op lopen, in uitbundige groepjes bij de balustrade staan en vervolgens het huis betreden. 'Laten we uitstappen en een beetje lopen, we moeten oefenen ons hier thuis te voelen.'

Roshan betaalde de chauffeur en hielp de twee meisjes galant met uitstappen. Het was koud, en hun avondjasjes waren dun. Rufa, die zag dat ze nieuwsgierig werd bekeken door een oudere, in bont gehulde vrouw, probeerde net te doen alsof ze het warm had. Roshan liep alvast vooruit naar de samengepakte mensen op de veranda, om de boel te verkennen. Hij kwam geagiteerd terugrennen. 'Dit is vreselijk... o, god... laten we niet in paniek raken.'

Nancy klopte hem op de schouder. 'Rustig aan, lieverd. Wat is het probleem?'

'Ze controleren de uitnodigingen, net achter die twee smerissen met hun vlammende zwaarden.' Roshan haalde zijn mobieltje te voorschijn en begon nummers in te toetsen. 'Waarom heeft die imbeciele Hermione dat niet gezegd? Ik kom er wel langs, maar jullie twee... hallo, Max?' Max stond onopvallend gekleed op wacht om alles in de gaten te houden. 'Waar ben je? We hebben een tegenvallertje...'

Een grote groep mensen, allemaal van middelbare leeftijd of iets ouder, liep langzaam, met benijdenswaardig gemak in de richting van de poort van het paradijs. Rufa en Nancy deden hun best om zich net zo onbevangen te gedragen en wandelden zo dicht mogelijk als ze durfden naar de deur.

Nancy probeerde haar giechelen te onderdrukken. 'Waarom staren ze allemaal naar ons?'

'Omdat je er prachtig uitziet,' zei Rufa. Ze verklaarde het als een simpel feit.

'Bedankt, maar moeten we ons niet onder de mensen mengen?'

'Ja, maar als we ons te veel mengen vallen we niet meer op.'

'Hmm. Jammer dat we geen prijskaartjes aan onszelf kunnen han-

gen. Laten we hopen dat er iemand besluit met ons te trouwen voordat we eruit gesmeten worden.'
Rufa schatte de situatie in. De zware deur achter de twee politieagenten stond open. Daarachter was een dubbele glazen deur zichtbaar. Achter de glazen deur bevond zich de grote ontvangsthal met een vloer van zwart-wit geblokt marmer. Aan een klein tafeltje zat een jonge vrouw in een zwarte jurk, geflankeerd door twee mannen in smoking, die elke uitnodiging nauwkeurig bekeek en de getypte gastenlijst controleerde. Ze vermoedde dat dit Hermione was.
'Het ziet er slecht uit,' fluisterde ze tegen Nancy. 'We moeten onze toevlucht nemen tot plan B, er zit niets anders op.'
Een slanke, elegante man met dik grijs haar deed een stap opzij zodat ze terug naar Roshan konden lopen. Rufa wierp hem een vriendelijke, ietwat vage glimlach toe en pakte Nancy bij de arm. 'Blijf onbezorgd kijken.'
'In deze uitmonstering? Je maakt een grapje. Mijn rok zit zo strak om mijn knieën dat ik alleen maar kan hobbelen, net als de weduwe Twanky.' Nancy onderdrukte een nerveus gegiechel. 'Laten we gewoon net doen alsof we hier thuishoren.'
'Ik hoor hier ook thuis,' zei Rufa. 'Ik ben niets minder dan wie dan ook. Dit is precies de wereld waarin ik me prettig voel. En zo zou jij je ook moeten voelen. Denk aan de Man en vergeet niet dat je een Hasty bent.'
'Ik ben een Hasty. Een Hasty met Normandisch bloed, zonder snoepwinkeltje-aan-zee in mijn wapenschild. Hoewel het Wapencollege of hoe het ook heten mag eigenlijk een nieuw wapen voor ons zou moeten ontwerpen, met een gestreepte anjelier en tien diplomatieke vertegenwoordigers, slapend in de hoek. Of zouden ze juist moeten klimmen?' Nancy onderdrukte met moeite een volgende uitbarsting van gegiechel. De man met het grijze haar stond nog steeds naar hen te kijken. Ze dempte haar stem. 'Sorry. Ik sta te wauwelen. Doodsangst maakt me ongepast vrolijk.'
Roshan kwam naar hen toe rennen en trok hen weg van de officiële gasten. 'Dit is een nachtmerrie. Max zegt dat ze extra beveiliging hebben ingeschakeld omdat prinses Michael van Kent komt en ze natuurlijk niemand de kans willen geven die verdomde vrouw op te blazen.'
Rufa fronste. 'Er is vast een andere ingang. Je zou stiekem achterom kunnen lopen en ons binnenlaten.'
'Er staat nog een smeris in de achtertuin.' Hij schudde mistroostig zijn hoofd. 'Het ziet er hopeloos uit. Wat moeten we in vredesnaam doen?'

'Tja, misschien door een raam...?'
'O, in godsnaam.' Nancy pakte Rufa's hand stevig beet. 'Weten jullie dan niets over ergens binnendringen? Roshan, ga naar binnen en snor die fotograaf van je op.'
'Wat ga je doen?'
'We zien je binnen wel. Schiet op!'
Roshan liep tussen de pilaren door en wierp hen over zijn schouder een ongelukkige blik toe, alsof ze hem in de laatste reddingsboot van de *Titanic* hadden geduwd.
Rufa vroeg: 'Wat ben je van plan?'
'Sst, bederf het nou niet.' Nancy klemde Rufa's hand in de hare en liep achter een groepje van een man of tien aan. De hal achter de tafel waar de uitnodigingen werden gecontroleerd was overvol. Een dubbele deur in de tegenovergelegen muur stond open en bood een verleidelijk uitzicht op rijen vergulde stoelen, die waren klaargezet voor het recital. Bij een andere openslaande deur stond een ober met een blad met drankjes. Ze waren nu dichtbij genoeg om de constante stroom van beschaafde gesprekken te horen.
Nancy wachtte tot de oplettende grijsharige man een glas had gepakt en in de overvolle kamer verdween en het grote gezelschap zich rond de tafel verdrong. Toen sleurde ze Rufa door de glazen deuren, richtte haar blik op een punt ergens in de verte, zwaaide enthousiast en riep: 'Pappie! Pappie!'
Een paar mensen glimlachten toegeeflijk, maar niemand besteedde veel aandacht aan de twee meisjes die hun vader hadden gevonden. Ze waren de tafel voorbij. Ze waren binnen.
Rufa was ademloos van verrassing en vol bewondering. 'Nancy, je bent briljant. Ik heb nog nooit zo'n onbeschaamde list meegemaakt.'
Nancy voelde aan de wrong achter in haar nek. 'Briljanter dan dit word ik niet, lieverd. Jij zult moeten bedenken wat we nu in vredesnaam moeten doen.'
Rufa keek om zich heen. Mensen die zojuist waren aangekomen baanden zich een weg naar een deur aan de linkerkant van de hal, terwijl ze zich ontdeden van hun jas en sjaal. Ze liepen achter drie vrouwen van middelbare leeftijd aan, door een gang die vol hing met oude gravures, naar een kleine zitkamer die was omgebouwd tot garderobe. Twee glimlachende Filippijnse vrouwen in het zwart hielpen hen uit hun jas.
Rufa streek haar fluwelen rok glad terwijl ze gretig de geuren van de omgeving inademde – bijenwas, potpourri, Franse parfum op onwaarschijnlijk schone huid. Ze werden vriendelijk toegelachen

door een gerimpelde dame met wit haar in een jurk van donkerblauwe chiffon.
'Wat een beeldschone jurken!'
Rufa zei: 'Dank u,' terwijl haar hart in haar schoenen zonk. Op dit moment wist ze dat hun jurken helemaal verkeerd waren. Alle andere mensen hier leken oud te zijn en nogal onelegant gekleed. Clares prachtige avondjurken leken hier theatraal, opzichtig en niet op hun plaats. Maar hoe dan ook, ze konden nu niet meer terug. En ze had geen zin om Nancy ongerust te maken. Ze schudde haar haar naar achteren, terwijl ze wenste dat Roshan het haar in een nette vlecht had laten dragen, en hief haar hoofd op.
Ze liepen terug naar de hal en slenterden de kamer in, waar iedereen zich aan het verzamelen was voor het concert. Deze kamer bleek de bibliotheek te zijn. Om de hoek van de deur stond een tafeltje waarop een stapel glanzende programma's lag. Ze namen er elk een en Nancy pakte een glas champagne van het blad.
Rufa mompelde: 'We hadden toch afgesproken dat we niet zouden drinken?'
'Ja, jij en Roshie. Ik heb niets afgesproken. Gratis champagne laat ik niet aan mijn neus voorbijgaan.'
'Goed dan. Als je maar niet bezopen wordt.' Rufa keek de kamer rond, op zoek naar Roshan en de fotograaf die door zijn krant was gestuurd. De bibliotheek was groot en was voorzien van twee ramen die uitkeken over het plein naar het park. Twee wanden stonden vol met boeken. De boeken leken zwaarwichtig en wetenschappelijk van aard, maar de meeste waren ingebonden oude exemplaren van de *Illustrated London News*. Aan de overige wanden hingen olieverfschilderijen van de voorouders van de graaf. Rufa dacht weemoedig aan de door de muizen aangevreten zitkamer in Melismate, waar nog slechts vijf Hasty-voorouders waren overgebleven – de schilderijen die te lelijk waren of te slecht geschilderd om te kunnen verkopen. De Man had die 'De oude bajesklanten' genoemd. Ze kon zichzelf er niet van weerhouden om te vergelijken. Als de adel aftakelde, dacht ze bij zichzelf, stinkt het verschrikkelijk.
'Daar staat hij,' zei Nancy. 'Kom mee.'
Ze had Roshan ontdekt, die gezichten naar hen stond te trekken in de schaduw van een ijzig witte marmeren schouw. Naast hem stond een grote man met een rood gezicht en een camera, die met een mengeling van weerzin en minachting op zijn gezicht om zich heen keek. Er liepen twee andere fotografen onopvallend tussen de magere, slecht geklede douairières met puntige neuzen – het was be-

grijpelijk dat Roshans hoofdredacteur deze mensen niet in zijn flitsende, enigszins vulgaire tijdschrift wilde hebben, al waren ze dan misschien authentieke rijkelui.
'Het is jullie gelukt!' fluisterde Roshan, die bijna huppelde van blijdschap. 'Wat geweldig!'
'Vind je? Het is een verzameling ouwe zakken,' zei Nancy. 'Ik heb het gevoel dat ik een spelletje moet organiseren om het feest aan de gang te krijgen.'
'Jullie zijn binnen en jullie worden gezien. Dat is toch het enige wat telt?'
Rufa keek de kamer rond, waarbij ze oplette dat ze niet staarde. De slanke man met het keurige grijze haar stond nog steeds peinzend naar hen te kijken. Ze draaide hem haar rug toe. 'Waar is de graaf?'
'Hij is er nog niet,' zei Roshan. 'Hij heeft zich waarschijnlijk verstopt in een of ander heiligdom in zijn huis; in elke hiërarchie zit weer een eigen hiërarchie. Het zou me niet verbazen als de werkelijk uitverkorenen achter gesloten deuren met de prinses zitten te babbelen. Trouwens, dit is Pete.'
De fotograaf maakte met zijn vinger zijn boord wat losser. 'Hallo, meiden. Waar wil je ze, Rosh?'
Roshan knikte in de richting van de deur. 'Daar is de graaf. Kijk of je een paar kiekjes van hem met de prinses kunt maken.'
Pete grinnikte langzaam. 'Prinses Opdringerigheid. Ik mag haar wel.' Zonder zich te haasten begon hij zich een weg door de menigte te banen. Rufa benijdde hem om zijn zelfvertrouwen.
'Ik zou hem zelf niet hebben uitgekozen,' zei Roshan tegen Nancy, 'maar laten we dankbaar zijn voor elke meevaller, hij is tenminste in het bezit van een smoking.'
Rufa bekeek graaf Sheringham. Haar hart sloeg over, maar ze voelde niets behalve de vrees over de enorme stap tussen het inbreken in het huis van deze man en hem proberen over te halen met haar te trouwen. Hij was bleker en kleiner dan op de foto's; elegant op een bruuske manier, als een kostbaar maar verbleekt tapijt. Toen hij zich tot de prinses wendde was zijn glimlach vriendelijk en charmant. Zodra hij zich afwendde om de rest van het gezelschap op te nemen, werd zijn gezicht uitdrukkingsloos en koel. Zijn blik bleef even op Rufa rusten, maar zijn gezichtsuitdrukking bleef onveranderd. Rufa voelde zich een nietig stofje en voelde het overal prikken van woede en schaamte. Ze herinnerde zich wat de Man altijd had gezegd over mensen die op anderen neerkeken: 'Toen William Rufus het landgoed Melismate aan jouw voorouders gaf, waren de

voorouders van die vent nog steeds aan het knollen rapen.'
Pete schuifelde terug naar de schouw terwijl hij zijn filmrolletje verwisselde. 'Laten we de meiden fotograferen bij de schouw, dan kan ik ervandoor.'
'Goed idee,' zei Roshan. 'Gaan jullie maar even met elkaar babbelen. Probeer de schijn te wekken alsof je het enorm naar je zin hebt. Ik ga jullie afschilderen als genotzuchtige jonge leden van de familie Sloane.'
'Laten we de Internationale zingen,' sputterde Nancy. 'Ik voel me uitermate onderdrukt.'
Rufa glimlachte haar toe. 'Dat zou je niet zeggen. Je ziet er juist verbijsterend mooi uit.'
'Je bent een schat, lieverd, maar ik wil zo snel mogelijk terug naar mijn eigen planeet. Als je eenmaal met die man getrouwd bent, zorg dan in godsnaam dat hij nooit meer zo'n feestje als dit geeft.'
Pete danste en dook om hen heen, waarbij hij razendsnel met zijn camera klikte, zonder enige zichtbare inspanning of artisticiteit.
'Dat is mooi, doe je haar iets naar achteren, liefje, ja, dat is geweldig. Rosh, wil je er een met Opdringerigheid en de Verwaande Lord op de achtergrond?'
'Ja,' zei Roshan. 'En denk eraan dat het er niet geposeerd uit moet zien. Het zijn zogenaamd foto's van een feestje.' Hij pakte beide meisjes bij de pols en schoof ze in hun nieuwe positie. Pete nam nog een aantal foto's. Het hele gedoe had minder dan tien minuten in beslag genomen maar er werden al nieuwsgierige blikken hun kant op geworpen.
'Prachtig,' verklaarde Roshan. 'Nu nog een paar plaatjes van Radu Lupu, en dan kun je weg.'
'Wie?'
'Donker haar, praat met Opdringerigheid.'
'O, die.' Pete liep even ongehaast als tevoren door de menigte heen.
'De volgende keer,' zei Rufa, 'kom ik als fotograaf. Niemand staat hem aan te gapen.'
'Nee, en naderhand zal niemand zich hem herinneren,' zei Nancy geslepen. 'Ze vallen allemaal op zijn camera.'
Rufa stond de graaf heimelijk te observeren en vroeg zich af hoe ze het mysterieuze proces in vredesnaam in gang moest zetten, dat ertoe zou moeten leiden dat hij verliefd op haar werd. Moest ze flauwvallen aan zijn voeten? Laten merken hoe fantastisch ze de muziek vond? Een of ander voorwendsel vinden om hem in een ernstig gesprek te betrekken? Als ze maar door die ijskoude uitstraling van superioriteit heen kon prikken...

De graaf verwijderde zich van de prinses en de pianist. Zijn koele blik gleed nogmaals de kamer rond. Opnieuw kruiste zijn blik die van Rufa. Ze voelde de rillingen over haar rug lopen. Dit keer bevatte zijn minachtende gezichtsuitdrukking beslist iets onbetamelijks. Roshans vriendin, Hermione, aantrekkelijk, leeghoofdig en duidelijk geïrriteerd, liep naar hem toe. Ze werd vergezeld door een van de mannen bij de tafel in de hal, die de toegang moesten bewaken. De graaf draaide Rufa zijn rug toe en raakte met hen in gesprek. Ze sidderde van opluchting.
Die opluchting was van korte duur. De man van de haltafel keek over de schouder van de graaf direct naar Rufa. Het was duidelijk zichtbaar dat hij een geërgerd, misprijzend gezicht trok.
Rufa's oren zoemden. O, god, dacht ze, zorg dat ik hier wegkom. Ze wist nu wat mensen bedoelden als ze zeiden dat ze het liefst door de grond zouden willen zakken. Ze had zich ingebeeld dat ze een situatie als deze wel aan zou kunnen en ze geneerde zich dood. Ze stootte Nancy aan.
'Wat? Wat is er?'
De man kwam dicht bij hen staan en richtte zich tot Roshan. Zijn gedempte stem gaf het geheel een onprettige intimiteit. 'Ik geloof niet dat deze dames en u op onze gastenlijst voorkomen.'
Zwakjes zei Roshan: 'Ik heb een perskaart...'
'We hebben alleen geselecteerde muziekcritici uitgenodigd,' zei de man. 'We hebben u zeker geen toestemming gegeven om foto's te maken. Het lijkt me dat u en uw... uw modéllen het beste onmiddellijk kunnen vertrekken. Vindt u niet?'
'Verdorie,' mompelde Nancy, 'we hebben de topless foto's nog niet gedaan.'
Rufa, zwak van verlegenheid, stiet een doodsbenauwd lachje uit. Ze keek Roshan aan en ze begonnen allebei hulpeloos te schateren. De ergernis van de man nam toe. Hij legde zijn hand op Nancy's blote arm, alsof hij haar wilde arresteren, en dwong haar met hem naar de deur te lopen. Rufa en Roshan strompelden, piepend door hun onderdrukte gegiechel, achter hen aan. Ofschoon Rufa huilde van het lachen had ze het gevoel dat deze vijf minuten haar haar hele leven lang zouden blijven achtervolgen. Het was zo ontzettend afschuwelijk dat het grappig was.
En toen, vlak bij de deur, verloor ze een schoen. Ze struikelde en stond stil om hem op te rapen. De bewaker keek onheilspellend over zijn schouder. Rufa bleef als bevroren staan en wist niet of hij wilde dat ze hem met haar satijnen schoen in de hand volgde of dat ze de schoen moest achterlaten op graaf Sheringhams karpet.

Een koele hand raakte haar mouw aan. De elegante man met het dikke grijze haar, die de hele tijd naar haar had staan kijken, stak haar de schoen toe.
'Alsjeblieft, Assepoester,' zei hij rustig glimlachend.
'Dank u wel.' Rufa pakte de schoen aan en hinkte met brandende wangen en tranende ogen naar de deur.
De bewaker gooide hen er niet via de voordeur uit. Hij leidde hen naar de smalle gang die toegang gaf tot de garderobe en probeerde hen erlangs te duwen.
Nancy trok haar arm terug. 'Neem me niet kwalijk, we moeten onze jassen nog halen.' Zonder op zijn toestemming te wachten glipte ze de garderobe in. De Filippijnse vrouwen zaten in leunstoelen met een kopje thee. Een van hen schoot schuldbewust overeind en begon tussen de glanzende, welriekende bontjassen naar hun tafzijden jasjes te zoeken. Ze hoefde niet te vragen welke jassen van hen waren. Ze waren makkelijk te onthouden.
Rufa herinnerde zich dat ze een muntstuk van een pond in haar avondtasje had gestopt als fooi voor de garderobe. Ze stapte lang genoeg de kamer in om haar jas aan te pakken en het muntstuk op een leeg schoteltje te leggen. De Filippijnse vrouwen grinnikten haar onzeker toe.
'Komt u nu mee, alstublieft.' zei de man nors. 'U kunt door de keuken vertrekken.'
Aan het einde van de gang bevond zich een deur, die plotseling openging en een grote keuken met glanzend staal onthulde. Buiten de keuken was het licht zacht en goudkleurig. In de keuken was het hard en zilverkleurig. Een vrouw met een schort voor en twee obers gaapten hen aan terwijl de man hen zonder veel vertoon naar de achterdeur duwde.
Hij rukte hem open. Er kwam een vlaag kou binnen die hen allen ineen deed krimpen. 'Ik hoef er natuurlijk niet aan toe te voegen,' zei hij, 'dat u geen toestemming krijgt om de foto's te plaatsen.'
Het was voorbij. Gedrieën stonden ze bibberend buiten de achterdeur in de duisternis van de stallen achter Sheringham House.

'Dat,' zei Rufa, 'was de meest afschuwelijke, vernederende ervaring van mijn leven.'
Wendy was vervuld van verontwaardiging. 'Eerlijk, ze hadden jullie best kunnen laten blijven. Jullie zagen er schattig uit en deden niemand kwaad.'
Anderhalf uur nadat ze het huis waren uitgesmeten zaten ze bij elkaar rond Wendy's keukentafel vette *fish and chips* te eten. Roshan

had zijn smokingjasje uitgetrokken en zijn vlinderdasje en boord afgedaan. Hij zat in zijn hemdsmouwen en rode bretels voorzichtig de patat in een bordje mayonaise te dopen. Nancy en Rufa hadden hun kamerjas aan. Max, die via Roshans mobieltje was opgeroepen, was om het huis heen naar de stallen gereden om de gestrande grappenmakers op te halen. Het was zijn idee geweest om onderweg wat eten te halen. Roshan was uit de auto gestapt om het te gaan kopen en zijn elegante verschijning had enige opschudding veroorzaakt in Captain Nemo's Fish Bar in Kentish Town Road.

De hand van Max raakte per ongeluk die van Nancy toen ze tegelijk het laatste stukje lekkerbek wilden pakken. 'Ik vind niet dat we de hele avond als volledig verspild mogen beschouwen,' zei hij. 'We moeten het zien als een leerervaring. Een generale repetitie.'

'We hadden de pech dat we een feestje hebben uitgekozen waar ze zo'n strikte bewaking hadden,' zei Nancy met volle mond. 'De grote vraag is nu: is onze kans bij de graaf verkeken? Ik bedoel, moeten we met hem doorgaan of hem van het lijstje schrappen?'

Rufa fronste. 'Trouw jij maar met hem als je dat wilt. Ik wil niets meer met hem te maken hebben. Niemand heeft ooit het lef gehad me zo aan te kijken.' Ze was bleek van woede.

'Absoluut waar,' verklaarde Roshan. Hij kon het niet verdragen als Rufa geringschattend behandeld werd.

'Ik zoek wel een ander doelwit uit van ons lijstje met reservenamen. Ondertussen heeft Max groot gelijk, we kunnen hier tenminste iets van leren.'

'Het verbaast me dat jullie er toch nog mee door willen gaan,' zei Wendy.

'Juist wel. Ik ben vastbeslotener dan ooit. Terwijl ik mijn nieuwe doelwit uitzoek moeten we al onze inspanningen richten op Tiger Durward.'

Nancy zuchtte. 'Maar als de Verwaande Lord jou niet eens een blik waardig gunt, wat heb ik dan voor kans bij die grote lomperd?'

'Je zult hem overrompelen.' Rufa lachte haar zusje warm toe. 'Als er iets is wat ik vanavond geleerd heb, is het dat jij onze grootste troef bent. Je was geweldig.'

'Daar sluit ik me volmondig bij aan,' riep Roshan. 'Ik dacht dat ik het in mijn broek zou doen toen je die opmerking maakte over die topless foto's.'

Bij de herinnering schoten ze allemaal weer in de lach. Ze hadden vreselijk gelachen toen ze het aan Max vertelden, die op zijn beurt zo hard had moeten lachen dat hij bij Oxford Circus moest stop-

pen om te plassen. Rufa begreep eigenlijk niet waarom het hun allen als hilarisch voorkwam. Misschien, dacht ze bij zichzelf, omdat het de zaken in de juiste proporties plaatste en had geholpen nog een beetje waardigheid te behouden.
'Het is verdomd jammer dat je de foto's niet mag gebruiken,' zei Max. 'Ik wed dat ze geweldig zijn.'
Roshan werd zakelijk. 'Ik ben bang dat we met die jurken een beetje te ver zijn gegaan. We moeten een balans zien te vinden tussen leuk om te zien en te opzichtig.'
Rufa stond op om nog wat thee te zetten. 'We moeten het wat rustiger aan doen. Wat de Man ook zei over onze fantastische afstamming, het is blijkbaar niet met het blote oog waar te nemen. De volgende keer moeten we voor een geldige uitnodiging zorgen voor een gebeurtenis waar afkomst minder belangrijk is. Ergens waar fotografen welkom zijn en waar gewoon vertrouwen meer betekent dan Normandisch bloed.'
'Gewoon vertrouwen of mooie borsten,' zei Nancy.
Roshan, die blij was dat het spel nog in volle gang was, straalde. 'Laat het maar aan mij over.'

Hoofdstuk negen

Op de officiële uitnodiging voor het bal van de Cumbernauld Stichting stond AVONDKLEDING VERPLICHT. Rufa schrok daarvan, maar Roshan zei dat ze zich geen zorgen hoefde te maken – het was een belachelijk stukje aanstellerij, aangezien de meeste gasten ambitieuze bewoners van buitenwijken waren, die nog niet hadden begrepen dat de jaren tachtig voorbij waren. 'Het betekent niet meer dan dat je meer glitter mag dragen. De helft van de vrouwen zal het als excuus gebruiken om hun enorme ballontrouwjurken weer eens een keer uit de kast te halen. Als jullie de jurken van Clare dragen zal de rest eruitzien alsof ze oude rommel dragen.'
Rufa wilde na haar laatste ervaring zo veel mogelijk van tevoren weten. 'Stel je voor dat iemand ons herkent van Sheringham House?'
Hij snoof. 'Hoogst onwaarschijnlijk. Geen van die snobs zou willen worden gezien op een feestje als dit. Je moet begrijpen dat het hier totaal anders zal zijn. Ze willen veel geld binnenhalen, ze verkopen de kaartjes aan iedereen die ze maar wil kopen en ze zijn dol op de pers. Het is de perfecte plek om op jacht naar Tiger te gaan.'
Lady Helen Durward, de moeder van de illustere Tiger, was beschermvrouwe van het goede doel. Tiger, die onlangs had gebroken met zijn vriendinnetje die in een soap speelde, zou aan haar tafel zitten, evenals Anthea Turner, die de lootjes zou trekken en Alan Titchmarsh, die de veiling zou leiden.
'Dus het niveau is niet zo hoog?' vroeg Nancy.
Roshan zei: 'Het is geen vergelijk. We komen dit keer op het hoogste niveau binnen. Ik heb een heel leuk kennisje die in de organisatie zit.' Dit betrof Anita Lupovnik, die getrouwd was met de bekende juwelier in Bond Street. Juwelier Lupovnik had met een gul gebaar een paar diamanten oorbellen gedoneerd voor de veiling. Anita had gezegd dat ze het prima vond om Pete zoveel foto's te laten nemen als hij maar wilde.
'Wees niet bevreesd, we zullen er heus niet weer uitgegooid worden,' zei Roshan zelfvoldaan. 'Zelfs niet als we ons ontkleden en champagne uit elkaars navels likken.'

Aangespoord door Nancy huurde hij een rokkostuum. Op de avond van het bal wandelde hij zingend Wendy's trap af.
Nancy, Rufa en Max, die in de hal stonden, applaudisseerden. Ze hadden niet verwacht dat Roshan er zo geweldig uit zou zien. Het jacquet en het shirtfront met ruches accentueerden de elegantie van zijn slanke gestalte.
Rufa gaf hem een kus. 'Je lijkt Fred Astaire wel. Ik wou dat Wendy je zou kunnen zien.' (Wendy was in Kidderminster, waar ze logeerde bij een onfortuinlijke vriendin die per abuis een overdosis van St. John's Wort had ingenomen.)
Nancy gaf Roshan een vriendschappelijke klap op zijn achterste. 'Je ziet er schattiger uit dan wij. Waar heb je die spullen vandaan?'
'Hij heeft een concertpianist beroofd,' zei Max.
Roshan trok zijn witte manchetten uit zijn mouwen zodat ze zijn gouden manchetknopen konden zien. 'Ik ben naar een uitstekende verhuurwinkel gegaan vlak bij Saville Row. Andere mensen zouden naar Moss Bros zijn gegaan, een feest in avondkleding geeft mensen absoluut het gevoel dat het hun heilige plicht is om kleding te huren. Ik wilde iets dat met zorg was uitgekozen.'
Max trok aan een van de slippen van zijn rok. 'Zal je een behoorlijke duit gekost hebben.'
'Ik kan het declareren, idioot. In tegenstelling tot BBC Radio kan mijn baas het zich permitteren. Nou,' Roshan wendde zich kordaat tot de meisjes – 'ga eens onder dat miezerige, ontoereikende licht staan en laat me jullie eens bekijken.'
Die middag had hij Rufa vanaf zijn werk gebeld om haar te vertellen dat er plotseling een briljant idee bij hem was opgekomen: ze moesten van jurk verwisselen. Rufa en Nancy hadden het een opwindend idee gevonden. Ofschoon Nancy een paar centimeter kleiner was dan Rufa, en anders geproportioneerd, hadden ze dezelfde maat. Het was intrigerend om te zien hoe de twee jurken van karakter veranderden. De klokrok van gele crêpe hing losjes om Rufa's slanke figuur en gaf haar de frêle elegantie van een filmster uit de jaren dertig. Haar dikke, kastanjebruine haar was opgestoken in een knotje zoals balletdanseressen dat dragen, waardoor haar rug en schouderbladen onbedekt waren. Nancy's rondingen verleenden een bijna tastbare sexy uitstraling aan de sobere bronskleurige fluwelen jurk en haar losse rode haar was een prachtige warboel.
'Ik ben een genie,' verklaarde Roshan. 'En jullie twee zijn gewoon goddelijk. Jullie zullen links en rechts harten breken, ze zullen in de rij moeten gaan staan.'

De balzaal werd gevormd door een gigantische loods met gebloemde vloerbedekking op Park Lane. In plaats van beschaafd gemurmel werden er luide gesprekken gevoerd met af en toe wat gegil. Er speelde een grote, luidruchtige band. Rufa en Nancy keken van boven aan de trap die naar de dansvloer leidde neer op de menigte in zwart rokkostuum en pastelkleurige tule. Zoals Roshan had voorspeld had een aantal van de jongere vrouwen laag uitgesneden schuimgebakachtige jurken aan, waarvan het duidelijk was dat ze oorspronkelijk dure trouwjurken waren.
Nancy mompelde: 'Dit lijkt er meer op. Misschien zullen we ons zelfs vermaken.'
Pete, de fotograaf, had hen op aanwijzing van Roshan op de gevoelige plaat gezet terwijl ze aan hun champagne nipten in diverse onbezorgde, genotzuchtige houdingen. Hij was nu bij de andere fotografen gaan staan om Anthea Turner te fotograferen naast de tombola.
'Ik ben blij dat we iets te eten krijgen,' zei Nancy. 'Mijn maag rommelt als de Vesuvius.'
Rond de dansvloer stonden ronde tafels die baadden in zilveren lichtflitsen die werden veroorzaakt door de boven hun hoofd ronddraaiende discobollen. Er hing een opdringerige, uitnodigende geur van eten in de lucht.
'Kom mee,' zei Rufa, terwijl ze de trap begon af te lopen. 'Laten we even kijken naar de tafelschikking zodat we weten waar Tiger zit.'
Nancy legde haar hand op haar arm. 'Wacht even, ik wil nog iets drinken.'
'Nance, alsjeblieft, we zijn hier voor zaken.'
'Dat ben ik heus niet vergeten. Ik ben aantrekkelijker als ik een drankje op heb. En het zal de vieze smaak wegnemen die ik nog in mijn mond heb door die ouwe zak van een graaf.'
Ze wist dat dit Rufa zou aanspreken, die woedend was geweest vanwege de uitdrukking op Sheringhams gezicht toen hij naar haar had gekeken. De woede was een dekmantel voor diepe gekwetstheid. Ze had zich herinnerd hoe de Man de klassieke definitie van een heer had geciteerd: iemand die nooit per ongeluk beledigend is. Blijkbaar waren types als Sheringham er meesters in om opzettelijk iemand te beledigen.
'Nou, goed dan,' zei ze. 'We kunnen net zo goed bezopen worden, net als de rest hier.'
'Laat mij jullie iets aanbieden,' zei Roshan. 'Jullie moeten je geld bewaren voor handschoenen en kousen.' Vlakbij stond een bar tegen de muur. Hij liep naar de andere heren in rok en liet het aan

Nancy en Rufa over om boven aan de trap bewonderende blikken te oogsten. Tot Rufa's vreugde kreeg Nancy er heel wat. Hoe zou Tiger Durward, of welke andere beschikbare, rijke kerel dan ook, haar kunnen weerstaan?

Roshan kwam terug met champagne. Rufa nipte voorzichtig aan haar glas – haar tweede – en vond het heerlijk. Ze werd wat vrolijker. Dit keer leek alles van een leien dakje te gaan. Met een feestelijk en elegant gevoel daalde ze de grote trap af. Dit was precies wat ze voor ogen had gehad toen ze voor het eerst had gedroomd over het Huwelijksspel, onder het lekkende dak van Melismate.

Aan de voet van de trap stond een groot bord waar de tafelschikkingen op stonden vermeld. Rufa vond hun prooi al snel onder de D. 'Hier staat hij: de heer Timothy Durward, tafel 12.'

'En hier zitten wij, pal naast hem, aan tafel 11,' zei Roshan. 'Ik zei toch dat die goeie ouwe Anita ons zou helpen.'

Nancy kwam tegen hem aan staan zodat ze over zijn schouder kon meekijken. 'O, god, dit is niet te geloven.' Ze begon zachtjes te lachen. 'Dat is verdomme niet te geloven. Ru, wie is de laatste persoon die je vanavond zou willen tegenkomen?'

'Edward,' zei Rufa meteen. 'Ga me alsjeblieft niet vertellen dat hij er ook is.'

'Nee, zo erg is het niet, maar het scheelt niet veel. Het is de Verschrikkelijke Dokter Phibes!'

'Dat meen je niet!'

Met een vermiljoenkleurige nagel tikte Nancy tegen de plattegrond. 'Sir Gerald Blute, er kunnen er geen twee van zijn.'

Roshan vroeg: 'Over wie hebben jullie het in vredesnaam?'

'Hij is onze plaatselijke jachtopziener,' zei Rufa koeltjes. 'Hij kon niet bepaald goed opschieten met de Man.'

'Kan dat pijnlijk worden?'

'Ik zou niet weten waarom. Hij zit aan tafel 42; het zal makkelijk zijn hem te mijden.'

Bij Nancy kwam een zorgwekkende gedachte op. 'Stel je voor dat hij onze namen ziet staan en het tegen Edward zegt? Dan zullen we heel wat uit te leggen hebben.'

Rufa was bleek geworden en zei hooghartig: 'Edward bekijkt die man niet. En ik begrijp niet waarom je je zo druk maakt over dokter Phibes als je op het punt staat in volle glorie met een foto in een landelijke krant te verschijnen. Laten we op zoek gaan naar onze tafel.' Ze liep van hen weg tussen de genummerde tafels door.

Roshan fluisterde tegen Nancy: 'God, wat houd ik van haar als ze zo doet!'

'Ze meent het, lieverd, ze maakt geen gekheid,' zei Nancy, die haar hoofd schudde. 'Op de een of andere manier zijn onze ouders erin geslaagd een perfecte adellijke dame groot te brengen. Daarom ben ik vastbesloten om Tiger te strikken. Ik kan wel tegen de vulgariteit van het idee voor geld te trouwen, maar zij niet. Ze zou eronderdoor gaan. Diep in haar hartje is ze een romantica die nog steeds hoopt dat ze waanzinnig verliefd zal worden.'
'Dat zou toch kunnen.'
'Jawel, maar we kunnen er niet op wachten. Ik zal dit spelletje winnen omdat ik realistischer ben.'
Roshan lachte. 'Jij? Onzin. Je bent verslaafd aan verliefdheid. Ik heb al heel wat over je gehoord, vergeet dat niet. Rufa zal een goede partij vinden en jij gaat ervandoor met de glazenwasser.'
Nancy probeerde verontwaardigd te zijn maar ze kon haar lachen niet bedwingen. 'Vreselijk mannetje. Zorg nou maar dat ik sterk blijf en er niet vandoor ga met Max.'
De muziek hield op. Hier en daar klonk applaus en iedereen liep naar de tafels. Na de afschuwelijke ervaring in Sheringham House was het erg prettig om hun naamkaartjes op de tafel te zien staan. Midden op elk bord, boven op een gevouwen servet, stak een programma, versierd met een gouden kwastje.
Rufa legde haar servet op haar schoot en sloeg het programma beleefd open. 'Welkom bij het zevenendertigste Cumbernauld Bal, dat bedoeld is om geld in te zamelen voor de Cumbernauld Stichting. De Stichting ondersteunt jaarlijks belangrijk onderzoek naar ouderdomsziektes. De fondsen die vanavond worden ingezameld zullen daarnaast bestemd worden voor de onderhoudskosten van vijf Cumbernauld Tehuizen.'
Nancy was niet zo geïnteresseerd in het goede doel. Ze bestudeerde het menu. 'Mmm, terrine van gerookte zalm, lamskoteletjes en frambozenmousse. En hier is een lijst van de spullen die geveild zullen worden.' Naast de diamanten van de familie Lupovnik was er een diner voor twee in Thwaite Manor vlakbij Guildford, een week in een villa in Griekenland en de onderbroek van iemand, voorzien van een handtekening.
'Ik heb er een bom duiten voor over om daar niet mee opgezadeld te worden,' zei Roshan. Plotseling zweeg hij en staarde oplettend naar de tafel naast hen. Hij legde zonder zijn blik te verplaatsen zijn hand op die van Nancy en zei zachtjes: 'Daar.'
Een lange, breedgeschouderde man in smoking met een opzichtig brokaten vest nam zijn plaats in. Nancy en Rufa aanschouwden Tiger Durward in levenden lijve. Hij had de bouw van een rugby-

speler, gereed om zijn spieren te spannen en weer te ontspannen zodra het spel was afgelopen. Zijn blozende, domme gezicht was bijna voortdurend vertrokken in een lege, brede grijns. Hij had een bulderende lach en zijn stem deed het glaswerk rinkelen.
Nancy murmelde onzeker: 'Is hij knap?'
'Nee,' zei Rufa.
Roshan zei: 'Ja, in zekere zin wel. Dat soort energie kan erg aantrekkelijk zijn. En je moet toegeven dat hij een prima lichaam heeft.'
'Nance...' zei Rufa, terwijl ze langs Roshan heen boog. 'Je hoeft er niet mee door te gaan.'
Nancy zat bedachtzaam naar Tiger te kijken, terwijl ze hem probeerde in te passen in het plaatje van hofmakerij en huwelijk. 'Als ik nu al de moed verlies, wat doen we hier dan eigenlijk? En ik vind echt dat hij wel mogelijkheden heeft.'
'Weet je het zeker?' Rufa kon zich bijna niets ergers voorstellen dan gekoppeld te worden aan Tiger Durward.
'Je kent me toch. Ik geef in de praktijk de voorkeur aan simpele types. Die zijn meestal aardig.'
Roshan schonk witte wijn in hun glazen uit een van de flessen die op tafel stonden. 'Ja, op een dierlijke manier, als een grote hond die op je schoenen kwijlt.'
Hun gastvrouw, Anita Lupovnik, arriveerde bij hun tafel, gekleed in blauw kant met een fel schitterend diamanten kraagje. Ze begroette Nancy en Rufa met achteloze vriendelijkheid en zo'n gebrek aan neerbuigendheid dat Nancy voor zichzelf besloot nooit meer in hogere kringen te willen vertoeven als het aan haar lag – de iets mindere klasse scheen een veel beter soort mensen aan te trekken.
Het diner verliep plezierig, ofschoon het door Tigers harde lach, die om de paar minuten klonk, moeilijk te vergeten was dat ze hier voor zaken waren. Tegen de tijd dat de frambozenmousse werd opgediend was hij straalbezopen en stond er een woud van lege flessen voor hem op tafel.
De koffie, lauw en bitter, werd geserveerd en de band ging weer spelen.
Roshan gaf Pete een teken, die rokend en verveeld kijkend aan de overkant van de tafel zat. 'We willen graag wat foto's van de meisjes, dansend met Tiger, als hij nog kan staan.'
De jongere, luidruchtiger gasten haastten zich naar de dansvloer. Tiger stond op van de tafel naast de hunne en stond licht zwaaiend om zich heen te kijken.
Nancy schoof de in zilverpapier gewikkelde perpermuntjes van een schoteltje in haar handtas om die naar Linnet te sturen. Ze stond

op. 'Ik denk dat dit het moment is waarop ik het begrip 'dansen' plant in die eenzame hersencel, voordat die uitvalt.'
Pete grinnikte terwijl hij zijn camera uit de hoes haalde. 'Als hij aan je zit, sla ik hem voor je neer.' Vrouwen van goede afkomst vormden voor hem een vermoeiend mysterie, maar hij had besloten dat hij Nancy wel mocht.
'Bedankt,' zei ze. 'Het is een prettig idee te weten dat er iemand is die mijn eer zal verdedigen.'
Rufa keek gefascineerd en angstig toe hoe Nancy de paar meter vloerbedekking overstak naar Tigers kant. Het enige wat ze hoefde te doen was tegen hem aanlopen en 'Sorry' te murmelen.
Verdwaasd deed Tiger een aantal pogingen om haar scherp in het zicht te krijgen. Nancy liep in slow motion, terwijl ze wachtte tot zijn gedachte vorm kreeg.
Hij stak zijn hand uit. 'Hoi. Wil je dansen of zo?'
En zo makkelijk ging het. Nancy stelde zichzelf voor. Tiger, die niet luisterde, pakte haar bij de elleboog en loodste haar in de richting van de dansvloer. Roshan en Pete sprongen op om de topfoto's van de avond te maken. De band speelde 'Red Red Wine'. Tiger begon onmiddellijk rond te zwalken en te springen, alsof iemand een innerlijke knop had ingedrukt waarop DANSEN stond. Nancy ving Rufa's blik op. Ze lachte terwijl ze onder Tigers armen door dook, die zwaaiden als de staken van een windmolen. Rufa was blij dat ze zich amuseerde. Thuis was het makkelijk geweest om te theoriseren over het omgaan met onaantrekkelijke mannen. De werkelijkheid was echter geheel anders.
Een beetje bezorgd om Nancy, maar over het algemeen tevreden dat de avond volgens plan verliep, stond Rufa op en liep de trap weer op naar de damestoiletten. Ze had nu niet veel meer te doen, behalve poseren voor nog wat foto's. Hoelang ze hier zouden moeten blijven hing van Tiger af en van de indruk die Nancy op hem maakte. Dat was moeilijk in te schatten – Rufa kon alleen maar hopen dat zijn versiertechniek beter was dan zijn danskunst.
De damestoiletten waren groot en aangenaam zacht verlicht. Er was een lange rij roze klapdeurtjes tegenover een rij glanzende wastafels met spiegels. Een stuk of vijf vrouwen stonden ervoor hun make-up en merkwaardige kapsels bij te werken. Er lag een dik tapijt en er hing een geur van parfum, vermengd met luchtverfrisser. Het lawaai van het bal was hier gereduceerd tot een gedempt gedreun.
Rufa kwam haar wc-hokje uit en ging voor een van de spiegels staan. Haar haar zat nog goed, maar haar lippenstift had wat aan-

dacht nodig. Roshan had erop gestaan dat ze een sterkere, rodere kleur gebruikte dan ze normaal deed. Licht fronsend leunde ze naar voren om de peperdure lippenstift aan te brengen.
Een van de deurtjes klapte open en een slungelachtige vrouw van middelbare leeftijd met keurig grijs haar ging voor de wastafel naast Rufa staan. Hun ogen ontmoetten elkaar in de spiegel. Rufa verstarde.
Lady Bute, de echtgenote van de Verschrikkelijke Dokter Phibes, stond haar aan te gapen. Haar geschokte gezichtsuitdrukking maakte plaats voor een van grote woede.
Ze siste: 'Jij!'
'Hallo...' Rufa wist niets anders te zeggen.
'Nou ja. Rufa Hasty. Ik moet zeggen dat het me verbaast je hier te zien.' Lady Bute draaide een opzichtig roze lippenstift open. 'Dit is niet bepaald de gelegenheid waar ik zou verwachten de dochter aan te treffen van iemand die blijkbaar te arm is om zijn schuld te betalen.'
Rufa verstijfde van boosheid. Hoe durfde ze dit onderwerp ter sprake te brengen? De Man had altijd al gezegd dat de Butes ordinair waren. 'We zijn arm, lady Bute. Fijn dat u me eraan herinnert.'
'Je vader is ons na dat mensonterende incident op Boxing Day nog steeds de kosten verschuldigd van een duur zadel, om maar te zwijgen over de rijbroek. Hij heeft geweigerd te betalen, waarbij hij blijk gaf van een verbazingwekkend gebrek aan fatsoen.'
'Mijn vader is dood,' zei Rufa.
'Ja, en dat is de enige reden dat mijn man niet verder op de zaak is ingegaan. Hij hoorde dat jullie de boel gaan verkopen en kwam tot de conclusie dat het geen zin had. Maar als jullie genoeg geld hebben om naar een bal te gaan, met duidelijk dure jurken aan, tja, dan werpt dat een ander licht op de zaak, vind je niet?'
Rufa's stem was samengeknepen van kwaadheid. Ze had haar woede nodig om haar tranen in bedwang te houden. 'Ik wist niet dat er een schuld was. Zegt u tegen Sir Gerald dat hij het op papier zet. Dan zullen we hem toevoegen aan de lijst van schuldeisers.'
'Zal er genoeg geld zijn om alle schuldeisers te betalen?'
'Nee.'
'Je bent al net zo onbeschoft als hij was,' snauwde lady Bute. 'Hij was een zeer onbeschofte man en ik zie niet in waarom we nu allemaal net moeten doen of we dat vergeten zijn, alleen maar omdat hij dood is. Hij voelde alleen minachting voor zijn buren. Dat hij het deed voorkomen alsof hij tegen de jacht was...'
'Het was geen pose.'

'Onzin. Hij deed het om ons dwars te zitten en om moeilijkheden te veroorzaken.'
Achter hen ging een klapdeurtje open. Anita Lupovnik verscheen, die in haar met lovertjes bedekte avondtasje zocht naar een lippenstift. Rufa en lady Bute vervielen in een bevend, bijna roodgloeiend zwijgen.
Anita was een plompe vrouw met levendige, humorvolle ogen. 'Ik hoorde per ongeluk wat u zei, en nu moet ik het gewoon weten: waaruit bestond dat mensonterende incident?'
Lady Bute kneep haar lippen op elkaar en zweeg veelbetekenend.
Rufa zei: 'Mijn vader heeft superlijm gesmeerd op het zadel van haar echtgenoot.'
Anita staarde haar even aan en barstte toen uit in een gierende lach. Ze zocht steun bij de wastafel en lachte tot haar mascara begon door te lopen.
Lady Bute verliet de ruimte met opgestoken zeil en wit van woede.
Rufa merkte dat haar rug en schouders pijn deden van de spanning. Toen lady Bute weg was ontspande ze zich en haar woede ebde een beetje weg. Er bleef echter genoeg over om haar een gevoel te geven van duizeligheid en macht. Als Anita er niet geweest was, was ze misschien in tranen uitgebarsten – ze kon de vrouw wel zoenen. Maar ze zei: 'Haar echtgenoot is onze plaatselijke jachtopziener. Mijn vader keurde de jacht af. Hij zei dat de enige manier om hem tegen te houden was Sir Geralds kont aan zijn zadel vast te plakken.'
Anita's gegier bereikte een nieuw hoogtepunt en eindigde in gegiechel. 'O, god, mijn make-up, ik ben zo bezopen als een konijn.' Er stond een met gerimpelde stof beklede doos met tissues voor de spiegel. Ze trok er een uit en begon voorzichtig haar ogen te deppen. 'Jij ziet er zo verdomd verfijnd uit. Ik kon niet aan je zien dat je woorden als "kont" kende. Je hebt mijn avond goedgemaakt!'
Rufa lachte. 'Daar ben ik blij om, want jij hebt voor ons diner betaald. Ik was van plan je later te bedanken, maar ik kan het net zo goed nu doen, het was vreselijk aardig van je. We amuseren ons kostelijk.'
'Laat maar zitten. Op de tafel kun je meer koffie en brandy vinden. Ik kom naar je toe als ik hier de schade heb gerepareerd.'
Rufa zeilde het damestoilet uit als Boadicea, tevreden bij de gedachte dat de Man trots op haar zou zijn geweest.
Boven aan de grote trap kwam ze Roshan tegen. Hij klonk buiten adem en opgewonden. 'Ik ben hen kwijtgeraakt.'

'Wat?'
'Nancy en Tiger, ze zijn er samen vandoor gegaan. Ik heb die dansvloer afgeschuimd als een verdomd Brillo-sponsje, maar ik kan ze nergens vinden.'
'O.' Rufa dacht even na. 'Nou, dat is toch goed? Ik bedoel, dan kunnen ze waarschijnlijk goed met elkaar overweg.'
Roshan bleef ongerust om zich heen kijken. 'Ik vind het niet prettig dat ik hen uit het oog ben verloren. Om je de waarheid te zeggen, zag Nancy er niet al te vrolijk uit, ze trok gezichten naar me...'
'Ze wilde gered worden! O, Roshan, waarom ben je er niet gewoon naartoe gegaan om haar weg te halen?'
'Dat heb ik geprobeerd, maar ze waren opeens verdwenen!'
Rufa pakte haar rok vastbesloten op. Nancy zou niet voor niets van die gebaren maken. 'Laat me zien waar je ze het laatst hebt gezien.'
Hij nam haar mee de trap af. Rufa zocht met toegeknepen ogen in de wriemelende gestalten op de dansvloer en tussen de mensen die aan hun tafels op de veiling wachtten.
Ze vroeg: 'Waar precies?'
'Daar. Een tel later waren ze verdwenen.'
'Wat bevindt zich achter de trap?'
'Gewoon een van de dienstingangen, of zo... o, Rufa, doe niet zo gek.' Hij rende achter Rufa aan naar de donkere schaduwen onder de trap. 'Daar zal hij haar toch niet mee naartoe hebben genomen!'
Ze zagen klapdeuren, bekleed met rood vinyl. Zonder aandacht aan Roshan te besteden zwaaide Rufa ze open en liep door. Ze kwamen uit op een nauwelijks verlichte gang met vloerbedekking en drie deuren aan een kant. Ze vermoedde dat het een soort kantoren waren – aan de andere kant zou ze beneden terecht zijn gekomen.
'Nee, voor de laatste verdomde keer, ik doe het niet, ik wil niet met je "knuffelen", jij grote kwijl, laat me los!'
Het was Nancy's stem, die steeds kwader klonk. Rufa duwde de eerste deur open die ze tegenkwam. Nancy, die ongemakkelijk tegen een leeg bureau aan stond, probeerde uit alle macht Tiger Durwards vlezige zuigmond te ontwijken.
'Luister, ik wil je geen knietje geven, maar als je me niet loslaat...'
Rufa's zinderende woede barstte los als onweer. Ze gilde: 'Zit niet met je poten aan mijn zusje, jij schoft!' en ze stortte zich op Tigers rug, terwijl ze gelijktijdig hard met haar vingers in zijn ogen klauwde. Hij brulde. Zijn handen vlogen naar zijn gezicht en Nancy worstelde zich los.

Ze vloog Rufa om de nek. 'Ik ben nog nooit zo blij geweest om jou te zien! Waar heb je dat in vredesnaam geleerd?'
'Edward, natuurlijk,' zei Rufa kordaat. 'Hij heeft me de basis van zelfverdediging geleerd voor het geval een van mijn tafelgenoten lastig zou worden.'
Tiger, die zijn vuisten nog tegen zijn ogen gedrukt hield, brulde nogmaals en strompelde blind door de kamer. De twee zusjes stonden hem walgend te bekijken.
'Ik kon hem niet tegenhouden,' zei Nancy, terwijl ze haar haar gladstreek. 'Het ging zo snel. Hij is zo sterk als een beer. Hij sleepte me gewoon hier naar binnen en nu is mijn lippenstift natuurlijk verpest.'
'Nancy, als je met deze monsterlijke gorilla trouwt, zal ik in de kerk hoogstpersoonlijk bezwaar maken.'
'Dank je, lieverd,' zei Nancy. 'Dat zal niet nodig zijn. Laten we er alleen voor zorgen dat mijn volgende doelwit geen geile zuipschuit is.'
Tiger kreunde luid. Hij schreeuwde: 'Kreng! Dat doet verdomde pijn!'
Roshan was verbijsterd in de deuropening blijven staan. Deze belediging bracht hem bij zijn positieven. 'Het was ook de bedoeling dat het pijn deed!' siste hij. 'Lieve god, je bent nog niet eens goed genoeg om de zoom van hun jurk te kussen! Meisjes, ga naar boven en waarschuw de beveiliging. Ik blijf hier bij hem. En bel de politie ook maar.'
Nancy pakte hem liefhebbend bij de arm. 'Lieverd, je bent veel te zwak en broos om dit monster in bedwang te houden. En we hoeven de hulpdiensten er niet bij te betrekken. Met mij is niets aan de hand en hij kan niets doen. Laten we gewoon naar huis gaan.'
Tiger trok zijn handen van zijn gezicht. De eerste persoon waarop zijn bloeddoorlopen ogen zich richtten was Roshan. Hij werd stil en merkwaardig kalm. Lange tijd bleef het stil.
Met lage stem, die noch hard was, noch dronken klonk, zei Tiger: 'Naar jou ben ik mijn hele leven al op zoek.'
Zijn ogen rolden omhoog en hij viel flauw.

Weer zaten ze met z'n vieren rond Wendy's keukentafel voor een nabeschouwing. Dit keer lachte Max echter niet. Hij keek naar Rufa met een nieuw respect.
'Als jij op dat moment niet was binnengekomen... nou, jullie gaan nergens meer heen zonder gewapende begeleiding, dat wil ik maar zeggen. Ik zou hem vermoord hebben.'

'Ik had geen lijfwacht nodig, ik had Ru,' zei Nancy terwijl ze naar voren leunde om in Rufa's hand te knijpen. ' "Want een betere vriendin dan een zus bestaat niet/ In kalm of stormachtig weer/ Om je op te vrolijken tijdens verveling/ Om je op te vangen als je de weg kwijt bent..." '
'Houd op!' smeekte Roshan, die tranen in zijn grote bruine ogen had. 'Als je nog meer citeert, ga ik kapot.'
Rufa en Nancy, die aanvankelijk dreigden zwaarmoedig te worden, barstten in lachen uit. Nancy zei: 'Ik wou maar dat we Pete bij ons hadden gehad. Niet om ons te beschermen, ik bedoel, zou het niet geweldig zijn er een foto van te hebben?'
Roshan snoot zijn neus en lachte haar waterig toe. 'Dat schouwspel, hij, liggend op de vloer... we wisten niet of we hem zo achter moesten laten of hem een levenskus geven.'
Max vroeg: 'Wat hebben jullie uiteindelijk met die schijtlaars gedaan?'
'Voordat we iets konden verzinnen kwam hij bij en begon te snikken.'
'Hij liep als een lammetje achter ons aan,' zei Rufa. 'We hebben hem in een stoel onder de trap laten zitten. Hij zat zo vreselijk te snikken dat we het hart niet hadden om er een toestand van te maken.'
'Hoe dan ook,' zei Max, 'hij is Nancy een uitgebreid excuus schuldig.'
Tot ieders verbazing kwam het excuus de volgende ochtend. Rufa deed de voordeur open en daar stond een man met twee grote boeketten tijgerlelies, bestemd voor miss Rufa en miss Nancy Hasty. Ondanks zichzelf was Rufa erdoor gecharmeerd; ze bedankte de man en stond op het punt de deur dicht te doen toen hij zei dat hij nog iets moest afleveren. Hij liep terug naar zijn bestelbus en kwam terug met een enorme mand vol bloedrode rozen, versierd met grote gladde strikken van donkerrood zijden lint. Rufa moest een paar stelen buigen om het gevaarte door de voordeur te krijgen. Aan het hengsel van de mand zat een witte envelop gebonden, die was geadresseerd aan Mr. Roshan Lal.
Nancy en zij moesten erom lachen, maar Roshan was geschokt. 'Anita heeft hem natuurlijk mijn naam en adres gegeven...' Hij haalde het kaartje uit de envelop. In een duidelijk, rond handschrift was erop geschreven: 'Ik meende wat ik zei. We moeten elkaar weer ontmoeten.'
Terwijl ze gedrieën naast de monsterlijke berg rozen in Wendy's halletje gepropt stonden, keken ze elkaar met ontzag aan.

Roshan fluisterde: 'Hij meende het!'
'Sorry voor het lelijke woord,' zei Nancy, 'maar wat is dit voor klote Huwelijksspel?!'

Rufa weigerde toe te geven dat ze verslagen was. Hun eerste twee pogingen waren jammerlijk mislukt, maar ze stond erop dat ze het opnieuw zouden proberen. 'We werken gewoon de lijst af tot we iemand vinden die geen hekel aan ons heeft of die niet verliefd wordt op Roshan.'
Wendy, die terug was van Kidderminster, was zeer onder de indruk van de mand met rozen. 'Ik neem aan dat als Tiger eigenlijk homo is, het verklaarbaar is dat hij zo'n afschuwelijke reputatie op het gebied van vrouwen heeft. Hij is in de ontkenningsfase.'
'Dank u, doctor Freud,' zei Roshan. 'Hij ontkent niks meer. Hij heeft me al een paar keer gebeld op mijn werk, hij wil dat ik met hem uiteten ga. Alsof ik dat zou doen.' In deze zin klonk vaag enige weemoedigheid door. Dapper voegde hij eraan toe: 'Het beest.'
De zondag na het bal waren de genotzuchtige foto's van Nancy en Rufa in Roshans katern geplaatst. Zoals ze op de dubbele pagina te bewonderen waren zagen ze er lekker genoeg uit om op te eten, zoals Max het formuleerde. Rufa dacht dat het zou kunnen helpen. Rose was zo verbluft geweest dat ze hen opbelde vanwege de minimale kans dat ze wat geld over zouden hebben.
De sombere waarheid was echter dat hun geld als sneeuw voor de zon leek te verdwijnen. Rufa vroeg zich al af waar ze mensen zou kunnen vinden voor wie ze zou kunnen koken. Nancy dreigde nogmaals een baantje achter de bar te zoeken. Na de publicatie van de foto's was Rufa hier nog sterker op tegen. Buiten was het koud en nat. Tufnell Park was donker en het droop er onophoudelijk van de regen.
'Dit spel doet denken aan een slang die probeert een ladder op te kruipen,' merkte Nancy op een saaie ochtend op, terwijl ze ongeïnteresseerd uit het raam van de slaapkamer naar het voorbijrazende verkeer keek. 'Zodra we een voet op de ladder hebben gezet glijden we weer naar beneden. We moeten proberen onopgemerkt nog wat feestjes binnen te dringen, zolang we nog een buskaart kunnen kopen.'
Roshan, die zich nogal schuldig voelde over het feit dat hij onverwachte neigingen had opgewekt bij een doelwit, voorzag hen voortdurend van tijdschriften. Rufa, die zich vreselijk arm voelde en vond dat ze geen goede contacten had, lag op haar bed plichtsgetrouw een exemplaar van *Harpers & Queen* door te bladeren.

Nancy zei: 'Eerst moet het doelwit ons zien. Dan moet hij een van ons mee uit vragen. Dan moet hij besluiten dat hij wil trouwen en dat hij verliefd genoeg is om de schulden van de Man te betalen. Dat kan wel maanden duren.'

'O, god,' hijgde Rufa plotseling.

'Tja, we moeten de werkelijkheid onder ogen zien, lieverd. Rome is ook niet in één dag gebouwd.'

'Kijk! Moet je dit eens zien!' Rufa, wier gezicht was opgeklaard, sprong van haar bed af en smeet *Jennifers Dagboek* voor Nancy's neus.

Nancy staarde naar de pagina. 'Dat is Berry!'

'Ja, het is Berry. Zijn vader is een lord, en moet je zijn huis eens zien!' Ze begon te lachen. 'Ran heeft natuurlijk niet de moeite genomen om dat te vertellen, anders had hij ons een hoop moeite kunnen besparen!' Ze las de koppen boven de foto's over Nancy's schouder mee. 'Shit, hij is verloofd, dat was ik even vergeten. Wat een pech.'

Lord en lady Bridgmore waren gefotografeerd in hun prachtige zitkamer voor een schouw van Robert Adam en een groot schilderij van Gainsborough, die kostbaar genoeg was ingericht om heel Melismate, inclusief schulden, op te kopen. De foto was gemaakt ter gelegenheid van hun vijfendertigjarig huwelijk en de verloving van hun zoon, de hooggeboren Hector Berowne. Zijn verloofde, over wie hij op kerstavond zo terughoudend was geweest, werkte in een beroemde galerie in Bond Street, Soames and Pellew genaamd.

'Nou, nou, nou,' zei Nancy zachtjes. 'De vogel die ons geluk kwam brengen zat al die tijd al in onze achtertuin. Ik stel voor dat we Berry meteen boven aan de lijst zetten!'

Rufa was er niet zo zeker van. 'Maar hij is verloofd. Het ziet ernaar uit dat we te laat zijn.'

'Kan me niet schelen,' zei Nancy fronsend. 'Dit is een door de hemel gezonden kans, en ik ga hem grijpen.'

'Maar, Nance, hij is verloofd!'

'Durf eens te beweren dat hij niet op me viel.'

'Hij viel als een blok voor je,' gaf Rufa toe, 'maar duidelijk niet genoeg om van gedachten te veranderen over dat meisje.'

'Let jij maar eens op,' zei Nancy. 'Je ziet hier de toekomstige lady Bridgmore voor je.'

Hoofdstuk tien

De toekomstige lady Bridgmore, voorlopig nog bekend onder de naam Polly Muir, zat aan haar Hepplewhite-bureau in haar galerie in Bond Street. Ze was een tengere jonge vrouw, wier aantrekkelijke gezicht misschien moeilijk te beschrijven zou zijn als ze zich niet zo uitstekend presenteerde. Vanochtend droeg ze een korte zwarte rok – ze had mooie benen – en een simpel witzijden shirt. Haar lange, blonde haar had ze in een paardenstaart gebonden met een zwarte fluwelen speld in haar nek.

Zo weinig mogelijk overdrijven, dacht ze altijd. Als je twijfelt, trek het dan niet aan. Het was haar levensmissie om onopvallend perfect te zijn. Niemand apprecieerde de inspanning die dit kostte. Soames and Pellew betaalden haar voornamelijk om er goed en chic uit te zien en dat kon ze makkelijk combineren met haar echte werk, dat bestond uit het doorploegen van de enorme databank aan lijstjes die ze in haar hoofd had.

Ten eerste de lijst van genodigden voor haar bruiloft. Polly had de geschiedenis van haar familie zorgvuldig nageplozen en hier en daar veranderd, zodat die elke toets kon doorstaan, maar het feit bleef dat ze een ernstig tekort had aan geschikte verwanten. Haar groottante, die de weduwe was van een Schotse baronet, kon worden ingevlogen uit Australië. De overige leden van die tak waren echter hopeloos: een en al nasaal accent en zonnebank-bruin. Op de een of andere manier moest ze haar kant van de kerk zien te vullen met vrienden van goede afkomst. En ze moest het voor elkaar zien te krijgen dat haar vader niet zijn eigenlijke voornaam zou gebruiken. Niemand heette 'Leslie'. Zijn middelste naam luidde Alistair, en die paste veel beter bij de kilt.

In Polly's leven moest alles gecontroleerd en nog eens gecontroleerd worden of het wel klopte. Ze sprak de vereiste taal wel, maar niet geheel vloeiend. Was het precies goed, bijvoorbeeld, om je bruiloft te houden bij Peter Jones? Wat het precies goed om de amusante porseleinen hondenbak op de cadeaulijst te zetten, hoewel Berry en zij geen hond hadden? En als je het daarover had, hoorde het eigenlijk wel om een cadeaulijst te hebben? Polly had er geen moeite mee om hebberig over te komen. De mensen die waren geboren in de Engelse bovenklasse waren de hebberigste mensen die ze ooit had ontmoet. Je moest er gewoon op letten dat je op de juiste manier hebberig was.

Toen de twee beeldschone, roodharige vrouwen de galerie binnenkwamen zat Polly net genoeglijk te denken aan de gezellige gestalte van Berry. Die lieve ouwe Berry; ze kon niet wachten om met hem getrouwd te zijn en in het mooie huis in Chelsea te gaan wonen, dat zijn ouders hun als huwelijksgeschenk zouden geven. Zij waren ook schatten. De teckels van lady Bridgmore waren schatten. De enige niet-schat in dit geweldige plaatje was Annabel, Berry's vreselijke zus; en wie maakte zich druk om haar? In de aristocratie betekenden zussen niet zoveel.

De roodharigen bekeken de Victoriaanse aquarellen aan de met panelen gelambriseerde wanden. Polly stond op van haar bureau en richtte haar radar op hen. Ze waren uitstekend gekleed – Polly bezat de lichtblauwe versie van het gele jasje. Hun schoenen en handtassen waren onmiskenbaar van Prada. Toen ze naar hen toe liep over het mosgroene, geluiddempende tapijt, zag ze bij nadere overweging dat ze allebei op een puur lichamelijke manier mooi waren.

'Hallo.' Polly zei natuurlijk niet: 'Waarmee kan ik u van dienst zijn?'; dan zou ze net een winkelmeisje lijken. Gedeeltelijk fungeerde ze hier als gastvrouw en gedeeltelijk als engel der wrake.

Het meisje met het roodste haar (in het handgemaakte gele jasje) glimlachte. 'Hallo, ik hoop dat u het niet erg vindt als we even rondkijken. We zijn gewoon dol op vage afbeeldingen van bloemen, en je weet maar nooit wanneer ik mijn cadeaulijst voor mijn bruiloft ga maken.'

Haar langere, bleke zus (in een zwart pak) leek geschrokken en mompelde: 'Nancy!'

'En trouwens,' vervolgde Nancy, 'toen we de naam in de etalage zagen moesten we even binnenkomen. Berry heeft ons verteld dat u hier werkt en we wilden u allebei graag ontmoeten.'

Polly's glimlach bleef op haar gezicht geplakt zitten. Ze kreeg een behoedzame blik in haar ogen. 'Sorry... ik geloof niet dat we...'

Nancy stak haar hand uit. 'Nancy Hasty. Dit is mijn zusje, Rufa.'

De naam werd verwerkt in de computer in Polly's hoofd. Dit waren de mensen die voor Berry hadden gezorgd toen hij dat idiote avontuur had beleefd op kerstavond. Dit waren de Hasty's, hooggeboren en romantisch verarmd, die een vervallen landhuis bezaten met het familiewapen boven de halfvergane deur. Ze had de

hoop gekoesterd dat Berry haar aan de Hasty's zou voorstellen, en nu stonden ze voor haar neus. Goeie ouwe Berry! Echt iets voor hem om over het hoofd te zien dat de Hasty-meisjes zo mooi waren.
Ze schudde hen de hand. Haar glimlach veranderde van terughoudend naar hartelijk, waardoor haar keurige, eerlijke gezicht erg aantrekkelijk werd. 'Natuurlijk. Wat enig om jullie eindelijk te ontmoeten. Nu kan ik jullie behoorlijk bedanken dat jullie zo aardig voor Berry geweest zijn.'
Rufa zei: 'Graag gedaan. Hij heeft onze moeder prachtige bloemen gestuurd.'
'Dat weet ik,' zei Polly. 'Dat was mijn idee.'
'Ik hoop dat de kerst daarna beter voor jullie is verlopen.'
'Het was heerlijk, dank u. We waren allebei hard toe aan een beetje rust en het is zo vredig in uw omgeving. Blijven jullie lang in Londen?'
'Tja...' Rufa leek in verwarring.
'Maar een week of twee,' kwam Nancy haar gladjes te hulp. 'Tot ons geld op is. Ik neem aan dat Berry u heeft verteld hoe arm we zijn.'
Berry had iets over hun armoede gezegd op een manier die Polly nogal verontrustend vond. Nu ze zelf had gezien dat ze ondanks hun armoede Prada-schoenen droegen, was haar laatste twijfel verdwenen.
'Ik weet zeker dat hij jullie graag weer zou willen zien,' zei ze. 'Moet u luisteren, ik weet dat het erg kort dag is, maar waarom komen jullie niet langs op onze opening, morgenavond?'
Polly's geest werkte als een bezetene. Haar werkgever, Jimmy Pellew, zeurde altijd dat ze openingen moest opvrolijken met decoratieve mensen. Nancy en Rufa zouden, puur door hun schoonheid, het feestje extra glans verlenen en de vage aquarellen zouden goed uitkomen naast hun opvallende rode haar. 'Halfzeven, met de gebruikelijke champagne en lekkere hapjes.'
'Wat leuk,' zei Nancy. 'We zullen dolgraag komen.'

Toen ze aan de andere kant van de glazen deur in de snijdende februariwind stonden, lachte Rufa beverig. 'Ik kan het bijna niet geloven. Onze eerste, echte uitnodiging.'
Nancy pakte een Twix uit haar vlekkeloze nieuwe handtas. 'Misschien houd je nu eens op over geld en koop je die stoeltjes... toe dan!' Ze had twee piepkleine houten schommelstoeltjes gezien in de etalage van een speelgoedwinkel, en probeerde Rufa zover te

krijgen om ze voor Linnet te kopen.
'We moeten verstandig zijn,' zei Rufa onzeker.
'Kom nou, Ru, je weet dat je het dolgraag wilt. De Gebroeders Ressany passen er precies in. Stel je je haar gezicht eens voor als ze het pakje openmaakt.'
'O, goed dan, goed dan,' begon ze geërgerd, waarna ze moest lachen. 'Laat je de beertjes ze bestellen uit de berencatalogus, net als toen met dat theesetje?'
'Nee, ik denk dat ik het nu iets dramatischer doe,' zei Nancy. 'De avond voor de post komt bel ik Linnet op en laat de Gebroeders Ressany klagen dat ze nergens lekker kunnen zitten en dat hun vacht op hun achterste verslijt.'
'En dan krijgt ze het pakje,' zei Rufa, die al genoot bij de gedachte. 'Misschien kan ik een paar kussentjes maken. Maar laten we wel voorzichtig zijn... we moeten ons niet laten meeslepen, alleen maar omdat jij iemand zult ontmoeten die op je valt. Ik begrijp nog steeds niet wat je denkt te bereiken door Berry weer te zien.'
Nancy's volle lippen werkten de Twix naar binnen. 'Mijn huwelijk, lieverd. Je kunt me als traditioneel bestempelen, maar ik heb altijd graag een junibruidje willen zijn. We zouden zo'n gestreepte feesttent in de tuin kunnen zetten.'
'Ik vind het nog steeds tijdverspilling,' zei Rufa. 'Berry is verloofd met dat meisje van de galerie. Hij zal haar nooit in de steek laten voor jou.'
'En waarom niet, mag ik vragen? Wat mankeert er verdomme aan mij?'
'Het heeft niets met jou te maken. Hij is niet het type om zijn woord te breken.'
'Ammehoela,' zei Nancy hooghartig. 'Alle mannen zijn het type.'

Berry had tegen de avond opgezien. Als hij zijn eigen zin had kunnen doen was hij naar huis gegaan, naar de flat in Fulham die hij met Polly deelde, en had iets makkelijks gegeten voor de geestdodende televisie. In plaats daarvan was hij nu gedwongen tot urenlang zijn buik inhouden, glimlachen tot zijn gezicht pijn deed en proberen niet te veel worstjes naar binnen te schrokken. Godzijdank zou Polly ophouden met werken als ze getrouwd waren en dan zou hij nooit meer hoeven opdraven bij een besloten bezichtiging.
'Victoriaanse aquarellen,' zei Adrian peinzend vanaf de andere kant van de enorme Daimler. 'Ze doen me altijd denken aan placemats. Maar Naomi heeft haar deel van de boedel laten uitkeren in schil-

derijen en mijn lieve, jonge binnenhuisarchitect zegt dat ik iets controversieels nodig heb voor aan de muur.'

'Het is werkelijk geschikt van je, Adrian,' zei Berry.

Hij was zeer verbaasd geweest dat de geduchte directeur van zijn handelsbank erin had toegestemd naar de opening te komen. Adrian Mecklenberg was waanzinnig rijk en een bekend verzamelaar van kunstvoorwerpen. Polly zei dat hij vast iets zou kopen, want iedereen wist dat zijn derde vrouw hem genoeg schilderijen had afgetroggeld om de Hermitage te vullen. Ze zei dat als Mecklenberg behoorlijk wat zou kopen, Jimmy Pellew haar de Edward Lear-papegaai als huwelijksgeschenk zou geven die ze al zolang wilde hebben. Polly kennend wist ze nu al waar ze hem zou hangen in het huis in Chelsea dat nog niet aan haar toebehoorde.

De auto minderde vaart bij de galerie en Berry wierp een snelle blik op zijn schoenen. Hoe waren die koffievlekken erop terechtgekomen? Hij had ze als een gek gepoetst. Op de een of andere manier werd alles aan hem smoezelig en slordig als hij bij Adrian in de buurt was. Zijn dassen hingen scheef, zijn boord ging los, zijn buik puilde tussen zijn overhemdsknopen door.

Adrian zoog alle beschikbare elegantie van een omgeving op. Hij leek langer dan in werkelijkheid omdat zijn slanke figuur goed geproportioneerd was. Zijn kleren kreukelden niet, alsof zijn vlees was gemaakt van iets hards en kouds. Het kruis van zijn broek kreeg nooit vouwen aan het eind van de dag, zoals dat van Berry. Zijn dikke grijze haar lag als een staalplaat op zijn schedel. Berry's bruine haar stond overeind als de kuif van een kaketoe, ondanks het feit dat het platgesmeerd was met de kleverige, stinkende smurrie van de kapper in Jermyn Street. Hij weerstond de neiging om aan zijn das te frunniken.

Polly stond fris en helder in haar groene coctailjurk te wachten. Ze duwde een meisje opzij die een stapel glanzende catalogi vasthield en nog eentje met een dienblad met champagne. Ze kuste Berry. Ze kuste Adrian. Ze overhandigde hun een drankje en troonde Adrian mee naar Jimmy Pellew, die nonchalant bij de duurste schilderijen stond.

Berry kreeg een licht gevoel in zijn maag van grote vreugde, die bijna pijn deed. Hij zag het silhouet van Nancy Hasty tegen een verbleekt herderslandschap. Onmiddellijk kreeg de wereld een nieuwe glans.

O, god, Nancy.

Wat deed ze hier in vredesnaam? Dit was geweldig, maar ook gevaarlijk. Sinds kerstavond had hij zich ingespannen om niet meer

aan Nancy te denken (behalve bij het masturberen, dan kon hij zich niet inhouden). Nu, twee maanden later, was hij er bijna in geslaagd zichzelf te trainen om niet over haar te dromen. En al dat harde werken werd in een seconde ongedaan gemaakt. Ze had een jasje aan waardoor je haar tepels niet kon zien. Hij bloosde van top tot teen.
'Berry... hallo.'
Een zachte stem klonk door het rumoer heen. Hij draaide zich om en was blij dat hij Rufa zag, wier schoonheid van het afstandelijke, ongenaakbare soort was. Ze kuste hem op zijn blozende wang.
'Heeft Polly niet verteld dat we zouden komen?'
'Nee... ze zal het wel... ze is altijd bloednerveus voor een opening.'
Het was gezegend makkelijk om met Rufa te praten en Berry merkte dat hij zich een beetje ontspande. 'Hoe gaat het met jullie allemaal? En met mijn vriendinnetje Linnet?'
Rufa glimlachte. 'Klaar voor de strijd, toen ik haar gisteravond sprak. Nancy en ik moeten haar elke avond bellen. Nancy moet het stemmetje van Trotsky doen.'
'Trotsky?'
'De marmot die ze van Ran heeft gekregen. Hij is nogal dik en dom, maar dat is haar nog niet opgevallen. Hoe gaat het met jou?'
'O, dik en dom, als altijd, dank je,' zei Berry vrolijk. 'Doe ze vooral allemaal de hartelijke groeten, wil je?'
'Natuurlijk. Mammie vond de bloemen prachtig, trouwens.'
Berry lachte. 'Ik had haar iets te eten of te roken willen sturen, maar ik kon het Polly niet duidelijk maken.'
'Je hebt ons meer dan genoeg te eten gegeven. Die mand heeft onze levens gered.'
'Ik neem aan dat de situatie... ik bedoel, jullie zien er allebei...' Berry deed zijn uiterste best om tactvol te zijn.
Rufa schoot hem te hulp. 'We hebben sindsdien wat geld gekregen.'
'Geweldig. Dus zijn jullie naar Londen verhuisd.'
'Ja. We logeren bij een oude vriendin.'
In Berry's wereld was altijd sprake van beetjes geld en bruikbare oude vrienden. Hij was werkelijk opgetogen dat de Hasty's er blijkbaar in geslaagd waren niet in de maalstroom te worden meegezogen. 'Voor zaken of plezier?'
'Voornamelijk voor plezier,' zei Rufa, 'maar ik zou wel graag werk willen vinden. Ik heb veel gekookt voor diners... je kent zeker niemand die af en toe een cateraar nodig heeft?'
'Vast wel. Polly in ieder geval.' Manhaftig onderdrukte Berry een tweede bloosaanval. 'Geef me je telefoonnummer, ik zal het haar vragen.'

'He, kijk nou eens wie daar is,' zei Nancy, terwijl ze tussen hen in stapte.
Berry piepte: 'Hallo.'
Nancy deed net alsof ze zijn plotseling hoge stem niet opmerkte. 'Is Ru weer om werk aan het bedelen? Luister niet naar haar. Ze doet nu al veel te veel. Ze kan niet ophouden met schoonmaken.'
'Neem me niet kwalijk...' Polly dook ogenschijnlijk uit het niets op. Ze pakte Berry's elleboog en trok hem weg van de Hasty-zusjes. Een fractie van een seconde voelde hij pure doodsangst (Had ze het gezien? Had ze het door?) en toen zag hij dat ze zakelijk bezig was.
'Wat is er?' kon hij nog net uitbrengen.
'Het gaat om Adrian. Hij kijkt helemaal niet naar de schilderijen. Het enige wat hij doet is Rufa Hasty aanstaren.'
'Rufa?'
'Ja, onnozele hals. Iedereen behalve jij ziet dat ze het uiterlijk heeft van een topmodel. Je moet haar aan hem voorstellen.'
'Natuurlijk.'
'Nu! Doe het nu!' Polly gleed weer weg om haar doeltreffende pijlen te richten op een snaterend gezelschap van douairières.
Berry greep twee garnalentaartjes van een passerend dienblad en liep terug naar de Hasty's. Zijn schuldige geweten maakte hem energiek. 'Rufa, kom even mee om de grote baas van mijn bank te leren kennen. Hij geeft een ontzettende hoeveelheid diners.' Hij vertrouwde zichzelf niet genoeg om Nancy nog een keer aan te kijken en koerste met Rufa door de mensenmenigte. 'Hij heet Adrian Mecklenberg,' fluisterde hij haar in het oor. 'En hij is de rijkste man van het gezelschap. Heb consideratie met mijn privéleven, smeek hem om iets te kopen.'
Rufa vroeg achteloos: 'Hoe rijk is hij?'
'Hij zwemt erin. Meestal koopt hij Picasso's. En als zijn ex-vrouwen die inpikken, koopt hij nog meer Picasso's.'
'Is hij nu nog getrouwd?'
'Nee,' zei Berry. 'Hij is net van nummer drie af.'
Adrians bleekgrijze ogen namen Rufa op met de gretigheid van een expertverzamelaar. Toen Berry hen aan elkaar voorstelde, hield hij haar hand iets langer vast dan nodig was, alsof hij het gewicht en de samenstelling ervan wilde voelen.
Hij zei: 'Hallo, Assepoester.'
Haar beleefde glimlach verdween. Ze kreeg rode oren. 'U... u bent de man die mijn schoen redde. O, god.' De oplettende man die had gezien hoe ze uit Sheringham House was gesmeten. Zou die afschuwelijke ervaring haar dan altijd blijven achtervolgen?

'Ik dacht al dat jij het was,' zei hij. Hij leek aangenaam getroffen door haar verwarring en verlegenheid. 'Ik ben niet verbaasd je naam te horen. Ik dacht je al te herkennen bij dat saaie concert. Je moest wel de dochter zijn van die arme ouwe Rufus.'
Rufa vergat haar verlegenheid en haar gezicht straalde als de opgaande zon. 'O, heb je hem gekend?'
'Zeker kende ik hem. Het spijt me dat ik niet naar de begrafenis kon komen. Ik had hem jaren niet gezien... ik was zijn knechtje op school.'
Ze lachte aarzelend. 'Jij bent die jongen die weigerde toast te maken.'
'Inderdaad. Maar trouwens, ik bewonderde Rufus enorm. Ik denk dat ik tegenstribbelde, puur om indruk op hem te maken – niet dat het werkte. Ik kan er niet over uit hoeveel je op hem lijkt. Je bent zijn vrouwelijke tegenhanger. Door jou herinner ik me hem met alarmerende precisie.'
Berry had Adrian nog nooit zo geanimeerd gezien. De man had de reputatie charmant te zijn, waarvan hij had aangenomen dat dat het soort altijd-goede compliment was dat rijke mensen kregen. Maar hier was de charme aan het werk. En hij was gericht op Rufa.
Berry wierp een steelse blik naar Polly, om te zien of dit onderdeel uitmaakte van haar plan. Vanaf het andere eind van de kamer glimlachte ze hem toe en vormde een kus met haar mond. Goed zo. Adrian waagde de gok. En wat hem betrof was Rufa de inzet.

Adrian bracht hen naar de taxi. Zodra ze om de hoek waren verdwenen, mompelde Rufa: 'Mijn god, ik heb een lunch in de wacht gesleept!'
'Toch niet met hem?' In het schijnsel van de straatverlichting zag Nancy er geschrokken uit. 'O, Ru, dat meen je niet. Hij is stokoud.'
'Je bent gewoon jaloers, omdat ik het eerste echte afspraakje heb. Met een man die officieel beschikbaar is.'
'Jaloers? Je mag hem hebben...'
De taxichauffeur riep over zijn schouder: 'Waar willen jullie heen, dames?'
'Sorry, Tufnell Park, alstublieft,' zei Rufa. Tegen Nancy vervolgde ze: 'Ik kon dat adres niet aan Adrian vertellen. Was dat erg oneerlijk van me?'
'Nee, alleen ongelooflijk snobistisch. Dat geintje met het Huwelijksspel brengt niet je beste kant naar boven, meid.'
Rufa, die gewend was zich altijd correct te gedragen, verstijfde ver-

dedigend. 'Wat mankeert er aan een uitnodiging om te lunchen, en die accepteren? Ik vind hem aardig. Hij heeft de Man gekend.'
'Ik vind hem een griezel,' zei Nancy.
'Hij is best aardig. Ik denk dat ik me erop kan verheugen. En ik kan het niet nalaten te denken dat hij een betere kans biedt dan Berry.'
'Onzin. Berry is tien keer zoveel waard als hij. Om te beginnen slaapt hij niet in een lijkkist en vermijdt hij het niet in een spiegel te kijken.'
'O, haha. Adrian is charmant,' zei Rufa boos. 'Stukken beter dan het soort man dat we aanvankelijk in gedachten hadden.'
'Ik zou gewoon graag willen weten hoe zijn eerste drie vrouwen aan hun eind zijn gekomen.'
'Nou, je hoeft je over hem geen zorgen te maken. Volgens mij is hij perfect,' verklaarde Rufa. 'Om maar eens iets te noemen, hij heeft duidelijk smaak. Ik hoef hem niet uit te leggen waarom Melismate zo belangrijk is.'
Nancy kreunde zachtjes. 'Je kunt niet met een man als hij trouwen. Je zult diep ongelukkig worden.'
'Dat is alleen mijn zaak.'
'We hadden niet afgesproken om diep ongelukkig te worden. Weet je wat jouw probleem is, Ru? Je weet niets van de liefde af.'
'Het Huwelijksspel heeft niets met liefde te maken,' zei Rufa koppig.
'O, ik weet ook wel dat romantiek of tomeloze passie er niet aan te pas komen,' zei Nancy. 'Maar toen we eraan begonnen ging ik ervan uit dat we op zoek waren naar mannen die we... ik weet niet... wel aardig zouden vinden.'
'Ik ben al steeds bang geweest dat je niet over voldoende uithoudingsvermogen zou beschikken,' zei Rufa. 'Je kunt het beter aan mij overlaten.'
Nancy fronste haar wenkbrauwen. 'Rufa, wat is er met je gebeurd?'
'Ik begrijp niet wat je bedoelt.'
'Vroeger deed je nooit zo vreemd.' Nancy trok haar nieuwe schoenen uit en rommelde in haar tas op zoek naar haar rolletje Polopepermunt – in haar Prada-handtas was het al een chaos van snoeppapiertjes, tissues, verbogen kammen en besmeurde lippenstiften. Haar stem verzachtte zich. 'Ik weet dat we allemaal overstuur zijn geweest sinds de Man is overleden, maar jij bent, op je eigen lieve, rustige manier, verreweg het meest de kluts kwijt.'
'Waarom ben je dan met me meegegaan?' beet Rufa haar toe. 'Waarom wilde je dan eigenlijk meedoen aan het Huwelijksspel, als je het

zo belachelijk vindt? Ik heb nu een uitermate keurig doelwit gevonden...'
'Niet waar. Ik heb Berry, en ik weet zeker dat hij me dolgelukkig zal maken. Laat die enge Adrian verder maar zitten.'
'Dat zal ik echt niet doen.'
'Oké.' Nancy slaakte een diepe zucht en gooide drie Polo's in haar mond. 'De grenzen zijn afgebakend. Ik wil niet dat jij met Adrian trouwt. En jij wilt niet dat ik met Berry in het huwelijksbootje stap. Toch?'
Rufa bleef enige tijd zwijgen. 'Dit is idioot,' zei ze uiteindelijk. 'We zitten ruzie te maken terwijl we allebei hetzelfde willen.'
'Als ik Berry aan de haak sla,' zei Nancy, 'heb ik het Spel gewonnen. En als prijs zul jij Adrian afdanken.'
Het bleef weer even stil. Rufa's gezicht zag er bleek en afgetrokken uit in het gele licht van de straatlantaarn. 'Als je hem aan de haak slaat,' zei ze. 'Als.'

Hoofdstuk elf

De eerste lunch vond plaats in restaurant Connaught, drie dagen later. Rufa droeg haar taupekleurige jasje met daaronder een ivoorkleurige, zijden blouse.

Adrian bood vriendelijk aan voor haar te bestellen. 'Ik ken het menu als mijn binnenzak en ik vlei mezelf met de gedachte dat ik de lekkerste smaken en samenstelling voor elk soort dag heb uitgekiend. Je moet werkelijk mijn lunchmenu voor een natte februaridag proberen.'

Rufa vond het een handige manier om het inspannende ritueel rond het bestuderen van het menu te omzeilen. Ze vroeg zich echter wel af hoe Adrian zou hebben gereageerd als ze zijn aanbod had afgeslagen.

Ze aten Engelse oesters en tong uit Dover. Iedere gang werd vergezeld van een verrukkelijke wijn. Rufa nipte alleen maar aan haar wijn, net genoeg om de smaak op haar tong te proeven. Ze mocht beslist niet teut worden en ze had het gevoel dat Adrian gulzigheid weerzinwekkend zou vinden. Hij nam haar met veel aandacht op.

'Ik dacht wel dat de Connaught een goede achtergrond voor jou zou vormen,' zei hij. 'Het is een tijdloze, klassieke gelegenheid, net als jij. Jij bent volkomen zuiver, als een stuk kristal, of een hoge, volmaakt zuivere toon. Je zou meer geel en groen moeten dragen. Laat de herfstkleuren maar aan je zusje over. Dat jasje stond haar beter.'

Rufa glimlachte. 'Ik vroeg me al af of het je zou opvallen.'

'Als een vrouw mij opvalt,' zei Adrian, 'let ik altijd op haar kleren. Jij doet me aan de lente denken. Je bent de vleesgeworden Primavera van Botticelli, zoals je waarschijnlijk wel vaker hebt gehoord.'

Hij leek een antwoord te verwachten. Wat ze in ieder geval niet moest doen, vermoedde Rufa, was tegenspreken. Adrian Mecklenberg zou niet van vrouwen houden die zouden terugschrikken voor overdreven complimentjes.

'Ja,' zei ze. 'De Man zei dat ook altijd.'

Adrian zei: 'Botticelli zou je zuivere neuslijn hebben aanbeden, net als die onbedorven lippen.'
Hierop was geen antwoord mogelijk. Rufa keek hoe zijn lange, witte vingers de voet van zijn glas streelden. Zijn bewegingen waren vaardig en precies, en merkwaardig passieloos.
'Ik heb een tekening van Botticelli,' zei hij. 'Het is mijn liefste bezit. Zelfs mijn echtgenotes is het niet gelukt hem van me los te krijgen.'
Hij glimlachte om aan te tonen dat hij het onderwerp niet zonder bedoeling ter sprake had gebracht.
Rufa zei: 'Berry heeft me verteld dat je een bekend verzamelaar bent.'
'Met nog slechts een kleine verzameling op het moment. De laatste mevrouw Mecklenberg kreeg ik pas in beweging toen ze de helft van mijn schilderijen had gekregen.'
'Je zult ze wel missen.'
'Ja en nee,' zei hij. 'Ze hielden te veel verband met haar. Niet dat zij ze heeft uitgekozen. De hele collectie is tot stand gekomen als reactie op haar. En zij reageerde weer op de collectie.'
'Juist ja.' Rufa glimlachte nog steeds, maar ze was op haar hoede. Waar zou dit gesprek toe leiden?
'Al mijn echtgenotes zijn dol op kunst,' zei Adrian. 'Twee van hen hebben op Courtauld gestudeerd. Ik word duidelijk aangetrokken door vrouwen die diep geraakt worden door kunst. Wat bij jou volgens mij ook het geval is.'
Rufa paste haar glimlach enigszins aan aan de plotselinge intimiteit. Dit, dacht ze bij zichzelf, lijkt een beetje op een sollicitatiegesprek. Haar kwalificaties – opvoeding en schoonheid – hadden haar door de eerste ronde geholpen. Nu werd ze aan een nader onderzoek onderworpen, om te controleren of ze bij het bedrijfsimago paste.
'Hoe dan ook...' begon Adrian plotsklaps na een korte stilte. 'Ik verheug me erop om opnieuw te beginnen. Een nieuwe collectie voor een nieuw tijdperk. Misschien ga ik alleen schilderijen van roodharige vrouwen verzamelen.'
Het was moeilijk om gracieus te blijven glimlachen terwijl je vis at. De complimentjes die Adrian uitdeelde waren koel en nonchalant: de vaststellingen van feiten. Het was een vooropgestelde vorm van hofmakerij en ook een soort test, om te zien of ze de bewondering aankon zonder in verlegenheid gebracht te worden. Het was haar rol om toe te horen, te accepteren. Protesteren, al was het maar een beetje, zou gelden als tegenwerken. Rufa was er al achter dat elke

vorm van weerstand of tegenwerping eenvoudigweg onbegrijpelijk voor hem zou zijn.
'Het is me een raadsel,' zei Adrian, 'hoe Berry het voor elkaar heeft gekregen jullie geheim te houden.'
'Mijn zwager heeft samen met hem op school gezeten, maar wij hebben hem pas afgelopen kerst ontmoet.' Rufa vertelde het verhaal van de vijver en de verloren sleutels en ze kreeg het gevoel dat ze vorderingen maakte toen Adrian erom grinnikte. Ze ging hem aardiger vinden omdat hij duidelijk op Berry gesteld was.
'Een prima kerel,' verklaarde hij. 'Uit een goed, traditioneel nest. Het is gewoonweg onmogelijk om een man met een talent voor straathumor niet aardig te vinden.' Berry kon wel weer gaan, met een schouderklopje en koekje toe.
Rufa zei: 'Polly lijkt me wel aardig.'
'Aha, Polly. Stralend van liefde voor de titel en het huis en de ongeëvenaarde collectie van achttiende-eeuwse schilderijen. Ze is natuurlijk niet verliefd op Berry zelf, niet op de gewone manier. Dat soort vrouw wordt niet gewoon verliefd. Ze is geprogrammeerd om zich het hele pakket toe te eigenen. Mijn eerste vrouw was er ook zo een.'
Dit was een moeilijk onderwerp. 'Maar Berry zou toch niet met haar willen trouwen als ze zo in elkaar zit!' wierp ze tegen.
Adrian zat haar met toegeknepen ogen op te nemen. 'Je begrijpt niet waar het om gaat. Een huwelijk is tenslotte een contract. Het bestaat omdat elke partij iets heeft dat de andere nodig heeft. Wat Polly op haar beurt aan Berry te bieden heeft in ruil voor de titel, is waarschijnlijk zeer bevredigend. Seks, genegenheid, gezelschap. Een soepel draaiend huishouden.'
De wending die het gesprek nam beviel Rufa niet. Probeerde Adrian haar te vertellen dat hij in de gaten had dat ze een geldgeile tante was? Of probeerde hij haar in bedekte termen te kennen te geven dat haar emoties niet meetelden bij de uiteindelijke deal? Ze had het gevoel dat ze werd gewogen, beoordeeld en tegen het licht gehouden. Het was een vernederende ervaring en ze bevond zich nauwelijks in een positie om hem ervan te betichten.
Iets in de verdedigende houding van haar schouders deed Adrian plezier. Hij glimlachte en voor de eerste keer bereikte de glimlach zijn ogen.
'Ik heb je geshockeerd,' zei hij zachtjes. 'Wat een heerlijke ervaring. Ik was even vergeten dat ik het tegen een romantische Hasty heb. Als ik ooit zou willen dat je met me trouwde, zou ik er eerst voor moeten zorgen dat je verliefd op me werd.'

Na afloop zette hij haar in een taxi en stopte de chauffeur twintig pond in de hand. Hij praatte over hun volgende ontmoeting. Ze zouden weer gaan lunchen, maar dit keer zouden ze een stukje rijden naar een klein restaurant op het platteland, dat hij kende. Zonder dat ze een kus of liefkozing hadden gewisseld, ging Adrian ervan uit dat ze nu iets met elkaar hadden.
Rufa overdacht de situatie terwijl ze nietsziend uit het beregende raam staarde. Ze had het verbazingwekkend goed gedaan, en het had haar nauwelijks moeite gekost. Adrian had een proces in gang gezet en aan het eind daarvan zou Rufa verliefd op hem zijn. Tijdens de koffie had ze hem het een en ander verteld over haar verhouding met Jonathan, waarbij ze haar afnemende belangstelling voor de andere sekse achterwege had gelaten.
Adrian had dat echter wel vermoed en leek het een aantrekkelijk idee te vinden de Schone Slaapster wakker te kussen. Ze vroeg zich af of hij het in zich had om haar op hem verliefd te laten worden en probeerde zich dat uit alle macht voor te stellen. Ze wilde (hoopte) dat het zou gebeuren. Hij was charmant en tamelijk knap, al was hij oud. Voor het Huwelijksspel had ze zich al opgepept om genoegen te nemen met veel minder. Voor zover mogelijk voelde ze zich tot hem aangetrokken en geïntrigeerd. Tot nu toe leek dat alles te zijn wat hij van haar verwachtte. Misschien zou deze man in staat zijn haar weer stapje voor stapje het pad van de liefde op te leiden?
Het zou nooit de extatische, allesverterende liefde kunnen benaderen die ze voor Jonathan had gevoeld, maar zoiets wilde ze ook niet meer meemaken. De seks met Adrian, die zou volgen nadat ze zich, als een advocate in opleiding, door de lunches en diners had heengewerkt, zou verfijnd zijn en hoogst draaglijk.
Rufa voelde zich een beetje afgetobd toen ze zichzelf Wendy's huis binnenliet, maar ze feliciteerde zichzelf met de goed uitgevoerde taak. Het onweerde nu met enorme bliksemschichten. Door het regengordijn was de loodgrijze lucht hier en daar geelzwart. Ze ging naar de slaapkamer en trok haar dure nieuwe kleren uit. Ze hing ze netjes in de kast en trok opgelucht haar spijkerbroek en trui aan.
De anderen zouden reuze benieuwd zijn hoe het was gegaan. Op weg naar beneden probeerde Rufa te bepalen hoeveel ze zou vertellen. Ze had de merkwaardige neiging om de ervaring te beschermen en wilde dat ze er niet over hoefde te praten. Ze besefte dat ze in de verdediging zat en zich een beetje schaamde. De beschrijving van de gebeurtenis zou op een bekentenis lijken, ofschoon

God wist dat ze niets verkeerd had gedaan. Gelukkig was Wendy in de kelder bezig met de behandeling van een klantje en Nancy was nog niet terug van een mysterieuze missie die iets te maken had met een wonderbra en een bloedrode nieuwe lippenstift. Voor de lunch had ze aangekondigd dat ze een nieuwe poging wilde wagen bij Berry.

Maar ze zal het nooit volhouden, dacht Rufa bij zichzelf; zodra Max een serieuze toenaderingspoging doet, zal ze als een kaartenhuis in elkaar storten.

Ze was blij dat ze de slaapkamer voor zichzelf had. In de lege keuken zette Rufa onder de smalle tl-lamp een kopje thee en ging toen terug naar boven met een boek uit de vroege periode van Anita Brookner dat ze in Wendy's droogkast had gevonden. Ze had haar rust verdiend.

Een uur later ging de bel. Rufa negeerde het geluid in de veronderstelling dat het iemand voor Wendy zou zijn. Ze was verdiept in haar roman, zich afvragend hoe Anita Brookner Nancy zou beschrijven, toen Roshans hoofd met het sluike haar om de hoek van de deur verscheen.

'Er is iemand voor je.'

'Mmm?'

'Ja, hij zegt dat hij kapitein Birdseye heet. Hij is kletsnat en komt streng over en hij beweert bij hoog en bij laag dat je hem kent.'

Rufa klapte haar boek dicht en sprong van het bed af. Haar hart ging als een bezetene tekeer. 'O, god, die ken ik inderdaad!'

'Is alles in orde met je?'

Ze probeerde te lachen. Het kwam eruit als zenuwachtig gehinnik. 'Ik heb je toch weleens verteld over mijn peetvader?'

Roshan slaakte een geluidloos kreetje van blijdschap. 'De brocheman? Ik dacht dat hij ouder zou zijn, maar hij is zeker angstaanjagend. Wat komt hij hier doen?'

'Hij gaat nooit naar Londen,' zei Rufa. 'Ik krijg het akelige gevoel dat ik betrapt ben.'

'Niet in paniek raken. Doe net alsof hij gewoon op bezoek komt – wat een geweldige verrassing, en zo. Laat niets merken.'

'Edward gaat nooit zomaar op bezoek.'

Roshan fluisterde: 'Zal ik erbij blijven?'

'Nee, nee.' Rufa rende in de kamer rond, leegde Nancy's asbak en verstopte Nancy's pakjes condooms. 'Ik kan hem beter hier ontvangen en hem bij iedereen uit de buurt houden.'

Edward stond stijfjes in de hal te wachten. Zijn staalgrijze haar was

zwart van de regen. Waterdruppels rolden van zijn waterafstotende jas af.
'Edward, wat een verrassing!' Rufa kwam de trap af rennen en kuste hem op zijn stoppelige wang. 'Waarom heb je me niet laten weten dat je zou komen?' Ze kon niet zeggen dat ze blij was om hem te zien. Het was duidelijk dat hij woedend was.
'Ik moet je spreken.' Hij wierp een onheilspellende blik op Roshan. 'Onder vier ogen.'
Alsof het zo was afgesproken klonk er een oorverdovende donderslag. *Dies Irae*.
'Natuurlijk,' zei Rufa. 'We gaan naar boven, naar mijn kamer. Trouwens, dit is Roshan Lal. Roshan – Edward Reculver.'
Achter Edwards rug vormde Roshan met zijn mond de woorden: 'Veel sterkte!'
Ze ging hem voor naar de slaapkamer en deed de deur dicht. Ze wist dat ze de stevigste uitbrander zou krijgen die ze ooit had gehad. Ze zag er enorm tegenop, maar het was ook een opluchting. Ze had het vreselijk gevonden hem te misleiden.
Hij vroeg: 'Waar is Nancy?'
'O, die is weg.' Rufa was er blij om. Nancy, naar haar eigen idee in volledig oorlogstenue gekleed, zou hem vreselijk ergeren. 'Wil je je jas niet even uitdoen en gaan zitten? Heb je misschien trek in een kopje koffie of thee?'
Hij stond dreigend voor haar. De kamer leek plotseling veel kleiner. 'Nee,' zei hij. 'Dank je.'
'Ik hoor het wel als je van gedachten verandert.'
Edward vouwde zijn armen over elkaar. 'Ik zal niet van gedachten veranderen. Gezien het feit dat ik in het onweer van Gloucestershire hierheen ben komen rijden en de afgelopen veertig minuten heb moeten zoeken naar een parkeerplaats, lijkt het me beter dat we een beetje voortmaken.'
Rufa ging op haar bed aan de andere kant van de kamer zitten.
Hij zei: 'Ik neem aan dat je wel begrijpt waarom ik hier ben.'
'Zeg me gewoon waar het op staat, Edward. Draai er niet omheen.'
'Goed dan. Ik was vanmorgen in Cirencester, waar ik Mike Bosworth tegen het lijf liep.'
'O.' Bosworth werkte bij het veilinghuis dat Melismate getaxeerd had.
'Ik vroeg hem hoe het met de verkoop stond,' zei Edward. 'En ik was absoluut verbijsterd toen hij zei dat die was uitgesteld. Mike zei dat je moeder hem nog steeds geen definitieve opdracht had gegeven.'

Er viel een lange stilte.
Rufa keek naar haar knieën. 'We wilden nog even wachten.'
'Die tijd heb je allang niet meer.' Edward deed zijn natte jas uit en hing hem over de rugleuning van de enige stoel in de kamer. 'De schulden stapelen zich op, het huis staat op punt van instorten. Dat Rose zich vreemd gedraagt was te verwachten, maar jou had ik anders ingeschat.'
'Heb je mammie gesproken?'
'Ik ben direct naar Melismate gereden om erachter te komen wat er aan de hand was. En ik kreeg alles te horen. Dat het uitstellen van de verkoop jouw idee was. Dat jullie naar Londen waren gegaan met de openlijke bedoeling een man te trouwen die rijk genoeg was om de hele bliksemse boel op te lossen.'
Rufa liet haar hoofd hangen. Haar keel voelde heet aan. Zoals Edward het formuleerde klonk het grof en stom. Ze wilde dat Rose haar mond had kunnen houden, maar ze nam het haar niet kwalijk dat ze alles had verteld. Als Edward zijn tanden eenmaal in iets had gezet moest je hem wel de waarheid vertellen. Rose had zonder gêne toegegeven dat ze als de dood was voor zijn uitbranders. En ze had nooit goed begrepen hoe belangrijk het voor Rufa was dat hij haar daden goedkeurde.
'Ik heb maar niet gevraagd hoe Nancy en jij aan geld waren gekomen,' vervolgde Edward. 'Dat kon ik natuurlijk zelf wel bedenken. Blijkbaar heb ik de hele operatie gefinancierd. Met het geld dat ik je heb gegeven onder voorwaarde dat je het zou besteden aan je verdere opleiding. Ik weet precies waaraan je het hebt uitgegeven, want Rose heeft me een foto van je laten zien in een zeer bedenkelijk zondagsblad. Ze scheen te denken dat die alles zou verklaren.'
'Edward, het spijt me zo,' zei Rufa. Ze dwong zichzelf het hoofd op te heffen en hem aan te kijken. Het speet haar werkelijk. 'Ik moest wel tegen je liegen. Als je de waarheid had geweten zou je de broche hebben teruggevraagd.'
'Ik heb je die broche verdomme cadeau gegeven,' beet Edward haar toe. 'Onder duidelijke voorwaarden.'
Zijn donkergrijze ogen en haar leken zwart in het licht van het miezerige plafondlampje. 'Je praat net als je vader, wat jij ongetwijfeld zult opvatten als een compliment. En ik was er nog wel van overtuigd dat jij de enige verstandige figuur was in jullie familie. Wel, we hoeven er verder niet op in te gaan. Ga je spullen pakken, als je ruzie wilt maken kun je dat in de auto doen.'
Rufa's schuldgevoel veranderde in woede. 'We maken gewoon hier ruzie, want ik ga niet met je mee naar huis. En mijn idee is hele-

maal niet gek. Voor iemand als ik is het heel goed mogelijk om te trouwen met iemand met veel geld. Ik weet dat ik iemand kan vinden die rijk genoeg is om Melismate te redden, dus waarom zou ik het dan niet doen?'

'Moet ik het je nou echt uitleggen?' Edward was rustig en stil van ingehouden woede. 'Omdat het volkomen immoreel is. Natuurlijk kun je een rijke echtgenoot vinden, je bent een mooie vrouw. Maar om jezelf voor geld te verkopen...'

'Hoor eens, Edward, je hebt niet het recht hier binnen te stormen en me bevelen te geven. Als die broche een cadeau was dan kan ik verdomme met het geld doen wat ik wil. Ik gebruik het om mijn thuis te redden. Ik zal heus niet met een man trouwen die ik niet kan bewonderen en respecteren...'

'En jij denkt dat je daardoor gelukkig wordt?'

'Ja!' schreeuwde ze – ze had nog nooit tegen Edward geschreeuwd. 'Ik zal ongelooflijk, waanzinnig gelukkig worden met de man die me mijn huis teruggeeft!'

Hij was van slag. Hij had niet verwacht ruzie met Rufa te krijgen nadat hij haar zijn toorn had laten voelen. 'Ik besefte niet hoe belangrijk geld voor je is,' zei hij stijfjes.

'Je hebt nooit willen begrijpen hoeveel Melismate voor ons allemaal betekent. Alleen maar omdat je erfenissen en dergelijke afkeurt, weiger je te zien dat het meer voor ons betekent dan geld – dat het een opoffering waard is. Dat deed je ook als het om de Man ging.'

Edward zei: 'Ik heb hem nooit iets zien opofferen.'

Dat was waar, en Rufa werd daardoor nog kwader. 'Je had hem niet in je macht, daarom zat je hem altijd af te kraken en alles wat hij deed te bekritiseren...'

Hij trok wit weg van woede en kwam een stap naderbij. 'Denk je dat ik daarmee bezig was?'

Hij scheen zich dreigend over haar heen te buigen, haar te overweldigen. Rufa, wier verweer was verzwakt door de afschuwelijke wetenschap dat ze ruzie zat te maken met Edward, terwijl ze wist dat hij gelijk had en zij niet, werd zich opeens met een schok bewust van zijn lichaam. Ze rook de regen en de geur van houtvuur op zijn jas en de Wright's Coal Tar-zeep die hij gebruikte om zijn handen te wassen, vermengd met de vage muskusachtige geur van transpiratie.

Voor het eerst overviel haar het bewustzijn van hem als een seksueel mens; iemand die twintig centimeter dichterbij zou kunnen komen en haar zou kunnen kussen. Ze zag voor zich hoe Edwards woedende energie zou omslaan in lust. Opeens hing er seks in de

lucht. Rufa bloosde en trok zich van hem terug. 'Je probeerde hem onder controle te houden,' zei ze. 'We hebben je geen toestemming gegeven om ons onder controle te houden.'
Zijn stem klonk griezelig kalm. 'Ik dacht niet dat ik toestemming nodig had, God helpe me.'
'Je hebt niet het recht hier te komen binnenvallen en alles te verpesten.'
'Ik probeer je te helpen,' zei hij. 'Omdat... omdat ik om je geef.'
Dit kon ze niet accepteren zonder zich vreselijk schuldig te voelen. 'Niet waar. Je bent altijd een beetje jaloers op de Man geweest en nu vind je het heerlijk om zijn opschepperige gezin te zien terugvallen tot gewone mensen! Je vindt het onze verdiende loon! O, god...'
Rufa was ontzet door deze vreselijke beschuldigingen die uit haar onderbewustzijn opborrelden als vervuild schuim op het water. Ze drukte haar handpalmen tegen haar brandende wangen. Ze begreep meteen dat ze hem een gevoelige slag had toegebracht. Hij was verbijsterd dat ze dit soort wapens bleek te bezitten.
'Ik heb het niet begrepen,' zei hij. 'Jij bent net zo'n fantast als hij was. Ik dacht dat jij nog wel enig verstand had, en al die tijd heb je je vastgeklampt aan het waanidee dat de wereld je iets verschuldigd is, alleen maar omdat jullie een paar eeuwen op hetzelfde stukje land hebben rondgehangen. Geeft dat je enig voorrecht? Zo slim of bewonderenswaardig is het niet om geboren te worden in een oude familie!'
Rufa probeerde haar tranen in te houden. 'Je weet best dat het dat niet alleen is. Melismate maakt onderdeel van ons uit, en van wie we zijn. Zonder Melismate zijn we niets of niemand.'
Edward fronste zijn wenkbrauwen. 'Onzin. Je kunt alles doen wat je wilt. Luister naar me, Rufa, ik probeer je alleen ervan te weerhouden je hele leven te verpesten voor een hoop stenen. Hoe kan ik je in godsnaam overtuigen?'
'Je zou ergens een paar miljoen moeten opduikelen,' zei Rufa, 'en die aan mij geven... zonder erbij te zeggen waaraan ik het moet spenderen.'
'Ik begrijp het.'
'Je begrijpt er niks van!' Ze werd razend door zijn koppigheid. 'Je zult het nooit begrijpen! O, god, dit is niet... Edward, ik probeer niet...' Ze probeerde haar zelfbeheersing terug te vinden. 'Ik weet dat je het aardig bedoelt. Maar bemoei je er alsjeblieft niet mee. Alsjeblieft. Ik wil dit meer dan wat dan ook!'
Ze stonden allebei naar het gebloemde tapijt te staren, hun armen

langs hun zij, zoekend naar een mogelijkheid om als vrienden uit elkaar te gaan. Er hing een lange, oorverdovende stilte.
'Nou, ik heb mijn best gedaan,' zei Edward abrupt. 'Ik heb aangeboden je te helpen deze rotzooi op te ruimen en je hebt mijn hulp afgewezen. Ik zal me er niet meer mee bemoeien.'
Rufa liep in een wijde boog om hem heen naar de deur en rukte hem open.
'Tot ziens dan maar.'

Hoofdstuk twaalf

Op de ochtend van Rufa's eerste lunch met Adrian had Nancy na het ontbijt stiekem Rose gebeld. 'Ze kan niet met die man trouwen, mam. Neem het alsjeblieft van me aan, ik krijg de rillingen van hem.'

Kilometers verder in het regenachtige land had Rose gegrinnikt. 'Ze heeft me gisteravond opgebeld, toen jij in bad zat. Ze zei dat ik jou ervan af moest brengen om die jongeman, Berry, achterna te zitten.'

'Zij vindt hem te goed voor mij,' had Nancy verontwaardigd gezegd. 'Nou vraag ik je. Nou, ik zal haar eens wat laten zien. Ik heb minstens twee voordelen meer dan zij.'

Rose had gezegd: 'Ik had kunnen weten dat jullie zouden gaan bekvechten. Maak je toch niet zo druk. Het is maar een lunch.'

'Alleen maar? Hij neemt haar verdomme mee naar het Connaught!'

'Ach.' Rose had gezucht. 'Heb ik je ooit verteld...'

'Dat de Man daar afwashulpje was toen hij studeerde? Ja, miljoenen keren. Hij heeft een fles met zuur laten vallen en hij vond de sous-chef net een inktvis. Misschien brengt Ru het nog ter sprake, als ze niet meer weet waarover ze het moet hebben.'

'Ik vind het jammer dat je mijn sarcasme-gen hebt geërfd,' had Rose vriendelijk maar streng gezegd. 'Stel je niet zo aan, lieverd. Rufa loopt niet in zeven sloten tegelijk.'

Nancy was daar nog niet zo van overtuigd. Het Huwelijksspel had vreselijk grappig geleken zolang de rijke mannen alleen in theorie bestonden. De koude werkelijkheid van een man als Adrian Mecklenberg en Rufa's bereidheid zichzelf aan hem op te offeren waren hard aangekomen.

Niemand, dacht Nancy bij zichzelf, zou mij preuts noemen, maar er zit iets onfatsoenlijks aan het idee dat Ru zich probeert te verkopen aan die koele ouwe kikker.

Wat bezielde haar? Plotsklaps leek het Huwelijksspel iets heel vervelends te kunnen worden. Tenzij Nancy er iets aan zou doen.

Rufa was zich in de slaapkamer aan het kleden voor de lunch. Ze was bleek en geagiteerd, maar zag er prachtig uit – ze speelde de rol van hooggeboren maagd erg goed. Nancy wist dat, als ze eerder dan haar kuise zusje voor het altaar wilde staan, ze haar advies over tact en fijnzinnigheid moest negeren en de zaken op haar eigen manier zou moeten aanpakken.

Ze had gezegd: 'Let maar niet op mij,' en had haar strakke zwarte truitje uitgetrokken, waarbij ze een regenachtig gedeelte van Tufnell Park Road op haar blote, witte borsten trakteerde. Ze deed haar wonderbra aan – die zegen voor tietloze vrouwen – die haar van nature welgevormde borsten tot koninklijke welvingen vormde. Ze trok het truitje weer aan, deed felrode lippenstift op en completeerde het geheel met een van de roomkleurige, soepele, klassieke regenjassen die Roshan hen had laten aanschaffen bij Margaret Howell.

Rufa had gevraagd: 'Waar ga je heen?'

'Naar de Square Mile, lieverd,' had Nancy geantwoord, terwijl ze onopvallend de beste paraplu had gepikt. 'Ik ga wat onderzoek doen.'

Nancy was onder de indruk van de City. Met grote interesse bekeek ze de glanzende vlakken van de gebouwen en de majestueuze kolommen van de kathedraal van St. Paul en de Bank van Engeland. Met toenemend optimisme merkte ze de grote kuddes knappe, in identieke donkergrijze pakken geklede jongemannen op. De hele wirwar van volle straten straalde mannelijkheid uit. Dit was het Land van de Mannen: een hard, gehaast, bedrijvig oord, waar het zakendoen heerste en seks vastbesloten opzij was gezet. De paar vrouwen die door de krioelende menigte liepen zagen er óf uit als vrolijke secretaresses, óf waren sober gekleed en geërgerd.

Het gebouw van Berry's bank stond in Cheapside, vlak bij Threadneedle Street. Nancy stond aan de overkant met openlijke nieuwsgierigheid naar het gebouw te staren. De geheel uit glas bestaande gevel torende uit boven een zee van zich verplaatsende golfparaplu's, die leken op grote paddestoelen met het bedrijfslogo erop. Berry kwam het gebouw uit, al worstelend met zijn eigen paraplu. Hij was in diep gesprek met een andere man en zag Nancy niet toen ze een paar paraplu's achter hem de menigte in glipte. Ze sloegen een smal straatje in. Nancy's interesse nam toe. Berry en zijn metgezel vouwden hun paraplu op bij de lage ingang van een gelegenheid die Forbes & Gunning heette – die, al beweerden ze dat ze sinds het jaar nul wijn hadden geleverd aan de adel, eigenlijk een wijnbar was.

Nancy wurmde zich door de golvende donkergrijze pakken heen, ging een klein houten trapje af en bevond zich toen in een enorme, gewelfde wijnkelder, waar het vibreerde van de mannenstemmen. De lange bar werd aan het zicht onttrokken door een solide muur van donkergrijze ruggen. Sommige mannen stonden er met een glas wijn of bier ouderwetse dikke boterhammen te eten. Door een glazen deur zag je andere mannen iets eten wat erg chique schooldiners leken te zijn, aan helderwit gedekte tafels. Berry en zijn vriend baanden zich een weg naar de bar, kwamen weer te voorschijn met een fles rode wijn en gingen aan een ronde tafel zitten in een tamelijk rustig hoekje.

Nancy was net bezig te bepalen of ze hier te veel opviel en of ze niet beter weg kon gaan, toen er zich een prachtige gelegenheid voordeed – het lot greep in, zoals ze naderhand zei. Een jongeman met een lang voorschoot, als een ober uit de tijd van Toulouse-Lautrec, tikte haar op de arm.

'Hallo, sorry dat je even moest wachten. Jij bent hier voor de baan, hè?'

Ze ging pas om middernacht terug naar Wendy's huis. Ze had twee flessen Forbes & Gunnings huischampagne in de zakken van haar Margaret Howell-regenjas. De jongeman, die Simon heette, had haar meteen in dienst genomen. Hij had haar meegenomen naar een bedompt ondergronds kantoor, haar een cappuccino gegeven en voor de vorm getelefoneerd met de waard van de Hasty Arms voor een referentie.

Nancy had verteld dat ze bier kon tappen en een perfecte schuimkraag op een Guinness-biertje kon krijgen, maar dat ze niets wist over cocktails, wijn en espressomachines. Simon zei dat dat er allemaal niet toe deed en bood haar een uurloon aan dat haar een absoluut fortuin toescheen. Ze begon meteen in de avonddienst en werd nog meer overdonderd door het bedrag dat ze aan fooien opstreek. De mannen gedroegen zich verbazingwekkend keurig. Ze hadden haar allemaal tersluikse blikken toegeworpen tijdens hun gesprekken, maar er was er niet één die had aangenomen dat de fooi hem recht gaf op een flirtpartij of zelfs maar een aardig woord. Ze stopten haar vaak met een korte glimlach een bankbiljet in de hand. Ze kon bijna niet geloven dat het zo makkelijk ging. Ze was vergeten hoe dol ze was op de rauwe herrie van een drukbezette bar.

'Nou, mevrouw,' zei Simon toen ze de deur hadden dichtgedaan achter de laatste, dralende pakken en aan een tafeltje champagne zaten te drinken. 'Ik dacht wel dat je snel zou leren.' Hij vond Nan-

cy met haar bekakte stem en dorpskroegachtergrond een geweldige aanwinst.
'Een snellere leerlinge zul je niet vinden,' zei Nancy. 'Je hebt hier een leuke zaak, Simon. De straten van Londen zijn inderdaad geplaveid met goud.'
In zichzelf neuriënd zette ze de flessen op Wendy's keukentafel en stak het gas onder de fluitketel aan. Op weg naar huis in de metro had ze zitten dromen over de traktaties waarmee ze Linnet dankzij haar nieuwe rijkdom zou kunnen overstelpen. In de zitkamer naast de keuken was het geluid van de televisie hoorbaar.
Wendy riep met bevende stem: 'Ben jij dat, Nancy?'
'Ja,' riep Nancy terug. 'Ik ben thee aan het zetten.'
Het geluid uit de aangrenzende kamer hield abrupt op. Wendy kwam binnen terwijl ze met haar ogen knipperde (ze vond het prettig om in het donker tv te kijken). 'Waar ben je in vredesnaam geweest?' Ze zag de champagne staan en zette grote ogen op. 'Wat heb je uitgespookt?'
'Ik heb een ideaal baantje gevonden, een baan om van te dromen. Waar is Ru? Hoe was haar lunch met Graaf Mecklenberg?'
Wendy zei ernstig: 'Ze is boven.' Vervolgens vertelde ze kort en met ademloze stem het verhaal over het bezoek van Edward. 'Ik heb hem niet gezien, ik hoorde alleen de deur met een dreun dichtvallen toen hij wegging.'
'O, god,' kreunde Nancy. 'Die vervelende ouwe lul, ik neem aan dat hij haar ervan beschuldigd heeft dat ze niet zo puur is als pasgevallen sneeuw. Je weet hoe dat soort dingen haar aangrijpt. Ik hoop dat je tegen haar gezegd hebt dat ze zich er niets van aan moest trekken.'
'Ik heb niet de gelegenheid gekregen haar iets te vertellen,' zei Wendy. 'Ze weigert beneden te komen. Ze laat me niet eens in haar slaapkamer.'
Nancy was kwaad. Ze pakte nog een mok van de plank en propte er agressief een theezakje in. 'Hoe heeft hij dat kunnen doen? Ik weet precies hoe Ru is, ze doet koel en bedaard, maar ze is ongeveer zo hard als een marshmallow. En ze is de enige van ons allemaal die zich iets aan Edwards mening gelegen laat liggen.'
'Ik ben eigenlijk blij dat ik hem ben misgelopen,' bekende Wendy. 'Toen ik op Melismate woonde was ik altijd als de dood voor hem.'
'Ik ben niet bang voor hem.' Nancy pakte de twee mokken thee op. 'We komen zo beneden. Leg jij de champagne even in de vriezer, dan ben je een schat.'
Ze nam de thee mee naar boven en ging de slaapkamer in.

Zodra ze de deurknop omdraaide hoorde ze een gesmoorde stem roepen: 'Ga weg!'
'Lieverd, ik ben het maar. Dit is ook mijn slaapkamer, tenzij je me wilt verbannen naar de kamer van Max.'
Rufa lag uitgestrekt op het eenpersoonsbed. Nancy zag duidelijk dat ze vreselijk had gehuild. Haar gezicht was rood en opgezwollen door de tranen. Nancy voelde een grote woede op Edward door zich heen gaan, maar ze slaagde erin een vrolijke glimlach op haar gezicht te toveren.
'Ik heb een kopje thee voor je meegebracht.'
Nancy zette zelden thee voor iemand. Rufa snikte: 'D-d... dank je,' en werkte zich moeizaam overeind.
'Nou, ik heb het verhaal gehoord,' zei Nancy terwijl ze zich op haar eigen bed liet vallen. 'En ik vind het jammer dat ik niet hier was om hem eens flink de waarheid te zeggen.'
'Hij is achter het Huwelijksspel gekomen. Hij vindt ons walgelijk.' Bevend nam Rufa een slokje thee. 'Ik heb de vreselijkste dingen tegen hem gezegd. Ik denk niet dat hij ooit nog tegen me zal willen praten.'
'Mooi zo,' zei Nancy. 'Ik heb je altijd al gezegd dat je niet naar hem moet luisteren. De Man heeft ook nooit aandacht aan hem besteed.'
Rufa's lippen trilden. 'Wat zal er van ons terechtkomen zonder Edward?'
'We overleven het wel, hoor,' verklaarde Nancy. 'Schrik niet, maar ik heb een baan gevonden, en voordat je iets zegt: niet in de Duke of Clarence.'
Ze stak haar hand in haar Wonderbra en trok er een verkreukeld stapeltje bankbiljetten uit.
Rufa's mondhoeken krulden zich in een aarzelende glimlach. 'Je gaat me toch niet vertellen dat je dat allemaal hebt verdiend met biertjes tappen.'
'Champagne inschenken, liefje. Ik werk in Berry's stamkroeg, in een steegje in de City, met zo'n onkiese naam, Great Cripple Street, of Leper's Yard.'
'Wat?'
Nancy lachte. 'Het is er geweldig chic. Als het sluitingstijd is hoef je de tv niet uit te zetten of de lichten aan te doen... ze gaan uit zichzelf weg. En toen ik een glas liet vallen begon er niemand te juichen.'
'Ja, dat is zeker erg chic.'
'Geef het nou maar toe,' zei Nancy overredend, 'je bent onder de indruk.'

Nu glimlachte Rufa – een waterig glimlachje, dat Nancy door het hart sneed. 'God, ja. Ik heb me al die tijd zo hopeloos en bang gevoeld over geld. Het was stom van me om zo lelijk te doen over jouw werk als barmeisje. Ik wou dat ik zelf een baantje kon vinden.'
'Zei Berry niet dat hij zou informeren over je dineetjes? Ik zal hem eraan helpen herinneren.'
'Ja, natuurlijk,' mompelde Rufa. 'Je zult hem wel tegenkomen.'
'Tegenkomen? Ik zal een wilde liefdesaffaire met hem krijgen en daarna trouw ik met hem. Dus houd maar op met huilen, lieverdje. Ga mee beneden een glas champagne drinken. Vergeet Edward. Werkelijk, lieverd, het is niet de moeite waard zo overstuur te zijn door een man, tenzij je verliefd op hem bent.'
'Ik kan het niet verdragen dat hij me verafschuwt,' zei Rufa. 'Ik kan het niet verdragen dat hij me als een goedkope snol beschouwt. Ik haat mezelf erom.'
'Je bent niet goedkoop. Hij komt wel tot inkeer zodra hij de uitnodiging krijgt voor mijn grootse societyhuwelijk.'
Er stond een doos tissues op Rufa's bed. Op de verschoten Indiase sprei naast haar lag een berg witte gebruikte tissues. Ze trok een schone uit de doos en snoot haar neus. Ze probeerde zichzelf weer meester te worden, maar haar stem klonk diepbedroefd.
'Ik geloof niet dat je erop moet rekenen dat je met Berry zult trouwen.'
Nancy lachte en gaf haar zusje een kus op haar hoofd. 'Ik ga er geen ruzie om maken.'

Door Nancy maakte Berry voor het eerst kennis met het verschijnsel stress. Normaal geproken speelde zijn leven zich kalmpjes af tussen zijn werk, zijn verloofde en zijn familie, en gebeurde er niet veel bijzonders. Hij werd uit zijn evenwicht gebracht door Nancy's verbijsterende verschijning achter de bar bij Forbes & Gunning en was al snel gereduceerd tot een onrustig, sloten koffie drinkend wrak. Het ergste was dat alle mannen naar haar keken – die konden er ook niets aan doen. Ze was een roodharige Hebe, die nectar schonk met ongehaast gemak. Ze glimlachte, ze pareerde geile opmerkingen, ze vergiste zich nooit in het wisselgeld en vergat nooit een bestelling. Binnen een paar weken had ze een groot aantal bewonderaars. Ze kwamen zelfs uit Canary Wharf om een glimp op te vangen van haar ondeugende blauwe ogen en fantastische borsten.
Ze werd mee uitgevraagd door andere mannen, van wie sommigen serieuze bedoelingen hadden. Nancy weigerde altijd onder het mom

dat ze al 'bezet' was. Dit kwam Berry een keer ter ore en hij werd gegrepen door een steek van jaloezie, die beangstigend intens was. Toen hij iemand haar het 'rode stuk' hoorde noemen voelde hij zich een kort ogenblik in staat een moord te begaan. Ze maakte hem vreselijk van streek. Hij wist dat hij haar terwille van zijn geestelijke gezondheid beter zou kunnen ontlopen, maar hij slaagde er niet in zichzelf ervan te weerhouden om voortdurend als een zielig spook rond te waren in Forbes & Gunning.

Toen de winter zachter werd in de aanloop naar de lente zei hij meerdere malen per dag tegen zichzelf dat hij alles zou vermijden waarmee hij Polly zou kwetsen – werkelijk alles. Hij hield zichzelf voor hoeveel hij van Polly hield. Dat hij totaal geen bezwaar had tegen de dure huwelijksarrangementen. Het was een kwestie van principe. Ze konden hem ouderwets noemen, maar hij geloofde in de heilige verplichting die het woord van een heer met zich meebracht.

Helaas werd hij echter steeds geconfronteerd met een deel van zijn persoonlijkheid dat nooit een heer zou zijn. Hij was er altijd vanuit gegaan dat hij dit deel goed onder controle had. De rampzalige ontdekking van zijn seksuele obsessie had zijn hele leven overhoopgegooid.

Er speelden twee factoren mee die de hele situatie nog ingewikkelder maakten. Het feit dat Nancy bij Forbes & Gunning werkte, waar al zijn collega's hun drankje dronken en roddelden, was moeilijk genoeg. Wegblijven uit de wijnbar betekende niet dat hij haar zou kunnen ontlopen, omdat zowel Adrian als Polly veel met haar zusje omging. De ondoorgrondelijke Adrian was, voor zover Berry het kon beoordelen, zeer serieus bezig Rufa het hof te maken. En hoe serieuzer hij werd, hoe vastbeslotener Polly werd in haar pogingen de toekomstige mevrouw Mecklenberg voor zich in te nemen.

Adrian ging methodisch te werk. Binnen een paar weken resulteerden de lunchafspraakjes in concertbezoeken en diners. En naarmate de relatie zich ontwikkelde raakte Polly meer bevriend met Rufa en was ze steeds meer bereid om Nancy te accepteren. Het toppunt was toen Berry op een avond thuiskwam, zichzelf verdrietig feliciterend dat hij zo sterk was geweest niet naar Forbes & Gunning te gaan, en in beide hoeken van zijn Knole-bank een roodharige Hasty aantrof. Polly had hen allebei uitgenodigd te komen eten.

'Ik hoop dat je het niet erg vindt,' zei Polly tegen hem toen ze samen in de keuken stonden. 'Ik kon moeilijk alleen Rufa uitnodigen.'

Ze vond Nancy maar niks en ging ervan uit dat Berry er ook zo over dacht.
In de hoop dat hij nonchalant genoeg klonk, zei hij: 'O, het maakt mij niet uit of Nancy erbij is.'
Polly pakte het koffertje uit zijn hand en overhandigde hem de kurkentrekker. 'Ik reken op jou om haar aan de praat te houden, dan kan ik met Rufa over mijn kennissen praten. Je weet hoe Nancy het gesprek kan overnemen.'
Berry zag haar de asperges draperen op een bedje van balsemiek en bedacht hoe vermoeiend en ondankbaar het was om altijd en eeuwig voor het uiterlijk vertoon te moeten leven. Zelfs als ze samen waren leek het of Polly indruk probeerde te maken op een onzichtbaar publiek. Alsof er een satelliet op haar gericht was, dacht hij bij zichzelf. Het was heel goed mogelijk de Hasty-meisjes ervan te overtuigen dat ze altijd zo leefden, want dat was ook zo.
'Niet dat ik haar niet aardig vind,' zei Polly. Ze stond nu aan het aanrecht Parmezaanse kaas te raspen, met haar rug naar hem toegekeerd. 'Maar laten we eerlijk zijn, ze zal nooit de pure kwaliteit van Rufa benaderen. Zie je bijvoorbeeld Adrian Nancy meenemen naar een kamerconcert? Ik vind haar eigenlijk een beetje provinciaals. Zelfs bijna vulgair.'
Tot Berry's ontzetting werd hij getroffen door een gevoel van afkeer ten opzichte van Polly. Dat was nog nooit eerder voorgekomen en hij schrok zo dat hij de waarheid onder ogen zag.
Dit was meer geworden dan een hevige, maar voorbijgaande verliefdheid. Dit was het echte gevoel, de grote liefde. Hij was verliefd geworden op Nancy. Als zij de kamer binnenkwam leek het alsof de zon ging schijnen, en als ze vertrok bleef er ijzige somberheid achter. Haar charme, haar lach en haar vrolijkheid veranderden de atmosfeer als bij toverslag. Haar onverwachte vlagen van pure vriendelijkheid deden hem helemaal verslappen. Hij was waanzinnig verliefd op Nancy; zo erg was het nog nooit geweest. En hij was onontkoombaar verloofd met Polly en zou met haar trouwen. Hij kon haar aan de kant zetten en zichzelf altijd blijven haten. Of hij kon Nancy uit zijn hoofd zetten en sterven aan een gebroken hart. Wat hij ook deed, hij was veroordeeld tot een leven lang ongelukkig zijn en rondlopen met een permanente erectie.
Hij probeerde zijn verraderlijke lichaam in bedwang te houden. Berry ging tijdens de lunchpauze niet meer naar de wijnbar maar naar de sportschool (Polly had hem een jaarkaart als verjaardagscadeau gegeven). In plaats van een chocoladepretzel en drie sultana muffins te eten vóór zijn werk ging hij naar de sportschool. Na zijn werk

ging hij zoals gewoonlijk naar de bar, maar zat daar de hele avond op een mineraalwater terwijl hij smachtte naar een beetje aandacht van Nancy.

Hij was niet meer geïnteresseerd in voedsel. Zijn buikje slonk naarmate de lente vorderde. Al zijn pakken werden drie keer ingenomen en vervolgens weggedaan. Hij had een strakke kaaklijn en ingevallen wangen. Als hij zich stond te scheren staarde Berry naar zijn nieuwe ik in de spiegel – verontrustend grote bruine ogen in een benig, jongensachtig gezicht – en vond zichzelf een zielenpoot. Andere mensen vertelden hem echter voortdurend hoe geweldig hij eruitzag. Zelfs zijn zusje, die normaal gesproken in staat was zijn gedachten te lezen, feliciteerde hem met zijn besluit geen dikzak te worden.

Polly was opgetogen. Hoe was het mogelijk, vroeg Berry zich af, dat ze niets in de gaten had? Waarom zou ze met een man willen trouwen die in vuur en vlam stond voor iemand anders? Hij stond zichzelf de kleine vrijheid toe om zich aan Polly te ergeren vanwege haar zelfgenoegzaamheid, maar verder dan dat ging hij niet. Hij was nog steeds vast van plan met haar te trouwen. Men zou op zijn grafsteen zetten dat hij een man van zijn woord was geweest.

Half maart rapporteerde Nancy aan Rufa dat ze uitstekende vorderingen maakte. ‘Hij houdt het niet meer vol. Zodra het weer iets warmer wordt laat ik wat ondergoed uit. Hij wankelt op de rand, hij wil een afspraakje maken.’

‘Het is wel een brede, ruime rand,’ zei Rufa. ‘Hij lijkt niet veel haast te hebben om de sprong te wagen.’

Ze was erg bleek en had heldere, koortsachtige ogen. Die avond had ze een afspraak om met Adrian te gaan dineren. De betekenis hiervan was niet met het blote oog waar te nemen, maar er waren toespelingen gemaakt over het feit dat er een belangrijke mijlpaal in hun relatie bereikt zou worden. In elke ontmoeting met Adrian zat een kleine test verscholen en ze was voor al die tests met vlag en wimpel geslaagd. Haar reactie op kunst, muziek en voedsel waren precies goed geweest.

Nu zou hij een nieuwe laag onthullen door met haar en zijn zus te gaan eten in Holland Park. De ontboezeming dat hij een zus had was op zichzelf al schokkend intiem geweest. Ze heette Clarissa Watts-Wainwright en voor zover Rufa het kon beoordelen bevond zij zich in het centrum van Adrians privécirkeltje. Ze vermoedde dat dit de laatste inspectie was, waarmee de weg voor seksueel contact zou zijn vrijgemaakt. Tot nu toe had Adrian haar op de wang

gekust als ze elkaar zagen of afscheid namen – maar met een nauwelijks waarneembare, toenemende warmte. Rufa (hoewel ze niets tegen Nancy had gezegd, die het nooit zou kunnen begrijpen) was benieuwd hoe ze zou reageren in het onwaarschijnlijke geval dat Adrian lichamelijke toenadering zou zoeken.
Ze mocht hem graag. Ze werd aangetrokken door zijn koele kuisheid en zelfbeheersing – ze zou een man die almaar aan haar zat niet kunnen verdragen. Diep in haar hart (en dit zou ze in geen miljoen jaar aan Nancy toegeven) wilde ze heel graag weten of ze het, ondanks haar gebrek aan seksuele drift, prettig zou vinden met hem naar bed te gaan.
Er was verzocht om avondkleding. Rufa had haar eerste twee professionele diners gekookt (voor een charmante, warrige kennis van Polly die barstte van de titels) en had haar honorarium geïnvesteerd in een lange, nauwsluitende jurk van nachtblauwe chiffon. Op die manier voelde ze zich minder schuldig over Edwards slinkende geld. Als ze aan Edward dacht voelde ze de pijn weer. Ze had bitter verdriet over hun ruzie.
Roshan, die optrad als haar kamermeisje, stak haar haar op in een losse wrong onder in haar nek. 'Vergeet niet, lieverd, als het je te lang duurt, trek dan de bovenste speld los en het zal zo naar beneden vallen, en het effect zal geweldig zijn.'
Wendy zuchtte. 'Je bent zo mooi. Ik wilde maar dat de Man je kon zien.'
'Hij zou je jurk zo verkopen,' zei Nancy mistroostig. Ze vond de aanblik van Rufa, gereed voor het offer, vreselijk.
Nadat ze twee of drie keer hadden geluncht, had Rufa Adrian het een en ander verteld over de werkelijke situatie op Melismate. Hij wist nu genoeg om zijn auto te sturen om haar op te halen op Tufnell Park. Hij kwam nooit zelf. Nancy walgde van zijn snobistisch gedrag. Rufa zag het anders; ze stelde zijn fijngevoeligheid op prijs. Toen ze bij het enorme, gestuukte huis arriveerde had ze het gevoel dat ze Tufnell Park nu geheel van zich had afgeschud. Adrian, zo scherp en schoon als een gepoetst mes, kwam de hal in om haar op de wang te kussen en de monsterlijk dure cape van haar af te pellen, die Roshan haar had gedwongen te kopen.
Hij murmelde: 'Je bent mooi.' Aan zijn arm betrad ze de zitkamer. Adrians zusje was de vrouwelijke versie van Adrian: minder opvallend knap, maar uiterst onberispelijk en met hetzelfde, zilvergrijs glanzende haar. Toen Rufa aan de aanwezigen werd voorgesteld merkte ze op dat ze elkaar allemaal kenden. Ze was minstens twintig jaar jonger dan elke andere aanwezige. Een van de vrouwen trok

haar wenkbrauwen veelbetekenend op toen ze haar een hand gaf. Hierdoor werd het Rufa duidelijk gemaakt, duidelijker dan woorden dat zouden kunnen, dat ze officieel werd gepresenteerd als Adrians volgende metgezelin. Clarissa Watts-Wainwright versterkte deze indruk door haar tijdens het diner voortdurend bij het gesprek te betrekken.
Nancy zou zich doodvervelen door het gedwongen verfijnde gedrag – 'billenknijpen', zoals zij het betitelde. Nancy was onbruikbaar als het op knijpen aankwam. Rufa wist dat ze er goed in was. Ze was nooit bang geweest om hard te werken.
Tijdens de koffie werd ze een beweging gewaar achter in de zitkamer. Adrian kwam eraan met de cape. Hij drapeerde hem om Rufa's schouders en nam haar mee naar buiten, onder het voorwendsel dat ze de tuin gingen bewonderen.
Rufa, die zijn arm vasthad en licht huiverde in de koele lenteavond, keek uit over uitgestrekte gazons en struikgewas, omringd door rijen goudglanzende ramen.
'Je hebt het koud,' merkte Adrian op. Hij liet haar hand los, die om de zijne gekruld lag en legde zijn arm om haar schouder. 'Ik mag zo'n wezentje als jij niet blootstellen aan de elementen. Je hoort achter glas.'
Ze was niet van plan hem tegen te spreken, maar kon niet nalaten te bedenken hoe hard Nancy hierom zou moeten lachen.
'Je hebt me laten schrikken,' zei Adrian, 'toen je me vertelde dat je nog nooit in Parijs bent geweest. Dat is een weerzinwekkend gebrek in je opvoeding.'
'Ik ben bang dat daar wel meer weerzinwekkende gebreken in zitten.'
'Je hoeft je niet te verontschuldigen voor je onwetendheid. Ik vind het wel charmant. Het betekent dat je onbedorven bent. Dankzij de uiterst merkwaardige manier waarop je bent opgevoed bezit je een zeldzame vorm van onschuld. Ik merk nu dat ik het idee niet zou kunnen verdragen dat je Parijs zonder mij zou bezoeken.'
Zijn stem klonk erg zacht in de enorme, roerloze tuin. Hij sprak met zijn gezicht vlak bij haar oor. Rufa merkte dat ze haar adem inhield. 'Heb je al plannen voor het weekend na volgende week?'
Een weekend betekende seks. Rufa was plotseling bang. Als ze het niet aan zou kunnen, zou ze in de val zitten. 'Je weet toch dat ik nooit plannen heb.'
Hoewel het donker was, kon ze de glimlach in zijn stem horen. 'Ik dacht dat je misschien een van je dineetjes moest verzorgen.' Haar keurige baantje amuseerde hem.

'Ik heb nog niets in de planning staan,' zei Rufa. 'Behalve het diner voor Berry en Polly. Waarvan jij zult meegenieten.'
'Ja, en ik moet toegeven dat ik nieuwsgierig ben. Ik ontmoet niet veel vrouwen die kunnen koken. Maar mijn weekend in Parijs is niet afhankelijk van jouw prestaties. Ga je met me mee?'
'Ik... dat lijkt me leuk.'
'Goed zo. Hoewel er niets is in Parijs – en daarbuiten ook niet, trouwens – dat jou kan evenaren. Ik heb je dat nog niet vaak genoeg verteld. Ik houd er niet van om vanzelfsprekende dingen te zeggen.'
Zijn gezicht kwam dichter bij het hare. De tijd leek trager te gaan. Ze was zich bewust van zijn scherp omlijnde gelaatstrekken. Zijn lippen waren koel. Rufa stond roerloos en dwong zichzelf te ontspannen. Na de aanvankelijke schok bij de eerste aanraking merkte ze dat ze hem goed kon verdragen. Het was zelfs prettig.
Een kort, waanzinnig ogenblik lang had ze de neiging om te giechelen. Achter de liefdesdaad, waarvan ze nu wist dat ze die tot een goede einde zou kunnen brengen, lag de grote opluchting in het verschiet dat Melismate gered zou worden.

'Doe het niet, lieverd, doe het alsjeblieft niet! Hij zal je opsluiten in een glazen kooi en je zult het daglicht nooit meer zien!'
Nancy, een en al knalroze handdoeken en vuurrood haar, liet zich op Rufa's bed vallen.
'Ga van mijn jurk af,' snauwde Rufa. 'Wat heb je toch? Hiervoor hebben we al die tijd gewerkt, voor dat weekend in Parijs. Ik weet zeker dat Adrian van plan is me een aanzoek te doen.'
'Je bent niet verliefd op hem!'
'Nance, ik ga dit gesprek niet nog een keer herhalen. Ik ben op hem gesteld en dat is genoeg. Jij bent ook niet verliefd op Berry.'
'Berry is anders,' zei Nancy. 'En ik ook. Alsjeblieft, Ru, luister nou, word verstandig, voordat het te laat is! Je zult de situatie nooit de baas zijn.'
Rufa trok haar chiffonjurk onder Nancy vandaan. 'Ik weet wat ik doe. Ik ben misschien niet waanzinnig verliefd op Adrian. Maar ik ben niet het type voor wilde hartstocht.'
Nancy slaakte een diepe zucht. 'Ja, dat ben je wel. Je bent juist wel het type. Zodra jij iemand ontmoet op wie je werkelijk valt, gaan alle remmen los.'
'Daar ben ik veel te verstandig voor,' zei Rufa. 'Er zijn mensen die een zekere controle over hun emoties hebben, hoor. Ik weet dat ik die kwijt was bij Jonathan, maar dat is jaren geleden en dat was niets meer dan een verlate puberteit. Adrian begrijpt me. We heb-

ben dezelfde smaak. Hij is in staat me de zekerheid te bieden die ik altijd heb gewenst, en hij heeft al laten merken dat hij weet dat ik Melismate met me meeneem. Hij zal er het mooiste huis ter wereld van maken. Dit is geen opoffering voor mij.'

'Gelul,' snauwde Nancy. 'Je probeert alleen maar jezelf te overtuigen. Je bent vastbesloten om geurend naar rozen uit de strijd te komen.'

Rufa trok de spelden uit haar haar. Zoals Roshan had voorspeld viel de waterval van kastanjebruin haar op een adembenemende manier over haar blanke schouders. 'Ik speel niet met zijn gevoelens, als je dat soms bedoelt.'

Nancy snoof kwaad. 'Zijn gevoelens interesseren me geen zier.'

'Nee, niemand kan je iets schelen. Als ik met Adrian trouw, kun jij ophouden met je pogingen Berry's leven overhoop te gooien.'

'Hij zal me nog dankbaar zijn. Je bent er nu alleen tegen omdat je besloten hebt die trut van een Polly aardig te vinden.'

'Ze is geen trut, hoor.'

'In jouw ogen niet. Mij bekijkt ze alsof ik uit haar schoen ben gekropen.'

Rufa had geen zin om ruzie over Polly te gaan maken. 'Waar ben je nou toch mee bezig? Het Spel is bijna afgelopen. Ik dacht dat je blij zou zijn.'

'Adrian is zo oud als Methusalem en hij is een snob van de bovenste plank. Je weet heel goed dat hij je diepongelukkig zal maken.'

'Ik kan wel voor mezelf zorgen.' Rufa ging voor de slecht verlichte spiegel zitten om haar mascara met olie en een watje te verwijderen.

Nancy sprong van het bed af. 'Ru, luister nou naar me. Vergeet even je eeuwige argument dat Berry een perfecte heer is. Stel je voor dat ik hem zover krijg dat hij me een aanzoek doet en voor Melismate zal zorgen en zo. Zou je dan nog steeds achter Adrian aan zitten? Zou het verschil maken?'

'Dat ligt voor de hand. Maar Berry zal je geen aanzoek doen, dus waar hebben we het over?'

'Dat is alles wat ik wilde weten.'

Hoofdstuk dertien

'Jullie hadden een beetje woorden gisteravond,' zei Max. 'Zijn er problemen ontstaan in het Huwelijksspel?'
Hij stond tegen het aanrecht in Wendy's keuken geleund, zijn handen om een mok thee geklemd, terwijl hij met openlijke bewondering naar Nancy's achterwerk in spijkerbroek keek, terwijl ze zich bukte voor de wasmachine.
Ze sloeg het deurtje dicht en ging overeind staan, terwijl ze haar lange haar naar achteren veegde. 'Het enige probleem is dat het te goed gaat. Als ik er niet snel iets tegen kan doen zal Ru een werkelijk vreselijk huwelijk sluiten.'
'Je moet niet proberen haar tegen te houden,' zei Max. 'Laat haar haar eigen fouten maken. Ze kan nog altijd van hem scheiden nadat ze zijn geld heeft opgemaakt.'
Nancy glimlachte. 'Dat is wat jij zou doen, hè?'
'Tuurlijk.'
'Volgens mij is een scheiding niet bepaald leuk, lieverd. En stel je eens voor hoe slecht Rufa het zou aanpakken.'
'Dat is waar. De hemel beware ons voor serieuze types.' Max' heldere, ondeugende, donkere ogen gleden langzaam over haar lichaam. 'Hoe komt het dat jullie zo verschillend zijn?'
Het maakte niet uit wat hij tegen haar zei, zo langzamerhand kwam het allemaal op hetzelfde neer. Elke opmerking, hoe onbetekenend ook, was een uitnodiging. Nancy voelde de seks in golven van hem afstralen en stond verbaasd over haar eigen geestkracht waarmee ze hem weerstond. Ze vond hem mateloos aantrekkelijk. 's Avonds laat, alleen in haar kuise eenpersoonsbedje, was ze soms woedend op Rufa en haar verdomde Huwelijksspel die haar in de weg stonden. Maar tot nu toe was ze er steeds in geslaagd Max af te houden zonder hem definitief af te wijzen.
Ze glimlachte en sloeg haar ogen neer. 'We lijken meer op elkaar dan je zou denken.'
De verborgen betekenis van deze woorden was: ik ben preutser dan ik eruitzie en minder makkelijk in bed te krijgen dan je zou denken.

Wat een verspilling, dacht Nancy spijtig bij zichzelf, terwijl ze Max heimelijk bekeek terwijl hij afwoog hoe waarschijnlijk het was dat hij haar zou kunnen verleiden en vervolgens besloot boven maar weer aan het werk te gaan. Voor het eerst in haar leven moest ze de liefde op afstand houden en kon ze geen heerlijke middagen zoekbrengen in de armen van een minnaar.
Even koesterde ze de fantasie dat ze Max naar zijn kamer zou volgen en zou bekennen dat ze hem aanbad. Hij hoefde haar niet ook te aanbidden. In Nancy's morele wereld moest je je liefde verklaren aan een man voordat je je op zijn hete, naakte lichaam stortte; het betekende een legaal verschil tussen hoogstaande hartstocht en gewoon iemand platneuken. Seks moest het gevolg zijn van liefde – seks zonder liefde was onfatsoenlijk.
Dit vormde de basis van haar bezwaren tegen Adrian. Toen ze instemde om mee te doen aan het Huwelijksspel was ze ervan uitgegaan dat de liefde halverwege wel op de proppen zou komen, zodra de uitgangspunten goed waren. Misschien was ze naïef geweest, maar ze was ernstig geschokt door het gebrek aan liefde tussen Adrian en haar zusje. En de gedachte aan Rufa die overgeleverd zou zijn aan deze koele man, joeg haar angst aan.
Ru is zo koppig, dacht Nancy bij zichzelf; ze houdt vol dat ze kan leven zonder al dat liefdesgedoe, terwijl ze schreeuwt van de behoefte aan iemand die van haar houdt.
De bel ging. Nancy ging opendoen. Er stond een man te wachten op de stoep: lang en mager, waarschijnlijk begin veertig. Hij had dik, donkergrijs haar, een rimpelloos en gladgeschoren gezicht. Zijn marineblauwe pak was veel te elegant voor Tufnell Park Road op een doordeweekse dag. En hij was oogverblindend knap.
Hij zei: 'Hallo, Nancy.'
Het leek of ze een klap in haar gezicht kreeg. Ze keek in de koele ogen van de aantrekkelijke vreemdeling en hapte naar adem, terwijl ze zei: O, mijn god!'
Het was Edward Reculver.
Edward, zonder baard en die vreselijke kleren van Millets. Edward, met behoorlijk geknipt haar in plaats van de gebruikelijke gevangeniscoupe. Hij zag er onberispelijk en scherp uit, waardoor minstens tien jaren van hem leken te zijn afgepeld als de schors van een oude boom. Het was verbijsterend. Nancy was zowel geamuseerd als onder de indruk van het feit dat ze zich had laten misleiden en hem sexy vond – ouwe Edward, notabene.
'Ja, ik ben het echt,' zei hij. Zijn vertrouwde scheve glimlach lag op zijn onbebaarde gezicht. Hij had die baard gedragen sinds hij

uit het leger was. Daarvoor had hij een grote snor gehad. Dit was de eerste keer dat Nancy zijn naakte gezicht aanschouwde.
'Wat is er met jou gebeurd?' bracht ze uit.
'Ik heb nederigheid geleerd, heb het licht gezien en heb me geschoren,' zei hij. 'In die volgorde. Kan het je goedkeuring wegdragen?'
'Absoluut,' zei Nancy zachtjes lachend, terwijl ze hem aankeek. 'Je ziet er miljoenen jaren jonger uit. Je ziet eruit alsof je geprivatiseerd bent en opnieuw ontworpen door een dure ontwerper.'
Daar moest Edward erg om lachen. 'Afschuwelijk kind, zo zou je vader het ook gezegd hebben. Is Rufa er?'
Nancy herinnerde zich dat ze eigenlijk boos op hem moest zijn, zijn vernieuwde uiterlijk had alle andere gedachten verdreven. 'Nee. Dus als je hier bent om haar nogmaals op haar kop te geven, heb je pech.'
Hij kromp in elkaar, maar zijn stem klonk mild. 'Voordat je nog meer zegt: het spijt me werkelijk van de vorige keer. Daarom ben ik gekomen.'
'Je maakt zeker een grapje,' zei Nancy. 'Jij biedt nooit je verontschuldigingen aan.'
'Nou, misschien ben ik wel veranderd,' snauwde hij. Toen slaakte hij een diepe zucht en keek fronsend naar zijn voeten. 'Ik kon niet geloven wat Rufa me in mijn gezicht slingerde. Maar wat ik tegen haar heb gezegd was... gewoon onvergeeflijk.' Hij keek haar scherp aan. 'Begrijp je het een beetje?'
'Ja, volkomen,' zei Nancy, terwijl ze bedacht dat Edward iets aandoenlijks had als hij op deze rustige, directe manier sprak. Ze besefte dat hij hen sinds de dood van de Man alleen zijn belerende, overheersende kant had laten zien. Maar misschien was dat net zo goed een teken van verdriet als Rufa's obsessie voor het redden van Melismate – of haar eigen hunkering naar liefde, of Lydia's verlangen naar Ran, of Selena's terugtrekken achter een muur van boeken. Edward reageerde net zo goed op zijn verdriet als de rest. Het was uiterst merkwaardig, bedacht Nancy, dat ze allemaal waren vergeten hoe je je normaal moest gedragen. 'Je hoeft niet bang te zijn dat ik je ook nog eens een uitbrander geef,' verzekerde ze hem. 'Ik zou liegen als ik zou zeggen dat Ru niet overstuur was. Maar dat kwam alleen omdat je een paar keer de spijker op zijn kop hebt geslagen.'
Dit raakte hem. 'Ben ik gek omdat ik me vreselijk ongerust over haar maak?'
'Nee, dat doe ik zelf ook nogal.' Nancy deed de deur wijder open. Ze wilde hem nog niet laten gaan. 'Kom even binnen een kopje thee drinken.'

'Graag, dank je.' Hij leek opgelucht. Nancy vroeg zich af wat voor ontvangst hij had verwacht.
Hij volgde haar de gang door naar de keuken. Nancy merkte dat hij om zich heen keek en de verwaarloosde staat van het huis zag, maar oprecht zijn best deed om geen oordeel te vellen. Het was ongelooflijk, maar blijkbaar had hij geluisterd naar al die vreselijke dingen (Nancy was niet op de hoogte van de details) die Rufa tijdens hun ruzie had uitgebraakt.
'Ga zitten,' zei ze. 'Wil je misschien iets eten?'
'Nee, dank je.' Hij ging zitten, terwijl hij haar nieuwsgierig opnam, alsof hij niet wist wat hij van haar moest denken nu ze niet op Melismate was.
'In dat geval wil je me wel vergeven dat ik mezelf volprop met gegrilde kaas,' zei Nancy. 'Ik moet zo naar mijn werk.'
'Heb je een baan?'
'Heeft mam het niet verteld?'
Edward zei: 'Om je de waarheid te zeggen ben ik niet meer in de buurt van Melismate geweest sinds Rufa en ik... sinds de laatste keer dat ik hier was.'
'O.' Nancy deed de kaas in de oven; ze wist niet wat ze moest zeggen. Edward behoorde tot de meubelstukken op Melismate. Rose klaagde over zijn bemoeizucht, maar het zou nooit bij haar opkomen om te wensen dat hij wegbleef. Ze leunde veel te veel op hem. Zoals ze allemaal deden. 'Ru heeft wel indruk op je gemaakt, hè?'
'Ik kwam zeker niet hierheen om haar van iets te beschuldigen,' zei hij, nu weer stekelig. 'Als ze "indruk op me heeft gemaakt", zoals jij het stelt, zal ik het wel verdiend hebben.'
Nancy wist wat de Man nu zou hebben gezegd, en kwam tot de ontdekking dat ze dit nu zelf zei. 'Hoor eens, Edward, het siert je dat je het boetekleed aantrekt, maar je moet het niet overdrijven. Ik heb geen tijd om je almaar tegen te spreken terwijl jij de schuld op je laadt. Dan wordt mijn thee koud.'
Een kort ogenblik zag ze herkenning, herinnering en verdriet in zijn ogen voordat hij zich ontspande en begon te lachen. 'Goed dan. Vertel me eens over dat baantje van je.'
'Nou, zoals ik ook tegen Rufa heb gezegd, er is altijd goed betaald werk te vinden voor een ervaren barjuffrouw.' Toen ze zag dat Edward oprecht geïnteresseerd was en wel in was om vermaakt te worden, vertelde Nancy hem over Forbes & Gunning. Ze kon het niet nalaten het verhaal iets mooier te maken dan het was, wat de Man ook zou hebben gedaan, en er een perfecte imitatie van haar baas aan toe te voegen. Edward beloonde haar door nogmaals te lachen

– hij was altijd dol geweest op de verhaaltjes van de Man. Nancy begreep dat hij de Mans gave om het leven in een waanzinnige soap te veranderen even hard nodig had als Linnet (en Rufa) behoefte hadden aan de sage van de Gebroeders Ressany. Ze voelde zich verdrietig om de Man en de leegte die hij als een open wond had achtergelaten.

Toen Nancy eenmaal rustig aan de tafel zat met een kop thee en een bord druipende gesmolten kaas, zei Edward met moeite: 'Ik heb Ru echt overstuur gemaakt, hè?'

'Ze was kapot. Ik trof haar vreselijk huilend aan. Je weet toch dat ze altijd wil dat de volwassenen haar daden goedkeuren.'

'Hmm. Denk je dat ze me wil zien, me de kans wil geven mijn spijt te betuigen?'

'Natuurlijk wil ze je zien,' zei Nancy. 'Ze heeft je allang vergeven.'

'Verwacht je haar snel thuis? Ik bedoel, vind je het vervelend als ik op haar wacht?'

Nancy vond dat zijn nieuwe fijngevoeligheid beloond moest worden, en bovendien was ze razend benieuwd naar Rufa's reactie op deze gedaantewisseling. 'Ze is bij Berry. Zijn vriendin geeft een dineetje en Ru kookt. Pemberton Villas 8b, achter Fulham Road.'

'Zou ze het erg vinden als ik daar opeens opduik?'

Nancy besefte dat Rufa het niet prettig zou vinden. Adrian zou ook bij Polly's dineetje aanwezig zijn en het belangrijke reisje naar Parijs was gepland voor het weekend daarop. Rufa zou niet graag willen dat Edward op dit kritieke moment op de proppen kwam. Maar jammer dan, dacht Nancy opeens, het zou weleens de redding van haar serieuze, kwetsbare zusje kunnen betekenen.

'Het kan me niet schelen of ze het erg vindt. Probeer haar ervan te weerhouden met Adrian te trouwen.'

Dit was de eerste keer dat Edward iets over Rufa's doelwit hoorde. Zijn ogen vernauwden zich behoedzaam. 'Wie?'

Het moment was aangebroken, besloot Nancy, om hem de hele waarheid te vertellen, zonder een spoortje van de Hasty-onzin. 'Hij heet Adrian Mecklenberg. Hij is stinkend rijk en zo koud als een ijsblok. Ze kan niet met hem trouwen, Edward. Ze is in de verste verte niet verliefd op hem, al probeert ze zichzelf wijs te maken van wel. Tja, je kent haar. Je weet hoe goed ze erin is zichzelf doodongelukkig te maken.'

Hij knikte nadenkend. 'Ja, dat denk ik wel. En je weet zeker dat ze niet... niet om deze man geeft?'

Pas naderhand besefte Nancy dat er iets vreemds was aan de doordachte manier waarop hij deze vraag stelde. 'Ja, daar ben ik zeker

van. Je kunt mij niet voor de gek houden, ze doet dit alles alleen maar omdat ze denkt dat ze toch nooit meer gelukkig kan worden. Ze denkt dat wonen op Melismate het maximale is waarop ze kan hopen.'
'Jij maakt je ook zorgen over haar, hè?'
'Waarom denk je dat ik hier ben?' zei Nancy. 'Ik kon haar moeilijk alleen naar Londen laten gaan, toch? Ze is het type dat sterft aan een gebroken hart. Soms vraag ik me af of ze daar al niet mee bezig is. Ik kan niet blijven toekijken terwijl ze met die man trouwt en zichzelf stukje voor stukje vermoordt.' Het kwam eruit als een bekentenis. Ze had getuigd voor de aanklager en Rufa overgedragen aan de autoriteiten, en dat was een grote opluchting voor haar. 'Iemand moet haar beletten haar leven te vergooien en wie weet luistert ze wel naar jou. Als je haar zover kunt krijgen dat ze toegeeft dat dat Huwelijksspel grote waanzin is, bewijs je ons allemaal een grote dienst.'
Edward zei: 'Ik zal mijn best doen.'

Rufa vond het wel toepasselijk dat Polly een 'galeikeuken' had – haar personeel behandelde ze in ieder geval als galeislaven. Het enige wat nog ontbreekt, dacht ze bij zichzelf, is een bazige man in vest die op een trom slaat om ons in het ritme te houden. De Colombiaanse werkster en de gezette Spaanse serveerster werden de flat rondgezwiept door Polly's hoge, bevelende stem. Polly hield in gedachten dat Rufa de volgende mevrouw Mecklenberg zou worden en was daarom vriendelijker tegen haar; ze vermomde haar bevelen als vriendelijke verzoekjes. Zou ze de gerookte gans iets dunner willen snijden? Zou ze de sla in Evian-bronwater willen wassen en niet in kraanwater? Dacht ze niet dat de pakketjes van bladerdeeg te klein waren? Zou ze het erg vinden om haar vette vingers niet aan de roestvrij stalen ijskast af te vegen? Rufa had al heel wat zenuwachtige gastvrouwen meegemaakt, maar ze stond er versteld van dat iemand zoveel ophef maakte over een dineetje. Ze wilde Polly aardig vinden omdat ze op Berry gesteld was, maar dat viel niet mee.
Ze sneed en roerde en pareerde Polly's onderbrekingen, gespannen en onhandig door de bezorgdheid die ze voelde. Ze slaagde er niet in Nancy duidelijk te maken hoe wanhopig de situatie op Melismate was. De gesprekken die ze 's avonds met Rose voerde vormden een opeenstapeling van ellende. Ze hadden de laatste aanmaningen gekregen van de telefoonmaatschappij en het waterbedrijf. In de enige logeerkamer waar het niet lekte was het plafond naar

beneden gekomen. Een zo spoedig mogelijk huwelijk met Adrian was Rufa's – ieders – enige hoop.
Haar familie leek tegelijk met het huis in te storten. Selena ging niet meer naar school. Ze weigerde examen te doen en lummelde de hele dag een beetje rond, mokkend en Sydneys *Arcadia* herlezend. Rufa werd er wanhopig van. Als ze al die hoogdravende boeken voor haar plezier las, waarom kon ze dan niet hetzelfde doen op de universiteit? En waarom was Rose niet in staat paal en perk aan haar gedrag te stellen en Selena gewoon te dwingen om terug te gaan naar St. Hildegard's? Ook Rufa, Nancy en Lydia hadden deze uitstekende openbare meisjesschool bezocht, betaald door een bevroren familievermogen waar de Man niet aan had kunnen komen. Toen dit geld op was, had Selena, alsof het uit de hemel was komen vallen, een studiebeurs gekregen. Als Rufa op Melismate zou zijn geweest, zou ze haar zusje geen seconde rust gegund hebben. Ze zou haar naar school gebracht hebben, desnoods in de boeien, en haar aan haar haar de klas hebben ingesleept.
Rose werd volledig in beslag genomen door Lydia, de dochter die in lichamelijk opzicht het meest op haar leek en die ze in geestelijk opzicht niet kon volgen. Ran woonde nog steeds in z'n eentje op Semple Farm, en die onnozele Lydia bevond zich in hogere sferen waar zinloze hoop hoogtij vierde. Zowel Rufa als Rose was bang dat Ran haar grote, verliefde ogen niet zou kunnen weerstaan en met Lydia naar bed zou gaan – en wat zou er dan gebeuren als hij weer iemand anders vond?
Rose had gezegd: 'Ze lijkt wel gek. Zelfs Linnet begrijpt dat hij alleen vrijgezel is omdat hij elke beschikbare vrouw in de wijde omgeving al heeft afgewerkt.' Rufa wenste dat ze thuis was om wat gezond verstand in haar verblinde zusje te stampen. Lydia leefde in een droom van een romantisch muziekstuk en moest omzichtig behandeld worden. Rose was te ongeduldig met haar en te beledigend over Ran. En buiten dat, zouden ze de rekeningen betalen als ze hun wat geld stuurde dat ze had verdiend met haar dineetjes, of zouden ze het vergooien aan gin? Voorheen had ze zich op Edward kunnen verlaten, ze zou nooit naar Londen gegaan zijn als ze niet had geweten dat hij in de buurt was, altijd gereed om dreigende rampen af te wenden. Sinds hun laatste ontmoeting was Edward echter niet meer op Melismate geweest. Niemand had hem gezien en niemand wist waar hij uithing. Rufa voelde zich daar ellendig over. Ze miste zijn troostende aanwezigheid vreselijk en haatte zichzelf omdat ze het vangnet van de familie had weggejaagd. Rose had zonder meer geweigerd om Edward om hulp te vragen – 'Ik eet nog

liever een drol op een toastje.' Alles hing nu van het Huwelijksspel af. Wat zou er van hen allemaal terechtkomen als Adrian niet met haar trouwde?

Om halfzes kwam Polly de keuken weer binnenstormen, net toen Rufa met een kopje thee op een krukje zat.
'Er is hier een man die smeekt je te mogen zien en eerlijk gezegd wilde ik maar dat hij om mij smeekte, want het is een enorm stuk. Hij zegt dat hij je peetvader is.'
'Edward?' Onhandig morste Rufa haar thee op het werkblad. 'O, sorry...' Ze veegde de gemorste thee weg met een vaatdoekje. 'Heb je er bezwaar tegen als ik...?' Het gedeelte over Edward als 'stuk' was niet tot haar doorgedrongen. Ze kon alleen maar denken dat hij de strijdbijl had begraven vanwege een of andere vreselijke ramp op Melismate. Ze drong zich langs Polly heen naar de zitkamer.
'Hallo,' zei Edward. Hij kwam naar haar toe lopen en plantte plechtig een lichte kus op haar voorhoofd. 'O, god, je ziet zo bleek als een spook. Ik kom geen slecht nieuws brengen, oké?'
Zijn nieuwe uiterlijk was buitengewoon. Rufa was sprakeloos en werd plotseling verlegen. Even had ze de knappe, in donker pak geklede vreemdeling niet herkend. Ze kon er natuurlijk niet over praten waar Polly bij was, maar ze had het gevoel dat ze deze man niet op de gebruikelijke Edward-manier kon behandelen – maar hoe moest ze hem dan wel tegemoet treden? Ze wierp een ongemakkelijke blik op Polly, die wonderbaarlijk kalm was en glimlachte.
Edward legde zijn hand op Rufa's schouder. 'Polly, mag ik haar een halfuurtje stelen? Ik moet met haar praten.'
'O, maar ik moet nog...' begon Rufa.
Polly bleef glimlachen. 'Doe niet zo gek, we hebben tijd genoeg.'
'We gaan alleen maar even naar dat koffietentje verderop,' zei Edward. 'Geef maar een gil als ik haar te lang ophoud.'
'Onzin, dat doe ik absoluut niet. Je moet binnenkort nog eens komen, als Berry er is... ik weet zeker dat hij het enig zal vinden je weer te zien.' Giechelend nam Polly het vaatdoekje uit Rufa's hand. 'Rufa, doe je schort af, de buren zullen denken dat ik een slavendrijfster ben!'
Rufa had zichzelf niet durven bekennen hoe eenzaam ze was geweest zonder Edward. De opluchting over het weerzien verdrong bijna haar verbazing over het feit dat hij er zo goed uitzag. Het was bijzonder prettig en rustgevend om zich door hem naar de overkant te laten leiden naar het koffietentje. De lange bar aan het raam was

vol, maar Edward slaagde erin een klein tafeltje met een marmeren blad in een hoek te vinden. Ze gingen zitten en keken elkaar ernstig aan.
Opeens begon Edward te lachen. 'Toe dan, zeg het maar.'
'Je ziet er geweldig uit zonder baard,' zei Rufa glimlachend. 'Ik herkende je bijna niet.'
'Hmm. Is dat goed of slecht?'
'Ik zei "bijna". Zo gemakkelijk kun je je niet vermommen.' Ze kon haar blik niet van zijn geschoren gezicht losrukken en probeerde te bedenken hoe oud hij was. Ouder dan vijfenveertig kon hij niet zijn, besefte ze. Alleen oppervlakkig bezien had hij ouder geleken. De eeuwig jonge Man was behoorlijk wat jaartjes ouder geweest dan zijn beste vriend. 'Mis je hem? Voel je je bloot zonder die baard?'
'Het is een beetje koud gevoel,' zei hij. 'Maar het was tijd om hem eraf te halen. Ik heb hem alleen laten groeien om te kijken of hij helemaal zou doorgroeien.'
Er kwam een serveerster aan. Edward bestelde twee grote koppen thee en bosbessenmuffins.
'Neem me niet kwalijk,' zei hij. 'Ik had je eerst moeten vragen wat je wilde. Maar ik weet zeker dat je honger hebt, al heb je dat zelf nog niet door. Je ziet er totaal uitgeput uit. Wat heb je in vredesnaam uitgespookt?'
Hij had gelijk, Rufa was inderdaad doodmoe. Hoewel ze de hele dag tot haar ellebogen in het voedsel had gestaan, had ze sinds het ontbijt nog geen hap gegeten. 'Dit is mijn derde diner in vier dagen,' zei ze. 'Polly is zo vriendelijk geweest me bij haar vrienden aan te bevelen. Ze heeft miljoenen vrienden en kennissen en het lijkt alsof die voortdurend dineetjes geven.'
De muffins arriveerden, die heerlijk naar vanille roken. Rufa zat de hare te bewonderen en probeerde ergens de energie vandaan te halen om hem op te eten. Ze vond het prettig om door Edward verzorgd te worden.
Hij zei: 'Nancy maakt weinig kans als ze het spelletje voor Berry opvoert. Juffrouw Polly Muir lijkt me een absolute expert in het spelen van het Huwelijksspel.'
'Dat zeg ik ook steeds tegen haar.' Rufa was opgelucht – en verrast – om te merken hoe onopvallend hij erin slaagde het controversiële Huwelijksspel ter sprake te brengen. 'Polly zal hem nooit afstaan.'
'Als een jonkvrouw in de middeleeuwen,' zei Edward. 'Ze houdt hem in de toren opgesloten.'
Rufa lachte. 'Nancy heeft nog niet in de gaten hoeveel werk een huwelijk met zich meebrengt.'

'Tja, het is niet allemaal rozengeur en maneschijn,' zei hij vriendelijk. 'Maar een huwelijk bestaat ook niet alleen uit hard werken. Het schenkt ook veel bevrediging... als je het goed aanpakt.'
Ze nam een slok van haar thee. Edward fronste zijn wenkbrauwen, niet boos, maar zeer voorzichtig. Hij zocht zijn woorden met een pincet uit. Hij zei: 'Rufa, ik moet mijn verontschuldigingen aanbieden voor de manier waarop ik er de laatste keer vandoor ging.'
'Alsjeblieft...' Rufa voelde zich niet in staat de ruzie nog eens dunnetjes over te doen, al was het in de vorm van verontschuldigingen.
'Rustig maar, ik ben niet gekomen om je ervan langs te geven.' Zijn grijze ogen stonden ernstig. Rufa voelde dat hij iets gewichtigs ging zeggen, wat het ook was. 'Ik wil je alleen laten weten wat voor effect het op mij heeft gehad.' Hij glimlachte grimmig. 'Toen ik naar huis reed was ik razend. Ik heb die nacht geen oog dichtgedaan. Maar tegen de tijd dat ik om zes uur de tv aanzette om naar *Today* te kijken, was ik er min of meer uit.'
'Waaruit?'
'Eet je muffin. Je moet geduld met me hebben. Ik moet je heel wat vertellen. Ik denk dat ik maar begin bij Alice.'
Alice, zijn vrouw. Rufa had in jaren niet meer aan haar zachte gelaatstrekken gedacht. Ze voelde zich schuldig toen ze de gepijnigde blik van Edward zag. Ze had deze gezichtsuitdrukking voor het laatst gezien op de afschuwelijke sterfdag van de Man.
'Ik moest met mijn verleden in het reine komen,' zei hij. 'Ik moest mezelf dwingen om toe te geven dat er veel tijd is verstreken. Ik zag opeens in hoe ik in de val zat.' Hij schraapte zijn keel en keek naar de tafel. 'Ik denk dat je wel weet... je misschien herinnert... hoe kapot ik was toen zij overleed.'
'Natuurlijk weet ik dat nog,' zei Rufa. Ze herinnerde het zich inderdaad. Op Melismate was het een vaststaand gegeven dat Edward een man was met een gebroken hart.
'Ik had het gevoel dat ik haar op de een of andere manier in de steek had gelaten. Daarom was ik niet bij machte eroverheen te komen. Zelf dacht ik dat ik geweldig dapper was, maar eigenlijk probeerde ik alleen de tijd stil te zetten. Om de afstand te verminderen die er tussen ons lag. Wat jij waarschijnlijk wel kunt begrijpen.'
'Je wilde niets veranderen,' zei Rufa, 'omdat je dan nog verder van haar verwijderd zou worden. Veranderingen voelden aan als verraad.'
Edward stak zijn arm uit om haar in de hand te knijpen. 'Ik had het moeten begrijpen en ik was te traag van begrip. De bedoeling

van het Huwelijksspel was om daarmee te helpen, hè?'
'In zekere zin.'
'En ik kon niet toegeven dat ik precies hetzelfde aan het doen was. We hebben allebei geprobeerd de doden ter wille te zijn.'
Ze begreep er niets van en schrok van de pijnlijke ondertoon in zijn stem. Hij vermeed het haar aan te kijken. Hij zat over de tafel gebogen en legde afwezig bruine suikerklontjes in een cirkel.
Hij zei: 'Alice en ik waren neef en nicht. Ze was de dochter van mijn vaders oudere broer. We zijn samen opgegroeid. We werden verliefd en trouwden.' Hij keek haar even aan. 'Vind je dat gek?'
Eigenlijk vond ze het wel vreemd. 'Nee,' zei Rufa.
'Er was geen bepaald moment dat we verliefd werden. We zeiden altijd tegen elkaar dat het liefde op het eerste gezicht was, toen haar moeder haar meenam naar de boerderij.' Hij liet een kort lachje horen. 'Zij was toen drie, trouwens, en ik vier. Voor ze stierf vertelde ze me dat ze elk jaar, als we met de kerstpudding bezig waren, de wens deed dat ze met me zou trouwen.'
'Jullie waren zielsverwanten,' suggereerde Rufa voorzichtig.
Hij was dankbaar dat ze probeerde hem te begrijpen. 'O, zeker. In veel opzichten waren we verschillend, maar op de een of andere manier sloten we bij elkaar aan, zodanig dat we daardoor allebei compleet waren. Een goed huwelijk werkt omdat beide partners gelijkwaardig zijn. We hadden elkaar nodig, en we hadden er behoefte aan om nodig te zijn. Begrijp je dat?'
'Natuurlijk.'
'Het was een heel gedoe toen we wilden trouwen. Mijn moeder hield van Alice als van een dochter – en dat was precies het probleem, zei ze. Ze was bang dat we kinderen met een afwijking zouden krijgen. Maar zoals het uitpakte, kregen we helemaal geen kinderen.'
Zijn gezicht was tot een masker vertrokken. Hij kon de pijn die hij voelde niet uitdrukken, alleen vaag omschrijven.
'Zij wilde een kind,' zei hij, 'meer dan wat dan ook. En verderop aan de weg woonde je moeder, die de ene na de andere baby kreeg. Dat was moeilijk voor haar.'
Zijn handen bewogen niet meer. Hij bestudeerde het tafeloppervlak alsof hij in het verleden keek. Rufa wachtte tot hij verder zou spreken.
Hij hief zijn hoofd op. 'Maar goed. Dat is niet wat ik... het enige wat je moet weten gaat over het geld.'
'Sorry?' Rufa kon hem weer niet volgen. Hij had het plotseling over iets heel anders.

'Een korte schets van mijn niet-functionerende familie,' zei Edward. 'Alices vader, mijn oom, had twee kinderen. Naast Alice kreeg hij Prudence, haar halfzus. Hij is nooit met haar moeder getrouwd. Alice en mijn tante Katherine zochten hun toevlucht bij ons, voornamelijk omdat ze niet in één huis konden leven met mijn oom. Mijn tante hield waarschijnlijk wel van hem; ze heeft hem nooit helemaal aan zijn lot overgelaten. De twee pendelden op en neer...' Hij schraapte zijn keel en sprak toen snel verder. 'Ik zal je de details besparen. Misschien vertel ik je het hele verhaal nog wel een keer, maar ik ga er nu niet verder op in. Je hoeft alleen maar te weten dat hij een slechte man was...' – hij sprak het woord met nadruk uit – 'en dat ze niet bij hem konden blijven. Hij was daarnaast steenrijk.'
Hij keek Rufa even aan.
Ze zei: 'O.'
'Hij onterfde Alice. Maar zij was met mij getrouwd. Dus ik kreeg het grootste gedeelte van het geld, omdat ik zijn neef was.'
'Wat... jij?' Rufa was gefascineerd. Edwards genadeloze krenterigheid hoorde net zozeer bij hem als zijn baard dat had gedaan. 'Veel geld?'
'Ja.'
'Wat is ermee gebeurd?'
Edward zei: 'Niets.' Hij zat stijf rechtop van verlegenheid. 'Alice leefde toen nog en er was een belachelijke voorwaarde aan verbonden. We hebben er zelfs om gelachen, omdat het zo Victoriaans was. Om het simpel te zeggen, ik zou dat verdomde geld alleen krijgen als ik van Alice zou scheiden en met iemand anders zou trouwen.'
Rufa was verbijsterd. Ze had nooit van de prozaïsche Edward verwacht dat hij zo'n stukje gotische romantiek in zijn leven had.
Edward staarde in zijn handpalmen. 'Toen overleed Alice, zoals je weet. We woonden nog in Duitsland toen het begon. Ze ging naar de dokter omdat ze dacht dat ze misschien zwanger was, en we kwamen erachter toen hij haar bloed had onderzocht.'
'Wat afschuwelijk. Dat wist ik niet.'
Hij keek op en deed een poging tot glimlachen. 'Laat ik niet afdwalen naar een minuut-tot-minuutverslag. Daar gaat het niet om. Het punt is dat ik ook wilde sterven. En dat gezeur over dat geld leek een perfect excuus om zelfs niet te denken over hertrouwen. Ik had het gevoel dat ik het haar verschuldigd was.' Hij zweeg even. 'Ik dreef mijn arme moeder tot wanhoop. Ze wees me erop dat Alice dood was en ik nog jong en dat het mijn plicht was om opnieuw

te trouwen. Maar zelfs de gedachte kon ik niet verdragen. Ik kon niet riskeren dat ik het allemaal nog een keer zou moeten meemaken.'
Gedurende enkele minuten zweeg hij en zat bewegingloos, zijn hoofd over de tafel gebogen. Toen rechtte hij zijn rug en zei vastbesloten: 'Ik heb je over Alice verteld en over het geld. Nu wil ik je iets over jezelf vertellen.'
'Over mij?' Rufa was in verwarring gebracht.
Hij fronste terwijl hij zijn woorden zorgvuldig koos. 'Ik heb me de laatste keer ongevoelig gedragen. Ik begreep niet hoe diep jouw gevoelens voor Melismate gingen. Ik schoor je over één kam met je vader. Maar ik begrijp nu dat in jouw geval de pure romantiek niet per se verkeerd hoeft te zijn. Pas door dat obscene Huwelijksspel van je drong het tot me door hoeveel Melismate werkelijk voor jou betekent. En... en...' Hij haalde diep adem. 'En hoeveel jij voor mij betekent.'
Rufa voelde haar gezicht warm worden. Ze schaamde zich door zijn boetvaardigheid.
Heel voorzichtig en een beetje formeel pakte Edward haar hand. 'Ik kan je er niet mee door laten gaan, Ru. Het zou mijn hart breken. Ik heb sinds ik uit het leger thuiskwam en zag hoe je opgegroeid was altijd een speciale liefde voor je gevoeld. En voor zover mogelijk ben ik nog meer van je gaan houden na het verlies van je vader. Ik kan je niet vertellen hoezeer ik de manier heb bewonderd waarop je hebt geprobeerd de familie bij elkaar te houden.' Hij glimlachte. 'En eerlijk gezegd heb ik zelfs je vastbeslotenheid om jezelf te verkopen bewonderd. Maar ik kan het op geen enkele manier voor mezelf waarmaken dat ik niets doe terwijl jij met een man trouwt van wie je in de verste verte niet houdt.'
'Hoe weet jij...?' begon Rufa met ongeloofwaardig vertoon van verontwaardiging.
'Alsjeblieft.' Edward kneep in haar vingers. De druk deed Rufa huiveren. 'Ik heb nog niet alles verteld. Ik besef nu wat ik met al dat geld moet doen. Je moet met me trouwen.'
De schok benam Rufa de adem. Ze werd er duizelig van en zocht koortsachtig naar een of ander bewijs dat ze in een idiote droom terecht was gekomen.
Edwards behoedzame blik dwaalde weer af van haar gezicht. 'Ik bedoel natuurlijk niet dat je met me móét trouwen... ik zei dat erg ongelukkig. Ik bedoel dat ik... ik zou het geweldig vinden als je met me zou trouwen. Je bent niet op de gebruikelijke manier verliefd op me. Maar ik denk wel dat je op me gesteld bent. Ik denk dat je

een stuk gelukkiger met mij zou zijn dan met meneer Mecklenberg.'
Hij waagde het erop haar weer aan te kijken. 'Om maar iets te noemen, je zou er zeker van kunnen zijn dat alles in orde komt met Melismate... mijn god, ik weet zelfs precies waar je zou moeten beginnen. Bij de eerstvolgende grote storm zal het dak eraf worden geblazen.'

Toen ze van de verbazing was bekomen zette Rufa zich schrap voor een gênante hartstochtelijke liefdesverklaring. Toen die niet kwam voelde ze zich opgelucht, hoewel de opluchting een vreemd bijsmaakje van teleurstelling had. Ze vroeg zich af, voordat ze die gedachte wegduwde, hoe ze zou reageren als hij zou proberen haar te verleiden. Was Edward de man die voorbestemd was haar te ontdooien? Ze betrapte zich erop dat ze zijn trekken een voor een afzocht naar iets onaantrekkelijks. Tot haar verbijstering vond ze niets. Edward had helemaal niets onaantrekkelijks. Er zou op een gegeven moment heus wel iets aan hem zijn dat wat minder was, maar nu leek er griezelig weinig tegen hem te zijn.

Hij liet haar hand los en keek haar recht in de ogen. 'Voordat je iets zegt wil ik niet dat je denkt dat ik dit doe om... mijn doel is niet om misbruik van je situatie te maken. Dat is het laatste wat ik zou willen. Het is niet afhankelijk van de vraag of je met me naar bed gaat. Of niet.'

Dit was ongelooflijk gênant. Rufa's gezicht brandde. Ze was niet in staat hem te antwoorden. Hun blikken kruisten elkaar en ze keken beiden meteen de andere kant op. Het idee van Edward als een seksueel iemand – die perfecte zelfbeheersing overgeleverd aan passie – was onmogelijk.

Edward leek het gevoel te hebben dat hij het moeilijkste deel van zijn aanzoek achter de rug had. Hij slaakte een zucht. Zijn schouders ontspanden zich een beetje en zijn toon werd kwieker. Hij zou op die manier gepraat kunnen hebben in het leger, met een aanwijsstok tegen een landkaart kunnen hebben getikt met de woorden: 'Opletten, mannen.'

'Laten we dit nu meteen uit de weg ruimen. Dit mag niet over seks gaan, Rufa. Niet omdat je niet mooi zou zijn, iedereen ziet dat je dat wel bent, maar omdat ik weiger om met je Huwelijksspel mee te spelen. Ik wil je helpen Melismate te redden, maar niet als onderdeel van een of andere ranzige ruil voor seks. De mensen zullen denken dat ik je koop, maar jij moet weten dat het tegendeel waar is. We zouden het als een zakelijke overeenkomst kunnen beschouwen, maar dat klinkt zo koel. Je had gelijk. Ik kan Melismate niet laten sterven, net zomin als je vader. Het heeft gedeeltelijk met hem te maken. Voor hij stierf heeft hij me gevraagd voor jullie te zorgen. En dat moet ik op deze manier doen.'

Hij sprak met de rustige rotsvaste zelfverzekerdheid die Rufa zo had gemist. Sinds de Man was overleden had ze zich op Edward verlaten, die wist wat er gedaan moest worden. Hij was altijd zeker van zichzelf en maakte nooit een beoordelingsfout. Ze zwegen. Rufa voelde zich verdwaasd en probeerde haar turbulente gevoelens te ontwarren. Ze probeerde zich voor te stellen hoe het zou zijn om met Edward getrouwd te zijn. Dat was iets heel anders dan de fantasie over een huwelijk met Adrian.

Adrian kende ze niet, terwijl ze Edward vrijwel haar hele leven al kende. Ze vertrouwde Edward blindelings. Ze was op hem gesteld. De geordende soberheid van zijn leven beviel haar. En op een bepaalde manier hield ze van hem. Dit had niets met romantiek te maken. Hij vertegenwoordigde voor haar veiligheid, bescherming en alles wat bekend was. Langzaam maar zeker drong het tot haar door dat Edwards aanzoek een godsgeschenk was. Voor het eerst in haar leven – in ieder geval voor het eerst sinds de dood van de Man – zou ze rustig kunnen slapen, zonder zich zorgen te maken over haar familie. O, het heerlijke gevoel van rust en geluk dat ze tijdens een stormachtige nacht het dak van Melismate en de geliefde mensen eronder in veiligheid zou weten.

Edward zei heel zachtjes: 'Zeg ja, en dan kun je voor eens en voor altijd ophouden met dat onzinnige Huwelijksspel. Je bent doodmoe, Ru, en het is duidelijk dat je niet gelukkig bent. Zo ben je al sinds je vader is gestorven en ik kan het niet langer aanzien. Zeg tegen miss Muir dat ze het maar bekijkt met haar dineetje en laat me je meteen mee naar huis nemen.'

Ze sloot haar ogen. Naar huis, met Edward. Geen geploeter meer in andermans keuken. Zich niet meer hoeven aanpassen aan de genadeloze maatstaven van Adrian. Ze hield niet van Adrian en zou dat ook nooit kunnen. Dat wist hij net zo goed als zij. En hij was zich er ook van bewust dat hij haar zou kopen. Als ze met Edward zou trouwen, zou ze hem nooit meer hoeven zien.

Het leek of de ijzeren band om haar hart, die haar had verkleumd en gevangen had gehouden sinds de dag dat de Man was overleden, plotseling was verdwenen. Als ze heel diep zou ademhalen, zonder zich in te houden, zou ze de lucht in zweven.

Slap en draaierig van opluchting brak ze in tranen uit. 'Ja,' fluisterde ze. 'Ja, graag.' Ze begon te snikken. Die snikken zaten al maanden in haar opgesloten en lieten zich nu niet meer tegenhouden.

Op de ongehaaste en doelbewuste manier waarop hij alles deed

stond Edward op en liep om de tafel heen naar Rufa. Ze voelde dat hij haar uit haar stoel trok en haar ferm meenam naar een donker hoekje waar een telefooncel stond.
'Sorry, sorry.'
Rufa schaamde zich dood omdat ze niet kon ophouden met huilen – Edward had een hekel aan gedoe. Hij zei echter niet dat ze zich moest beheersen maar sloeg in plaats daarvan zijn armen om haar heen en duwde haar hoofd tegen zijn schouder, zoals hij ook gedaan had op de vreselijke dag van het overlijden van de Man.
'Het is al goed,' mompelde hij. 'Het is nu allemaal voorbij.'
Ze ging in gedachten terug naar die dag. Het was iets onuitgesprokens tussen hen. Als er niemand bij was had Rufa tranen met tuiten gehuild om de Man, maar ze had slechts één keer haar zelfbeheersing verloren – toen ze bezig was zich te verontschuldigen tegenover Edward omdat ze het niet kon opbrengen de kamer schoon te maken waar ze haar vader had aangetroffen. Ze waren beiden verrast geweest door haar enorm verdrietige huilbui. Edward had vrijwel geen woord gesproken en had haar bijna een uur vastgehouden, gekalmeerd en gestreeld. Die uitbarsting en deze leken nu met elkaar verbonden te zijn, alsof ze sindsdien niet was opgehouden te huilen.
Na een poosje voelde ze zich in staat haar hoofd van zijn schouder te tillen. Hij stopte haar een schone zakdoek in de hand.
Ze depte haar behuilde ogen en snoot haar neus. 'O, god, het spijt me zo...'
Edward zei: 'Houd op je te verontschuldigen.'
'Het komt gewoon omdat ik steeds moet denken aan...'
'Ja, ik weet het.'
'Hoe laat is het? Jeetje, ik moet terug.'
Hij glimlachte. 'Volgens mij kun je beter eerst nog een kopje thee drinken.'
Ze gingen terug naar hun tafeltje en Edward bestelde de thee. Rufa voelde zich uitgehold en schoongeschraapt. Ze had de diepte en kracht van zijn liefde voor haar en haar familie gevoeld. Melismate was van de ondergang gered. Ze testte voorzichtig haar nieuwe gevoel van rust, om te kijken of dat zou houden. De nachtmerrie was voorbij.
'Je had gelijk,' zei ze. 'Ik ben moe. En ik heb me doodongelukkig gevoeld.'
Edward had al zijn energie en zelfbeheersing hervonden. 'Rufa, je hoeft je niet langer in bochten te wringen. Ik weet waarom je zo ongelukkig was, en ik beloof je dat ik aardig zal zijn voor die lui-

wammesen, om jou een plezier te doen.'
Ze liet een bibberig lachje horen. 'Heb je hen gezien?'
'Nee, ik ben al tijden niet op Melismate geweest. Hoe gaat het met hen? Het verbaast me dat ik hen zo erg heb gemist.'
Rufa kon het niet nalaten haar zorgen over Selena met hem te delen, en over de berg onbetaalde rekeningen en de verwaarloosde staat van het huis. Edward luisterde onbewogen toe, zoals hij altijd gedaan had. Ze vroeg niet om hulp, maar genoot er gewoon van om haar zorgen te delen met iemand die een verstandig en sympathiek luisterend oor bood.
Het was bijna zeven uur toen ze zich terughaastte naar Polly's flat. Ze was door het kijkglas gestapt en de wereld was nu volkomen, betoverend anders. Ze vond iedereen aardig, zelfs Polly.
'Ik weet dat ik vreselijk laat ben, maar het werd nogal ingewikkeld.'
Polly had zojuist een enorme bos verbijsterend oranje en shockerend roze rozen ontvangen, en ze straalde. 'Vertel me alsjeblieft meer over je onmogelijk jonge en smakelijke peetvader. Is hij al bezet?'
Rufa voelde tot haar ergernis dat ze weer begon te blozen.
Ze zei: 'Ja.'
'Adrian zal zo wel komen. Je kunt je beter gaan omkleden.'
Te laat. Ze had zichzelf al veranderd. Nu stond ze voor de opgave woorden terug te nemen die nooit echt waren uitgesproken, om Adrian duidelijk te maken dat hij haar kwijt was. Het Huwelijksspel was voorbij.

Hoofdstuk veertien

Chagrijnig lepelde Nancy het laatste beetje schuim van haar cappuccino. Wat handig, dacht ze, dat Berry recht tegenover een trendy koffietentje woonde. Dat betekende dat ze zijn voordeur in de gaten kon houden en ondertussen kon bijkomen van de ruzie met Rufa. Ze was woedend uit Wendy's huis weggestormd en had in de metro een heel pak tissues opgesnoten omdat ze zo huilde. God, wat was dat gênant geweest – iedereen had haar aangestaard en een zwarte man met het boord van een geestelijke was begonnen haar vragen te stellen over de bijbel. Maar ze was te ver heen geweest om zich er iets van aan te trekken. Over van de regen in de drup gesproken – ze had Edward nooit in vertrouwen genomen als ze had kunnen dromen dat hij een eind aan het Huwelijksspel zou maken door zelf met Rufa te trouwen.

Ze had Edward over haar zusjes schrijnende kwetsbaarheid verteld en hij had dat aangewend om misbruik van haar te maken. Het was ziekelijk. Het was walgelijk. Op het hoogtepunt van de ruzie had Nancy geschreeuwd dat het neerkwam op incest. Hij was ook al met zijn nicht getrouwd geweest, tenslotte. '...dus hij zit er blijkbaar niet mee om zijn familieleden te naaien.'

Haar ogen begonnen weer te prikken. Ze haalde kwaad haar neus op; ze had er spijt van dat ze haar eigen argumenten had ontkracht door overdreven te reageren. Toegegeven, incest was een beetje sterk uitgedrukt. Maar Edward was een van de volwassenen en ze had van hem verwacht dat hij niets controversiëlers zou doen dan Rufa bevelen het op te geven. Die onnozele gans geloofde nu dat ze gelukkig was, terwijl iedereen kon zien dat ze allang niet meer wist wat dat inhield. De enige reden dat ze met Edward wilde trouwen was, voor zover Nancy het kon beoordelen, dat hij Adrian niet was, en dat was inderdaad waar. Hij was misschien te jeugdig en knap om hem als vieze ouwe man te bestempelen, maar het bleef weerzinwekkend. En de Man zou het als verraad hebben beschouwd.

Het knagende schuldgevoel maakte het allemaal erger. Nancy vermeed zelfonderzoek wanneer ze maar kon, maar nu werd ze gedwongen terug te kijken op haar eigen gedrag. Wat had ze eigenlijk gedaan sinds de dood van de Man? Ze was nogal trots geweest op de manier waarop ze de zaken had aangepakt, dat ze niet zo onzinnig als die arme Rufa had gereageerd op het gedoe met het huis, en niet had gezeurd over het 'bloed', dat de Man had beziggehouden alsof hij een vampier was. Maar ze had zelf dekking gezocht door verliefd te worden op die arme Tim Dent, terwijl ze zich nu niet eens meer kon herinneren waarom, behalve dat het verliefd worden op zich haar emoties had bedekt met een beschermend laagje. Ze had eenvoudigweg geweigerd om zich op de toekomst te richten. Dat had ze aan Rufa overgelaten, omdat Rufa veel bedrevener was in tobben. En dit was het resultaat. Haar lievelingszusje, die meer waard was dan de rest bij elkaar, stond op het punt zich in een huwelijk te storten dat alleen maar grotesk kon uitpakken.

Er was slechts één manier om haar te redden. Nancy was hierheen gekomen met het vooropgezette doel om Berry een huwelijksaanzoek te ontlokken. Voordat ze was begonnen met janken, toen ze nog volledig in beslag werd genomen door haar woede, had ze zich herinnerd dat Rufa had gezegd dat Polly vanmorgen naar de kapper zou zijn. Die wetenschap had haar rechtstreeks naar de metro doen lopen, vastbesloten haar kans te grijpen. Rufa zou geprobeerd hebben haar tegen te houden als ze ervan had geweten. Ze was met Edward onderweg naar Melismate, op haar zogenaamde zegetocht.

Nancy zuchtte ongeduldig. Ze zat hier nu al drie kwartier, in afwachting van het moment dat Polly door de burgerlijke blauwe deur aan de overkant van de straat naar buiten zou komen. Polly de Perfecte, met haar coupe soleil, zou zich toch niet kunnen veroorloven de afspraak met haar kapper af te zeggen?

Eindelijk ging de deur open. De energieke, opgedofte, blonde gestalte van Polly kwam naar buiten en stond even stil om de blauwe lucht goedkeurend te bekijken. Ze graaide naar haar autosleutels in haar Fendi-handtas, klom in haar smaakvolle zilveren jeep en reed keurig weg.

Nancy was klaar voor het gevecht. Ze veegde haar lippen af met het servet om alle sporen van cappuccino te verwijderen en hoopte dat haar ogen niet te erg opgezet waren. Ze verliet de koffieshop, stak de weg over en drukte op Berry's deurbel. Haar hart ging als een bezetene tekeer. Ze was nerveus, een voor haar onbekend en nogal opwindend gevoel.

Zijn stem kraakte door de intercom. 'Hallo?'

'Hoi. Nancy Hasty. Mag ik boven komen?'

'Nancy?' Berry's stem steeg in toonhoogte tot een bevende falsetto. Hij schraapte zijn keel. 'Eh... Polly is helaas niet thuis.'
'Hè, verdorie,' zei Nancy. 'Wat een teleurstelling. Maar jij bent er wel. Dan kom ik toch maar even binnen.'
Even was het veelbetekenend stil. Toen ging de zoemer en Nancy duwde de deur open. De gemeenschappelijke hal van het huis was uiterst netjes, met een dik beige tapijt en koperen brievenbussen. Nancy glimlachte haar ondeugende spiegelbeeld in de grote vergulde spiegel toe. Ze had haar strakke spijkerbroek aan en een zijden geborduurd vest dat haar tepels bijna als neonletters deed oplichten. Ze zag er fantastisch uit, al zei ze het zelf.
Berry stond boven aan de deur van zijn op de eerste verdieping gelegen flat op haar te wachten. Hij had geen schoenen aan en droeg een zwarte spijkerbroek met blauwe trui. Ze besefte dat ze hem, afgezien van op kerstavond, alleen maar in zijn stadsoverall had gezien: donker pak met das, manchetknopen, opstaand boord. Zonder deze uitmonstering en met zijn verwarde haar dat over zijn verbaasde hertenogen viel, zag hij er absurd jong en bijzonder sexy uit. Nancy's humeur verbeterde aanzienlijk.
'Hoi.' Hij was gespannen en nerveus.
Ze kuste hem vastbesloten op de wangen en drong zich langs hem heen de flat in. Op een lage tafel in de zitkamer stond een koffiekan naast de *Financial Times* van zaterdag en een mooie schaal waar croissants op lagen. Nancy keek er verlangend naar en hoopte dat ze later nog tijd zou hebben er een paar te eten.
'Polly is weg,' zei Berry, een beetje te luid. 'Naar de kapper.'
Nancy liet zich in de omhelzing van de kussens op de bank zakken. 'Coupe soleil, toch? Arm ding, ze zal eeuwen wegblijven. Wat vreselijk vermoeiend om zoveel aandacht te moeten besteden aan je haarwortels.'
Er ging een rilling door hem heen en je kon zien dat hij zijn opkomende onrust trachtte te verbergen. 'Wil je misschien... eh... wat koffie?'
'Nog niet.' Nancy schopte haar schoenen uit. Haar teennagels waren fluorescerend rood gelakt. 'Ga toch zitten. Eigenlijk kom ik voor jou.'
'Voor mij?'
'Het gaat om een moeilijke zaak, niet iets waar ik over kan praten waar Polly bij is. Ga nou zitten, je maakt me zenuwachtig.'
'Sorry.' Berry ging voorzichtig op de bank zitten terwijl hij Nancy met hulpeloze fascinatie aanstaarde. 'Zaak?'
'Je zult het toch niet raden,' zei Nancy. 'Dus laten we er niet lan-

ger omheen draaien. Ik ben even langsgekomen om je eens helemaal plat te neuken.'
Berry fluisterde: 'O, god...'
Ze leunde naar hem toe, nam zijn bril van zijn hoofd en kuste hem op de mond. Hij gaf zich aan haar over alsof hij in trance was. Zijn armen gingen om haar heen. Hij slaakte een bevende zucht tegen haar lippen en trok haar tegen zich aan. Ze kusten elkaar hongerig.
Zachtjes duwde hij haar weg. Nancy leunde achterover in de kussens en begon haar vestje los te knopen.
'Nee,' zei Berry, happend naar adem.
'Mmm... wil je dat ik het aanhoud?'
'Ja. Ik bedoel, ja, graag.' Zijn stem klonk krachtiger. Hij zocht moeizaam naar zijn bril en stond op. 'We moeten niet... ik kan dit niet doen.' Hij klonk alsof hij zichzelf probeerde te overtuigen. 'Nancy, ik kan dit niet doen.'
'Wat?' Nancy was verbijsterd.
'Het spijt me verschrikkelijk...' Hij had een treurige, maar vastbesloten blik in zijn ogen. 'Het kan gewoon niet. Het is absoluut onmogelijk.'
'Probeer je me te vertellen dat je geen seks met me wilt hebben?' Er was nog nooit iemand geweest die geen seks met Nancy wilde hebben. 'Doe niet zo raar.' Ze ging rechtop zitten en haar stem werd scherper. 'Natuurlijk wil je dat.'
Hij haalde afwezig zijn handen door zijn haar tot het rechtop stond als het haar van Stan Laurel. 'Nancy, maak het in godsnaam niet nog moeilijker voor me.'
'Wat is het probleem?'
'Houd op. Dat weet je best. Ik zeg niet dat als ik je eerder had ontmoet, of in een ander leven... god, ik sta te wauwelen.' Met elk woord dat hij sprak probeerde hij zijn waardigheid te hervinden. Hij ging rechtop staan en trok zijn schouders naar achteren. 'Omdat ik met Polly ga trouwen.'
Nancy staarde hem aan. 'Maar je houdt lang niet zoveel van haar als van mij!'
'Ik houd wel van haar.'
'Je liegt het!'
'Nee, ik lieg niet!' zei Berry ferm. 'Ik houd te veel van Polly om haar te bedriegen. Zelfs niet in gedachten. Ik zou daarna niet met mezelf kunnen leven.'
Hij meende het. Nancy's wereld werd donkerder naarmate de waarheid tot haar doordrong.

Rufa had gelijk gehad. Dit was een man die andere dingen belangrijker vond dan seks. Hij weigerde zijn woord aan Polly te breken. Hij liet zich niet verleiden en zou er nooit toe overgehaald kunnen worden om met Nancy te trouwen, wat betekende dat Rufa zeker haar leven zou verpesten door met Edward te trouwen. Ze haalde diep adem, en ademde uit met een luide snik. Dit keer huilde ze niet van kwaadheid maar van wanhoop. Ze sloeg haar handen voor haar gezicht en jammerde omdat haar hart verscheurd werd.
'Nancy... o, mijn god...' Berry klonk geschrokken. Ze voelde dat hij voorzichtig haar arm aanraakte.
'Het is niet jouw schuld,' hijgde ze. 'Het komt door alles... alle nare dingen die zijn gebeurd... als hij het niet had gedaan zou er niets aan de hand geweest zijn en was alles bij het oude gebleven...'
'Niet had gedaan? O, god, je bedoelt je vader.'
De kussens naast haar zakten in onder zijn gewicht. Hij legde zijn arm om haar heen en ze snikte het uit tegen zijn schouder. Ze kon niet ophouden met huilen, het leek uren te duren. Hij bewoog zich niet en zei niets, maar streelde op een heerlijk troostende manier zachtjes haar rug. Na een hele tijd trok ze zich uitgeput van hem terug.
'Sorry. Ik ben een stomme trut. Maak je geen zorgen, ik ga nu weg.'
Ze waagde het haar ogen naar hem op te slaan en smolt bijna weg toen ze zag hoe vriendelijk hij terugkeek.
'Blijf nog even,' zei hij. 'Ik zal een kopje thee zetten, of iets anders.'
Nancy probeerde te lachen. 'Een beetje van die koffie zou heerlijk zijn.'
'Die is koud. Ik ga nieuwe halen.' Hij trok zijn arm terug en stond op. 'Hoe drink je het?'
'Zwart met drie klontjes suiker en sterk genoeg om een safe te kraken.'
'Okidoki.' Hij zocht in zijn zak naar een zakdoek. 'Hier, neem deze maar. Hij is schoon.'
Hij liep naar de keuken. Nancy krulde haar benen onder zich, veegde haar gezicht schoon en voelde zich een volslagen idioot. Toen hij terugkwam met de koffie was ze een beetje tot zichzelf gekomen.
'Berry, je bent aardig. Het spijt me dat ik je zaterdagochtend heb verpest.'
'Dat heb je niet gedaan. Eerlijk niet.'
'Ik heb vandaag zo'n dag waarop alles verkeerd gaat, meer niet. Normaal gesproken ben ik er erg goed in om er niet op te letten.' Ze nam een slokje koffie. 'Heeft Ru het je verteld?'

'Over haar verloving, bedoel je? Ja, ze heeft het verteld. Het was nogal een schok, omdat we hadden aangenomen dat zij en Adrian...'
'Dit is nog veel erger,' zei Nancy. 'Dit is een ramp.'
Berry reikte haar de schaal met croissants aan. 'Neem er eentje. Waarom is het een ramp?'
'Ach, kom nou. Edward Culver, notabene. Vind jij het niet weerzinwekkend?' Nancy nam kwaad een hap van een croissant.
'Nee,' zei Berry. 'Ik vind Edward aardig. Aardiger dan Adrian, trouwens. En niet alleen omdat Adrian mijn baas is. Toen we Rufa's gezicht zagen toen ze met hem terugkwam... nou, volgens Polly sprak haar gezicht boekdelen. Ze zei dat ze wel een beetje boos was op Rufa omdat ze iedereen om de tuin had geleid. Maar zelfs Adrian kon zien dat ze dolgelukkig was. Ze straalde alsof ze een lamp had ingeslikt.'
'Ze is niet gelukkig,' zei Nancy met volle mond. 'Dat denkt ze alleen maar.'
Berry glimlachte. 'Nou, is dat niet genoeg?'
'Jij begrijpt haar niet. Dat doet niemand, omdat ze zo capabel lijkt. Ze is totaal de kluts kwijt sinds de Man is overleden.'
'Ze praat er nooit over. Is het bij haar harder aangekomen dan bij de rest van de familie?'
'Ja.' Nu ze dit zei, begreep Nancy dat het waar was. 'Zij heeft hem gevonden, dat heeft het natuurlijk erger gemaakt. En ze was alleen in het huis met hem. Ik had van dienst gewisseld in de kroeg, zodat ik 's avonds uit kon gaan met Tim, mijn vriendje. Als ik dat niet had gedaan zou ik ook thuis geweest zijn. Ik had thuis moeten zijn.'
'Maar wat had je dan kunnen doen?' vroeg Berry vriendelijk.
Nancy haalde haar schouders op. 'Ik weet het niet. Gewoon bij haar kunnen zijn. Ze wist niet wat ze moest doen.'
'Mijn god, dat verbaast me niets. Wat heeft ze uiteindelijk gedaan?'
'Ze kon niet beslissen of ze de politie moest bellen, of een ambulance, dus heeft ze Edward gebeld. Hij was er goddank wel, terwijl alle anderen... hoe dan ook, hij deed de rest.' Nancy fronste terwijl ze haar tranen probeerde in te houden. 'Hij is erg goed in het regelen van dingen. Ik neem aan dat het door het leger komt. Hij reageerde natuurlijk door bevelen uit te delen. Hij droeg Ru op om buiten te gaan zitten tot hij terugkwam. En om niets aan te raken en niemand meer te bellen. Dat heeft hij allemaal gedaan.'
'Aardig van hem,' zei Berry.
'Ja. Hij was erg aardig. Hij deed zijn best voor ons te zorgen toen we allemaal behoorlijk in de bonen waren. Dat krijg je met een

sterfgeval, weet je... je huilt helemaal niet en dus denk je dat het goed met je gaat. Maar dat is niet zo. Het ging met niemand goed. Zeker met Rufa niet.'
Berry zei: 'Je houdt veel van Rufa, hè?'
'Ru is mijn rechterarm. Ik kan het niet verdragen dat hij haar van me afpakt.' Nancy dwong zichzelf haar tranen te bedwingen. 'Ik kan niet geloven dat ik dit allemaal tegen jou zit te vertellen. Eigenlijk heb ik het nog nooit tegen iemand gezegd. Om je de waarheid te zeggen ben ik hierheen gekomen met het zotte plan om jou zover te krijgen dat je met me zou trouwen, zodat Ru het niet hoeft door te zetten.'
Even trok Berry een verschrikt gezicht, toen glimlachte hij. 'En dan zou je mij hebben opgezadeld met de rekeningen voor de reparatie van jullie huis?'
'Ik ben bang van wel, liefje. En de schulden. Je bent er nog net goed vanaf gekomen.'
'Jij ook,' zei hij terwijl hij zachtjes lachte. 'Ik zou het me niet hebben kunnen veroorloven.'
'Wat?' zei Nancy verbaasd. 'Doe niet zo gek, ik heb foto's van je huis gezien.'
'Ik had gedacht dat jij zeker zou weten wat het kost om een groot, chic huis te onderhouden. Het grootste gedeelte van mijn vaders geld wordt in het landgoed gestopt. Het is niet mijn probleem totdat ik het erf, en godzijdank is mijn vader uiterst kras. We verwachten dat hij het nog wel dertig jaar zal volhouden. Ik krijg een huis van hem als ik trouw. Verder moet ik werken, net als iedereen. En mijn baan in de City levert niet genoeg op om Melismate te redden.'
'Maar... maar...' Nancy begreep er niets meer van en was zelfs verontwaardigd. 'De manier waarop je leeft... deze flat...'
'Dit hier? Dat is van Polly.'
'O.'
'Dus nu ben je helemaal op de hoogte,' zei Berry, terwijl hij manhaftig de weemoed uit zijn stem hield. 'Als je met me zou trouwen zou het niet precies betekenen dat je in een hutje zou moeten wonen. Maar het enige dak waarover mijn familie zich het hoofd kan breken is dat van onszelf. We hebben niet nog een paar miljoentjes over.'
'O.' zei Nancy nogmaals. Ze begon te lachen. Hij moest ook lachen. Tegelijk reikten ze naar de laatste croissant, en lachten tot de tranen hen over de wangen rolden.
Berry verdeelde de croissant plechtig in twee stukken en ging naar

de keuken om nog een pot koffie te maken. Nancy leunde achterover in de zachte kussens van zijn – Polly's – bank, en hoorde hem in zichzelf zingen, terwijl hij met de kastdeurtjes sloeg. Berry had een melodieuze, opgewekte stem, die haar bijna weer aan het huilen maakte. Ze vroeg zich af wat er in vredesnaam met haar aan de hand was.
'Je bent engelachtig voor me geweest,' zei ze toen hij terugkwam.
Hij grinnikte verlegen. 'Onzin.'
'Wel waar, ik kan je vleugels bijna zien zitten. Die ouwe Waltzing Matilda is een gelukkige vrouw, en ik hoop dat ze dat weet.' Ze slaakte een diepe zucht en pakte haar halve croissantje. 'Ik ben blij dat je niet zo stinkend rijk bent als we hadden gedacht; daardoor zal het minder waarschijnlijk zijn dat je eindigt met zo'n geldgeil kreng als ik.'
'Je bent geen kreng, Nancy,' zei Berry blozend. 'Je deed het om Rufa te helpen... maar ik denk trouwens niet dat het zou hebben gewerkt. Zelfs als ik in staat zou zijn geweest om Melismate te redden. Het was je nooit gelukt om haar van het idee van een huwelijk met Edward af te brengen.'
'Daar heb je helemaal gelijk in,' zei Nancy somber. 'Als ze eenmaal een besluit genomen heeft, is ze niet meer tot verandering te bewegen. Ik denk dat dat me zoveel angst aanjoeg, te zien dat ze volkomen op hem gefixeerd was.'
'Ik begrijp nog steeds niet wat je tegen Edward hebt,' zei Berry, nu met krachtiger stem. 'Ik vind hem geweldig. Op die avond dat hij mijn autosleutels terugvond heeft hij me verteld hoeveel hij van jullie allemaal houdt.'
'O, ja?'
'Ik kreeg de onmiskenbare indruk dat hij iedereen zou verpletteren die zou proberen jullie kwaad te doen, ieder van jullie. Hij zei dat hij dat verschuldigd was aan je vader.'
Nancy's brandende ogen vulden zich voor de zoveelste keer met tranen, de tranen die ze niet had vergoten voor de Man, omdat ze het zo druk had gehad met vrolijk zijn. 'Ik wou maar dat hij gewoon met iemand anders zou trouwen, dan het geld zou opstrijken en het aan ons zou geven als we het nodig hadden.'
'Misschien verkeerde hij in de veronderstelling dat je vader het niet zou aannemen.'
Energiek snoot ze haar neus. 'O, je maakt zeker een geintje. De Man leek op een uiterst luie versie van Dick Turpin. Hij zou van iedereen geld hebben aangepakt, zonder een moment te twijfelen.'
'Misschien heeft Edward spijt en denkt hij dat hij het ten opzichte

van jullie allemaal goedmaakt als hij met Rufa trouwt. Ik wed dat hij al zijn geld zou hebben opgegeven en met wie dan ook zou zijn getrouwd als hij daarmee je vader had kunnen redden. Zo'n soort man is het. Eigenlijk is het heel duidelijk.'
Het bleef even stil. Nancy zei: 'Jij vindt dat ik hem te streng beoordeel.'
'Ja. Ik denk dat hij heel veel van je zusje houdt.'
Nogmaals stilte.
Nancy zei: 'O, god. O, jee. Jij bent zo aardig geweest en ik heb me gedragen als een absolute oen. Ik ben vanmorgen vreselijk tekeergegaan tegen Ru. Ik heb gedreigd haar te laten opnemen. En nu is ze naar huis gegaan met de gedachte dat ik haar haat.'
'Onzin. Dat zou ze nooit denken.'
Ze snoot nogmaals energiek haar neus, alsof ze tot een besluit was gekomen. 'Ik kan beter wat lijmpogingen gaan ondernemen.'

Hoofdstuk vijftien

De lente was aangebroken in het glooiende landschap rond Melismate. Verspreid in de dalen van het bosrijke gebied stonden wilde hyacinten en lichtgele sleutelbloemen, en in de bruine velden doken plukjes jong groen op. De brem stond in bloei en de wateroevers waren bezaaid met wasachtige gele narcissen. De lucht die door het open raam van Edwards Land Rover waaide rook naar vochtige aarde en jong gras.

Rufa, van wie iedereen nu officieel wist dat ze zijn verloofde was, zat naast hem. Het was toepasselijk dat het weer was omgeslagen, dacht ze, op deze eerste dag van een nieuw begin in haar leven. Ze wilde graag dat de wereld een ander aanzien had, zodat ze met eigen ogen de goede afloop kon waarnemen. Ze was nog steeds boos genoeg op Nancy om voortdurend de behoefte te hebben te bewijzen dat ze de juiste stap had genomen.

Nancy was tot diep in de nacht op stap geweest. Na haar werk in de bar had ze het met Roshan op een zuipen gezet in een bar in Soho. Rufa had haar het nieuws van de verloving die ochtend verteld. Ze had werkelijk totaal niet gerekend op Nancy's woede-uitbarsting; ze was ervan uitgegaan dat haar zusje blij voor haar zou zijn, of tenminste opgelucht. Nancy's walgelijke beschuldigingen hadden een grote woede in Rufa opgewekt. Nog afgezien van alle andere dingen was ze met stomheid geslagen door haar onvoorstelbare ondankbaarheid. Besefte ze dan niet wat Edward voor hen deed? Hoe zou hun positie volgens Nancy zijn als hij er niet geweest was? Hij had hen steeds weer uit de penarie geholpen, zonder een woord van dank te verwachten – en vaak zonder dat te krijgen.

Maar haar verontwaardiging hield geen stand. De waarheid was dat ze wanhopig behoefte had aan Nancy's goedkeuring. Nancy was haar lievelingszusje en ze kon niet zonder haar. Haar afwezigheid haalde de glans van Rufa's triomfantelijke thuiskomst. Ze zou echter wel bijdraaien als ze zou zien hoe opgelucht en gelukkig haar moeder reageerde. Rufa was ervan overtuigd dat Rose verrukt zou zijn. Ze probeerde haar gedachten te concentreren op de vreugde

van de voorbereiding van de werkelijk overweldigend goede afloop. Nancy zou uiteindelijk beslist bijdraaien.
Edward wierp haar een zijdelingse blik toe terwijl hij haar gemoedsgesteldheid probeerde in te schatten.
Voordat ze bij Melismate aankwamen hadden ze op een of andere manier allebei hun nieuwe rol als geliefden opgevat. Edward wist niet hoe ze het moesten aanpakken. Rufa had niet geraden hoe hartstochtelijk veel hij van haar hield, en hij was niet in staat geweest haar dit duidelijk te maken. Edward was nog steeds niet van de verrassing bekomen. Na hun ruzie, toen hij de hele nacht was opgebleven om zijn kwaadheid de baas te worden, was dit zijn grote ontdekking geweest. De afgelopen zes jaar, sinds hij terug was op de boerderij, had hij geworsteld met zijn probleem dat hij verliefd op Rufa was. Dit had zijn verhouding tot de familieleden beïnvloed; het speelde altijd mee, als een onderstroom.
In zijn gedachten was ze een kind gebleven, tot hij haar had weergezien als jonge vrouw van eenentwintig – lang, ernstig en verwarrend mooi. En haar vaders hartendief. Edward kon zich de dronken redevoeringen van de Man nog herinneren over zijn tegenzin Rufa 'over te geven' aan een andere man.
De Man had Edward in vertrouwen genomen omdat hij hem niet als rivaal beschouwde. Edward had zichzelf ook niet als rivaal gezien. Elk spoortje gevoel dat hij voor Rufa had, elke steek die hij eventueel kreeg als hij zag hoe mooi ze was, had hij in de kiem gesmoord en weggestopt. Er was geen sprake van dat hij haar zijn liefde zou verklaren. Hij had aangenomen dat het niet in haar op zou komen om verliefd op hem te worden. Hij had zijn gevoelens nog dieper weggestopt toen ze verliefd was geworden op die afschuwelijke schrijver die zijn huisje had gehuurd.
Het huwelijk met Rufa zou betekenen dat al dat ingetoomde verlangen naar boven zou kunnen komen. Hij had elk woord gemeend wat hij tegen haar had gezegd over het feit dat seks geen onderdeel van hun afspraak hoefde te zijn. Maar natuurlijk wilde Edward met haar naar bed. Hij verlangde er wanhopig naar en nu het hem was toegestaan erover na te denken werd hij er gek van. Ze bevonden zich in een belachelijke situatie, dacht hij. Ze waren verloofd, maar als ze ooit echte geliefden wilden worden moest hij nu beginnen haar het hof te maken en haar te veroveren. En alleen God wist hoe hij dat zou moeten aanpakken, want hij was als de dood dat het zou lijken of hij haar wilde dwingen.
Hij besefte dat hij de taal van seksuele toenadering was verleerd. Seks hoorde bij het deel van zijn leven waarover Rufa niets wist.

Hij dacht niet dat hij haar ooit zou kunnen uitleggen waarom hij een deel van zichzelf afzijdig van Melismate had gehouden. Hopelijk zou het hem lukken alles in orde te brengen zonder dat Rufa erachter kwam. Edward keek opzij naar Rufa en kon geen manier bedenken om door de glimlachende stilte heen te breken die haar omgaf.

Ik ben versteend van eenzaamheid, dacht hij; ik ben veranderd in een standbeeld. Ik heb geen idee hoe ik dit meisje duidelijk kan maken dat ik mijn leven voor haar zou geven.

Hij schraapte zijn keel. 'Gaat het goed met je?'

Rufa, die nog steeds glimlachte, draaide zich naar hem toe. 'Prima.' Toen ze tegen elkaar praatten leek alles weer normaal.

'Het gaat niet prima,' zei hij. 'En ik wou bij god dat ik wist wat ik eraan kon doen. Komt het door mij?'

'Nee, natuurlijk niet.'

'Is het Nancy?'

Haar zwijgen bewees hem dat hij raak had geschoten.

'Ik had de indruk,' zei hij, 'dat miss Nancy vandaag mee zou rijden. Moet ik haar afwezigheid persoonlijk opvatten?'

Rufa had haar nadenkende, naar binnen gerichte gezichtsuitdrukking, die hij herkende als kwaadheid. 'Ze heeft weer een van haar buien. We hebben een vreselijke ruzie gehad.'

'Over mij, neem ik aan. Over het feit dat jij met een overjarige ouwe zak gaat trouwen.'

'Ja, eerlijk gezegd wel. Maar ze komt wel weer tot bedaren.' Rufa zei dit met gemaakte overtuiging, omdat ze wilde dat het waar was. 'Dat gaat meestal zo.'

Edward omklemde agressief het stuur terwijl hij zijn grote irritatie wegslikte. Nancy had alle karakterfouten van de Man, besloot hij, en heel weinig van zijn charme. Maar hij maakte zich meer zorgen over Rufa's gevoelens. Hij was geschrokken door de grote pijn die ze gisteren had getoond toen hij haar het aanzoek had gedaan. Ze was niet zo flink als de mensen dachten. Deze gedachte stelde hem gerust. Hij deed wat juist was; hij maakte geen misbruik van haar. Ze had hem nodig.

Hij zei: 'Ik denk dat die meneer Mecklenberg van jou ook niet erg blij was.'

Rufa zuchtte. Ze had nog geen verslag gedaan van haar gesprek met Adrian. 'Nee, inderdaad, hoewel hij me niet de kans gaf het uit te leggen. Hij keek me alleen aan met zo'n koele blik dat ik het gevoel had dat ik met ijs bedekt werd.'

'Dat was een vervelende situatie, denk ik.'

'Het was mijn verdiende loon,' zei Rufa. 'Het was wel het minste wat ik kon verwachten. Correct gedrag is voor Adrian heel belangrijk. Hij bleef erg aardig waar de anderen bij waren. Hij bracht een toast op me uit en zei dat jij een gelukkig man was. Ik voelde me heel klein.'

'Nou ja, het is nu achter de rug.'

'Ja.' Ze verviel weer in zwijgen.

Edward vroeg: 'Vind je het erg om even langs de boerderij te gaan?'

'Dat zou ik juist leuk vinden.'

Hij hield zijn ogen strak op de weg gericht. 'Misschien moet je eens nadenken over wat er daar veranderd moet worden. De buitenkant is in goede staat, maar het interieur is in twintig jaar niet gewijzigd.' Hij voegde eraan toe: 'Sinds de vorige bruid haar intrek nam, in feite.'

'Laat me niets veranderen,' zei Rufa. 'Ik zou de verantwoordelijkheid niet aankunnen.'

'Het is geen heiligdom,' zei Edward vastbesloten. 'Het moet ons huis worden. Ons huis.' Hij had het onderwerp voorzichtig ter sprake gebracht. Ze hadden het er nog niet over gehad dat Rufa, om het huis waarvan ze hield voor de ondergang te behoeden, in ballingschap zou moeten wonen. Ze moesten onder hetzelfde dak wonen; waarom zouden ze anders met elkaar trouwen? Hij vond het ongevoelig van zichzelf om erover te beginnen en verwachtte half dat ze zou protesteren.

Ze glimlachte nog steeds. 'Goed dan, maar niets bijzonders. Ik houd van de boerderij zoals hij is. Hij doet me aan je moeder denken.'

'Ze zou erg blij zijn met deze ontwikkelingen,' zei Edward, die ontroerd was dat Rufa die minzame, intimiderende persoonlijkheid had opgeroepen.

'Alleen op voorwaarde dat ik je gelukkig zal maken.'

'Dat doe je.'

'Ik hoop het, ik bedoel, ik hoop dat jij er ook iets aan hebt. Ik zou het vreselijk vinden als het feit dat je met me trouwt alleen weer het zoveelste voorbeeld is van jouw goede daden.'

Dit was het moment dat hij haar ervan zou kunnen verzekeren dat hij er alles aan had, omdat hij haar aanbad. En alles wat hij kon uitbrengen was: 'Trouwen is niet hetzelfde als leidingen repareren.' Hij sloeg van de weg af en reed het smalle pad op dat naar de boerderij leidde. Ze stonden stil voor het eenvoudige, rechthoekige, goed verzorgde huis dat sinds Rufa's jeugd niets was veranderd. Het was uiterst schoon en pijnlijk kaal. De grote ramen uit de tijd van koning George glansden koel als de zon erop viel.

Rufa stapte uit de auto en bleef staan kijken naar haar nieuwe huis. Het verbaasde Edward hoe gelukkig ze leek: enthousiast en vastbesloten om het leuk te vinden. Hij raakte ondersteboven door een plotseling, verblindend bewustzijn van haar schoonheid door het zonlicht dat op haar haar scheen. Hij wilde haar armen vullen met grote boeketten lentebloemen.

Hij deed de voordeur van het slot. Er lag een stapel post op de mat. Hij bukte zich om die op te rapen en liep door de brede, betegelde hal naar de zitkamer. Rufa liep gehoorzaam achter hem aan, alsof ze op bezoek kwam.

Toen hij nog in het leger zat had hij het huis verhuurd aan een serie opeenvolgende huurders, omdat Alice en hij meestal in het buitenland woonden. Het huis had nog steeds een onpersoonlijke uitstraling. Er waren geen sporen van Alice achtergebleven, behalve twee foto's in zilveren lijstjes die op de schoorsteenmantel stonden. De ene was een foto van Alice, die haar ogen dichtkneep vanwege de zon, bij hun legerwoning in Duitsland. Op de andere foto hield ze een baby vast, haar neefje, het zoontje van haar halfzus. Rufa bekeek ze en keek toen de andere kant op. Edward, die duizelig van verlangen was haar aan te raken, sloeg zijn armen om haar heen.

Gedurende een kort ogenblik verstijfde Rufa afwerend. Een kwart seconde later glimlachte ze weer en leunde ontspannen tegen hem aan op de oude vertrouwde manier, maar hij wist genoeg. Hij liet haar voorzichtig los. Ze was er niet klaar voor. De gedachte dat ze seks met hem als haar plicht zou zien vervulde hem van afschuw. Te veel geesten. Hij zag Alice, tot waterverf vervaagd, zachtjes de kamer verlaten en de deur achter zich dichtdoen. Hij verdrong de verontrustende herinnering aan de dag dat hij bij het doopvont stond in de dorpskerk, met een baby in zijn armen. Het was te vroeg. Ze hadden allebei meer tijd nodig.

Hij zei: 'Heb je trek in thee?'

Hij schrok toen hij merkte hoe dankbaar ze was. 'Ik zet hem wel.'

'Bedankt. Er staat een pak houdbare melk in de voorraadkast.'

Rufa ging naar de keuken. Edward hoorde haar deuren opendoen en zachtjes in zichzelf neuriën. Hij ging op de bank zitten en begon zijn brieven open te maken.

Ze bracht de theespullen binnen op een gedeukt tinnen dienblad, versierd met een gerafeld plaatje van een Schotse terriër, dat ze als klein kind altijd had willen bezitten. De kopjes waren schoon en heel, maar pasten niet bij elkaar. De theepot was van dik bruin aardenwerk, met een rubber hoesje over de kapotte tuit.

'Je hebt een nieuwe theepot nodig,' zei ze. 'Niemand gebruikt die kleine condooms nog.'
Edward lachte en voelde zich opeens vrolijker. Hij vond het heerlijk als ze hem bevelen gaf. 'O, nee?'
'Nee. Het ziet er op een rare manier gierig uit.'
'Hmm, je kunt ze inderdaad niet meer krijgen, nu je het zegt. Condooms zijn veel makkelijker verkrijgbaar.'
Rufa zette het blad op het haardkleed en knielde als een geisha neer om in te schenken. Ze had een kannetje voor de melk gevonden. 'Maak je maar geen zorgen, ik sleep je de juiste eeuw wel in.' Ze overhandigde hem zijn thee en maakte het zich gemakkelijk tegen zijn been; het lichamelijke contact dat ze zonder nadenken maakte raakte hem diep en vergrootte de afstand tussen hen.
'Is het niet heerlijk?' vroeg ze. 'Het lijkt alsof we al eeuwen getrouwd zijn.'

'Nou, proost op het nieuwste Russische toneelstuk,' zei Rose, terwijl ze haar vierde glas champagne tegen het vage licht hield. 'Waarin Rufa Rufusova met de ouwelijke buurman trouwt om de boomgaard te redden.'
'Hij is niet ouwelijk, maar je kunt wat mij betreft zeggen wat je wilt,' zei Rufa rustig. Ze liep heen en weer tussen het fornuis en de keukentafel, bezig een uitgebreid diner klaar te maken. Ze had Edward laten omrijden naar de supermarkt in Cirencester, wetend dat er niets in huis zou zijn op Melismate. 'Het kan mij niet schelen, als je maar aardig tegen hem bent als hij hier is.'
'Kom nou, ik ben toch superbeleefd geweest? Wij allemaal, toch?'
Rufa zei: 'Je weet heel goed wat ik bedoel.' Onder haar kalmte ging onverzettelijkheid schuil. Ze was voor de eerste keer alleen met haar moeder sinds haar triomfantelijke thuiskomst. Edward was zo slim geweest haar thuiskomst op te luisteren met een stuk of tien flessen champagne van de supermarkt. Ondanks dat had Rufa gevoeld dat haar moeder en zusjes hun bezwaren alleen voor zich hielden omdat ze verbaasd waren geweest. Ze was zich scherp bewust geworden van Roses ongerustheid en kritische houding. Het was een opluchting geweest toen Edward naar huis ging en haar hier achterliet. Nu hadden ze de gelegenheid om openlijk over hem te praten en een knallende ruzie te maken als dat nodig zou zijn.
Rose, die in haar borrelstoel naast het fornuis hing, observeerde Rufa oplettend.
'Dochters zijn de meest raadselachtige wezens,' zei ze somber. 'Hoe kun je denken dat je gelukkig zult worden?'

'Mam, voor de laatste keer, geloof me toch alsjeblieft.' Rufa draaide zich om en keek haar aan, zodat Rose kon zien dat ze het meende. 'Ik ben gelukkiger dan ik in tijden geweest ben. Ik heb het gevoel dat er een grote last van me is afgevallen.'
'Lieverd, die last hoefde je niet te dragen. Jij bent niet gemaakt om een last te torsen.'
Rufa's lippen vertrokken zich. Ze voelde zich zo licht en vrolijk omdat ze die pijn opeens was kwijtgeraakt dat ze hun bezwaren tegen Edward nogal grappig vond. Rose, Lydia en Selena hadden zich koel en afkeurend willen opstellen, maar ze hadden de gratis alcohol niet kunnen weerstaan. De barbaren van Melismate zouden elkaar verkocht hebben voor een druppel vuurwater van de blanke.
'Je moet geen champagne drinken,' zei ze. 'Je wordt er somber van.'
Rose liet een hoog lachje ontsnappen. Dit had ze niet verwacht van haar ernstige, Victoriaanse dochter. 'O, god, meen je dat?'
'Ik houd heel veel van Edward en ik ben dolgelukkig.' Dit moest gewoon waar zijn, en daarom was het ook zo. Rufa hield inderdaad van Edward, ze was erg op hem gesteld, was afhankelijk van hem en vond het belangrijk dat hij positief over haar dacht. Toen ze de nieuwe Edward had geobserveerd op de boerderij, in die bekende omgeving, bedacht ze hoe gemakkelijk ze verliefd op hem had kunnen worden als ze elkaar nu pas zouden hebben ontmoet. Ze vond het jammer dat ze er niet op voorbereid was geweest toen hij zijn arm om haar heen sloeg. Edward had zich te snel teruggetrokken, dacht ze. Het was moeilijk als je allebei het gevoel had dat je speelde dat je verliefd was.
Als hij haar verrassing had genegeerd en haar had overweldigd, zou ze dat dan prettig gevonden hebben? Of zou ze een hekel aan hem hebben gekregen omdat hij zich gedroeg alsof hij haar gekocht had? Elke toenaderingspoging zou gênante implicaties van kopen en verkopen in zich dragen. Deze ingewikkelde vragen begonnen nu vorm te krijgen in Rufa's gedachten. Ze wilde niet dat Rose ze ruw zou verwoorden. Het enige dat ze van haar moeder verwachtte in deze situatie was dat ze gewoon dolblij zou zijn, meer niet.
Ze vroeg: 'Waarom kun je het niet gewoon accepteren en je op de toekomst richten?'
'Dat ben ik verleerd,' zei Rose droevig. 'De toekomst ziet er in mijn ogen altijd somber uit.'
'Het zal hemels zijn. Ik ben zo benieuwd.' Rufa kneep wat citroen uit over de borden met gerookte zalm. 'Edward zegt dat hij een vriend mee zal brengen die bouwkundig ingenieur is, om te bepa-

len welke grote klussen gedaan moeten worden, de fundering, het dak, de westelijke muur...'
Rose kreunde en leunde voorover om het laatste restje champagne in haar glas te schudden. 'Spaar me.'
'Sorry als het je verveelt,' zei Rufa, met een eerste spoortje citroenscherpte in haar stem. 'Maar je hoeft heus niets te doen. Het enige wat er van je verwacht wordt is dat je de werklui om je heen verdraagt en niet probeert hen op te stoken.'
Rose glimlachte zuur. 'Je praat net als hij.'
'Misschien lijk ik wel op hem.'
'Ik heb geen moeite met de plannen voor het huis, dat is het niet,' zei Rose. 'De Man zou het geweldig gevonden hebben.'
Rufa vermaalde zwarte peper boven de zalm. 'Ik moet steeds aan hem denken. Ik wou maar dat het ons eerder was gelukt om het huis te redden, toen hij nog leefde. Misschien was dan alles anders gelopen.' Ze probeerde luchtig te praten, maar haar stem brak.
Rose zei: 'Het ging niet echt om het huis.'
'Om alles waar het voor stond, dan?'
'Nee, er speelde meer.' Rose vond het gemakkelijker om met berusting, misschien zelfs met afstandelijkheid over de Man te praten. 'Verloren schoonheid, verloren jaren. Hij vond het vreselijk dat hij vijftig was geworden. Hij kon de tijd niet meer terugdraaien.'
'Toch wou ik dat de tijd wel teruggedraaid kon worden.' Rufa's stem klonk weer aangedaan.
Rose slikte een opkomend gevoel van kwaadheid jegens de Man weg. Ofschoon ze dit nauwelijks aan zichzelf durfde toegeven, zag ze egoïsme en agressie in zijn zelfmoord, en ze verafschuwde hem daarom. Had hij niet kunnen voorzien welk effect de daad zou hebben op zijn meisjes? Met name op Rufa, zijn lievelingskind. Hij moest geweten hebben dat de kans groot was dat Rufa degene zou zijn die zijn lichaam zou vinden. Vanaf dat moment was ze compleet de kluts kwijt. Uiteindelijk was het erg moeilijk om te blijven geloven dat hij enige liefde voor hen had gekoesterd.
Ze hees zichzelf uit de stoel. 'Je hebt gelijk, champagne maakt me inderdaad somber... leuk verlovingspartijtje is dit. Als je werkelijk gelukkig bent, moet ik het ook wel zijn. Goed?' Ze vulde de gedeukte fluitketel boven de besmeurde gootsteen en smakte hem op de kookplaat. 'Jij bent het om wie ik me zorgen maak, lieveling. Als Edward werkelijk de man is die je wilt, zal ik die vermoeiende ouwe zak met open armen verwelkomen.'
Rufa's gezicht klaarde op. 'Hij is het voor mij. Vind je hem niet knap zonder baard?'

'God, ja, dat lijdt geen twijfel. Ik moet zeggen dat jullie er samen geweldig uitzien, jullie zullen het mooiste paar vormen dat in jaren in deze parochie is verschenen.' Rose schonk water in een kopje en maakte thee. Ze nam haar kopje mee terug naar haar borrelstoel. 'Maar ik kan me niet voorstellen dat je het bed met hem zult delen. En dat baart me zorgen. Seks is veel belangrijker dan jij schijnt te denken. Zonder seks kunnen leven is iets anders dan met iemand samenleven en niet met hem naar bed gaan.'
'Ik heb nog niet met hem geslapen,' zei Rufa, 'maar ik kan je verzekeren dat seks met Edward erg... prettig is.'
'Wat... bedoel je dat je het hebt gedaan?'
Rufa boog zich over de tafel, zodat haar gezicht verborgen was. 'Ja. Wat is daar zo vreemd aan?'
Rose hapte naar adem. 'O, god... je hebt het met Edward gedaan!' Ze begon zenuwachtig te lachen. 'Je hebt zijn achterwerk gezien! Ik zal hem nooit meer recht in de ogen kunnen kijken!'
'Houd op.' Rufa glimlachte.
Rose speelde haar rol geweldig; sinds de dood van de Man had ze dat niet meer gedaan. 'Zeg me de waarheid, lieverd... je weet, je kunt je mammie alles vertellen: heeft hij grijs schaamhaar?'
'Dat zeg ik niet. Vraag het hem zelf maar.'
'Roger wel. Vroeger trok ik ze eruit met een pincet, maar het werden er te veel. Zijn scrotum ging eruitzien als een geplukte eend.' Rose slaakte een diepe zucht van opluchting. 'Ga zitten. Houd op met dat gesloof.'
'Als ik het niet doe, wie zal het dan doen? O, goed dan.' Rufa ging aan de tafel zitten en pakte haar kopje thee. Rose was vergeten het theezakje eruit te halen en de thee was donkerrood, maar het was thee van thuis. Deze thee was nergens anders in de wereld te krijgen. Het kon haar niet schelen dat ze had gelogen over haar vrijerij met Edward. De leugen had haar moeder gerustgesteld.
'Ik ben blij dat je Huwelijksspel zo goed is afgelopen,' zei Rose. 'Ik heb Edward nog nooit zo boos gezien als op de dag dat hij erachter kwam... god, je zou hebben gedacht dat ik je als slavin had verkocht. Het leek op dat stukje in *David Copperfield*, als meneer Peggotty erachter komt wat er met de Kleine Em'ly is gebeurd.'
'Je moet je literaire zinspelingen nu een beetje opvrolijken, mam. Ons verhaal is niet geschreven door Tsjechov. Ook niet door Dostojevski of Dickens, of Stephen King. Het lijkt meer op het laatste hoofdstuk in een roman van Jane Austen. Een happy end, zonder losse eindjes.'
'Ik hoop het maar,' zei Rose. 'Want als jij echt gelukkig bent, kan

ik ervan genieten dat de pijn weg is. Dat voelt heerlijk aan. Niet meer onze hersens breken over de schulden. Een gerepareerd dak boven het hoofdje van mijn Linnet. Oneindige hoeveelheden gin.'
Eindelijk, eindelijk, dacht Rufa. Voor deze beloning had ze al die tijd gewerkt: om de spanning en het verdriet van haar moeders gezicht te zien glijden.
'Ik wou dat Nancy er ook zo over dacht,' zei ze.
'Dat vreselijke kind.' Rose dronk haar glas leeg. 'Ik had haar vanmorgen aan de telefoon, ze gilde als een viswijf.'
'Ze lijkt op jou,' zei Rufa. 'Ze weigert te geloven dat ik gelukkig zou kunnen zijn. Ze wil het niet van me aannemen. God weet hoe ik het zou kunnen bewijzen. Kun jij niet eens met haar praten?'
'Ik kan het proberen. Maar ze zal toch niet luisteren. Ze is net een heteluchtballon, ze trekt meestal wel bij. God, wat lijkt ze soms op de Man.'
De deur naar de trap ging open. De kleine, levendige gestalte van Linnet rende naar binnen; ze leek merkwaardig omvangrijk omdat ze de Gebroeders Ressany onder haar verstelde gele trui had gestopt.
'Oma, ben je te dronken om me in bad te stoppen?'
'Dronken? Ik?' Rose stond op terwijl ze haar thee opdronk. Het was Rufa al eerder opgevallen dat Rose altijd energiek en beheerst was bij Linnet, hoeveel ze ook had gedronken. 'Zeker niet. Maar moet Rufa je niet in bad stoppen?'
'Nee,' zei Linnet koninklijk. 'Die gaat me daarna een verhaaltje vertellen. Een nieuw verhaaltje.'
'O, ja?' zei Rufa lachend. 'Oké.'
'Het moet over de Gebroeders Ressany gaan. Ik wou dat Nancy hier was om de stemmen te doen.' Hunkerend onderzocht ze de gezichten van Rose en Rufa. 'Wanneer komt ze?' Linnet wilde al haar mensen om zich heen hebben, net als haar overleden grootvader.
'Binnenkort,' zei Rose met overtuiging, terwijl ze naar Rufa glimlachte. 'Zodra de hete lucht uit haar lichaam is gekomen.'
Dit vond Linnet interessant. 'Ik wist niet dat Nancy hete lucht in zich had. Zit het in haar borsten?'
Rose en Rufa, weerloos door de champagne, barstten in lachen uit.
'Nou ja. Wat is dit nu weer,' zei Linnet bestraffend, terwijl ze probeerde haar armen over elkaar te slaan voor haar opgevulde truitje. 'Ik stelde toch een heel normale vraag. Het is verwerpelijk om kinderen uit te lachen, alleen omdat ze iets niet weten.'
'Sorry, schatje,' zei Rufa.
'En toch ga je ermee door,' zei Linnet koeltjes.

Op dit moeilijke moment hoorden ze een deur dichtslaan. Vanuit de lege, weerkaatsende Grote Hal, klonk een schelle, hoge stem: 'Trotsky! Doe je zadel om, we gaan een eindje rijden!'
Een diepe stem met een accent antwoordde: 'Ja, meneer Ressany...'
'Nancy!' gilde Linnet, terwijl de zon op haar gezicht weer doorbrak. De deur tussen de Hal en de keuken ging open en Nancy kwam binnen.
Ze knielde neer om Linnet te omhelzen en haar gezichtje te overdekken met smakkende kussen. 'O, mijn perzikbloesem! Mijn zijden prinsesje! Ik heb je zo vreselijk gemist en ik heb zoveel ondeugende dingen te vertellen over de Gebroeders Ressany!' Ze kuste de beren door Linnets truitje heen. 'Waarom zitten ze daar?'
'Ze zijn nog niet geboren,' zei Linnet. 'Ze zullen eruit komen als piepkleine nieuwe baby's en dan moet ik midden in de nacht opstaan om ze eten te geven. Maar...' voegde ze er vlug aan toe, 'ze kunnen nog steeds praten. En in hun schommelstoel zitten.'
Rose liep naar Nancy toe om haar een kus te geven. 'Mijn schat, wat heerlijk om je te zien.'
Nancy keek Rufa over haar moeders schouder smekend aan en vormde met haar mond het woord: 'Sorry.'
Rufa glimlachte haar opgetogen toe. 'Ik ben zo blij dat je van gedachten bent veranderd, Nance.'
'O, ik kon niet langer bij Wendy blijven. Het lijkt er wel een begrafenisonderneming, zo volgepropt is het er met enorme, kwabbige bloemen voor Roshan van die vreselijke Tiger Durward.'
'Je bent net op tijd voor mijn verhaaltje,' zei Linnet.
Nancy richtte haar aandacht weer op het meisje. 'Goed dan. Gun me een paar minuutjes om een kopje thee te drinken en dan zal ik je vertellen over het schoolreisje van de Gebroeders naar Londen.'
'O, joepie! Maar ze gaan nog niet naar de grote school. Het was een kleuterschoolreisje.'
'Sorry dat ik gearresteerd ben,' zei Nancy met een diepe, grommende stem. 'De volgende keer zal ik geen bom meenemen.'
Linnet giechelde, waarbij haar kleine perfecte tandjes zichtbaar werden. 'Moest hij naar de gevangenis?'
'Waar is mammie?' vroeg Rose.
'Boven.'
'Vraag of ze je in bad stopt, liefje. Ik wil even met Nancy praten.'
Argwanend overdacht Linnet dit en knikte toen. 'Goed. Als Nancy meteen daarna bovenkomt. En Trotsky's kooitje meeneemt. En als Ru een liedje voor me zingt en het licht komt uitdoen.'
'Ja, ja... god, je bent een keiharde onderhandelaarster,' zei Rose.

'Leken je ouders maar wat meer op jou.'
Zodra Linnet naar boven was geklauterd riep Nancy uit: 'Ru, het spijt me zo. Ik ben een absoluut kreng geweest en ik meende er geen woord van.'
Rufa zette de gloeiend hete ketel op het fornuis. Ze straalde. Niets klopte als ze ruzie had met Nancy. 'Het spijt mij ook. Laten we het maar vergeten. Je bent precies op tijd voor een geweldig diner.'
'Is Edward hier?'
'Nee, hij moest terug naar de boerderij. Hij komt wel terug om hier te eten... daar kun je beter aan proberen te wennen.'
'Ru, lieverd... ik wil hem graag zien. Ik wil mijn verontschuldigingen aanbieden.'
'Dat zal een leuk schouwspel opleveren,' zei Rufa lachend. Nu Nancy thuis was leek alles weer in orde.
Rose worstelde met het folie van de champagnefles. 'Dit is hetzelfde als dat stuk in *Little Women*, als Jo en Amy de strijdbijl begraven, nadat Amy bijna verdronken is...'
'Houd je mond, seniel oud besje,' zei Nancy. 'Geef me een drankje. En een grote mok sterke thee. Ik heb een moeilijke dag achter de rug.'
De champagne werd met een feestelijke plop ontkurkt. Rose overhandigde Nancy een beschadigd Melismate-glas vol. Rufa zette nog wat thee. Gedrieën gingen ze aan de keukentafel zitten. Rufa en Rose voelden zich uiterst tevreden.
'Zo,' zei Rose, 'dus je hebt besloten om je zusje toch niet in een gesticht te laten opnemen. En om haar je zegen te geven.'
'Ik was vanmorgen niet goed bij mijn hoofd,' zei Nancy, die nadenkend aan haar champagne nipte. 'Het lijkt alweer zo lang geleden.'
'Waar stormde je naartoe?' vroeg Rufa. 'Ik heb Edward een halfuur laten wachten, om te zien of je soms weer terug zou komen sluipen.'
Nancy's oogleden waren opgezet. Ze zag er moe uit, maar ze glimlachte. 'Ik was te ver heen om te kunnen sluipen. In feite was ik zo de kluts kwijt dat ik rechtstreeks naar Berry's huis ben gegaan en hem heb gevraagd met me te trouwen.'
'Dat kun je niet menen! Wat had hij daar in vredesnaam op te zeggen?'
Nancy's glimlach werd even iets aarzelender. 'Ik heb geprobeerd hem te verleiden. Het lukte niet. Hij wees me af, om eerlijk te zijn. Je had gelijk, Ru, hij is toch niet zo gek op me als ik had gedacht. Hij is vastbesloten om met die Australische te trouwen.' Ze zucht-

te en deed een zichtbare poging om haar lachspieren gespannen te houden. 'En het allerleukste is: hij is niet rijk genoeg voor ons. Ik heb me al die tijd op het verkeerde doelwit gericht.' Eindelijk hield ze het niet meer vol, de glimlach gleed van haar gezicht. 'Maar hij was alleraardigst. Hij zette koffie voor me, liet me tekeergaan en wees me erop wat een goeierd Edward is. En toen heeft hij me teruggebracht naar Wendy's huis. Dus heb ik de bar gebeld om te zeggen dat ik niet kwam, heb de trein gepakt. Ik moest een eeuwigheid wachten in Swindon, en heb de duurste taxi ter wereld genomen vanaf Stroud. En nu ben ik hier.'
Rose en Rufa wierpen elkaar nieuwsgierige blikken toe. Het was lang geleden dat ze Nancy zo gedwee hadden meegemaakt.
Rufa raakte zachtjes haar hand aan. 'En je bent niet meer boos?'
'Nee,' zei Nancy. 'Ik ben niet boos. Ik neem aan dat ik blij zou moeten zijn, omdat jouw huwelijk met Edward betekent dat ik mijn dwaze hart de vrije teugel kan laten.' Ze hief haar glas. 'Op wilde, ondoordachte romantiek!'

Edward kwam voor het eten de keuken binnen en trof daar alleen Nancy aan, die een joint rookte boven de pan met lamsworstjes die hij in Cirencester had gekocht. Toen ze hem zag drukte ze de joint uit, schoof de pan van het vuur en ging voor hem staan als een vrouwelijke burgemeester die een bazar opent.
'Voordat je iets zegt: het spijt me. Ik heb me vanmorgen walgelijk misdragen.'
Hij glimlachte, terwijl hij haar aankeek met een scherpzinnige blik in zijn ogen. 'Je was geshockeerd.'
'Dat is geen excuus.'
Edward trok zijn waterafstotende jas uit en leunde voorover om een overvolle asbak te legen in de vuilnisbak. 'Excuus geaccepteerd. We hoeven het er verder niet meer over te hebben.'
'Bedankt. Ik loop me de hele dag al te verontschuldigen.' Nancy draaide zich weer om naar de worstjes. 'Ru zweert dat ze me vergeeft, maar ze is nog steeds een beetje prikkelbaar.'
'Ach, ze kan soms wat nuffig zijn,' zei Edward kwiek en verrassend. 'Hoe ze dat voor elkaar krijgt na zevenentwintig jaar met je vader geleefd te hebben is me een raadsel. Let er maar niet op. Ze is dolblij dat jullie het goedgemaakt hebben.'
'Ik ook. Ik vind het vreselijk als we ruzie hebben.'
'Ru geeft er niet veel om wat andere mensen denken. Maar om de een of andere reden is de mening van de plaatselijke barjuffrouw belangrijker voor haar dan die van alle anderen. De Man zei altijd

dat jullie leken op de Vrouw van de Kolonel en Judy O'Grady.'
Nancy draaide zich terug om hem aan te kijken. 'Je staat te lachen.'
Edward zei: 'Jij staat te huilen.'
De lamp op het dressoir bescheen de sporen van tranen op Nancy's gezicht. Ze wreef ze weg met de rug van haar hand. 'Het is ook zo'n rotdag geweest.'
Het bleef even stil. Toen hij weer sprak was Edwards stem vriendelijk. 'Ik weet dat jij vindt dat ik misbruik van de situatie maak. Misschien is dat zo. Maar, Nancy, denk alsjeblieft niet dat ik het alleen doe om haar in bed te krijgen. Jij weet net zo goed als ik dat er iemand voor haar moet zorgen. God weet wat ze denkt dat er zal gebeuren zodra het huis gerestaureerd is.'
'Ze heeft de werkelijkheid niet geaccepteerd,' zei Nancy. 'Ze denkt nog steeds dat er iets zal veranderen.'
'Het punt is dat ze iemand nodig heeft en diegene kan ik dan net zo goed zijn. Omdat ik van haar houd.'
'O, dat weet ik,' zei Nancy. 'Ik heb erover na zitten denken in de trein, en het drong tot me door dat je al jaren verliefd op haar bent.'
'Was dat zo duidelijk?'
'Helemaal niet, en dat was maar goed ook. De Man zou je vermoord hebben.'
Nogmaals bleef het stil. Edward vroeg: 'Vind je dat ik hem verraad?'
'Nee,' zei Nancy. 'Tenminste, in het begin vond ik het wel een beetje. Maar hij haatte elke man die gek was op Rufa.' Ze haalde haar neus op en begon de worstjes om te draaien. 'Je bent nog niet zo'n ouwe slechterik en het is geweldig dat we het huis kunnen houden. Je hebt gelijk, iemand moet voor haar zorgen. Ik stond niet te huilen vanwege jou.'
'Dank je. Ook ik heb behoefte aan jouw goedkeuring,' zei Edward. Hij glimlachte. 'Neem nog wat champagne.'
'Ik kan nu al niet meer op mijn benen staan.'
'Doe toch maar. Het is toch een rotdag vandaag.' Hij bukte zich naar de kartonnen doos die op de vloer stond. 'Zijn er pas drie op? Jullie meiden beginnen het te verleren.'
'Oké.' Nancy hield haar glas op. 'Je hebt me overtuigd.'
Als een professionele sommelier ontkurkte hij een fles champagne. 'Waarom huilde je net?'
'Nergens om,' zei Nancy. 'Om een volkomen belachelijke reden.' Haar ogen begonnen weer te prikken. 'Ik voelde me alleen een beetje weemoedig over bruiloften.'

Hoofdstuk zestien

Als Rufa 's morgens opstond en aan haar toekomst dacht voelde zich zo blij dat het wel een droom leek. Alle anderen hadden echter moeite met hun rol van 'en ze leefden nog lang en gelukkig'. Edward maakte het snel duidelijk dat er niet langer aangemodderd zou worden, geen knoeiwerk meer gedaan zou worden en geen tijdelijke voorzieningen getroffen zouden worden. Melismate had een nieuwe manager en de tijd van beschimmelde vochtvlekken en knarsende leidingen was officieel voorbij.

Op de maandag na zijn verloving verzocht Edward Rose aan de keukentafel plaats te nemen en begon haar te bedelven onder details met betrekking tot aannemers, steigerbouwers, funderingen en afvoersystemen. Het had geen zin het nog langer uit te stellen, zei hij. Ze moesten zo snel mogelijk met de structurele werkzaamheden beginnen.

Rose deed haar best om het allemaal te volgen, maar het was te veel om in één keer te bevatten. Verbijsterd nam ze slokjes van de nieuwe, uitstekende koffie die Rufa had gemaakt in een glimmend nieuw koffiezetapparaat. Ze knabbelde aan de chique chocoladebiscuits die Rufa op een schaal had gelegd (op een schaal!). Ze keek naar Rufa zelf, zo kalm en stralend als het zachte lenteweer, zo overtuigd dat Edwards beangstigende plannen hen allemaal met verrukking zouden vervullen.

Waren ze echt met elkaar naar bed geweest? Edwards hofmakerij (een ander woord was er niet voor) had iets formeels, dat Rose niet begreep. Toen ze zelf in dit stadium van haar verkering was hadden zij en de Man hele dagen in bed doorgebracht, buiten bereik van de wereld. Edward en Rufa waren merkwaardig zichtbaar, vond Rose. Waar andere mensen bij waren gaven ze elkaar plechtige kussen, als staatshoofden. Je zou denken dat er niets tussen hen was veranderd, behalve dat Edward tegenwoordig boeketten bedauwde lentebloemen uit zijn tuin meenam als hij op Melismate kwam. Hij had Rufa een prachtige ring gegeven, een ouderwets geval met schokkend grote diamanten, dat van zijn moeder was geweest. Ze was er dolblij mee – en haar blijdschap verrukte hem. Het leek de temperatuur tussen hen echter niet te doen oplopen. Rose had haar vermoedens over het leven dat Edward had geleid buiten Melismate en ze vroeg zich af hoeveel hij Rufa had verteld. Edward kennend had hij waarschijnlijk alles goed geregeld voordat hij zijn aanzoek deed. Maar op dit moment leek romantiek het laatste te zijn waaraan hij dacht. Hij en Rufa leken zich uitsluitend bezig te houden met de restauratie van Melismate.

Edward zei dat hij toezicht zou houden op de bouwkundige werkzaamheden, terwijl Rufa zich op het interieur zou storten. Het was duidelijk dat ze hierover uren hadden gepraat, waar een normaal stel zich zou hebben misdragen onder een dekbed met de telefoon van de haak. Rufa was verantwoordelijk voor (Edward haalde de zoveelste lange lijst van zijn klembord) het schilderwerk, het stucwerk, de gordijnen, de badkamers, de keuken en het meubilair. Ook zou zij ervoor zorgen dat de overgebleven familieportretten zouden worden schoongemaakt en gerestaureerd.

'De wat?' vroeg Rose afwezig.

Edward vertaalde het voor haar. 'De Ouwe Bajesklanten.'

'O,' zei Rose, terwijl haar gezicht opklaarde. 'Ik ben blij dat zij er ook nog een likje vernis aan overhouden, die arme ouwe akelige zieltjes.'

Zonder haar te horen begon Edward een ingewikkelde verhandeling te houden over de bedrading.

'Weet je wat,' onderbrak Rose hem opgewekt, 'dat zou echt een klus kunnen zijn voor Rogers vriend Spike. Zal ik hem bellen?'

Rufa keek verlegen. Edward deed zijn best om zijn geduld te bewaren. 'Is Spike die figuur die jouw hoofdzekering met plakband heeft omwikkeld?'

'Ja, precies.'

'Hmm, ik denk dat ik het maar houd bij de mensen die door de Bickerstaffs worden gestuurd, als je het niet erg vindt.'

De Bickerstaffs was een identieke tweeling, ze waren samen met Edward in Stowe geweest en namen nu de meeste belangrijke bouwwerken in het graafschap voor hun rekening.

'Goeie grutten, ik vind het niet erg,' zei Rose. 'Ik voel me nogal vereerd dat ze voor ons werken. Ik denk dat het komt doordat Davy Bickerstaff nog steeds gek op Nancy is. Als hij vraagt hoe het met haar gaat heeft hij altijd een soort wellustige blik in zijn ogen en hij probeert het altijd te vragen als zijn vrouw niet in de buurt is. Niet dat hij kans maakt, hij is zo oud als Methusalem.' Opeens zag ze dat Edward, Rufa en Roger rond de tafel stonden en haar met

verschillende mate van ongeduld aanstaarden.
'Mam,' mompelde Rufa, 'laat hem zijn verhaal vertellen.'
'Wat? Wat?' vroeg Rose geërgerd. 'Ik houd hem niet tegen.'
Edward, die steeds onheilspellender ging kijken, ging door met zijn verhandeling. Rose nam slokjes van haar uitstekende koffie en deed erg haar best om de details tot zich door te laten dringen. Het klonk allemaal bijzonder saai. Haar aandacht verslapte en ze keek naar een van de chique biscuitjes, waarop een afbeeldinkje was gestempeld, op de chocoladelaag. Ze deed haar bril af om het beter te kunnen zien.
'Mammie...' Rufa trok zachtjes aan haar mouw.
'O, het is een olifant,' zei Rose blij verrast. 'Ik dacht dat zijn hoedje een uier was.'
'Word wakker, ouwe taart,' zei Roger met volle mond. 'Hij heeft het je nu al drie keer gevraagd.'
Rose zette haar bril weer op. 'Wat gevraagd?'
Edwards kaakspieren stonden gespannen. 'Ik wil weten of je het haalt om over tien dagen uit het huis te trekken.'
Rose slaakte een gil. 'Wat? Uit het huis? Maar je hebt beloofd dat we niet weg zouden hoeven!'
'Het is maar voor een paar weken,' stelde Rufa haar gerust, 'zolang ze hier aan het werk zijn. Het zal een grote chaos worden.'
Rose was woedend. 'En waar moeten we dan heen?'
'Mijn moeders oude huisje staat op het moment leeg,' zei Edward. 'En je kunt er zo in. Het meubilair is een beetje versleten, maar ik neem aan dat je dat geen bezwaar vindt.'
'Nou, je neemt maar aan wat je wilt, maar ik ga niet,' zei Rose kwaad.
'Mam, doe nou niet zo raar,' smeekte Rufa. 'Je wil toch niet in een bouwput leven!'
'Waarom moet er zo'n toestand van gemaakt worden? We hebben alleen een likje verf nodig en een beetje cement.'
Edward smeet zijn potlood neer. 'Rose, heb je dan helemaal niet geluisterd? Dit huis zal in elkaar storten, letterlijk in elkaar storten, tenzij we het steen voor steen afbreken en opnieuw opbouwen.'
'Wat bazel je toch? Ik laat niet toe dat je mijn huis vernietigt!'
'Het vernietigen? Ik ga juist het tegenovergestelde doen!'
'Je wilt het hart eruit trekken!'
Edward snauwde: 'Ik wil juist het vuil eruit halen. Maar als je liever hebt dat ik het op de natuurlijke manier uit elkaar laat vallen... dan kun je de resten als compost verkopen en een bungalowtje voor jullie bouwen.'

'Dit is het huis van de Man,' zei Rose koppig. 'Ik laat toe dat je veranderingen aanbrengt omdat je met mijn dochter gaat trouwen. Maar ik weiger weg te gaan.'
Roger legde zijn hand op Edwards gespannen arm. 'Tel tot tien, Ed,' adviseerde hij zachtjes.
'Nee, ik tel verdomme niet tot tien!' blafte Edward. 'Je kunt op het gazon kamperen als je dat wilt, maar dit huis zal behoorlijk worden gerepareerd, niet door een of andere plaatselijke halvegare met een rolletje plakband!' Hij ving Rufa's misprijzende blik op en kreunde. 'O, god. Ik sta nu al tegen hen te schreeuwen.'
'Doe aljeblieft niet zo moeilijk, mam,' zei Rufa, terwijl ze haar ongeduld probeerde te bedwingen. 'Je weet dat het moet gebeuren. Het huisje van Edward was mijn idee... ik dacht dat je dat leuk zou vinden.'
'O, nee, helemaal niet. Jij dacht dat ik meegaand zou zijn. Maar ik laat me niet opjagen, Rufa, ik wil niet gemanipuleerd worden.'
Edward liet kwaad nog wat koffie in zijn kopje plonzen. 'Moet je mij zien, ik zuip cafeïne,' zei hij tegen Rufa, 'ik zal nog een maagzweer krijgen als ik in dit tempo doorga.'
Rufa probeerde een zachtere benadering. 'Stel je voor hoe heerlijk het zal zijn als Melismate mooi is voor de bruiloft.'
'Hoezo?' vroeg Rose niet-begrijpend. 'Wie zal het zien? Ik neem aan dat jullie het beperkt houden.'
'Beperkt?' Edward was griezelig kalm. Zijn ogen waren zwart van woede. 'Heimelijk, bedoel je?'
'Je weet wel. Jij bent immers zoveel ouder, je kent haar al sinds haar geboorte, je hebt gewacht tot de Man dood was...'
'O, jee,' mompelde Roger, terwijl hij zijn hoofd schudde. 'O, jeetje.'
Edwards woede barstte los als een plotselinge donderslag. 'Het is goed dat je ervan op de hoogte bent, Rose,' brulde hij, 'dat Rufa en ik een enorme en zeer luidruchtige bruiloft zullen vieren, waarvoor we absoluut iedereen uit de buurt zullen uitnodigen, ondanks het feit dat de bruid een baby is en de bruidegom een tandeloze ouwe zak met een looprek!'
De achterdeur ging open en Linnet kwam binnenlopen. Ran had haar opgehaald van school en haar bij de poort afgezet. Ze droeg het veelkleurige truitje dat Rufa had gemaakt en de pluizige Pikachu-rugzak die Nancy voor haar had gekocht in Londen. Ze bekeek streng hun ijzige gezichten. Edward en Rose, die zwaar ademden, trokken zich terug in een veelzeggend zwijgen.
'Ik hoorde geschreeuw,' zei Linnet.

'Sorry, lieverd,' zei Rufa, terwijl ze bestraffend naar haar moeder keek. 'We zijn nu klaar.'
Linnet stak een vies handje in de zak van haar spijkerbroek. Ze liep heel plechtig naar Edward toe. 'Pappie heeft me vijftig cent gegeven zodat ik niet meer boos zou zijn. Ik kan het beter aan jou geven.'
Lange tijd stond Edward naar de munt te staren die ze in zijn hand gestopt had. Toen, even onverwacht als zijn woede-uitbarsting, begon hij te lachen. Rufa herinnerde zich dat de Man Edward had aangekund door hem aan het lachen te maken, zelfs als hij hem tot een tandenknarsende woede had gedreven. Dit keer leek Linnet er geen bezwaar tegen te hebben dat er om haar gelachen werd. Tevreden met de transactie ging ze op haar tenen staan om bij de schaal biskwietjes te komen.
Edward, die nog steeds grinnikte, gaf haar de vijftig cent terug. 'Hartelijk bedankt, Linnet, maar voor deze keer zal ik niet meer kwaad zijn over niets. Het spijt me, Rose. Ik was aanmatigend, hè?'
'Ik begrijp nog steeds niet waarom je de hele tijd je verontschuldigingen aanbiedt,' zei Rose geïrriteerd. 'Waarom zou je de moeite nemen, als je toch niet van gedachten verandert en me mijn huis uitgooit?'
Rufa zuchtte. 'Mam, hij gooit je er niet uit!'
'Als je wilt dat Rose ophoudt met boos zijn, kost het je meer dan vijftig cent,' zei Roger.
Deze opmerking maakte Edward weer aan het lachen. Hij schoof de schaal met biskwietjes dichter naar Linnet toe. 'We waren aan het praten over alle reparaties die in het huis gedaan moeten worden,' zei hij tegen haar. 'Er moeten een heleboel werklieden komen en die gaan overal grote gaten maken...'
'Je verspilt je tijd!' onderbrak Rose hem. 'Linnet ziet niet dat er iets gerepareerd moet worden. Jij vindt het huis prima zoals het nu is, nietwaar, eendje?'
Fronsend keek Linnet naar Edward. 'Waar gaan ze gaten in maken?'
'Jullie hebben een compleet nieuw dak nodig,' zei Edward. 'Die oude zolder zal dan helemaal open zijn. Dan moet die muur achter waar oma nu zit weggebroken worden, zodat er een nieuwe gebouwd kan worden die niet verzakt is. Het zal een tijdje erg rommelig zijn, maar het zal heel mooi zijn als het klaar is. Ik dacht dat iedereen ondertussen in mijn huisje zou kunnen logeren. Maar oma wil dat niet.'
'Ik ook niet,' zei Linnet meteen. 'Hier wonen we.'

'Ik zei het toch,' mompelde Rose.
Edward negeerde haar. 'Je zou het kunnen beschouwen als een vakantie,' stelde hij voor. 'Het is een heel leuk huisje, hoor. Het staat direct naast de wei van Chloe.' Chloe was Edwards statige, tamelijk oude paard.
'En je hoeft ook niet zo'n lange rit naar school te maken,' voegde Rufa eraan toe.
Linnet liep onmiddellijk over naar de vijand. 'Mag ik Chloe elke morgen een appel geven? Mag ik op haar rijden? Zou ze me haar manen en staart laten borstelen?'
'Dat zal ze heerlijk vinden,' zei Edward met een plagende blik naar Rose. 'Ze heeft een nieuw vriendinnetje nodig. En ze is al behoorlijk oud. Ze zal het vast niet erg vinden om haar vriendinnetje rijles te geven.' Tegen Rufa voegde hij eraan toe: 'Het is hoog tijd dat Linnet met rijden begint. Dan kunnen we het beter goed aanpakken.'
Het was geregeld, hoewel Rose nog steeds obstinaat was en in zichzelf zat te mopperen. Terwijl Rufa pastaschelpen kookte voor Linnets avondeten begonnen ze te bespreken wat er moest gebeuren voor de verhuizing. Het huisje had drie kleine slaapkamers. Een ervan was voor Rose en Roger, de andere voor Lydia en Linnet en Selena zou de driehoekige kamer onder de balken krijgen.
'Maar Ru dan, en Nancy?' zei Rose bedroefd.
'Nancy gaat terug naar Londen,' zei Rufa, 'en ik blijf bij Edward, neem ik aan.'
Ze glimlachte hem toe om haar twijfel te verbergen. Ze kon zich onmogelijk voorstellen dat ze bij Edward zou wonen: om naast hem te slapen, om hem te zien als hij zich schoor. Als ze een poging deed vond ze het vooruitzicht tamelijk opwindend, maar ook verwarrend. Als ze met Edward zou samenwonen, zou dan hun afspraak over seks nog gelden? In zeker opzicht wilde ze dolgraag met hem naar bed, zodat ze zich werkelijk veilig kon voelen – als ze geen seks zouden hebben, wat zou hem dan binden?
Edward zei: 'Ik was er eigenlijk van uitgegaan dat jij ook terug naar Londen zou gaan. Ik reken nogal op je om het inkopen voor je rekening te nemen.'
Rufa voelde een mengeling van opluchting en een merkwaardige, paniekerige onderstroom van ontevredenheid. 'Je hebt gelijk, er is van alles te doen. Ik zal in Londen veel beter opschieten.'
'En ondertussen zul je waarschijnlijk graag nog een paar dagen hier blijven,' stelde hij voor.
Dat was natuurlijk waar. Nu ze wist dat ze konden blijven, voelde

Melismate weer als thuis. 'Ja, ik zou hier graag willen uitrusten, in ieder geval tot eind van de week.'
Hij stak zijn angstaanjagende klembord onder zijn arm. 'Goed idee. Je bent moe.'
'Ik?' Rufa lachte; opeens was ze opgetogen en had het gevoel dat ze de tijd zou kunnen stilzetten en terug zou kunnen draaien. 'Mam klaagt juist over mijn tomeloze energie.'
'Niet waar,' protesteerde Rose.
'Wel waar. Je zei dat het leek of je Donald Duck in huis had.'
'Ik klaagde erover dat je niet kunt ophouden met dingen te doen. Ik word er gek van.'
De atmosfeer in het huis was gespannen, met ruzies die borrelden onder de oppervlakte van de vrolijke feestelijkheden. Met name Rose en Rufa aanbaden elkaar het ene moment en dreven elkaar het volgende moment tot razernij.
'Ik wou dat ik wist waarom ze zo moeilijk is,' zei Rufa later, toen zij en Edward door het weiland naar het hek van het park liepen.
Edward zei: 'Ze draait wel bij. Ze draaien allemaal wel bij.'
'Ik vind het vreselijk hoe ze je behandelen, alsof jij degene bent die dankbaar moet zijn.'
'Nou, dat is ook zo,' zei Edward rustig. 'Ik heb jou.'
Ze draaide zich snel naar hem toe in de hoop de tederheid in zijn stem ook op zijn gezicht te zien. Maar hij liep rustig door, zijn ogen op de horizon gericht.
'Ik ben blij dat ik je even voor mezelf heb,' zei hij. 'Ik wil met je praten. Ik moet een paar dagen weg.'
De aankondiging klonk plechtig. Rufa, die verbaasd was dat hij vond dat hij haar uitleg verschuldigd was, mompelde: 'O.'
'Naar Parijs,' zei hij.
'Wat leuk.'
'Hmm. Daar heb ik zo mijn twijfels over.' Hij keek opzij. 'Ik ga naar Prudence. Alices zus.'
'O.' Rufa herinnerde zich het opgedofte wezentje dat ze op de foto in het tijdschrift had gezien.
'Ik moet haar vertellen dat wij gaan trouwen. Ik moet het haar persoonlijk vertellen.' Hij stond stil en draaide zich om zodat hij haar kon aankijken. 'Het geldaspect maakt het belangrijk voor haar.'
Rufa was vagelijk gealarmeerd. Elke bedreiging voor Edwards geld vormde een bedreiging voor Melismate. 'Waarom?'
Tijdens de korte stilte die hierop volgde begreep ze twee dingen: ten eerste dat ze een moeilijke vraag had gesteld en ten tweede dat hij het antwoord daarop al had voorbereid.

'Als ik ongetrouwd zou overlijden – en ze had alle reden om aan te nemen dat dat zou kunnen gebeuren – zou haar zoon al het geld erven dat ik nu bestemd heb voor jouw huis.'

'Maar dat is volkomen onredelijk,' zei Rufa, 'toch?'

'Niet echt. Ik zat in het leger, en een paar keer was ik bijna dood. Door die kogel in Bosnië, bijvoorbeeld. Als die vijftien centimeter meer naar rechts was terechtgekomen zouden ze me in een kist naar huis hebben gebracht.'

'Hou op.' Rufa kon de gedachte aan lijken niet verdragen. De Man had Melismate in een kist verlaten. Ze moest die herinnering meteen onderdrukken voordat ze teruggezogen zou worden in die nachtmerrie.

'Sorry.' Hij had haar verdriet gezien. Snel praatte hij door. 'Het gaat niet alleen om het geld. Pru barst van het geld. Het zit namelijk zo, zij en ik hebben nogal een verleden.'

'Je bedoelt dat je een verhouding met haar gehad hebt.' Er was geen reden dat dit feit haar zo'n beklemmend gevoel gaf. Rufa vocht om haar achterdocht te bedwingen. 'Tja, ik wist wel dat er iemand moest zijn.' Ze wilde hem duizenden dingen vragen – om te beginnen: 'Hield je van haar?' – maar ze vond niet dat ze het recht ertoe had. 'Je kent mijn verleden tenslotte ook.'

'Het gebeurde een jaar nadat Alice was overleden,' zei Edward ernstig. 'We misten haar allebei. En omdat Prudence pas was gescheiden, leek het heel natuurlijk. Misschien ging het allemaal te gemakkelijk. Ik begon te denken dat ik bezig was verliefd op haar te worden, maar toen kwam er een einde aan.'

'O,' zei Rufa. In haar stem klonken al haar onuitgesproken vragen door.

'Ze werd verliefd op iemand anders. Het zou toch niet gewerkt hebben, op de langere termijn. Als je haar zou kennen zou je weten dat het onmogelijk voor Pru is om de vrouw van een soldaat of een boer te zijn. Ze was Alice niet, dat was het probleem.' Hij zuchtte, opgelucht dat hij het moeilijkste deel achter de rug had. 'Maar het betekent wel dat ik haar op een nette manier over jou moet gaan vertellen. Begrijp je dat?'

'Natuurlijk.'

'Dat wist ik wel. Terwijl ik in Parijs ben, kun jij alvast beginnen met behang uitzoeken, enzovoort. Ik denk,' zei Edward voorzichtig, 'dat we allebei wel een paar weken respijt kunnen gebruiken.' Hij had geen zin om over Prudence te praten. Rufa voelde zijn tegenzin om haar vragen te beantwoorden. Hij gaf haar het gevoel dat haar nieuwsgierigheid iets onbetamelijks had. Ze was zich pijnlijk bewust van de hartstocht die Edward achter gesloten deuren had beleefd. Ze probeerde zich geen zorgen te maken over de vraag of de onbekende vrouw hem al had ingepalmd.

Selena keek lang genoeg op van haar boek om aan te kondigen dat ze weigerde in Edwards huisje te gaan wonen. 'Wat moet ik daar doen? Waarom mag ik niet naar Londen, bij Wendy logeren?'
'Ik dacht dat je terug naar school zou gaan,' zei Rufa.
'De school kan barsten. Als je me dwingt terug te gaan, steek ik het hele verdomde gebouw in de fik.'
'Maar juffrouw Cutting heeft gezegd dat je haar beste leerlinge bent,' smeekte Rufa. 'Ze zei dat je kon kiezen naar welke universiteit je wilde...'
'Luister naar wat ik zeg,' zei Selena, terwijl ze haar onderlip koppig naar voren stak. 'Ik ga niet naar de universiteit.'
Rose zei dat ze niet van plan was Selena los te laten in Londen. 'Je bent pas zeventien, en de grootste stad die je ooit gezien hebt is Stroud. Je denkt zeker dat ik gek ben.'
'Ru en Nancy kunnen op me letten,' zei Selena. 'Die zorgen er heus wel voor dat ik niet zwanger word, of heroïne ga dealen.'
Nancy wees erop dat ze vijf avonden per week zou moeten werken. Rufa vroeg zich vagelijk af waarom ze zo stond te trappelen om weer achter de bar van Forbes & Gunning te staan, maar ze was te ongerust over het probleem van Selena om door te vragen. Ze was er zo van overtuigd geweest dat haar jongste zusje niet meer moeilijk zou doen nu ze wisten dat Melismate van de ondergang gered zou worden.
Rufa had verwacht dat Edward haar zou steunen, maar hij koos Selena's kant. 'Waarom zou ze niet iets van Londen mogen zien? Ru is er, en je weet wat een zeurpiet die kan zijn.'
'Ik ben geen zeurpiet!'
Ondanks zichzelf moest Rose lachen. 'Je hebt gelijk, zij is nog erger dan ik. Als Ru in de buurt is lijkt het alsof je in het klooster zit. En ik moet zeggen dat het wel fijn zal zijn om even van Selena verlost te zijn. Ze haalt haar neus alleen maar uit dat verdomde boek als ze een rotopmerking wil maken.'
Rufa nam haar gezinsverplichtingen hoog op en ging ermee akkoord om naar Londen terug te keren met zowel Nancy als Selena. Diep in haar hart trok het vooruitzicht haar niet aan. Ze had het gevoel dat ze het had verloren van Selena toen die was veranderd van een grappig kind in een nukkige puber. Het was tien keer zo erg geworden na de Mans dood; als je haar een simpele vraag stelde,

moest je zo ongeveer een seance houden om een antwoord los te peuteren. Op school had ze alles gedaan wat ze kon verzinnen om haar geduldige, welwillende leraren te ergeren. Ze ging niet meer om met de andere meisjes van haar klas en was gezien bij het busstation, waar ze rondhing met een aantal verschillende, oncharmante plaatselijke jongeren.

Edward had op de een of andere manier vaak gelijk, bedacht Rufa. Misschien had Selena de ervaring van Londen nodig om weer terug te kunnen keren in het land der levenden. Het was niet eerlijk om Selena de schuld te geven van haar ongemakkelijke gevoel, terwijl ze wist dat de werkelijke oorzaak Edward zelf was.

Rufa zou schrikken als hij van de ene dag op de andere opeens zou veranderen. Maar de koppige manier waarop hij almaar hetzelfde bleef was eigenlijk evenzo verontrustend. Als ze samen waren sprak hij haar zo liefhebbend toe (tedere onderbrekingen in de eindeloze opsomming van praktische zaken), dat ze voelde dat ze beangstigend afhankelijk van hem werd.

Toch vroeg hij niet om een kus of omhelzing. Hij was, besloot ze, te nauwgezet om haar de seks als verplichting op te leggen. Hij kon het niet verdragen dat iemand zou denken dat er een ruil had plaatsgevonden van seks voor geld. En vreemd genoeg ging zijn aantrekkelijkheid Rufa meer dwarszitten, naarmate hij afstand hield. Ze merkte dat ze betoverd werd door de oplettende glans van zijn ogen onder zijn zwarte wenkbrauwen. Ze werd zich steeds meer bewust van de grote gaten in zijn verleden, waarvoor hij nooit een verklaring gaf.

Hij had niets meer gezegd over zijn verhouding met Prudence. Rufa probeerde er niet te veel over te tobben. Ze vroeg zich af waarom ze zo ongerust was. Het zou niet van werkelijkheidszin getuigen om van een man als Edward te verwachten dat hij al die jaren zonder seks had geleefd. Misschien, dacht ze, had het verhaal over Prudence het feit extra onderstreept dat ze zo weinig over hem wist. Hij had zich aan de familie op Melismate gewijd alsof hij er geen ander leven op nahield. Maar hij had daarnaast wel een ander leven: een onbekend werelddeel. En sinds de dood van de Man had ze geworsteld met een vreselijke, overheersende angst voor het onbekende.

Stel je voor dat Edward haar ten huwelijk had gevraagd uit een soort Don Quichot-achtig gevoel van trouw jegens de Man? Ze achtte hem daartoe in staat. Misschien was het gemakkelijk voor hem om zich ridderlijk te gedragen omdat hij niet gek op haar was. Als dat zo was, wat had zij hem dan te bieden in ruil voor alles wat

hij deed? Om het plat te zeggen: wat had hij eraan als hij niet gek op haar was?
Tijdens de week die ze op Melismate doorbracht nam Edward haar mee uiteten in charmante oude landhuizen. Hij nam haar mee naar allerlei volwassen gelegenheden, naar concerten en toneelstukken in Cheltenham en Bath, alsof ze al twintig jaar getrouwd waren. Rufa zag hoe andere vrouwen naar hem keken, en probeerde het kwellende gevoel te verdrijven dat ze zo weinig over hem wist.
Ze ging terug naar Londen, haar triomfgevoel een beetje beschadigd door haar twijfels. Hoe beschamend het ook was, seks met Edward zou haar triomf zeker kunnen stellen. Jonathan was de enige met wie ze ooit naar bed was geweest. Ze had geen idee hoe ze hem lichamelijk zou moeten veroveren. Ergens diep vanbinnen was ze nog steeds verlamd, of bevroren.
Op de tweede ochtend bij Wendy kwam er een speciale koerier met een grote kartonnen doos. De doos was gevoerd met vochtige watten en helemaal vol met wilde hyacinten uit het bosje achter Edwards huis. De sappige geur van hun bleke stengels vulde de keuken. Er zat een doorweekt kaartje bij. 'Ik houd van je. E.'
Rufa bewaarde het zorgvuldig, terwijl ze wenste dat ze de liefde eruit kon wringen om de angst te verdrijven.

Wendy was opgetogen dat ze haar overgebleven slaapkamer vrij kon maken voor Selena. Wat haar betrof zou de jongste Hasty-telg voor eeuwig de baby van de familie blijven. Als die baby geen een meter tachtig lange, met piercings bedekte slungel was geweest, had Wendy haar op haar schoot genomen. De aanwezigheid van Selena in haar huis bracht het latente kindermeisje in Wendy naar boven. Ze maakte zich zorgen omdat het meisje zo mager was en vulde haar kasten met lekkernijen waarop ze als kind dol was geweest. Selena werkte hele pakken Jammy Dodgers en Wagon Wheels naar binnen, terwijl ze verdiept was in haar eeuwige boek. Af en toe propte ze het boek dat ze aan het lezen was in haar rugzak en verdween urenlang.
Ze vertelde nooit waar ze heen ging, en Rufa maakte zich eindeloos zorgen.
Nancy zei: 'Hou op met zeuren, Ru. Je ziet haar al als iemand die buiten de maatschappij staat en voor wie geen hoop meer is, alleen maar omdat ze niet naar school wil. Ze heeft waarschijnlijk iemand ontmoet, en ik wens haar veel geluk.'
Rufa zei: 'Er kan van alles gebeuren. Ze doet wel zo hard en le-

venswijs, maar ze is pas zeventien.'
In feite leidde Selena een keurig leventje. Tussen de periodes van lezen en eten, genoot ze met volle teugen van haar hartstochtelijke interesse in cultuur, die helemaal niet bij een Hasty paste. Ze dacht er niet over om haar op liefde gerichte zusjes te vertellen wat ze uitspookte. Ze zouden het niet begrijpen. Wat Selena betrof was Rufa doodvermoeiend, die de hele dag doorbracht met grote hoeveelheden verfboeken en stoffenmonsters, en met haar obsessie voor Edward en voor Melismate. Nancy dacht alleen maar aan haar baan, je zou bijna denken dat ze bezig was met het beschilderen van de Sixtijnse Kapel in plaats van biertjes tappen achter een bar. Geen van twee verdiende het, besloot Selena, om op de hoogte gebracht te worden. Londen was aan hen verspild. Selena toerde de stad rond in de warme, beroete metro en werkte haar lijstje af van belangrijke bezienswaardigheden.
Ze bezocht het huis van dokter Johnson, van Keats en ging naar het British Museum. Ze dwaalde langs de Inns of Court en in de steegjes van Clerkenwell. Ze verorberde verpakte lunches van Wagon Wheels en gaf het van Rufa gekregen geld uit in de tweedehands boekwinkeltjes op Charing Cross Road. Ze bekeek de Wallace Collection en de V&A. Ze woonde een serie barokconcerten bij op St John's Smith Square. Ze vond het heerlijk. Het was allemaal zo belangrijk dat ze het gevoel had dat ze drie levens meer nodig had om het allemaal in zich te kunnen opnemen. Het duizelde haar van de citaten en kleuren, flarden van gedichten, ideeën die in haar opkwamen.
Selena was altijd al verslaafd geweest aan boeken. Na de dood van de Man was het magische, lichaamloze rijk van de geest haar enige toevluchtsoord geweest. De lichamelijke wereld was donker en vreselijk kwetsbaar. Literatuur was eeuwig. Selena slaagde er niet in Rufa duidelijk te maken dat het werk op school – of welke andere onderbreking van haar gedachten – een afschuwelijke storing was. Ze wenste dat ze haar allemaal eens met rust lieten.
Maar tot Rufa's milde verbazing gedroeg Selena zich aanzienlijk minder kribbig tegen Roshan. Hij had Engels gestudeerd op Cambridge en waagde het haar te ondervragen over wat ze gelezen had. Toen ze eenmaal besefte dat hij haar niet 'te kakken wilde zetten', zoals ze het dichterlijk uitdrukte, onderging Selena de verslavende ervaring haar mening te toetsen. Rufa, die hun verhitte discussies aanhoorde, zegende Roshan omdat hij Selena uit haar prikkelige schild lokte. Ze hoopte vurig dat hij haar het idee van de universiteit zou kunnen aanpraten. Toen Selena nog slechts een week in

Londen was, was het hem al gelukt om haar van de piercings en het rastakapsel af te krijgen, waaraan hij een bloedhekel had vanwege het feit dat het zo 'provinciaals' was.
Zonder de wapenuitrusting op haar gezicht en met haar donkerblonde haar kortgeknipt was Selena plotseling zo bevallig als een zwaan en leek belachelijk jong. Rufa overstelpte haar met nieuwe kleren; ze beschouwde deze gedaanteverwisseling als teken dat haar losgeslagen familie eindelijk weer tot zichzelf kwam. Roshan verzekerde haar ervan dat Selena 'indrukwekkend slim' was en ze stond zichzelf de droom toe van haar kleine zusje die over de Backs in Cambridge fietste.
Jammer genoeg voor Rufa's dromen vond Selena echter een carrière. Tijdens een van haar wandelingen in de National Gallery werd ze ontdekt door een 'talentenjager' van een modellenbureau. Haar lange, magere lichaam bleek de ideale kleerhanger; haar frêle, fijne gezichtje was geweldig fotogeniek. In schrikbarend korte tijd werd ze een maalstroom van studio's en kantoren van tijdschriften ingezogen, gefotografeerd voor *Vogue*, en duizelig gemaakt door de belofte van toekomstige rijkdom.
Nancy vond het geweldig en hing trots een van Selena's contracten op achter de bar van Forbes & Gunning. Rufa was, zonder dat ze het liet merken, geërgerd. Ze kon niet nalaten zich te herinneren dat ze tien jaar geleden zelf 'ontdekt' was. De Man had de gedachte aan modellenwerk verafschuwd, maar de Man was er nu niet meer om Selena tegen te houden. Het was onmogelijk om niet een steek van jaloezie te voelen.
'Het is een korte carrière,' zei ze nogal bits tegen Nancy. 'Ze zal al niet meer in trek zijn als ze mijn leeftijd heeft.'
'Nou, en? Wie weet heeft ze dan al een enorme berg geld verdiend,' zei Nancy. 'God, wat ironisch. Wij ons geweldig inspannen om een rijke vent aan de haak te slaan, en de oplossing lag al die tijd in onze eigen achtertuin. We hadden Selena uit werken kunnen sturen en zelf lekker thuis kunnen blijven.'
Rufa mompelde: 'Ik ben zo blij dat ik uiteindelijk toch niet voor het geld hoef te trouwen.'
Innerlijk begon Nancy Rufa's zaligheidsgevoel over haar komende huwelijk een beetje zelfvoldaan te vinden. 'Zou je Edward ook zonder geld trouwen?'
'Natuurlijk zou ik hem nemen!' beet Rufa haar toe. Ze snauwde automatisch; Nancy prikte voortdurend door haar heen. Pas nadat ze het had uitgesproken besefte Rufa dat het waar was. Als Edward opeens al zijn geld zou kwijtraken, zou ze dat verschrikkelijk vin-

den, maar ze zou hem nooit kunnen laten gaan. Op een of andere onbegrijpelijke manier zat ze aan hem vast.

Op de smalle stoep voor de Coffee Stores in Old Compton Street stonden ze plotseling oog in oog met elkaar.
'Mijn god, Rufa,' zei hij. 'Rufa Hasty.'
Hij leek gekrompen en zag er slordiger uit, al met al was hij kleiner geworden. Rufa, die naar adem hapte van schrik dat ze zich opeens weer in een fantasie bevond die ze ontgroeid was, staarde naar zijn slordige bruine haar, zijn iets schuin staande ogen en fijne, intense gelaatstrekken.
'Jonathan,' zei ze. 'Hoe gaat het met jou?'
Ze was nooit over haar verliefdheid op Jonathan heengekomen. Toen hij zo onverhoeds opgestapt was, met achterlating van vuile kopjes in de gootsteen en een zakelijk briefje op de achterdeur, was Rufa blijven steken op het hoogtepunt van verliefdheid. Het was nooit bij haar opgekomen dat er een dag zou aanbreken waarop ze hem op deze manier kon tegenkomen, in de wetenschap dat ze genezen was. Wanneer was dat gebeurd? De achterkant van zijn nek, de vorm van zijn oorlellen, zijn gevoelige en merkwaardig expressieve neusvleugels – al deze details waren in haar ziel gegrift. Nu voelde ze alleen nog een vage pijn. Er zat alleen nog littekenweefsel. Toen ze dit besefte stroomde een gevoel van triomf door haar heen, en ze raakte bijna op hem gesteld.
Jonathan was veel erger geschrokken. 'Mijn god,' zei hij nogmaals. 'Wat doe jij in vredesnaam in Londen? Ik ben er nooit in geslaagd me jou voor te stellen buiten je landelijke omgeving.'
Rufa had de neiging om te lachen. Het was zo buitengewoon dat hij haar niets deed. Wat had ze ooit gezien in die trillende, bespottelijke neusvleugels? 'Eerlijk gezegd heb ik zojuist mijn bruidsjurk gepast.'
Hij kromp in elkaar, alsof hij zijn eigen littekenweefsel voelde kloppen. 'Ga je trouwen? Dat is geweldig. Goed van je, ik bedoel, gefeliciteerd.'
'Bedankt.'
'Wanneer is de Grote Dag, tussen aanhalingstekens?'
'In juni, uiteraard,' zei Rufa. 'We zetten alles op alles zodat ik een traditioneel junibruidje kan zijn, niet tussen aanhalingstekens.'
Hij ontspande zich en begon te lachen. 'Hoe heet hij?'
'Je kent hem wel,' zei Rufa. 'Edward Reculver.'
Ze vond dat hij vreemd reageerde – eerst even gealarmeerd toen hij Edwards naam hoorde, toen half geamuseerd en gelaten. 'Natuur-

lijk. Dat had ik kunnen raden.'
Rufa was nieuwsgierig waarom hij dat had moeten raden. Jonathan was de eerste die niet verbaasd was door haar verloving.
Hij glimlachte. Op de een of andere manier leek hij opgelucht. 'Mijn lieveling. Je bent nog net zo beangstigend mooi als altijd. En ik heb er zo'n zooitje van gemaakt.'
'Ik heb je al lang geleden vergeven,' zei Rufa.
'Je had wel iets anders aan je hoofd.' Hij legde zijn hand op haar arm. 'Ik hoorde het van je vader; we logeerden in Cirencester en ik heb over het onderzoek gelezen in de plaatselijke krant. Het spijt me zo.'
'Ik moest getuigen,' zei Rufa, 'voor een soort rechter.'
'Ik had je willen schrijven. Maar het leek me beter om dat niet te doen.'
'Dat geeft niet.'
Ze bleven zwijgen, als eerbetoon aan het drama in het verleden.
Zijn hand rustte nog steeds op haar arm. 'We blokkeren het trottoir. Ga mee lunchen. Dan kunnen we elkaar trakteren op uitleg en wederzijdse beschuldigingen en alle losse eindjes aan elkaar knopen.'
Rufa glimlachte. 'Als in een roman.'
'Neem me niet kwalijk, maar dan is het er niet een van mij. Mijn boeken zouden veel beter verkopen als ik niet die acommerciële neiging had om over het leven na te denken.'
Jonathans romans, bedacht ze, vertoonden veel overeenkomst met het echte leven, in die zin dat er veel in herhaald werd en dat ze nogal saai waren. Het had tijden geduurd voordat ze had beseft dat hij geen genie was. Omdat ze benieuwd was naar haar eigen gevoelens stemde ze in met de lunch en ze liepen de hoek om naar L'Escargot. Het was nog vroeg. De veelgevraagde tafel aan het raam was vrij.
Jonathan mompelde: 'Heb je er bezwaar tegen om ergens anders te gaan zitten? Harriet werkt op Soho Square en ik durf het risico niet te nemen dat ze hier langsloopt.'
Harriet was Jonathans vrouw, een hardwerkende financiële steun voor zijn romanverslaving, en de moeder van zijn twee kinderen. Rufa had haar nog nooit ontmoet, maar door Jonathans schuldgevoel over zijn bedrog had ze haar als een constante derde aanwezige in hun relatie gevoeld. Ze had aan zijn zijde gelopen als een bestraffende geest, en bij elke ontmoeting moest er eerst een soort offer gebracht worden aan de vertoornde godin – wat tranen vergieten misschien, of een tirade afsteken tegen de bekrompenheid

van de seksuele conventie. Hij was voortdurend doodsbang dat Harriet erachter zou komen.
Ze werden naar boven, naar een discreet en intiem hoektafeltje geleid. Jonathan bestelde een fles witte wijn.
'Realiseer je je dat we nog nooit samen in een restaurant hebben gezeten?' Hij vouwde zijn handen onder zijn kin met zijn ellebogen op de tafel. 'Dit was onmogelijk geweest toen we nog... toen ik verliefd op je was. Ik was bang dat je je in de buitenwereld niet staande zou kunnen houden, net als de Vrouwe van Shalott.'
'Bovendien was je bang om betrapt te worden,' zei Rufa.
'Dat natuurlijk ook.' Hij was zo fatsoenlijk om licht beschaamd te kijken. 'Ik was echt verliefd op je, Rufa. Dolverliefd.'
'Ik weet het. Ik heb het boek gelezen.' Ze kon het niet nalaten nog wat zout in de wonde te wrijven. 'Het was erg onderhoudend.'
'O, god. Ik bedoel, dank je.'
'Het einde viel echter een beetje tegen. Waarom moest ik doodgaan?'
'Daar heb ik wel spijt van,' zei Jonathan. 'Dat was een vleugje "symbolisme-nonsens", zoals je vader het genoemd zou hebben. Maar zonder gekheid, was je er boos over?'
'Natuurlijk niet. Ik voelde me gevleid.'
Hij fronste en keek naar het tafelkleedje. 'Het spijt me. Ik weet dat je me waarschijnlijk een grote schoft vindt en je hebt nog gelijk ook. Ik ben niet geschikt voor volwassenheid, jij was de enige van ons tweeën.'
'Heb je Harriet ooit over mij verteld?'
'Eh, ja,' zei hij. Hij had een gepijnigde uitdrukking op zijn gezicht. Ze zou er zelf achter gekomen zijn als ze het boek zou lezen, maar ik moest wel een volledige bekentenis afleggen voordat ik het af had. Harriet begreep niet waarom ik naar Londen was teruggekeerd, terwijl ik zo prettig werkte op het platteland. Toen zette ze zich in haar hoofd dat ze Edwards huisje voor langere tijd wilde huren en daar met de kinderen heen komen. Dus ik moest het haar wel vertellen.'
'Arme jij,' zei Rufa. 'Was ze kwaad?'
'Dat kun je wel zeggen.'
'Maar je hebt het goedgemaakt, toch?'
'Ja, op de gebruikelijke manier.' Jonathan reikte in zijn borstzak naar zijn portefeuille en sloeg die open om een kiekje van een paar lachende kinderen te laten zien.
Hij had haar nog nooit zijn kinderen getoond. Ooit, nog niet zo lang geleden, zou de foto haar met pijnlijke schaamte en verdriet

vervuld hebben. Nu zei het haar niets. Ze zei: 'Jullie hebben nog een kind gekregen.'
'Ja, dat klopt. De twee grote kinderen zijn Crispin en Clio en de baby heet Oliver, de olijftak... de prijs die ik moest betalen voor Harriets vergiffenis. Een van de mysterieuze en nogal deprimerende aspecten van het huwelijk is dat je een vrouw altijd kunt sussen met een nieuwe baby.'
'Ik vind dat je er gemakkelijk vanaf bent gekomen,' zei Rufa. 'Hij is schattig.'
'Bedankt, dat vind ik zelf ook.'
Hun voorgerechten, twee slijmerige puddinkjes van ingemaakte garnalen, werden opgediend. Jonathan stopte zijn portefeuille met een beschermend gebaar weg. Ze hadden de heuvels verkend. Nu was het tijd om de top te bestijgen.
Rufa dronk zichzelf moed in met een slok wijn. 'Jonathan, mag ik je iets vragen? Ik zou zo graag willen weten waarom je zo plotseling bent vertrokken. Het kwam door de Man, nietwaar? Iets wat hij zei of deed... ik weet dat hij het maar niets vond dat wij samen waren.'
'Je vader?' Jonathan was oprecht verbaasd. 'Nee, het had niets met hem te maken. Hij vroeg een hoge prijs voor zijn dochter, in de vorm van gratis drankjes in de Hasty Arms. Maar hij was niet degene die me verjaagde. Dat was Edward.'
'Wat?' Ze fronste haar wenkbrauwen. 'Je bent ervandoor gegaan vanwege Edward?'
'Wist je dat niet? In het begin was er niets aan de hand,' zei Jonathan. 'Ik heb hem uitgelegd dat ik schrijver was en rust nodig had, en hij viel me nooit lastig. Maar daarin kwam verandering toen ik met jou begon om te gaan. Opeens verscheen hij soms in de deuropening met zijn geweer losgekoppeld over zijn arm. Op een goede dag kwam hij me vertellen dat ik een klootzak was.'
'Dat is ernstig,' zei Rufa, die het bloed naar haar wangen voelde stijgen. 'Hij noemt heel wat mensen sukkel en zwijn, maar 'klootzak' bewaart hij voor types zoals kolonel Gaddafi. Kwam het door mij?'
Jonathan keek haar bevreemd aan. 'Ja, natuurlijk. Hij zei dat ik misbruik van je maakte, je aan het lijntje hield, je leven verpestte. Hij zei dat het mijn verdiende loon zou zijn om er met de rijzweep van langs te krijgen, en dat hij, als ik niet onmiddellijk zou vertrekken, mijn vrouw zou gaan vertellen wat ik uitspookte.' Hij zweeg even en glimlachte schaapachtig. 'Ik had geen idee hoe een rijzweep eruitziet en welke schade die kan aanrichten op de tere

huid van een romanschrijver. Maar het leek me geen goed idee om te blijven hangen en erachter te komen.'
'Dus je liet me in de steek, zonder uitleg, omdat Edward zei dat je op moest hoepelen?'
Er klonk ongeloof in haar stem en een zweem van minachting. Een beetje kregelig zei Jonathan: 'Ik ben bang van wel. Wij romanschrijvers zijn maar een stelletje slappe lafaards, hè?'
'Vond je niet dat je een beetje overdreven reageerde?'
'Ik zou graag willen zeggen dat hij me de keus bood tussen jou en Harriet, maar eigenlijk liet hij me niet veel keus.' Hoofdschuddend lachte Jonathan in zichzelf. 'Hij zei dat hij me vierentwintig uur de tijd gaf om op te rotten uit zijn verdomde huis, waarna hij alles persoonlijk aan Harriet zou gaan vertellen en mijn poten zou breken.'
'Heeft *Edward* dat allemaal gezegd?' Dit kon bijna niet waar zijn. Rufa wist niet wat ze ervan moest geloven.
'En nog veel meer, al is hij een man van weinig woorden. Hij zei dat hij weigerde toe te kijken hoe ik jouw hart zou breken.'
Ze staarde naar haar bord terwijl ze haar beeld van haar grote, tot mislukking gedoemde liefde trachtte bij te stellen. Die was dood en begraven, maar haar trots was toch gekrenkt. 'Ik was dolgelukkig. Hoe kon Edward weten dat jij mijn hart zou breken?'
Jonathan zuchtte. 'Moeten we dit nu echt bespreken?'
'Ja,' snauwde ze hem toe. 'Je hebt beloofd alle losse eindjes aan elkaar te knopen.'
'Goed dan, goed dan.' Hij legde zijn vork neer, waaraan een zielig garnaaltje zat geprikt. 'Voordat de rijzweep en gebroken benen aan de orde kwamen, vroeg Edward me naar mijn bedoelingen.'
'Je bedoelt of die eerbaar waren?'
'Min of meer. Hij vroeg of ik van plan was Harriet en de kinderen in de steek te laten en met jou te trouwen.'
Even was het stil. 'En jij antwoordde ontkennend.'
'Rufa, probeer alsjeblieft te begrijpen... nog afgezien van de kinderen, ik zou Harriet niet de rug kunnen toekeren. Dat zou ik gewoon niet kunnen.'
'Dus je was al die tijd al van plan om me te verlaten,' zei Rufa koel. 'De vraag was alleen wanneer.'
'Hoor eens, het spijt me. Ik heb het ook moeilijk gehad.'
'Waarom heb je dat niet in je roman gezet, in plaats van je te ontdoen van de heldin door haar te laten sterven? Daardoor zou jouw nobele, gepijnigde held veel meer op een gewone man hebben geleken.'

Jonathan fronste zijn wenkbrauwen. Vroeger had ze deze frons een teken van kracht gevonden. Nu leek het meer op pruilen. 'Het spijt me,' mopperde hij boos. 'Spijt, spijt, spijt. Nu goed?'
Rufa nam nog een slokje wijn. Het was belachelijk om beschuldigingen over en weer te slingeren, maar ze hadden het verleden naar boven gehaald en het stoorde haar dat dit nu niet meer in zijn vroegere doosje paste. 'Het spijt mij ook. Het was niet mijn bedoeling je te gaan beschuldigen; het is nu allemaal verleden tijd. En op een bepaalde manier voel ik me opgelucht, eigenlijk. Ik vond het niet leuk om de Man de schuld te geven.' Haar ogen prikten. Ze drong de tranen terug.
Jonathan haalde een paar maal diep adem. Toen zijn stem eindelijk klonk, was die overdreven vriendelijk en opgewekt. 'Ik hoop dat je nu niet Edward de schuld gaat geven. Dat doe ik ook niet. Het was wel duidelijk waarom hij zich zo opstelde.'
'Hij heeft ons min of meer geadopteerd,' zei Rufa. 'Hij heeft altijd voor ons gezorgd.'
Jonathan glimlachte. 'Ja, en als ik beter had opgelet, had ik het eerder gezien.'
'Sorry, wat gezien?'
'Nou, dat hij stapelgek op je was.'
Rufa fluisterde: 'Wat? Nee... je vergist je...' En toen ze die woorden uitsprak besefte ze dat hij zich niet vergiste.
Hij schonk haar nog wat wijn bij. 'Dat is een goeie, vind je niet? Majoor Reculver, die het helemaal te pakken heeft. Als ik het me had gerealiseerd zou ik eerlijk gezegd hebben geaarzeld om zelf gek op je te worden. Het leek er absoluut op dat hij met dat geweer wist om te gaan.'
Ze begreep er niets meer van. Ze had zichzelf ervan overtuigd dat Edward haar zijn hand en zijn fortuin had aangeboden vanwege zijn hoogstaande principes. Nu begreep ze opeens waarom hij zo woedend was geworden over het Huwelijksspel. En ook begreep ze zijn innerlijke strijd na hun ruzie erover.
Haar wangen brandden. Ze was geshockeerd door dit verhaal over een onbekende kant van Edward. Hij verlangde wel naar haar en dat onderdrukte verlangen was tot uiting gekomen in een uitbarsting van bittere seksuele jaloezie. Rufa was van schaamte vervuld omdat deze wetenschap haar opwond. Even werd ze zwak van het verlangen hem nogmaals zijn zelfbeheersing te doen verliezen.
Jonathan stak een sigaret op. Met verbazing herinnerde Rufa zich dat ze zijn onophoudelijke gerook interessant had gevonden. 'Ik ben blij dat we het nu hebben uitgesproken,' zei hij. Zijn schouders

ontspanden zich en hij glimlachte haar toe.
'Ik ook. Nu kunnen we tenminste van de lunch genieten. Je kunt me vertellen waaraan je momenteel werkt.'
Ze spraken over zijn werk, zijn kinderen, zijn nieuwe, iets grotere huis in Dulwich. Rufa glimlachte en stelde vragen om Jonathan aan te moedigen het gesprek naar zich toe te trekken. Ze wilde niet dat hij zou raden hoeveel hij had onthuld en ze wilde alleen zijn om na te denken over de gevolgen. Ze had boos moeten zijn omdat hij haar aan het twijfelen had gebracht over de Man. Maar ze voelde voornamelijk rusteloze, bange opwinding.

Hoofdstuk zeventien

Het zonlicht glansde en verschoof op het oppervlak van de slotgracht, die zojuist was schoongemaakt ter ere van Rufa's bruiloft. Muggen en libellen hadden zich boven het heldere water verzameld, alsof ze de eerste gasten waren. Rufa liep op haar gemak de voordeur uit, het terras op. Ze had haar ochtendjas aan en een kop thee in haar hand. Glimlachend ademde ze de zonovergoten, naar hooi ruikende lucht in. Een volmaakte juniochtend. Dit was haar laatste kans om van deze pracht en het wonder van het herwonnen Melismate te genieten voordat de drukte in het huis zich zou ontwikkelen tot een chaos.

Lydia leunde tegen de met korstmos bedekte stenen balustrade en keek uit over de tuinen. Ze glimlachte toen ze Rufa aan zag komen. Ze bleven in vriendschappelijk zwijgen naast elkaar staan en luisterden naar het gevit en gespetter van de twee zwanen in de slotgracht. Deze gracieuze, maar slechtgehumeurde wezens waren een huwelijkscadeau van de Bickerstaff-tweeling, die ter ere van de grote dag ook zo vriendelijk waren geweest elk spoor van bouwwerkzaamheden te verwijderen. Eén vleugel van het huis was gehuld in steigers, bedekt met zeildoek. Rose had volgehouden dat ze terug naar huis wilde komen zodra het water en de elektriciteit weer werkten. De Grote Hal, de zitkamer en de keuken waren klaar. Boven was een kamer schoongemaakt waar de bruid zich kon verkleden. De rest van de familie kampeerde op zolder, in het gedeelte waar het dak nog goed was.

Lydia vroeg zachtjes: 'En, ben je zenuwachtig?'

'Ja. Is dat normaal?'

'Ik was doodzenuwachtig,' zei Lydia.

'Je was ook erg jong.'

'Het leek allemaal zo belangrijk en emotioneel. Ran had er nog meer last van. Weet je nog dat hij voortdurend de heg indook om te plassen? Maar in mijn herinnering was het geweldig. Magisch.' Met haar droevige blauwe ogen keek ze haar zusje aan. 'Ik vind het vreselijk als mensen zeggen dat het huwelijk niet meer is dan een boterbriefje. Het betekent zoveel meer.'

Op haar eigen trouwdag vond Rufa Lydia's mislukte huwelijk hartverscheurend verdrietig. Ze vroeg zich af of alle mislukte huwelijken zo'n onafgemaakte sfeer hadden. Was een huwelijk ooit echt voorbij als een van de partners het weigerde toe te geven?

'Als je trouwt geef je een stuk van jezelf weg,' zei Lydia. 'En dat groeit nooit meer aan.'

'O, Liddy,' zei Rufa vriendelijk, 'ik vind het zo naar voor je, maar Ran verlaten was het beste wat je ooit hebt gedaan.'

'Ik wilde het niet.'

'Je was doodongelukkig!'

Haar koppige blauwe ogen richtten zich weer op het zonovergoten landschap. 'Ik ben zo lang mogelijk gebleven. Uiteindelijk dwong Ran me om te vertrekken.'

'Dat is niet de versie van het verhaal die wij hebben gehoord. Probeer je me te vertellen dat hij je eruit heeft gegooid?'

'O, nee. Maar je kent Ran. Hij wil altijd de onschuldige partij zijn. Dus deed hij net of ik niet aanwezig was. Tot ik dat inderdaad niet meer was.' Ze glimlachte bij de pijnlijke herinnering. 'Het leek me beter om de hint ter harte te nemen, voordat ik opgelost zou zijn.'

Rufa keek naar een van de zwanen, die dreigend heen en weer zwom in de slotgracht beneden. 'Ik wou maar dat je over Ran heen kon komen.'

'Hij ook, maar het heeft geen zin. Ik kan het niet. Niemand van jullie kan het begrijpen. Hij is de enige man van wie ik ooit gehouden heb.'

De historische samenkomst van Lydia en Ran hoorde bij de familielegende. Lydia had op veertienjarige leeftijd haar hart en haar maagdelijkheid aan Ran verloren, toen hij uit India was teruggekomen om op Semple Farm te gaan wonen. Rufa kon zich Lydia nog duidelijk voor de geest halen hoe ze was gedurende die zomer, hoe ze in de warme schemering afwezig thuis kwam met droog gras in haar haar. Ze stelde heel weinig eisen; ze was nooit materialistisch geweest. Net als Ran was ze tevreden met de zeepbel van het heden en had nauwelijks benul van een eventuele toekomst.

Nu, op haar eigen trouwdag, kwam er nog een andere duidelijke herinnering bij Rufa op, van Lydia als bruid. Door haar pure lieflijkheid leek de gebeurtenis minder onnozel. Ze waren allemaal eerst in colonne naar het registratiekantoor gemarcheerd en de Man had hen voortdurend met zijn grapjes aan het giechelen gemaakt; hij had altijd de spot gedreven met officiële gelegenheden.

Maar op het hoogtepunt van de plechtigheid, toen Ran en Lydia hun zelfverzonnen beloftes in de wei hadden uitgewisseld, was de Man ontroostbaar geweest. Lydia had blootsvoets in het hoge gras gestaan met wilde bloemen in haar haar gevlochten, zo etherisch mooi als een Edwardiaans droomkind. Het luide gesnik van de Man had haar aarzelende woorden bijna overstemd, toen ze beloofde van Ran te blijven houden tot de sterren niet langer zouden schitteren.

Lydia had zich zeer zeker aan haar afspraak gehouden. Ze had nooit naar een andere man omgekeken. Ze was ervan overtuigd geweest dat het huwelijk Ran voor altijd aan haar zou binden, en ze was nog steeds verbaasd dat dat niet zo bleek te zijn. Ze klampte zich vast aan de gedachte dat hij ooit bij haar terug zou komen, en het maakte niet uit wat haar moeder en zusjes zeiden.

Diep in haar hart benijdde Rufa Lydia omdat ze zo zeker van haar zaak was toen ze trouwde. Ze wilde dat zij er ook zo zeker van kon zijn dat er van haar gehouden werd. De gedachte aan Edwards liefde maakte haar niet meer aan het blozen. Ze verlangde naar een teken dat hij werkelijk van haar hield. Sinds hij al die weken geleden was teruggekomen uit Parijs was Edward afstandelijk en afwezig geweest; hij was bezig met de voorbereidingen voor het huwelijk met een soort grimmige vastbeslotenheid die niet paste bij Jonathans beschrijving van een man die in de greep van zijn wilde hartstocht was. Het enige dat hij kwijt wilde over zijn ontmoeting met Prudence was dat die 'moeilijk' was geweest. Hij had daarbij woedend gekeken en Rufa durfde niet verder door te vragen naar de details die ze zo graag wilde weten. Zijn belangrijkste mededeling was dat Prudence en haar zoon – Edwards enige familie – niet naar de trouwerij zouden komen.

Dat zou een teken van afkeuring kunnen zijn. En het zou ook kunnen dat Prudence het niet kon verdragen een vreemdelinge de plaats van haar zus te zien innemen. Rufa probeerde zich voor te stellen hoe zij zich zou voelen als ze in de schoenen van Prudence zou staan – als Lydia overleden zou zijn, bijvoorbeeld, en Ran met iemand anders zou trouwen. Ze wilde de vrouw het voordeel van de twijfel gunnen, en niet-seksuele redenen vinden voor Edwards sombere zwijgende buien.

Hij had uitgelegd dat hij zich ongerust maakte over een of andere zaak die verband hield met zijn diensttijd. Onmiddellijk nadat hij uit Parijs was teruggekeerd was hij naar Londen verdwenen. Ofschoon zijn gezicht en stem pijn en woede hadden uitgedrukt, weigerde hij opnieuw om in detail te treden. Edward was niet erg bedreven in uitleggen. Hij had alleen bereikt dat het allemaal nog mysterieuzer klonk. Rufa voelde dat hem iets zwaar op het hart lag en maakte zich zorgen dat dat het vooruitzicht van het huwelijk met haar was. Ze wilde dat Edward haar genoeg zou vertrouwen om zijn ziel aan haar bloot te leggen. Hij had haar huis van de ondergang gered, maar dat was niet genoeg. Ze voelde zich bedrukt door de enorme brug van vertrouwen die geslagen moest worden als je je hele hebben en houden in handen van een bijna volslagen vreemdeling legde.

Rufa had Clare Seal gevraagd haar bruidsjurk te ontwerpen en te naaien, omdat dat haar wel toepasselijk leek. Als het aan haarzelf had gelegen zou ze iets conventionelers hebben gekozen, misschien bij Liberty. Maar ze moest toegeven dat Clare enorm haar best had gedaan. Omdat ze had gezien hoeveel elegantie Rufa aan de gele crêpe had verleend, had ze nogmaals voor een slank model van zware witte zijde gekozen, schuin geknipt en met een knipoog naar de jaren dertig. Rufa's armen en schouders waren onbedekt en de jurk was van een genadeloze eenvoud. De sluier was gemaakt van stijve, doorzichtige witte zijde, die in golvende plooien om haar heen was gedrapeerd. Hij werd op zijn plaats gehouden door de diamanten tiara van de oude mevrouw Reculver, die Edward onverwacht uit een bankkluisje te voorschijn had getoverd.
Rufa stond roerloos in de glanzende keuken op Melismate in haar mooie bruidstoilet. Haar moeder en zusjes staarden haar, bijna bang geworden door de witte volmaaktheid, aan. Rose probeerde haar tranen te bedwingen.
Linnet zei: 'Je lijkt wel een prinses.'
'Wat zit daar aan je mond?' Rose dook op Linnet en pakte haar kin. 'Je hebt weer aan de chocola gezeten! Zorg in 's hemelsnaam dat je niets meer eet tot we hiermee klaar zijn, hoor je me?'
Linnet trok een beledigd gezicht. 'En als ik stik van de honger?'
'Dan leg ik je aan het infuus.'
Nog slechts twintig minuten geleden had Linnet een pyjamaatje aangehad die onder de aangekoekte Weetabix zat. Nu leek ze op een porseleinen elfje in haar lichtgele, zijden jurkje van Kate Greenaway en witte geitenleren muiltjes. Tot haar intens grote vreugde zou Linnet Rufa's enige bruidsmeisje zijn. Edward, die dol was op traditie, had haar het hartvormige, gouden medaillon gegeven dat om haar hals hing. Ook had hij haar (op Rufa's advies) twee speelgoedwiegjes gegeven, waarin de Gebroeders Ressany pasten. Maar ook zonder cadeautjes kon Edward Linnets goedkeuring wegdragen. In haar ogen was hij de man die orde had geschapen in haar huis, en ze hield van orde. Ze had het prettig gevonden om in het

schone huisje naast de wei van Chloe te wonen. Hoewel ze nog steeds in Lydia's bed sliep, zat ze de Bickerstaffs achter hun vodden om haar nieuwe, roze geverfde boudoir af te maken.
Rufa voelde even aan de bloemenkrans van gele rozenknopjes die op het kleine, donkere hoofdje lag. 'Je lijkt zelf ook een prinsesje. Vinden jullie ook niet?'
'Mooier,' zei Nancy. 'Echte prinsessen zouden jaloers op je zijn. Ik ben zelf ook nogal jaloers.'
Nancy had een nauwsluitende maar verder eenvoudige jurk aan van donkere goudkleurige zijde en ze droeg een enorme zwarte hoed. Selena, die twee dagen was overgekomen tussen de opnamen in, was verschenen in een korte rok met een strakke zijden, lichtblauwe cardigan. Haar korte haar was nu zilverwit en Rose kon moeilijk wennen aan haar gedaanteverandering. Selena had erg weinig verteld over haar geheimzinnige nieuwe leven, maar ze leek het naar haar zin te hebben. De vorige avond had ze het hele diner uitgezeten zonder een boek open te slaan. Ze straalde een nieuwe koelheid en afstandelijkheid uit en observeerde hen met een afwezige vriendelijkheid, alsof ze door het verkeerde eind van een telescoop keek. Lydia was een besluiteloos typetje, die het weinig kon schelen wat ze aantrok. Rufa had bij Ghost een paarse jurk met een sleep voor haar gekocht. Ze zag er hierin absurd jong uit. Ze weigerde een hoed te dragen en had haar lange krullende haar los laten hangen. Rose was onherkenbaar en verrassend mooi in haar jurk en brede hoed van marineblauwe gestippelde zijde. Voor het eerst sinds jaren had ze zich opgemaakt.
'Oké, meisjes, tijd om op te stappen.' Roger stond, in zijn gehuurde grijze jacquet, in de deuropening. 'De auto's staan voor en ik heb Edward beloofd dat we op tijd zouden zijn.' Hij zou Rufa ten huwelijk geven. Ter ere van de gelegenheid had hij zijn paardenstaart afgeknipt.
Het was zover. Rose en haar dochters staarden elkaar aan in een poging de gedaanteverwisselingen tot zich te laten doordringen. Ze waren nu andere vrouwen met nieuwe levens en een nieuwe omgeving. Nog slechts drie dagen geleden was de keuken gereedgekomen en ze moesten nog steeds wennen aan de verbazingwekkende afwezigheid van vuil. De verzakte, met nicotine bevlekte muren waren opnieuw gepleisterd en wit geverfd. Voor de van houtrot vergeven houten kast was een nieuwe in de plaats gekomen. Het antieke fornuis was met veel liefde schoongemaakt en gerestaureerd. Op de keukentafel stond een regiment wijnflessen opgesteld en in allerlei onverwachte hoeken stonden rozen en lelies. In de Grote

Hal waren de cateraars bezig vier lange, met bloemen versierde tafels neer te zetten.
'Het is niet te geloven,' zei Nancy. 'Het is je gelukt. Je zei dat je een man met geld zou trouwen en het is je gelukt.'
Rufa glimlachte onzeker. 'Niet op de manier die ik bedacht had. Het was stom van me om te denken dat ik dit allemaal zou kunnen doen met een willekeurige rijke man. Godzijdank is het Edward geworden.'
'Ik weet het zo net nog niet,' zei Rose. 'Ik had het wel leuk gevonden om Tiger Durward als schoonzoon te krijgen.'
Deze opmerking bracht bij hen allemaal een broos, nerveus lachje teweeg. Tiger Durward was het nieuwe familiegrapje geworden. Nadat hij Roshan weken lang had bestookt met bloemen had hij een kamer genomen in het Priory Hotel. Daar was hij zijn alcoholverslaving de baas geworden en nuchter pakte hij zijn toenaderingspogingen met vernieuwde intensiteit weer op. Nadat Roshan aan Nancy had gevraagd of ze er bezwaar tegen had was hij twee keer gaan dineren met de voormalige losbol en nu zou hij hem als zijn semi-officiële partner mee naar de bruiloft nemen. Het had niet lang geduurd voordat Tiger volmondig en in het openbaar had toegegeven dat hij homofiel was, en de roddelbladen hadden zich naar hartenlust op hem botgevierd.
Ze waren hem allemaal dankbaar, want ze hadden behoefte aan een familiegrap. De sterfdag van de Man zou binnenkort opdoemen – hij was gestorven op een stille, warme, zonnige dag, net als vandaag. De laatste keer dat ze zich allemaal in de dorpskerk hadden verzameld, waar allerlei gedenktekens van vroegere Hasty's en Reculvers te vinden waren, had de doodskist van de Man in het gangpad gestaan. De laatste keer dat de tafel had volgestaan met flessen wijn waren ze allemaal in shock geweest, op het krankzinnige af. Ofschoon niemand er iets over had gezegd, hadden ze allemaal een schietgebedje gedaan dat deze bruiloft het einde van de rouwperiode zou betekenen.
'Rose, Nancy, Liddy en Selena gaan in de eerste auto,' zei Roger. 'Ru, Linnet en ik zullen precies tien minuten later volgen. Kom, laten we gaan, Edward houdt zijn stopwatch erbij.'
Rose staarde nogmaals naar Rufa en boog zich toen voorover om haar een voorzichtige kus te geven. Toen ze merkte dat haar dochter niet zo anders aanvoelde dan ze eruitzag, gaf Rose haar daarna een stevige pakkerd. 'Je ziet er geweldig uit. De Man zou zo trots op je geweest zijn.'
Rufa vroeg: 'Zou hij blij geweest zijn?'

'Ja, nadat hij de tijd zou hebben genomen om erover na te denken,' zei Rose. 'Hij was dol op Edward. Hij zou niemand anders hebben toegestaan je tot vrouw te nemen.'

Vergeef me, Rufus, dacht Edward. Vergeef me dat ik zoveel van haar houd dat ik het gewaagd heb met haar te trouwen.
Daar stond ze naar hem te glimlachen, aan het begin van het gangpad, terwijl hij half had verwacht dat ze op het laatste moment zou afhaken. Hij had zichzelf niet eens toegestaan over Rufa in bruidstoilet te dromen en daar stond ze: lieftallig genoeg om haar vaders hart te breken.
Maar ik zal goed voor haar zorgen, beloofde Edward de geest van de Man.
De afgelopen nacht had hij geen oog dichtgedaan, omdat hij een laatste wake had gehouden voor Alice. Gelukkig, dacht hij, was hij met haar niet in deze kerk getrouwd. Ze waren stiekem naar een registratiekantoor in Londen gegaan om te ontkomen aan de voortdurende afkeuring van de oude mevrouw Reculver. Rufus had hem toentertijd bestraffend toegesproken – waarom was hij niet als getuige gevraagd en zijn schattige dochtertjes als bruidsmeisjes? Maar nu was hij blij dat dat niet gebeurd was, anders zou het nu wel allemaal erg vreemd zijn.
Edwards getuige was nu een oude vriend van Sandhurst die kolonel was in een Schots regiment. Zijn vrouw en twee tienerdochters stonden aan Edwards kant in de kerk tussen de soldaten en boeren die tot zijn gezelschap behoorden. Aan hun gezichtsuitdrukking kon hij zien dat ze bijna niet konden geloven dat Edward zo'n vrouw had weten te veroveren. Hij kon het zelf ook haast niet geloven. Hij kon alleen doorzetten als hij alle geesten, dood of levend, uit zijn gedachten zou bannen.

'Come down, O love divine,' zong Berry. 'Seek thou this soul of mine...'
Dit lied werd veel gezongen bij bruiloften. Over iets minder dan drie weken zou men het ook tijdens zijn eigen huwelijk zingen. Deze realiteit was pas tot hem doorgedrongen toen hij de gedaanteverwisseling zag, die Rufa had ondergaan. Wat geeft een bruidsjurk een macht aan een vrouw, dacht hij. Het straalde een merkwaardige mengeling uit van opoffering en triomf. Hij hoopte dat hij er net zo fantastisch zou uitzien als Edward, maar dacht niet dat hij zo'n gezaghebbende uitstraling zou hebben in zijn jacquet. Edward stond kaarsrecht, met de schouders naar achteren getrokken, met bran-

dende ogen naar Rufa te kijken. Maar hij had zichzelf voldoende onder controle om naar Linnet te grinniken.
Berry vond dat Linnet er heel mooi uitzag. Hij deed zichzelf versteld staan door te bedenken hoe buitengewoon geweldig het zou zijn als hij ooit zelf een dochtertje zou hebben. Geen wonder dat Ran almaar doorzeurde over het vaderschap – het was het enige dat hij ooit goed gedaan had.
Randy was bruidsjonker, samen met de plompe Bickerstaff-tweeling met hun zandkleurige haardos. De tweeling was gekleed in volledig jacquet. Ran droeg een merkwaardig blauw pak met een jasje dat leek op een pandjesjas en dat tot bovenaan was dichtgeknoopt. Hij had Berry begroet met een smakkende kus en Polly had haar wenkbrauwen zo hoog opgetrokken dat ze bijna in haar haar waren verdwenen.
Polly draaide zich om en glimlachte hem toe. Berry was erg op haar gesteld en was trots op zichzelf dat hij de wilskracht had getoond om Nancy te weerstaan. Deze huwelijksvoltrekking vormde voor hem een test, om te zien of hij in staat was naar Nancy te kijken zonder zich aan haar voeten te willen werpen. Dat viel niet mee; ze was zo prachtig, zo verleidelijk met haar grote hoed. Sommige vrouwen stond een grote hoed erg goed. Hij dacht niet dat dat voor Polly gold, die lieverd. Het lichtblauwe geval dat zij op had deed Berry denken aan de lampekappen boven de biljarttafel thuis. Door het belachelijke hoedje kreeg hij nog warmere gevoelens voor haar. Hij kneep even vol genegenheid, zoals een echtgenoot dat zou doen, in haar hand, waaraan de diamanten verlovingsring van Boodle en Dunthorne schitterde.
Polly stelde hoge eisen aan bruiloften. Deze had haar goedkeuring al weggedragen. Ze was verrukt van het stoffige dorpskerkje, dat zo gemoedelijk genesteld lag in het weelderige platteland van de Cotswolds. Rufa en Edward zagen er samen adembenemend uit. Ze had ervoor gekozen zich geamuseerd op te stellen, toen Ran Berry een kus gaf. En het intrigeerde haar wat Tiger Durward hier deed, die ze herkende toen hij aan de andere kant van het gangpad zat (Berry en Polly waren aan Edwards kant geplaatst, aangezien er voor de bruid massa's plaatselijke adellieden waren verschenen, voor wie ze had gekookt, en kleurrijke plattelandsbohémiens die kennissen van de Man waren geweest).
Polly had gefluisterd: 'Wat doet die Durward hier in vredesnaam? Zou Nancy met hem uit geweest zijn?'
Berry had zich manhaftig over de steek van jaloezie heengezet, die hij voelde, en zei dat hij niet dacht dat dit het geval was. Hij maak-

te zich geen zorgen over Tiger, en ook niet over de aantrekkelijke Indiase man, die natuurlijk Nancy's homoseksuele beste vriend was. Hij koesterde aanzienlijk meer achterdocht tegen die andere man, die op hun kerkbank zat: die was lang, donker en duivels knap, zodanig dat zelfs een verstandige vrouw niet door hem heen zou prikken. Dat was waarschijnlijk de andere huurder. Als Berry niet volkomen tevreden was geweest met het vooruitzicht Polly te huwen, zou hij een bloedhekel aan de man gehad hebben.

Ja, hij keek uit naar de rust en zekerheid die het huwelijk met Polly met zich mee zou brengen. Daarom draaide het toch bij trouwen: het ontkomen aan de slopende opwinding van romantiek. Ze zouden een luisterrijke bruiloft vieren en een geweldige huwelijksreis maken naar Kenia, en Polly zou ervoor zorgen dat de rest van zijn leven op rolletjes zou verlopen. Het was absoluut een zegen. Al het andere was illusie.

Voor Rufa vergleed de rest van de dag in een serie droombeelden. Ze legde haar huwelijksgelofte af en tekende het boek in de sacristie. Edward was nu haar echtgenoot. Vastgeklampt aan zijn arm poseerde ze buiten de kerk voor de fotoreportage. Ze werd door honderden mensen gekust, onder wie de dominee en Tiger Durward.

Wendy, die niet meer samenhangend kon praten van geluk, strooide met biologisch afbreekbare confetti. Ze had een paarse fluwelen hoed op, die op een geplette pannenkoek leek en sprong alle kanten op om foto's te nemen met een piepklein cameraatje, waarbij ze iedereen in de weg liep. Het nieuwe grind op de van onkruid ontdane oprijlaan van Melismate werd platgereden door de wielen van tientallen auto's.

Rufa en Edward namen hun plaats in bij de deur voor de receptie. Ze hadden het gezicht getrokken waarmee ze in het openbaar verschenen en keken elkaar niet aan. De gasten trokken aan hen voorbij; figuranten uit hun vorige leven.

Roshan stelde Tiger officieel voor, die ze voor het laatst bezopen en snikkend had gezien bij het bal, toen Rufa hem bijna zijn ogen had uitgekrabd. Hij was nu bleker en magerder en bood zijn felicitaties en verontschuldigingen aan met een stem die nog slechts een schaduw was van zijn vroegere schallende stem. Rufa besloot dat ze hem aardig vond – het was duidelijk dat hij Roshan aanbad en liefde veranderde de meest onwaarschijnlijke mensen in engeltjes.

Er was natuurlijk champagne, uitgezocht en betaald door Edward. Er werd een huwelijksontbijt geserveerd dat eigenlijk meer een lunch

bleek (gepocheerde zalm met aardbeien, allebei wild en waanzinnig duur), omdat Edward zei dat gebrek aan voedsel op een bruiloft mensen aan het ruziën bracht. Er werden toespraken gehouden, waar Rufa met veel aandacht naar luisterde en die ze vijf minuten later vergeten was. Edwards getuige vertelde langdradige anekdotes uit het leger en bracht een luidruchtige toast uit op Linnet. Edward zelf hield een kort toespraakje, dat voornamelijk bestond uit een dankwoord.
Alle aanwezigen bij de lange tafels vonden zijn diepe gevoelens normaal. Het was wijd en zijd bekend geraakt dat Edward de hele familie nog net op tijd voor de ondergang had kunnen behoeden. De plaatselijke inwoners bestudeerden de verbeteringen die op Melismate waren aangebracht en vergeleken die met de schoonheid van de bruid. Niemand was ook maar een beetje verbaasd dat Rufa zo'n goed huwelijk had gesloten. Ze was altijd al de verstandigste geweest. En na het eten en de toespraken liep iedereen het terras op om nog wat champagne te drinken. De gasten vormden groepjes met bekenden, zodat ze elkaar konden vertellen dat de Hasty's een aangeboren talent hadden om goed op hun pootjes terecht te komen.

Nancy had haar hoed afgezet en haar haar losgegooid. Zij en Berry hadden elkaar met gemaakte jovialiteit begroet en elkaar een snelle kus gegeven die hen beiden aan het blozen bracht. Ze hadden elkaar wel gezien in de wijnbar nadat Nancy zijn flat was binnengestormd, maar ze had het vermeden hem te bedienen wanneer ze kon. Af en toe kwam ze tot de ontdekking dat ze zijn creditcard door de machine haalde. Intiemer dan dat waren ze niet geworden. Polly de Perfecte had hun blozende wangen niet gezien. Ze telt de uren tot haar eigen bruiloft, dacht Nancy somber. Ze had de Australische nog nooit zo mooi gezien. Polly droeg een kreukelig linnen pak en een idiote hoed; maar toch straalde ze om een of andere reden. Ze was erg aardig tegen Nancy geweest, gedeeltelijk omdat ze betoverd werd door de goudgele stenen en de rozenstruiken van Melismate. Die had ze natuurlijk nooit aanschouwd tijdens de dagen van opperste vervallenheid.
Nancy nam aan dat ze het mens geluk moest toewensen. Berry verdiende het in ieder geval. Ze waagde het hem een blik toe te werpen en hun ogen kruisten elkaar precies op het moment dat hij stiekem haar kant op keek. Weer moesten ze allebei blozen en ze draaiden elkaar de rug toe. De herinnering aan de mislukte seks bij hun laatste ontmoeting was een bron van voortdurende verlegen-

heid. Nancy rende de trap van het terras af, stak de slotgracht over en liep het bochtige turfpad op. Ze was helemaal niet gewend aan een bezwaard hart. Het was een verbijsterend, en pervers genoeg, heerlijk gevoel.
'Nancy...'
Max liep een paar meter achter haar en probeerde haar in te halen. Ze minderde vaart en bedacht dat sommige mannen in jacquet er zo sexy uitzagen. Samen wandelden ze in de richting van de grote acacia's vlak bij het hek van het park. Achter het hek lagen de weilanden, die weelderig begroeid waren en waar het wemelde van de vlinders.
'Het is hier prachtig,' zei Max. 'Volgens mij begin ik nu iets van jullie Huwelijksspel te begrijpen. Ik had nooit kunnen bedenken dat je in zo'n huis als dit geboren was.'
Nancy moest lachen, ze had dit de hele dag al op verschillende manieren horen zeggen. 'Het punt is dat ik niet in zo'n omgeving ben geboren. Voordat Ru Edwards geld lospeuterde was het een vervallen zooitje.'
'Ik weet zeker dat het altijd al mooi geweest is,' zei Max. 'Net zo mooi als jij.'
'Ach, loop naar de pomp.'
'Ik meen het. Waarom heb je je hoed afgedaan?'
'Hij zat in de weg,' zei Nancy. 'Ik kon niemand een kus geven.'
Max volgde haar naar de met koekoeksbloemen begroeide cirkel in de schaduw onder de acacia. 'Nu we het er toch over hebben: waarom heb ik jou eigenlijk nog niet gekust?'
'Omdat het je nog niet is gevraagd.' Nancy vond Max leuk, natuurlijk vond ze hem leuk; maar dat gevoel werd steeds academischer. Ze had geen vlinders meer in haar buik als hij zijn ondeugende ogen over haar heen liet glijden.
'En waarom is het me nog niet gevraagd?' Hij lachte, maar de vraag was serieus. 'Er was een tijd dat er iets tussen ons broeide.'
'Ja, maar er kwam steeds iets tussen.'
'Je zat achter je lord Huppeldepup aan. Maar dat is nu niet meer nodig.' Max leunde tegen de boomstronk. 'Nu je zusje het Huwelijksspel echt heeft gewonnen kun je je ontspannen. Kun je het spel om de liefde spelen.'
'Ik wou dat het zo simpel was,' zei Nancy. Ze had zijn mening over Rufa's huwelijk begrepen en ze vond het niet prettig.
Zijn stem werd zachter. 'Wat is er met je aan de hand, Nancy? Het Spel is afgelopen. Je bent vrij, dus waarom heb je er geen zin in om verleid en ontvoerd te worden?'

'Hemeltje, waar haal je het idee vandaan dat ik dat leuk zou vinden?'
Hij lachte en hield op, maar zodra ze hem de kans zou geven zou hij erop terugkomen. 'En, wat ben je nu verder van plan? Terug naar het voorouderlijke huis?'
'Kom nou, ik heb maar twee dagen vrij genomen. Maandag word ik weer achter de bar verwacht.'
Max keek nadenkend. Hij maakte het zich gemakkelijk tegen de boom. 'Is het zo'n geweldige baan?'
'De beste die ik ooit heb gehad.'
'En de enige mogelijkheid om hem te zien.'
Nancy kreunde. 'God, is het zo overduidelijk?'
'Het straalt van je af. Blijkbaar heeft Cupido eindelijk een zwakke plek ontdekt in je ondoordringbare pantser. Je bent verliefd geworden op je doelwit.'
'Ja,' zei Nancy. 'Dat zal het wel zijn. Volgens mij is dit echte verliefdheid, niet het halve werk. Het verschil tussen *Romeo en Julia* en een muzikale komedie.' Ze zuchtte. 'Max, ben jij weleens verliefd geweest?'
'Wil je een galant antwoord horen of de waarheid?'
'De waarheid.'
'Oké, ik ben weleens verliefd geweest,' zei Max. 'Hartstochtelijk, waarmee ik seksueel bedoel. Dat gevoel van brandend verlangen. Maar het lijkt nooit lang te duren. Ik ben kapot als het voorbij is en waarschijnlijk is het mijn schuld dat het overgaat. Ik weet niet hoe het komt.'
Nancy vond Max aardig als hij ophield met flirten en eerlijk was. Dat maakte hem veel aantrekkelijker; misschien was hij zich daarvan bewust. 'Die beschrijving is precies zo van toepassing op mijn eigen romantische carrière,' zei ze, 'tot ik Berry ontmoette. Laat het een waarschuwing voor je zijn.'
Hij glimlachte haar toe; blijkbaar was hij niet erg aangedaan door het feit dat ze hem had afgewezen. 'Wat voor gevoel is het dan?'
'Een nogal waardeloos gevoel, lieverd,' zei Nancy. 'Helemaal omdat hij op het punt staat met iemand anders te trouwen.'
'Daar zou ik niet zo zeker van zijn. Hij kan zijn ogen niet van je afhouden. Je moet hem een touwladder sturen als huwelijksgeschenk.'
'Vergeet het maar,' zei Nancy. 'Je kent Polly niet. Ze heeft hem elektronisch beveiligd. Ze zal hem nooit laten gaan.'

Polly was nu zeker van iets wat ze weleens had vermoed. Ze was nog nooit echt verliefd geworden. Tijdens de dienst, ergens tussen Wagner en Mendelssohn, was ze in een andere dimensie terechtgekomen. Nu pas begreep ze waar men het over had, waar liefdesgedichten over werden geschreven, en wat de dichtkunst betreft begreep ze nu opeens de betekenis van de halve wereldliteratuur.

Hij heette Randolph Verrall. Hij had een belachelijk pak aan en zijn haar was veel te lang. Hij had zijn mismoedige ex-vrouw en haar akelige kind in zijn kielzog. Het deed er allemaal niet toe – dit charmante stukje platteland had alleen een opknapbeurt nodig. Vanaf het moment dat Berry hen aan elkaar had voorgesteld had Polly zich verloren in Rans zwartfluwelen ogen.

'Voorzichtig,' zei Ran.

Ze maakten een wandelingetje rond de slotgracht, weg van het lawaai van de receptie en van de voortdurende aanwezigheid van de mismoedige ex-echtgenote. Polly's lichtblauwe hakken waren zwart van de modder en tot haar eigen verbazing kon het haar geen barst schelen – Polly de Kieskeurige, die in Glyndebourne bijna overspannen werd vanwege de grasvlekken en de smerige klodders mayonaise. Ran pakte haar hand om haar te ondersteunen. Ze voelde hoe het lichamelijke contact een elektrische stroomstoot naar haar hart stuurde.

Ze mompelde: 'Dit is de meest schokkend mooie plek die ik ooit heb gezien.'

'Belachelijk romantisch,' zei Ran. 'Het zou wettelijk verboden moeten worden.'

Ze bleven staan, nog steeds hand in hand. De twee zwanen peddelden koninklijk voorbij, terwijl ze hun lange halzen uitrekten en weer introkken. Een weeklagende zwerm muggen zocht bescherming onder een onlangs geknotte treurwilg.

'Dus hier is Rufa opgegroeid,' zei Polly. Ze werd gefascineerd door Rufa. 'Mariana in het door een slotgracht omgeven landhuis.'

'Tot voor een maand was de slotgracht slechts vijf centimeter diep en verstikt door het onkruid,' zei Ran. 'Bij warm weer stonk hij als de strontput bij het Glastonbury Festival. Ze moesten de ramen dichthouden.'

De grove woorden 'stront' en 'Glastonbury' hadden Polly normaal gesproken doen huiveren. Nu was haar enige gedachte dat hij een engelachtige mond had. 'Uiteraard,' zei ze, 'ken jij hen allemaal goed. Je bent met een van hen getrouwd geweest.'

Ran zei: 'Dat was mijn schuld toch niet? Ik was hun buurjongetje.'

Polly huiverde een beetje, omdat Rans warme vingers nog steeds haar hand vasthielden. 'Was je op allemaal verliefd?'

Haar speelse plagerige toon leek uit het niets te zijn opgedoken. Maar Ran dacht ernstig over de vraag na. 'Ik vond de oudere zusjes wel leuk, maar dat was meteen over toen ik met Liddy trouwde. Vrouwen veranderen als je met hun zus trouwt. Dan worden ze harpijen.' Zijn grote ogen kregen een tragische uitdrukking. 'Dit zul je niet geloven, maar Nancy heeft een keer een vuilnisemmer naar me gegooid.'
Polly vroeg: 'Waarom? Wat had je verkeerd gedaan?'
'Ik werd verliefd.'
'O.'
'Dat is mijn enige misdaad.'
Ademloos verklaarde Polly: 'Verliefd worden is geen misdaad.'
'Vind je dat echt? Ik wou maar dat Liddy dat ook zo zou zien.' Ran slaakte een diepe zucht. 'Onze verhouding werd een sleur. We hadden geen geestelijk contact meer. De band blijft altijd, maar de muziek klinkt niet meer.'
'Muziek?' Polly werd door hem gehypnotiseerd.
'De muziek die twee mensen horen als ze verliefd op elkaar worden,' zei hij met lage stem. 'Luister!'
Lange tijd bleven ze zwijgen.
'Violen,' fluisterde Polly.
'Een fanfareorkest,' zei Ran, terwijl hij zijn mond naar de hare bracht. Hun lippen vonden elkaar.

Polly ving het bruidsboeket op en Lydia moest huilen. Berry had misschien niets in de gaten, maar zij had de hormonale stormwolken zien samenpakken rond de engelachtige verschijning van haar ex-echtgenoot. Hij was weer bezig verliefd te worden. Ze kende de voortekenen.
Rose kende die ook. Ze zag zichzelf zoals ze vroeger was, toen ze het vaak moeilijk had gehad met de romantische bevliegingen van de Man. Met een zucht van weerzin liet ze zich in de stoel naast het fornuis vallen en schopte haar nieuwe schoenen uit.
'Neem een kop thee,' stelde Roger voor, die haar met tedere blik bekeek. 'Je bent kapot.'
Ze waren alleen in de chaos van besmeurde glazen en lege flessen. De cateraars waren aan het opruimen in de Grote Hal. Nancy en Selena hadden Lydia mee naar boven gesleept, naar de vroegere kinderkamer, om een glas rode wijn te drinken, haar te troosten en van advies te voorzien. Linnet lag diep in slaap op de nieuwe bank in de zitkamer, met de Gebroeders Ressany stevig in haar armen.
'Het ging goed, vind je niet?' vroeg Rose.

Ze had behoefte aan geruststelling en Roger stelde haar gerust. 'Perfect. Edward heeft me zelfs bedankt. Je hoeft nergens over in te zitten.'
'En met Ru gaat het goed, hè?'
'Volgens mij wel.' Hij overhandigde Rose een mok thee. 'Denk je niet?'
'Ik weet het niet,' zei Rose. 'Ze bezweert me dat ze gelukkig is. Ik moet het maar van haar aannemen. Maar ik geloof niet dat ze al met Edward naar bed is geweest; ze heeft me een leugentje op de mouw gespeld, om van me af te komen. Of misschien komt het door de champagne, dat ik zo somber gestemd ben.'
'Je zit aan die ouwe te denken,' zei Roger vriendelijk.
'Nou, moet je zien wat die naarling van een Man mijn meisjes heeft aangedaan.' Rose had dit nog nooit hardop gezegd. Ze kon het ook alleen tegen Roger zeggen. 'Neem Liddy, nog steeds geobsedeerd door de dorpsidioot, Nancy die zit te kniezen als Madame Butterfly, Selena...'
'Met Selena gaat het heel goed,' onderbrak Roger haar.
'Ze heeft ons verlaten. Ze is teruggekomen voor de bruiloft, alsof ze een andere planeet kwam bezoeken. Maar over Rufa maak ik me veel meer zorgen. Ik kan geen gesprek met haar voeren over de toekomst, over de tijd nadat dit verdomde huis klaar is. Alsof ze bevelen krijgt vanuit het graf.'

'Je moest je maar eens gaan verkleden,' zei hij, terwijl hij tegelijkertijd de droge toon in zijn stem hoorde en zichzelf erom vervloekte. 'Er zal waarschijnlijk niet veel verkeer zijn, maar we moeten het ruim nemen.' Vanwege een 'kleine misrekening bij het boekingskantoor', zoals Edward het uitdrukte, zouden ze rechtstreeks naar het vliegveld rijden om hun vlucht naar Italië te kunnen halen. Hij bedacht dat het waarschijnlijk maar goed was ook. Zijn verlangen om de liefde met Rufa te bedrijven deed het bloed door zijn lichaam razen, maar zolang ze in dit huis waren of zelfs maar in de buurt van Melismate, moest er te veel verlegenheid uit de weg geruimd worden.
Hij had de villa in Toscane gekozen omdat het de meest voor de hand liggende, romantische en afgelegen plek was die hij zich kon voorstellen. In een tijdsbestek van een paar uur moest hij het beeld van trouwe familievriend zien af te schudden en zichzelf veranderen in minnaar. Het trouwen met Rufa en het zich onderwerpen aan het carnaval van de enorme familiebruiloft waren niet voldoende geweest. Hun merkwaardige situatie verlamde hem. Voort-

durend hoorde hij de stem van Prudence in zijn hoofd: 'Natuurlijk is ze vanwege je geld met je getrouwd, je denkt toch niet werkelijk dat een dergelijk meisje zomaar met je naar bed zal gaan?'
Maar Prudence, die zo beledigend en verbazingwekkend vastbesloten was om moeilijkheden te veroorzaken, had geen idee over wat voor meisje ze het had. Edward wist dat Rufa eronderdoor zou gaan als ze het gevoel had dat ze haar echtgenoot seks verschuldigd was. Hij was beducht voor de afstand die ze zouden moeten afleggen voordat het juiste niveau van intimiteit zou zijn bereikt. Hoe kon hij tot haar doordringen?
Hij pakte een envelop uit zijn borstzak. 'Dat vergat ik bijna. Nancy vroeg me dit aan je te geven.'
Rufa nam de envelop aan. Er stond op geschreven: 'Mevrouw Rufa Reculver. Pas openmaken als je thuis bent.'
Er zat een polaroidfoto in van een rij blote billen. Nancy, Lydia en Selena hadden hun mooie bruiloftskleding slordig tot hun middel opgetrokken en hadden een diepe Japanse buiging gemaakt met hun rug naar de camera. Eronder stond: 'Volle maan vannacht!'
Rufa lachte tot de tranen over haar wangen rolden. Toen moest ze echt huilen. De tranen bleven stromen. Ze begroef haar gezicht tegen Edwards schouder, terwijl ze opeens hevig begon te snikken. Hij sloeg zijn armen om haar heen en voelde de liefde die ze voor hem koesterde, die probeerde over de barrière te komen die ze door hun afspraak hadden opgeworpen. Hij voelde zich sterk en merkwaardig vredig. De schaduwen om hen heen werden langer terwijl hij haar vasthield.
'Het is al goed,' fluisterde hij.
'Het spijt me zo. Alles wat er gebeurd is... het spijt me.'
'Je hoeft nergens spijt over te hebben.'
Rufa zei: 'Het probleem is dat ik van je houd. En dat heb ik je nog niet eens behoorlijk verteld.'
'Dat is niet nodig.'
'Jawel,' zei ze. 'Je moet het weten.' Ze trok zich van hem terug en probeerde de tranen met de rug van haar hand weg te vegen. Er zaten twee zwarte make-up vegen op haar wangen. 'Edward, ik schaam me zo.'
'Schaam je je?'
'Ik moet wel gek geweest zijn. Ik was gek.'
'Hier.' Hij zocht in zijn zakken, haalde er een zakdoek uit en stopte die in haar natte hand.
Ze glimlachte mistroostig. 'Je moet altijd zakdoeken voor me zoeken.'

'Nou, ik zal er zoveel zoeken als je wilt.'
Ze depte haar ogen. 'Je moet het weten. Het ging niet alleen om het geld.'
'Hebben we het toevallig over jouw beruchte Huwelijksspel?' zei Edward, terwijl hij een beetje grimmig glimlachte.
'Ja.'
'Hmm. De algemene mening lijkt te zijn dat je het fantastisch hebt gespeeld.'
'Maak er alsjeblieft geen grapjes over. Ik had niet echt aan mezelf toegegeven hoe verkeerd het was tot jij me je aanzoek deed. Diep in mijn hart wist ik het wel, maar er leek geen andere oplossing te zijn. En nu weet ik niet... kan ik niet bedenken hoe...' Rufa zocht naar de juiste woorden. 'Ik zou waarschijnlijk met Adrian getrouwd zijn, maar ik wist dat ik diep ongelukkig zou worden. En toen verscheen jij opeens en redde me uit de penarie.'
Het beeld dat ze van hem schetste als een vriendelijke, kerstmanachtige redder in de nood beviel Edward niet erg, maar hij was toch geroerd door haar vertrouwen in hem. Hij sloeg zijn arm om haar middel, beval manhaftig zijn erectie om weg te gaan tot ze een paar honderd kilometer verwijderd zouden zijn van Gloucestershire en leidde haar naar het raam. Het was een heldere nacht en de hemel was bezaaid met sterren. Het maanlicht wierp strepen op het gazon.
'Misschien heb je mij ook gered,' zei hij zachtjes. 'Als jij je Huwelijksspel niet had verzonnen, had ik in de val gezeten van mijn vroegere leven en was in snel tempo een halvezachte ouwe zak met een grijze baard geworden. Ik wil niet dat je denkt dat alleen ik goede daden heb verricht.'
'Je had met iemand anders kunnen trouwen.'
'Maar dat heb ik toch niet gedaan? Omdat ik toevallig verliefd op jou was.'
Ze fluisterde: 'Was je... hield je al van me voordat we die ruzie kregen?'
Hij begreep dat deze vraag heel belangrijk voor haar was. Hij ging omzichtig te werk. Als hij nu één verkeerd woord zou zeggen zou hij haar kwijtraken. Inwendig schudde hij zijn pak waarheidskaarten om een samenstelling te vinden waarvan ze niet zou schrikken.
'Zo eenvoudig ligt het niet. Nadat ik uit het leger ontslagen was is mijn leven tot stilstand gekomen. Toen ik het leger niet meer had om me op de been te houden, merkte ik dat ik nog steeds om Alice treurde. Ik bevond me niet in een positie om verliefd te worden op wie dan ook. Jouw Huwelijksspel dwong me om in actie te ko-

men op een moment dat ik dacht dat niets daartoe in staat zou zijn. Als dat niet was gebeurd, was ik nooit met jou, of met iemand anders, getrouwd.'

Ze was opgehouden met huilen. 'Meen je dat echt?'

'Echt waar! Dus wees in godsnaam niet zo dankbaar. Je kunt een huwelijk niet op dankbaarheid stoelen. Of ik het mezelf bekende of niet, ik besefte dat ik al jaren van je hield.'

'Waarom heb je me dat nooit verteld?'

'Zou je naar me om hebben gekeken?'

'Dat is geen eerlijke vraag... dat wilde je helemaal niet.'

Hij probeerde zo veel mogelijk vriendelijkheid in zijn stem te leggen. 'De Man zou me het gevoel hebben gegeven dat ik rotzooide met zijn kleine meid. Hij heeft nooit kunnen accepteren dat jij volwassen was geworden. En ik ook niet, toen ik hier terugkeerde na het leger... het leek me toe dat het nog maar pas geleden was dat ik jullie meenam naar die pantomime-opvoering. Maar zelfs ik moest wel zien dat je een vrouw was geworden. Een verbazend mooie vrouw.'

'Meen je dat? Ik bedoel, was ik echt...'

'O, god.' Edward lachte zachtjes in zichzelf. 'Het is niet te geloven. Ik heb het je nooit met zoveel woorden gezegd.' Hij omvatte haar gezicht met zijn handen. 'Rufa, je bent de mooiste vrouw die ik ooit heb gezien. Zelfs als je make-up is uitgelopen.' Glimlachend wreef hij met zijn duimen de vegen onder haar ogen weg. 'Wanneer ik ook naar je kijk, of je nu gelukkig bent of verdrietig, of kwaad, hoe het ook met je gesteld is, je bent altijd mooi. Je ziel wordt weerspiegeld in je ogen. En ook die is mooi.'

Het ontroerde hem hevig toen hij zag hoe begerig Rufa zijn prijzende woorden indronk.

Ze zei: 'Dat betekent dat ik niet bang hoef te zijn dat je er spijt van hebt dat je met me getrouwd bent.'

'Absoluut niet.' Spijt? Hij wenste dat hij de woorden kon vinden om haar duidelijk te maken dat zijn vreugde bijna te groot was om te kunnen bevatten. 'Ik wou dat ik wist hoe ik je ongerustheid kon wegnemen, Ru. Waar ben je bang voor?'

'Ik weet het eigenlijk niet.' Een minuut lang keek ze hem zwijgend aan, terwijl ze zocht naar het antwoord. 'Dat ik niet goed genoeg voor je ben. Ik vind nog steeds dat je beter verdient.'

Glimlachend keek hij op haar neer. 'Dan moeten we samen aan iets beters bouwen. Het echte Huwelijksspel is nu pas begonnen.'

Deel twee

Hoofdstuk een

'Ze heet Polly,' zei Linnet. 'Ik noem haar Stinkie.'
Rufa woog de dikke arboriorijst af op haar nieuwe keukenweegschaal en deed haar best een meesmuilend lachje binnen te houden. 'Ze is best aardig.'
'Ja, hoor. Ze stinkt net zo erg als een scheet. Ze zit de hele tijd met pappie te fluisteren.'
Linnet oordeelde hard, maar maakte zich verder niet druk. Hoewel ze Rans vriendinnen nooit goedkeurde, lag ze er niet van wakker – de regelmaat waarmee ze kwamen en gingen was te groot. Rufa was blij dat deze affaire niet al te serieus leek. Ze leunde voorover om over het donkere hoofdje te aaien. Door Linnet aan te raken kreeg ze het prettige gevoel dat ze de zaken onder controle had op momenten dat ze dacht die te verliezen.
'Je kunt het ook positief bekijken,' zei ze, 'misschien kan Polly je pappie wel overhalen om een televisie te kopen.'
Ran beschouwde televisie als het nieuwe opium voor het volk en als instrument voor de overheid om de mensen te hersenspoelen; maar Rufa dacht niet dat Polly de aanwezigheid van het kind in huis zou kunnen overleven zonder een tv. Voor Linnet was televisie zeker een vorm van opium.
'Zou je denken?' Met ondoorgrondelijk gezicht overwoog Linnet deze mogelijkheid. Toen zei ze energiek: 'Mag ik nu even tv kijken?'
'Goed, hoor. Als je maar niet lastig wordt als het tijd is om naar huis te gaan.'
'Nee.' Linnet sprong van haar stoel en liep op een drafje door de stenen gang naar de zitkamer, volledig en vanzelfsprekend thuis in Edwards huis omdat Rufa daar woonde. Rufa wenste dat zij zich zo gemakkelijk zou kunnen aanpassen. Het duizelde haar door al het onbekende.
Ran had zijn dochter bij de boerderij afgezet. Hij had zijn hoofd net lang genoeg uit het raam gestoken om te kunnen roepen: 'Hoi, Ru, ik hoop dat je een fijne huwelijksreis hebt gehad. Ik kan niet blijven, ik neem aan dat je gehoord hebt over Polly.'

Rufa had het inderdaad gehoord. Zij en Edward waren de avond ervoor om elf uur uit Italië teruggekeerd. Toen hij zijn bruid over de drempel tilde had Edward een Post-it-briefje van Rose op de deur ontdekt. 'Drie keer raden!!! Bel me. Mam.'
'Echt iets voor haar,' zei Edward. 'Geen woord over jou en onze huwelijksreis. Alleen de hoofdpunten van het nieuwste drama.'
Maar zodra de koffers in de hal stonden had hij Rufa aangemoedigd om Rose te bellen. Hij was zelf ook nieuwsgierig. Vanmorgen had Rufa gemerkt dat de hele omgeving erover sprak. Edward zei altijd dat iedereen in een kleine gemeenschap drie meter lang was en voortdurend in de schijnwerpers stond. Privacy bestond niet. In het postkantoor in het dorp en in de winkel waar Rufa vuilniszakken en meubelwas ging kopen, had ze het hele verhaal nogmaals gehoord van Sandra Poulter, wier echtgenoot de leiding had op Edwards boerderij. Vervolgens had de waard van de Hasty Arms er een opmerking over gemaakt. Hij was zelfs speciaal uit de kroeg naar buiten gekomen om het haar te vertellen, hoewel hij het deed voorkomen dat hij wilde weten hoe het met Nancy ging. Het was het verhaal van de dag.
Ran had een nieuwe vriendin: een opgetutte blondine, die zichzelf nogal belachelijk had gemaakt door in de winkel te vragen om balsemiekazijn. Deze blondine had haar verloofde bij het altaar in de steek gelaten, haar baan opgezegd en was met enorme hoeveelheden bagage op Semple Farm verschenen.
Als Rufa daarvóór Rose niet had gesproken, had ze het niet geloofd. Ze had Ran en Polly wel samen gezien op haar bruiloft, maar had er geen benul van dat hun verhitte blikken in minder dan drie weken tot deze situatie zouden leiden. Polly Muir – dat had ze nooit kunnen denken. Had ze haar nuchtere en keurige hoofd verloren? Dit was een vrouw die slapeloze nachten had vanwege de tafelschikking, terwijl Semple Farm een afbraakpand was. Edward, die Ran bepaald niet zag als een goede vangst, moest steeds lachen als hij haar in gedachten tussen de zitkussens en wierookstokjes zag zitten.
Nu Linnets aandacht veilig en wel werd opgeëist door Sabrina de Tienerheks, overwoog Rufa nogmaals haar eigen gevoelens. Haar bezorgdheid over Lydia en Linnet had het gevoel vergroot dat ze haar greep op de dingen begon te verliezen, zonder te begrijpen waarom. Niets was voorspelbaar. Niets was simpel. Zelfs Polly Muir stelde haar hartstocht boven haar gezonde verstand. Ze had een geweldige prijs binnengesleept in het Huwelijksspel en had alles op de vooravond van haar overwinning in de steek gelaten. Wat

kon haar het ganzenveren bed schelen?
Rufa wenste dat ze de geheimen van hartstocht opnieuw zou kunnen leren. Ik doe waarschijnlijk iets verkeerd, besloot ze. Met Jonathan, haar enige andere minnaar, was de hartstocht vanzelf gekomen – maar ze begreep nu dat ze slechts op hem had gereageerd, zonder hem eerst te moeten veroveren. De huwelijksreis in Toscane was een paradijs geweest dat in een waas aan haar was voorbijgegaan.
Ze was onder de betovering geraakt van de diepblauwe hemel, de warme nachten met het gesjirp van krekels, de indrukwekkende pracht van de middeleeuwse gevels. Op de dag na hun bruiloft waren ze 's middags aangekomen, euforisch door slaapgebrek en het gevoel van vrijheid. Tijdens de reis was Edward meer ontspannen, zorgzamer en gezelliger dan hij in weken geweest was. Toen ze op het terras van hun villa zaten, gedroeg hij zich erg teder; zacht en liefdevol. Het had Rufa natuurlijk geleken dat ze eerder dan hij naar hun slaapkamer was gegaan, waarvan de luiken gesloten waren. Met droge keel van verwachting had ze zich uitgekleed en was naakt onder de naar lavendel geurende lakens gaan liggen.
Maar Edward was niet gekomen. Ze was in slaap gevallen en toen ze wakker werd, was alles veranderd. Edward sprak bijna geen woord en leek met zijn gedachten elders. Er zaten transpiratievlekken op zijn hemd en hij zei dat hij een ommetje had gemaakt, alsof hij nog steeds op zijn verfrissende boerderij in Gloucestershire was. Hij had zich tegenover haar nog even attent en hoffelijk gedragen, maar iets had hem van streek gemaakt.
Later had hij het haar verteld, zonder in detail te treden. Prudence had hem gebeld en hoewel het gesprek moeizaam was verlopen hadden ze in principe weer vriendschap gesloten. Wat betekende dat? Ervan uitgaande dat dit goed nieuws was, waarom leek Edward dan zo kwaad en gepijnigd? En hoe was Prudence achter het telefoonnummer van hun vakantiehuis gekomen? Edward had haar verboden het aan Rose of Nancy te geven, het argument aanvoerend dat ze even verlost moesten zijn van de eeuwige belasting van haar familie. Maar had hij het wel aan Prudence gegeven? Rufa wilde er niet over nadenken waarom die vrouw dacht dat ze het recht had hen lastig te vallen. Op het moment zelf was ze te veel in verwarring geraakt en te bang geweest om hem ernaar te vragen.
De officiële, verlate huwelijksnacht was een mislukking geworden. Rufa wist niets anders te bedenken dan de volgende nacht opnieuw als eerste naar boven te gaan en nogmaals vol verwachting naakt onder de lakens te gaan liggen. En ze was verbijsterd geweest door

Edwards boze reactie. Hij had tegen haar gezegd dat ze zich niet hoefde uit te sloven; hij zou pas de liefde met haar kunnen bedrijven als hij het gevoel zou kwijtraken dat hij kwam opeisen wat hij gekocht had.
Rufa, murw door de vernedering, had de nacht doorgebracht aan de andere kant van het bed terwijl ze haar snikken in het harde kussen probeerde te smoren, terwijl Edward, die afwijzend zijn pyjama had aangetrokken, naast haar had liggen slapen.
De volgende ochtend had hij heel lief zijn verontschuldigingen aangeboden. Ze hadden samen een magische dag doorgebracht, over een plaatselijke markt geslenterd en geluncht onder wijnranken. Edward had haar de eer aangedaan haar in vertrouwen te nemen. Hij legde uit dat hij niet alleen over Prudence inzat – hij onderhield daarnaast een lange en pijnlijke corrspondentie met het Oorlogstribunaal in Den Haag, over zijn ervaringen in Bosnië. Voor het eerst vertelde hij haar over zijn teleurstelling in het soldatenleven waardoor hij uit het leger was gegaan. Bijna terzijde had hij opgemerkt dat Prudence hem nog steeds kon kwetsen omdat zij vrijwel zijn enige familielid was, en dat Rufa (die immers als geen ander wist hoe vermoeiend familie kon zijn) zich daarover niet ongerust hoefde te maken.
Hij was fascinerend geweest en charmant. Rufa had genoten van zijn onverdeelde aandacht, die thuis altijd zo moeilijk te vangen was. En toen deze gouden dag voorbij was waren ze samen naar bed gegaan en hadden weer niet gevrijd. Rufa was ziedend van woede en verlegenheid over haar mislukte 'prestatie' en had haar naaktheid bedekt met een T-shirt. De toon van de huwelijksreis was gezet.
Het niet vrijen was routine geworden. Nacht na nacht had Rufa wakker gelegen naast haar echtgenoot en naar zijn regelmatige ademhaling geluisterd. Het was ongelooflijk, maar hij sliep. Hij had geleerd om te kunnen slapen in tanks, loopgraven en andere plaatsen die veel oncomfortabeler waren dan een tweepersoonsbed met een ongeneukte vrouw erin. Als het niet die ene keer anders was geweest zou Rufa zich zorgen hebben gemaakt dat er iets met hem mis was, of met haar.
De herinnering maakte haar ademloos en onhandig. Ze moest er steeds weer aan denken en schaamde zich er een beetje over, alsof ze zich vastklampte aan de herinnering van een droom.

'Het is een soort plaatselijke versie van brandy, hebben ze me verteld,' zei Edward. Hij schonk de lichte, goudkleurige vloeistof in

twee glazen en gaf Rufa er een. De geur, die leek op het geconcentreerde extract van miljoenen druiven, vermengde zich duizelingwekkend met de geuren van lavendel en pijnbomen en van de dikke rozemarijnhaag die onder het terras stond. Silvia, de oudere huishoudster wier diensten bij de huur van de villa waren inbegrepen, had de restanten weggeruimd van een lange, luie lunch. Ze voelden zich allebei loom door de hitte en de verzadigdheid.
Rufa wist dat ze niet goed tegen drank kon en beperkte zich meestal tot een glas volle rode wijn. Maar de brandy was anders. Bij elke slok verspreidden zich de loomheid en stille tevredenheid door haar lichaam.
Ze zaten in de schaduw van een grote groene parasol, op dikke, veelkleurige katoenen kussens die roken naar aangekoekt stof. Witbetonnen bloembakken waren tot de rand gevuld met dieprode geraniums. De muren van de villa vertoonden magentakleurige vlekken waar de bougainvillea rond de ramen met gesloten luiken groeide.
'Dit is hemels,' zei Rufa. 'Absoluut hemels. Ik wil hier nooit meer weg.'
Edward zei: 'Neem er nog een,' en vulde hun glazen opnieuw.
Zoals ze vaak deden, hadden ze zitten praten over de werkzaamheden die nog steeds op Melismate aan de gang waren. Edward maakte Rufa aan het lachen door te vertellen over de merkwaardige verbeteringsvoorstellen van Rose. Hoewel ze zich soezerig voelde was ze zich bewust van zijn genegenheid voor hen en het gevoel van grote veiligheid dat die haar gaf. De brandy verdoofde haar zintuigen met zoetheid. Ze hield haar glas weer op.
Edward was ontspannen en lief en hij lachte haar uit. 'Doe niet zo dwaas, je bent al volledig teut.'
'En waarom niet? Ik word nooit teut. Ik heb nooit beseft dat het zo'n heerlijk gevoel is. Ik denk dat ik de alcohol ontdekt heb; tot vandaag heb ik nooit begrepen waar iedereen zich druk over maakte.'
'Je wordt er heerlijk ontspannen van,' zei Edward. 'Je bent eindelijk opgehouden met zoeken naar wat je nu weer kon gaan doen.'
'Ik wou maar dat mam me nu kon zien. Dan zou ze weten hoe goed je voor me bent.'
Rufa nam nog een slokje brandy. Ze leunde achterover in de kussens, staarde uit over de lapjesdeken van okerkleurige en rood getinte velden en voelde zich volledig vrij van welke pijn dan ook. Ze voelde zich omgeven door diepe rust, hoewel de wereld schrikbarend rondtolde als ze haar hoofd bewoog. Ze had er minder last

van als ze haar ogen dichtdeed, maar ze had geen zin om te slapen. Haar lichaam was overgevoelig. Elke cel was springlevend. Ze was zich dromerig bewust van haar tepels die tegen de binnenkant van haar zijden jurk heen en weer schoven en van de gezwollen warme plek tussen haar benen.

Edwards armen lagen om haar heen. Zijn stem klonk zacht en plagend in haar oor. 'Kijk nou eens hoe je erbij zit... dronken en tot niets in staat. Je kunt beter even gaan liggen.'

Ze zuchtte. 'Ik kan me niet bewegen.'

'Dat hoeft ook niet.' Alles tolde weer rond toen hij haar uit de stoel tilde en haar over het terras droeg. Ze moesten allebei lachen. Rufa begreep niet wat er zo grappig was, behalve dat het plotseling heerlijk was om te leven. Haar bewustzijn schommelde heen en weer tussen onnozel, soezerig geluk en het gevoel van Edwards lichaam. Ze liet haar duizelige hoofd op zijn schouder rusten.

Ze lag op het zachte matras van het grote tweepersoonsbed. Vaag voelde ze dat Edward haar sandalen uittrok.

Hij mompelde: 'Wil je dat ik je jurk uittrek?'

'Mmm. Ja.' Zelf was ze er niet toe in staat, al zou haar leven er vanaf hangen.

Ze voelde zijn warme en sterke vingers de voorste knoopjes losmaken. Ze voelde hoe hij de zijden stof van haar aftrok, waarbij haar naakte huid zichtbaar werd. Ze voelde zijn lippen op haar borsten en hoorde zichzelf van heel ver weg een sidderende zucht van verlangen slaken.

En toen opeens, alsof de film een paar beelden was doorgedraaid, lag hij geheel gekleed bovenop haar en voelde ze hem in zich bewegen. Weer een paar beelden verder had ze haar benen om zijn middel geslagen en hem vastgegrepen. Er bestond alleen nog de heerlijke behoefte om door hem geneukt te worden. Ze kwam klaar, haar binnenste vernauwde zich om hem heen en ook hij bereikte een orgasme. Het bed ging onder hen heen en weer.

Naderhand keek Rufa naar Edward in de schaduwen van de met luiken afgesloten kamer, terwijl hij snel en zwijgend zijn kleren uittrok. Ze had het gevoel dat hij haar had verpletterd en weer in elkaar had gezet als herboren persoon. Ergens in haar verwarde, benevelde geest dacht ze met verbazing aan de vroegere Rufa, die had gemeend dat die arme Jonathan een goede minnaar was. Edward was een klasse apart. Hij had een sterk lichaam zonder een greintje vet, met driehoekige plukjes haar op zijn borst en schaamdelen. Als gehypnotiseerd staarde ze naar zijn stijve penis en vroeg zich af hoe hij die bij haar naar binnen had gekregen; ze werd zwak van

verlangen hem nogmaals in zich te voelen.
Dit keer bedreef hij traag de liefde met haar terwijl hij haar in de ogen keek en zich met ijzeren wil inhield tot hij met een kreun van verlossing zijn hoogtepunt bereikte. De kamer loste rond Rufa op. Ze lag tegen zijn borst en viel in een slaap van duizelig, gedachteloos geluk.

Terwijl ze zuchtte duwde ze de herinnering weg, maar niet snel genoeg om de herinnering aan de volgende dag te vermijden. Ze was vroeg in de ochtend wakker geworden met een afschuwelijke hoofdpijn en bracht de hele dag door met overgeven en zweren dat ze nooit meer alcohol zou aanraken. Edward was heel zorgzaam voor haar geweest. Die avond, toen ze voldoende hersteld was om kamillethee te drinken in het licht van de maan, had hij rustig zijn verontschuldigingen aangeboden. Toen ze hem smeekte van haar aan te nemen dat ze geen excuus verwachtte had hij haar genegeerd. Ze kon het hem niet kwalijk nemen – haar gezicht in de spiegel was bleek met zwarte kringen onder haar roodomrande ogen. Ze leek een wandelend lijk. Een paar keer zag ze dat Edward haar ernstig bezorgd bekeek, alsof hij per ongeluk iets had gedood. Daarna hadden ze niet meer gevrijd.
Rufa verlangde ernaar dat Edward de liefde met haar zou bedrijven en had zich een paar keer vernederd door bedekte toespelingen te maken, waar hij niet op in was gegaan. Ze had die toespelingen net zo goed tegen een muur kunnen maken. Ze durfde geen afwijzing te riskeren door het hem rechtstreeks te vragen. Ze werd te veel geïntimideerd door zijn depressieve buien, waarin hij een zwarte muur rond zichzelf optrok. En af en toe was ze zelfs een beetje bang voor hem. Hoewel de buien niet op haar gericht waren, leek hij op die momenten een vreemde voor haar.
Nu ze weer thuis waren was hij meer zichzelf. Ze hadden de avond ervoor niet gevrijd, maar ze hadden samen een hoop lol gehad in bed. Edwards stekelige commentaar op Ran had haar vreselijk aan het lachen gemaakt. Vandaag voelde Rufa dezelfde opgewektheid als voor haar huwelijk. Ze waren tenslotte weer terug in het oude vertrouwde wereldje. Het feit dat ze getrouwd was veranderde daar vrijwel niets aan.
Ze goot kokend water over de gedroogde porcinipaddestoelen en snoof begerig hun mossige bosgeur op. Het was heerlijk om voor jezelf te koken als je niet over de kosten van de ingrediënten hoefde na te denken. Ze was eindelijk over haar bezwaren heengestapt met betrekking tot het uitgeven van Edwards geld en stond zichzelf

toe tegemoet te komen aan haar passie voor het optimale. Bij de delicatessenwinkel in Cirencester had ze een grote homp Parmezaanse kaas gekocht, die hard en kalkachtig was. Ze had een groot pak verse, dikke, paarse vijgen gekocht, plakken Parmaham en flinterdun gesneden gedroogd vlees. Uit Italië had ze een aantal flessen marsala meegenomen, potten sterke zwarte olijven in olie en bontgekleurde aardenwerken potten. In Edwards tuin had ze een grote schaal met donkerrode tomaten en een handjevol aromatische oregano en rozemarijn gevuld. Ze stond in een rustige, zonnige keuken het heerlijke diner klaar te maken. Als dit niet het geluk vertegenwoordigde, dan leek het er toch veel op.

Ze hadden vanavond Rose en Roger te eten gevraagd. Rufa was bezig met een Italiaans banket. Ze besloot als toetje een zabaglione te maken met de marsala. Ze had nog maar één keer eerder zabaglione gemaakt, voor een dineetje in Londen en was toen te veel bezig geweest het recept goed te volgen om ervan te kunnen genieten. Ze verheugde zich erop om het eiwit tot schuim te kloppen in de koperen pan die ze in Florence op de kop had getikt.

Het Italiaanse thema was des te toepasselijker omdat er een hittegolf heerste. De hitte lag als een gouden siroop over het land en maakte zelfs de bijen slaperig. Er kwam er een verdwaasd door het open raam binnenvliegen, en hij bleef rustig in Rufa's hand liggen toen ze hem weer buiten zette. Deze warmte, die tegelijkertijd intenser en zachter was dan in Italië, maakte haar overweldigend bewust van haar eigen lichaam. Ze wilde hard werken, zoveel mogelijk te doen hebben om afgeleid te worden van de voortdurende steken van verlangen die ze voelde. Ze had zich niet meer zo op en top levend gevoeld sinds het hoogtepunt van haar affaire met Jonathan. Het was een oncomfortabel gevoel, zoiets als het gevoel dat terugkeerde in een slapend been.

Aan het andere eind van de gang hoorde ze een deur dichtvallen. Edward kwam binnen, terwijl hij zijn ogen masseerde. Er had een grote stapel brieven op hem liggen wachten, waaronder een over Bosnië. Hij was de hele middag bezig geweest die te beantwoorden. Rufa nam aan dat hij daarom zo moe leek.

'Lieveling,' zei hij. Hij gebruikte niet veel liefkozende woorden, en als hij het wel deed zat er een speciale weerklank aan.

Rufa was op haar hoede. 'Wat is er?'

'Mijn lieveling, het spijt me zo. Je zult Rose en Roger moeten afzeggen.'

'O.' Ze was teleurgesteld, maar vastbesloten om positief te blijven. 'O, nou ja. Het is niet het einde van de wereld.'

'Ik zou er alles voor over hebben om je hier niet mee op te zadelen, maar het is nu te laat om er iets aan te veranderen. Ik ben bang dat Prudence ons met haar bezoek zal verrassen.'
'Wat!' Rufa kon haar verontwaardiging niet verbergen.
Hij zuchtte. 'Ze zal over ongeveer een uur hier zijn en ze is van plan te blijven. Ik weet dat het veel te kort dag is. Ze heeft me pas verteld dat ze zichzelf had uitgenodigd toen ze al onderweg was. Ik neem aan dat ze wel wist dat ik nee zou zeggen.'
'En waarom heb je dat dan niet gedaan?'
'Ze heeft blijkbaar brand gehad in haar flat in Londen.'
'Wat mankeert er aan haar flat in Parijs?' snauwde Rufa. Ze was verbaasd door haar eigen stekeligheid.
'Die heeft ze aan iemand uitgeleend. Maar ze zal hier maar een paar dagen blijven, dat kan ik je wel beloven.' De gekwelde blik verdween langzaam van zijn gezicht. Hij wierp Rufa een wrang glimlachje toe. 'Beschouw het maar als de eerste test in je getrouwde leven – het uithouden met Prudence en haar gestook.'
'Is ze hierheen gekomen om te stoken?'
'Waarschijnlijk wel.' Hoewel hij nog steeds glimlachte kon Rufa zijn woede voelen.
'Maar je zei toch dat ze je had vergeven dat je met mij getrouwd was.'
'Niet precies. Ik heb verteld dat ze had gezégd dat ze me had vergeven. O, god. Wat een waardeloze thuiskomst.' Hij sloeg zijn armen om Rufa heen. 'Het spijt me werkelijk.' Hij kuste haar in haar nek. Rufa zuchtte en leunde tegen zijn borst aan. Hij streelde haar haar met zijn vingers. 'Ze zal roodgloeiend van woede zijn als ze ziet hoe mooi je bent.'
'Heb je haar dan verteld dat ik er heel gewoontjes uitzag?'
'Tristan zal onder de indruk zijn van mijn aantrekkingskracht. Hij denkt dat geen vrouw me aantrekkelijk vindt.'
Rufa begon te lachen. 'Dus het jochie komt ook mee. Ik zal de bedden maar gaan opmaken.'
'Het is lief van je dat je niet kwaad bent,' zei Edward.
'Ja, dat weet ik.'
'Dank je. Ik zal het goedmaken – en ik zal tegen Rose zeggen dat het allemaal mijn schuld is.'
'Maak je geen zorgen. Mam zal het niet erg vinden. Ze kunnen altijd een andere keer komen.'
'Waarschijnlijk zal er wat onderhuidse agressiviteit zijn over het geld.' Edward liet haar los en gaf haar nog een liefkozende kus. 'Maar Tristan zal ons er niet op aankijken, het is een aardige jon-

gen. En Pru is te welgemanierd om een scène te maken.'
Rufa, die verwarmd was door zijn omhelzing, zei: 'Gelukkig is er nog iemand welgemanierd. Iedereen lijkt de afgelopen weken alleen maar operascènes te hebben opgevoerd. Waarom moeten veranderingen allemaal tegelijk gebeuren?'

Polly keerde de bestekla om boven de beschadigde keukentafel en liet de inhoud erop vallen. Het was allemaal rommel, vies en kapot. Ook dit bestek zou ze toevoegen aan de groeiende stapel afval bij de achterdeur. Ze zou onvoorstelbaar veel moeten weggooien voordat ze haar eigen smetteloze keukenspullen kon uitpakken. Nu Ran had gezorgd dat zijn dochter weg was, kon ze naar hartenlust tekeergaan in zijn kasten.
Alles kon weg. Een zekere mate van verwaarlozing was te verwachten in een boerderijkeuken, maar dat gold dan alleen voor dingen die aanvankelijk goed waren geweest. Hier was alles goedkoop, gedeukt, verbogen en smerig. Als het nodig was zouden ze in een hotel logeren terwijl Semple Farm werd leeggehaald. Polly was niet zo buiten zinnen van liefde dat ze het leuke hotelletje in het dichtstbijzijnde marktstadje niet had opgemerkt.
En een ander tijdelijk verblijf zou weleens het welkome bijkomende effect kunnen hebben dat het kind haar niet in de weg zou lopen, totdat Polly had bedacht hoe ze haar moest behandelen. Kinderen vormden zo'n mysterie. Wat moest je de hele dag met hen doen als je geen kindermeisje had? Als het kind hier vaak zou zijn was het misschien handig om een huishoudster in dienst te nemen. Linnet had zich de hele tijd aan Ran vastgeklampt en Polly voortdurende giftige blikken toegeworpen. Ze waren geen moment samen geweest.
Polly had dit probleem nog niet met Ran besproken. Daar had ze nog geen tijd voor gehad. Zodra ze samen waren konden ze niet van elkaar afblijven. Polly slaakte een zucht en rekte zich eens lekker uit. Het warme weer maakte hun hartstocht nog intenser. Elke nacht lagen ze naakt en bezweet onder een laken. Polly, die nooit had willen weten dat er zoiets onbehoorlijks als zweet bestond, vond het heerlijk om de zoute laag van Rans gladde huid te likken. In het maanlicht schoof Ran haar benen uit elkaar. De veren in zijn bobbelige, versleten matras kraakten als hij op haar rolde. Dan werden ze één en bewogen zich gehaast naar een climax toe, die uren leek te duren.
Rufa's bruiloft was op zaterdag geweest. De maandagochtend daaropvolgend had Polly Berry schaamteloos op de mouw gespeld dat

ze naar Petersfield ging om haar ouders te bezoeken. Die arme Berry had aangenomen dat het iets te maken had met hun eigen huwelijk en had haar met dankbare genegenheid vaarwel gekust.
Polly was rechtstreeks naar Semple Farm gereden, en het interesseerde haar niet of iemand haar zou zien. Ran wachtte haar op, zoals ze opgewonden fluisterend hadden afgesproken. Een paar minuten later waren ze op een krakende, naar hond ruikende bank aan het vrijen. Het was een openbaring. Polly had slechts vaag de smerige omgeving opgemerkt. Ze was te beneveld geweest door Rans buitengewone knapheid. In de verte was ze zich bewust van zijn afschuwelijke kleren en idiote standpunten, maar die waren onbelangrijk. Hij was onschuldig, een engel. De kleren konden worden aangepast en de standpunten waren aanbiddelijk. Polly voelde zich vederlicht door de vreugde van het van huid verwisselen.
Later waren ze hand in hand het zandspoor afgelopen naar haar auto. En weer hadden ze de liefde bedreven, op het gras, in het licht van de grote, oranje, blauwgeaderde maan. Rans luide gekreun van genot had zich vermengd met de kreten van vossen en uilen. Toen het voorbij was had hij tranen met tuiten gehuild tegen haar schouder en haar gesmeekt altijd bij hem te blijven. Zij was de vrouw naar wie hij zijn hele leven al had gezocht. Hij kon niet leven zonder haar. Bij haar tweede clandestiene bezoek was Polly er zeker van geweest, koesterde er geen enkele twijfel meer over, dat ze hem nooit meer zou verlaten.
Het was vreselijk om Berry de bons te moeten geven, maar ze had besloten dit net zo efficiënt aan te pakken als alle andere zaken in haar leven. Ze had ervoor gezorgd dat het op een vrijdag zou gebeuren, zodat Berry de volgende dag niet met een gebroken hart naar zijn werk zou hoeven. Voordat hij thuiskwam had Polly een heel goede verhuisfirma opgebeld en een afspraak gemaakt voor maandagochtend. Al eerder had ze Jimmy Pellew uitgenodigd met haar te lunchen om hem haar opwindende verhaal te vertellen en ontslag te nemen bij de galerie.
Tegen de tijd dat ze Berry buiten hoorde fluiten had Polly de schoonmaakster al gezegd dat ze niet meer hoefde te komen, een makelaar gebeld over de verkoop van de flat en Harrods opdracht gegeven de grotere meubelstukken op te slaan. Hoewel Berry het natuurlijk niet besefte was hij zijn huis al kwijt voordat hij de sleutel in het slot had gedraaid.
Polly had pijnlijke herinneringen aan het gesprek. Het was natuurlijk vreselijk geweest. Ze had die arme Berry gezegd dat hij moest gaan zitten en hem een glas brandy gegeven. Ze had uitgelegd dat

haar onverwachte wedergeboorte niets met hem te maken had, waarbij ze hem dapper in zijn geschrokken, kwetsbare bruine ogen had gekeken. Het speet haar heel erg, maar deze passie was sterker dan hen beiden.
Berry was uiteraard erg overstuur geweest, maar (en hierover weigerde Polly verder na te denken) op een enigszins onbevredigende manier. Hij had geen traan vergoten en haar ook niet gesmeekt te blijven. Hij had voornamelijk zijn best gedaan (misschien een beetje te veel?) om zich behulpzaam op te stellen. Het was weliswaar karakteristiek voor hem om lief en zorgzaam te zijn, maar toch. Tijdens een pauze in haar bekentenis was Polly thee gaan zetten. Berry had zijn zus gebeld om te vragen of hij een tijdje kon logeren in de extra kamer in haar flat in Clapham. En ze had gezien dat hij de hoorn een stukje van zijn oor hield, omdat die verdomde Annabel keihard 'Zippedee-Do-Dah' begon te zingen. Godzijdank had ze het achter de rug.
Polly was dat weekend naar haar ouders in Petersfield gegaan om Berry de tijd te geven zijn bezittingen uit het huis te verwijderen en om het nieuws aan haar ouders te vertellen. Haar moeder was vreselijk overstuur geweest en was boos over het geld dat al besteed was aan gegraveerde uitnodigingen, dure bloemisten en nog duurdere champagne. Iedere keer als ze dacht aan de huwelijksgeschenken die moesten worden geretourneerd was ze naar boven gegaan om even te gaan liggen.
Haar vader leek alles bij elkaar genomen opgelucht te zijn en zei meer dan eens hoe blij hij was dat hij nog geen geld had uitgegeven aan een nieuwe beurs voor zijn kilt – hij had toch al geen zin gehad dat ding te dragen. Dat onplezierige weekend behoorde nu ook tot het verleden. Sindsdien had Polly al haar tijd doorgebracht op Semple Farm, waar ze steeds verder zakte in een peilloze verliefdheid.
De liefde had haar gezichtsvermogen niet aangetast. Ran moest zich met zijn kind bezighouden en een beetje rondstuntelen voor zijn 'werk' zoals hij het noemde – bijvoorbeeld de laatste pruimen naar de boerenmarkt brengen en af en toe wat wroeten in het uienveldje. De liefde maakte Polly absoluut niet blind voor het feit dat hij een waardeloze boer was, maar zijn opknapbeurt zou nog even moeten wachten. Polly besteedde de tijd in zijn afwezigheid met toekomstplannen maken.
Het huis stamde uit de tijd van koning George en was een juweeltje. Het zou prachtig kunnen worden – nadat Polly Ran nog een paar kinderen zou hebben geschonken en de twee stinkende hon-

den dood zouden zijn. Dit was een project voor de langere termijn. Polly was dol op uitdagingen. Ze zong in zichzelf terwijl ze een stapel borden met een enorme klap boven op de rommel kwakte en naar de verhuisdoos liep die haar op twee na beste serviesgoed bevatte.
Het duurde even tot ze het slanke figuurtje in de deuropening opmerkte. Ze keek op en zei na een korte gênante stilte: 'O. Hallo.'
Lydia, kleiner en meisjesachtiger dan ooit in haar gebloemde katoenen jurk met sandalen, sloeg een bevende hand voor haar mond. De twee vrouwen namen elkaar taxerend op. Polly kwam tot de conclusie dat Lydia's storende lieftalligheid min of meer teniet werd gedaan door de weerzinwekkende manier waarop ze zich kleedde. Voorzichtig zette ze een stapel kommen neer. 'Ik ben bang dat je Linnet gemist hebt. Ran heeft haar meegenomen naar Rufa.'
'Ik ben hier voor jou,' zei Lydia met zachte, aarzelende stem.
'Juist, ja,' zei Polly, op haar hoede. Ze kon zich het beste maar zo vriendelijk mogelijk opstellen, dacht ze. 'Nou, hier ben ik.'
'Waarom... waarom heb je de gele borden gebroken?'
Dat was een merkwaardige vraag en Polly vond het geen prettige gedachte dat iemand haar gezien had terwijl ze al zingend de boel kapot had gegooid. 'Ze waren beschadigd.'
'Ze waren een geschenk van Rans moeder,' zei Lydia op tragische toon. Alles wat ze zei klonk tragisch.
Polly zei: 'Echt waar? Achter op de borden stond Hotel Servies b.v. Het leek me onwaarschijnlijk dat het erfstukken waren.'
'Ze heeft ze gekocht toen wij trouwden.'
'O.' Wat moest ze hier in vredesnaam op zeggen? Verwachtte Lydia soms sympathie omdat ze bij de scheiding het Hotel Servies niet toegewezen had gekregen?
'Als je ze toch weggooit, mag ik ze dan hebben?'
'Ik neem aan van wel. Ik bedoel, natuurlijk.' Polly voelde zich in verlegenheid gebracht. 'Ik heb het niet met Ran overlegd, maar ik ben niet van plan om iets van dat servies te houden. Ik vind het patroontje nogal lelijk, om je de waarheid te zeggen. Ik zal een doos voor je halen.'
Het was nog niet duidelijk hoe Lydia zich tegenover haar zou opstellen. Polly wachtte af om te zien of ze zich vijandig zou gedragen of haar hippieachtig welkom zou heten en 'peace en love' zou toewensen. Je kon het nooit weten met die familie.
Lydia vroeg: 'Moet je de cadeaus teruggeven als je bij nader inzien niet trouwt?'
Polly glimlachte, maar was woedend. Deze vrouw was slimmer dan

ze leek, anders had ze de vinger niet zo snel op de zere plek gelegd. 'Een aantal zal ik uiteraard retourneren.' (De juskom van de telg van de koninklijke familie en het bestek van Berry's oom en tante.) 'Maar andere mensen zal ik een briefje schrijven om de nieuwe situatie uit te leggen. Die zullen misschien willen dat ik hun geschenk houd.'
Lydia verwerkte starend de woorden 'nieuwe situatie'. 'Jij kunt er niets aan doen,' zei ze. 'Ik wil jou de schuld niet geven. Je kunt het niet helpen dat je verliefd bent geworden op Ran. Maar denk alsjeblieft niet dat hij ook van jou houdt.'
Nu wist Polly hoe ze met haar moest omgaan. Ze sprak op medelijdende, geduldige toon. 'Ga even zitten, Lydia. Ik ben bang dat Ran me heeft gewaarschuwd dat dit zou kunnen gebeuren. Hij zei dat je de scheiding nog steeds niet kunt accepteren.'
Lydia balde haar vuisten. 'Er is geen sprake van een scheiding.'
'Dat is een beetje onnozel gezegd, vind je niet? Natuurlijk is er sprake van een scheiding.'
'Er ligt een stukje papier, meer niet. Dat betekent niet dat ik niet meer met Ran getrouwd ben. Volgens mij kun je beter teruggaan naar Londen, voordat hij ook jouw hart breekt.'
'Doe niet zo belachelijk,' beet Polly haar toe. 'Niemand zal mijn hart breken. Je bent hysterisch.'
'Niet waar!'
'Ik vind het ontzettend naar voor je, Lydia. Volgens mij vertoon je symptomen van een sluimerende depressie, en je zou naar iemand toe moeten gaan. Het is duidelijk dat je hulp nodig hebt. Maar het feit ligt er dat Ran verliefd op mij is geworden. Hij heeft me verteld dat hij het leven zonder mij niet aankan.' Polly's stem drukte zelfvertrouwen uit. 'Hij zei dat hij zijn leven voor me zou geven.'
'Dat zegt hij tegen iedereen.'
'Onzin. Je weet best dat dit anders is, waarom ben je anders hier? Ik neem aan dat ik me gevleid moet voelen.'
'Je laat je iets wijsmaken,' zei Lydia.
Polly kreeg genoeg van deze geestelijk gestoorde vrouw. 'Nee, dit keer is het werkelijk anders, en je kunt er maar beter aan wennen.' Ze wees naar een blauwe uitpuilende plastic zak die aan een van de kastdeuren hing. 'Zie je die? Dat is mijn bruidsjurk. Ik heb hem meegenomen omdat Ran en ik gaan trouwen.'
Lydia deinsde terug alsof Polly haar een dreun had verkocht. 'Heeft hij... heeft hij je gevraagd?'
'Ja.'
'Je liegt!'

Polly loog inderdaad. Ze was heftig verontwaardigd dat ze gedwongen was te liegen. Wat maakte het verdomme uit of Ran haar daadwerkelijk gevraagd had? Hij had de bruidsjurk zien hangen. Waarom zou ze die anders houden?

'Ik heb mijn best gedaan aardig tegen je te zijn,' zei ze, 'omdat je de moeder bent van Rans kind. Maar ik vind dat je nu beter kunt vertrekken. Dit is jouw huis niet meer.'

'Nee, en het jouwe ook niet!' Lydia's diepblauwe ogen waren nat van de tranen, maar haar stem klonk hoog en vastbesloten. 'Nu niet en nooit niet! *Je zult niet met Ran trouwen*!'

Hoofdstuk twee

Rufa deed de keukendeur achter zich dicht en toetste Wendy's nummer in. De telefoon werd vrijwel meteen opgenomen door Nancy, die een zesde zintuig had voor Rufa's telefoontjes.

'Nance, hoi. Ik ben het.'

'Lieverd, ik hoopte al dat je zou bellen. Hoe gaat het?'

'Goed. Heus. Ik wilde alleen even met een normaal mens praten, die niet elk woord dat ik zeg onder de microscoop legt.'

Nancy lachte zachtjes. 'Is de kust nu vrij?'

'Min of meer. Ik ben koffie voor haar aan het zetten.' Rufa had de hoorn tussen hoofd en schouder geklemd en was bezig de wit-met-gouden koffieset van de oude mevrouw Reculver uit te stallen. Haar streven naar perfectie werd met de dag sterker. 'Geef me alsjeblieft een receptje voor een gewone, simpele dag, heb medelijden.'

'Er is niets nieuws gebeurd sinds gisteren,' zei Nancy. 'Behalve dat Tiger Roshan smeekt bij hem in te trekken.'

'En dat wil hij niet? Waarom niet? Hij is toch verliefd op die grote lomperd?'

'Het heeft te maken met het toegeven van Tigers geaardheid,' zei Nancy. 'Hij ziet ertegenop dat dat in alle kranten zal komen. Tiger is, ook als hij nuchter is, een exhibitionist.'

Rufa lepelde koffie in de pot. 'Zeg Roshan maar dat hij mij moet bellen. Het liefst vroeg in de ochtend, maar een ander moment kan ook, zolang hij het niet erg vindt dat ik dan niet vrijuit kan praten.'

Nancy zei: 'Hij moet ook uitkijken met wat hij zegt als Tiger in de buurt is. Anders wordt die grote lomperd jaloers en gaat hij huilen.'

'O, jeetje. We kunnen niet allebei in code gaan praten. Zeg maar dat ik hem zal bellen als Prudence weg is.' Ze maakte een doos luxe chocoladebiscuitjes open – voornamelijk omdat ze er zo leuk uitzagen, aangezien Prudence zelden iets at, behalve gestoomde spinazie – en schikte ze netjes op een porseleinen schaal.

Nancy vroeg: 'Wanneer vertrekt ze?'

Rufa dempte haar stem, hoewel ze door een gang en twee dichte deuren van de zitkamer gescheiden was. 'Pas dinsdag.'
'Waarom zit jij met haar opgescheept? Ze is toch Edwards verantwoordelijkheid.'
'Hij doet zijn best, maar hij heeft het zo druk.' Rufa voegde hier niet aan toe dat Edward ook slechtgehumeurd was en geheimzinnig deed, of dat de koninklijke aanwezigheid van Prudence hem urenlang zijn kantoor in dreef. Er waren allerlei ingewikkelde redenen waarom ze dit niet aan Nancy kon vertellen. 'Ze valt best wel mee en Tristan is een schat. Maar door haar besef ik wel hoezeer ik het mis bij Wendy te zijn. Doe hun alsjeblieft allemaal de hartelijke groeten.'
Nancy vroeg: 'Gaat het echt wel goed met je?'
'Ik heb toch gezegd dat het prima gaat. En jij? Heb je Berry nog gezien de laatste tijd? Kun je zien of hij aan een gebroken hart lijdt?'
Er klonk een diepe zucht door de telefoon. 'Hij is naar Frankfurt. Hij is uitgezonden en zal er een aantal maanden blijven.'
'Ga achter hem aan.' Nu ze Nancy aan de praat had gekregen over haar lievelingsonderwerp voelde Rufa zich sterker. 'Zoek een baantje in een Bierkeller.'
'Ga me nou niet opjutten om mezelf voor gek te zetten,' zei Nancy op ongelukkige toon. 'Ik moet onder ogen zien dat ik het heb verpest. De eerste behoorlijke man die mijn pad kruist, en ik heb hem weggejaagd. Ik ben een zielig, tragisch slachtoffer van het Huwelijksspel.'
'Onzin,' sprak Rufa haar tegen. 'Wacht maar, hij komt wel terug. O, god, de ketel, ik moet gaan. Zullen we morgen nog even bellen?'
'Ru, wacht! Wat is er aan de hand? Ik weet dat er iets gaande is.'
Er was van alles aan de hand. Blikken, toespelingen, verborgen woede. Rufa kon het Nancy niet uitleggen. Ze was niet in staat zoiets ongrijpbaars als een sfeer te beschrijven.
'Het gaat prima,' zei ze. 'Daag!' Ze hing op.
Ze werd weer overvallen door de stilte in het huis. Ze staarde uit het raam naar de golvende lappendeken van velden en hagen in de zinderende hitte. Aan de buitenkant leek alles hartelijk en charmant te verlopen; die illusie was zo sterk dat Rufa zich dwaas zou hebben gevoeld als ze had getracht haar ongemakkelijkheid onder woorden te brengen. Alles werd bedekt door een ondoordringbare laag van beleefdheid.
Edward had zich in zichzelf teruggetrokken, zoals hij altijd deed als hij iets aan zijn hoofd had. Hij kon niet slapen. Bewegingloos lag

hij naast Rufa terwijl de spanning om hem heen bijna voelbaar was. Gisteravond had ze gemerkt dat hij uit bed stapte. Ze had twintig minuten op hem liggen wachten. Iets binnen in haar wilde weten wat hij uitspookte. Ze was opgestaan en had hem in de keuken aangetroffen terwijl hij naar de Wereldomroep luisterde. Toen hij haar hoorde had hij zich pijlsnel en bijna kwaad omgedraaid en zich toen verontschuldigd, gezegd dat hij nerveus was.

Rufa was niet tevredengesteld. Als Edward zei dat hij nerveus was, betekende dit dat hij zich zorgen maakte over het gedoe met het Oorlogstribunaal, en ze had er al mee ingestemd dat ze geen verdere toelichting daarover van hem zou verwachten. Maar ze was ervan overtuigd dat er nog iets anders aan de hand was. Ze voelde het verleden van Prudence en Edward tussen hen in hangen, zonder het te begrijpen, alsof ze halverwege een film was binnengestapt.

Ze droeg het blad met de koffie naar de zitkamer en ergerde zich aan zichzelf omdat ze zich afvroeg of ze zou moeten kloppen. Dit was haar eigen huis – waarom gedroeg ze zich als een eerste bediende?

Waarschijnlijk, bedacht ze opeens, omdat ik als zodanig behandeld word.

Prudence, gekleed in een witte linnen blouse en grijze linnen pantalon, zat op de bank te bladeren in een exemplaar van *Vogue*. Ze had zich bescheiden maar perfect opgemaakt en zat er volkomen op haar gemak bij. Op de voorpagina van het tijdschrift stond het gezicht van Selena; ze had matte paarse lippenstift op en de donkere achtergrond deed haar gelaat oplichten. De camera verleende haar magere, elfachtige gelaatstrekken een betoverende schoonheid, die uit een andere wereld afkomstig leek. Toen Rufa de in het tijdschrift afgedrukte ogen van haar zusje zag, half aan het zicht onttrokken door de dij van Prudence, werd haar gevoel van onwerkelijkheid versterkt.

Om de een of andere reden ergerde het Prudence dat Rufa's zusje op de voorpagina van *Vogue* stond. Het tijdschrift lag al twee dagen in de zitkamer en zodra het ter sprake kwam had ze er onaangename opmerkingen over gemaakt. Rufa was er een paar keer expres over begonnen, als de sfeer ondraaglijk werd. Ze wist niet waarom er een oorlog werd gevoerd of waarom zij daarbij betrokken was, maar ze had een instinct ontwikkeld voor de juiste wapens.

Prudence was achter in de veertig, maar haar leeftijd speelde geen rol. Ze was mooi en had haar schoonheid al zeker dertig jaar perfect onderhouden. Ze had een strakke, gebruinde, glanzende huid en kon nog steeds een zekere vrijmoedigheid uitstralen; dat deed ze echter alleen in de aanwezigheid van mannen. Ze was onlangs gescheiden van haar vierde, steenrijke echtgenoot. Edward had uitgelegd dat Prudence heel anders was opgevoed dan Alice. Hun vader had zijn huishoudster verleid en hoewel hij nooit met de vrouw gehuwd was, had hij overvloedig veel geld en aandacht besteed aan hun kind, Prudence. Als het zijn bedoeling was geweest de halfzusjes van elkaar te vervreemden was hij daar echter niet in geslaagd. De twee gezinnen, die beide diepongelukkig waren, zochten warmte bij elkaar. Ze hadden elkaar beschermd als zijn genegenheid van richting veranderde en hun krachten gebundeld zodat er niemand volledig zou worden buitengesloten. Het geld was tussen hen heen en weer geschoven. De zusjes hadden samen vakanties doorgebracht. Het was een merkwaardige en pijnlijke situatie geweest en Edward praatte er nog steeds niet graag over. Hij had het Rufa globaal verteld zodat ze zou begrijpen waarom Prudence en Alice zo verschillend waren.

Alice was rustig en teruggetrokken en volledig toegewijd aan Edward, zowel vanwege hemzelf als symbolisch voor de plaats waar ze in haar jeugd het gelukkigst was geweest. Prudence, die geen enkele scrupule voelde ten opzichte van haar vaders geld – of voor wiens geld dan ook – had de exotische, internationale levensstijl gekozen van de zeer rijken. Rufa begreep niet waarom de vrouw hier moest logeren terwijl haar flat in Londen werd schoongemaakt na de brand (een piepklein brandje, voor zover zij het had begrepen), want ze bezat nog mooie flats in Parijs en New York.

'Wat heerlijk,' riep Prudence uit. 'Je bent zo'n lieverd. Ik ben bang dat ik een vreselijke lastpost ben.'

'Nee, hoor.' Rufa zette het blad op de salontafel en knielde neer om de koffie in te schenken. Ze had geen zin om naast Prudence op de bank te gaan zitten.

'Sylvia's koffieset. Die heb ik jaren niet meer gezien. Is dat room? Ja, ik wil graag een beetje, alsjeblieft.'

Sylvia was de oude mevrouw Reculver. Rufa overhandigde Prudence een kopje koffie. Prudence zei: 'Mmm, je doet alles zo perfect. Je bent echt een voorbeeld. Geen wonder dat Edward dolverliefd op je is geworden. De weg naar het hart van een man, je weet wel.'

Rufa glimlachte. 'Hij eet gewoon wat hem wordt voorgezet. Ik geloof niet dat hij er veel om geeft.'

'O, alle mannen vinden dat belangrijk. En het leven met jou lijkt hem goed te bevallen. Heb ik al gezegd dat hij er erg goed uitziet?'

'Ja.'

Prudence had dit al gezegd, wel twee keer per dag. Ze vervolgde: 'Je verdient een medaille omdat je hem die baard hebt laten afscheren.'
'Daar had ik niets mee te maken.'
'Kom nou. Natuurlijk wel. Hij wilde indruk maken op een mooie jonge vrouw. En hij is op een leeftijd dat mannen zich zorgen gaan maken over hun voorbije jeugd.'
'Maar Edward is niet oud.' Rufa was zich onaangenaam bewust van het leeftijdsverschil van achttien jaar tussen haar en Edward, en het feit dat het Prudence altijd lukte om dat op te blazen.
'O, god, nee,' zei Prudence met een kort lachje. 'Als hij oud is, wat moet ik dan wel niet zijn? Maar zo'n knappe man wil de verloren tijd natuurlijk inhalen.'
Rufa zei: 'Neem een koekje.'
'Nee, dank je. Ik heb het eten twintig jaar geleden min of meer opgegeven. Ik kan je niet vertellen hoe dik ik was nadat ik Triss had gekregen. Heb je hem vanmorgen trouwens al gezien?'
'Ik geloof dat hij een wandelingetje ging maken,' zei Rufa.
Prudence glimlachte. 'Goed zo. Hij heeft zijn energie herontdekt, nadat hij ongeveer vijf jaar in een verduisterde kamer heeft doorgebracht. Zal ik Edward roepen voor de lunch?'
'Nee, hij komt vanzelf wel.' Rufa wist dat hij het niet was vergeten. Hij had er die ochtend over gemopperd, voordat Prudence op was, en gezegd dat hij haar nek zou omdraaien als ze weer over het geld zou beginnen. Rufa had van zijn opmerking genoten.
'Hij lijkt een beetje afwezig op het moment, vind je niet?' mijmerde Prudence. 'Niet mijn beeld van een man die net terug is van een huwelijksreis. Ik hoop maar dat het goed met hem gaat.'
'Het gaat prima met hem,' zei Rufa slapjes.
'Weet je,' zei Prudence terwijl ze op haar aantrekkelijke, katachtige manier glimlachte, 'misschien kan ik hem aan de praat krijgen als ik alleen met hem ben. Ik ben er altijd tamelijk goed in geweest om hem ertoe te krijgen mij in vertrouwen te nemen.'
Rufa probeerde koortsachtig een beleefde en terloopse manier te vinden om haar ervan te verzekeren dat Edward haar alles vertelde. 'Hij heeft de neiging zijn mond te houden als er andere mensen in huis zijn.'
Prudence trapte er niet in. 'Ja, het zal wel vreemd voor hem zijn om jou om zich heen te hebben na zo lang alleen geweest te zijn. De arme man spreekt zijn gevoelens niet graag uit. Het doet me erg denken aan... jij kunt je waarschijnlijk niet meer herinneren hoe de situatie was toen Alice was gestorven.'

'Niet echt.'
Ze bekeek Rufa kritisch, terwijl ze haar ogen toekneep. 'Tja, je was nog een kind.'
'Ik was elf.'
'Het zal wel moeilijk voor je zijn om in de schaduw van je voorgangster te leven. Zeker omdat het zo'n geweldig huwelijk was.'
'Edward praat niet veel over haar.'
'Het probleem van dat huwelijk,' zei Prudence, 'is dat Edward voor zijn leven verwend is.'
'Sorry?' Dit had Rufa niet verwacht.
'Volgens mij heeft Alice het beste deel van hem mee het graf in genomen. Hij is niet meer in staat om verliefd te worden. Er is bij hem iets weggebrand. Vind je hem soms niet een beetje onbenaderbaar?'
Ze leek een antwoord te verwachten. Rufa boog haar hoofd en rommelde een beetje met het serviesgoed op het dienblad.
Prudence vatte haar zwijgen op als een bevestiging. 'Ik neem aan dat hij je verteld heeft dat hij iets gehad heeft met mij? Ja, natuurlijk, hij is een vurig voorstander van de waarheid, en dat soort onzin. En mijn ervaring is dat je zijn gevoelens ongeveer moet vertrappen om enige reactie los te krijgen. Het is niets geworden omdat ik meer warmte nodig had. Meer hartstocht, zou je kunnen zeggen. Ik neem aan dat hij met Alice wél hartstochtelijk was. Ofschoon ze me nooit in vertrouwen heeft genomen; ze leek op hem, ook een gesloten type.' Glimlachend sloeg ze haar lange benen over elkaar en gooide het gesprek over een andere boeg. 'Je moet weten dat ze allebei een nauwe band hadden met Tristan. Toen die klein was vond hij het heerlijk om hier te zijn en hij adoreert Edward nog steeds. Toen ik in het buitenland verbleef stuurde ik Edward altijd naar zijn sportdag van school. Ik hield eerlijk gezegd helemaal niet van dat soort dingen, en Edward is een van die mensen die met het grootste gemak met huismeesters en dergelijken praat. Ik heb dat nooit in me gehad.'
Ze zweeg even om de boodschap te laten doordringen: Edward was als een vader voor haar zoon, het middelpunt van haar familie. Rufa begreep het. Ze bedacht dat ze Prudence maar een kreng vond omdat ze iemand anders stuurde om haar zoon op de kostschool te bezoeken.
'Het is zo grappig om te zien dat Tristan opeens een grote liefde voor het platteland heeft ontwikkeld. Toen ik hem naar die school stuurde, ergens achteraf, zat hij daar voortdurend over te klagen. En nu smeekt hij me hier te mogen blijven tot hij weer naar school

moet. Denk je dat Edward daartegen bezwaar zal hebben?'
'Nee, natuurlijk niet. Hij zal het leuk vinden.' Hiervan was Rufa zeker. Edward was erg gesteld op Tristan, die nu twintig was en in Oxford studeerde. 'Maar zul je hem niet missen?'
'Niet als hij een van zijn pruilbuien heeft.'
'Ik heb hem nog nooit zien pruilen.'
Prudence zei: 'Er is zoveel wat je nog niet gezien hebt.' Ze nam een slokje koffie en bleef weer even zwijgen om Rufa de gelegenheid te geven de mogelijke verborgen betekenis achter deze opmerking te raden. 'Hij bewaart zijn slechte buien voor mij. Je zult begrijpen wat ik bedoel als je zelf een kind krijgt.'
Rufa voelde zich uit het veld geslagen. Was het mogelijk dat Prudence wist dat zij en Edward nog maar één keer met elkaar hadden gevrijd?
'Ik neem aan dat je daar binnenkort mee zult beginnen,' zei Prudence. 'Het is wel duidelijk dat Edward daarom zo'n haast had om te trouwen. Voor je eigen bestwil hoop ik dat je het moederlijke type bent.'
Zwakjes vroeg Rufa: 'Waarom heb jij maar één kind?' Ze bedoelde er niets mee, maar besefte meteen dat ze weer in de roos had geschoten omdat ze hiermee Prudence herinnerde aan het leeftijdsverschil tussen hen beiden.
Prudence lachte vrolijk. 'Ik heb genoeg aan Tristan, dank je. Als je een dag of twee, drie over hebt, zal ik je weleens vertellen over de onsmakelijke relatie die ik met zijn vader had.' Ze dronk haar koffie, pakte een koekje, bekeek het en legde het weer terug op de schaal. 'De eerste scheiding is de ergste. Ik zou het niet overleefd hebben zonder Edward.'
Ze had blauwe, amandelvormige ogen, die omgeven waren door een zeer strakke huid. Misschien, dacht Rufa, leken ze daardoor zo hard. In haar gedachten smeekte ze Prudence om haar niet in vertrouwen te nemen.
Maar die liet zich niet weerhouden. Ze maakte enkele elegante bewegingen om eens goed te gaan zitten voor de beslissende wedstrijd, vermomd als bekentenis. 'Hij is een rots in de branding voor me geweest, een absolute rots. Mijn hele afschuwelijke leven lang en tijdens al mijn stomme huwelijken. Ik zal eerlijk toegeven dat ik hem als vanzelfsprekend beschouwde. Ik ging ervan uit dat hij er altijd voor ons zou zijn. Ik had hem moeten vasthouden toen ik de kans had.'
Rufa voelde haar wangen branden. Ze kreeg een paniekgevoel in haar maag. 'Wanneer heeft hij je ten huwelijk gevraagd?'

'Dat heeft hij niet gedaan,' zei Prudence. 'Ik had hem moeten vragen. Maar zie je, Rufa, ik dacht dat dat niet nodig was.' Ze bleef glimlachen, maar Rufa twijfelde er niet aan dat ze razend was. 'Heeft hij iets verteld over wat er in Parijs is gebeurd?'
'Ja, hij zei dat jullie ruzie hadden gehad. Over mij.'
'Niet over jou persoonlijk,' zei Prudence. 'Meer over het feit dat Edward dacht dat hij vrijgezel was. En dat hij daarom kon trouwen met wie hij wilde.'
Dit zette haar wereld te erg op zijn kop om het in een keer te kunnen begrijpen. Vond Prudence soms dat zij eigenlijk zijn echtgenote was? Dan kon toch niet mogelijk zijn.
Iets in haar reactie maakte Prudence milder. De agressieve vriendelijkheid verdween van haar gezicht. Ze zag er opeens moe uit. 'Dat is een van de basisverschillen tussen mannen en vrouwen,' zei ze. 'Als een vrouw zegt dat ze vrijgezel is, is dat precies wat ze bedoelt. Maar als een man beweert dat hij vrijgezel is, betekent dat alleen dat de vrouw met wie hij neukt niet goed genoeg is.'
'Zo zit Edward niet in elkaar,' verklaarde Rufa. Ze was niet van plan Prudence op haar woord te geloven.
'O, ik weet dat hij vol eer en ridderlijkheid zit en, mijn god, hij zorgt er wel voor dat je dat niet vergeet.' Prudence klonk nu bitter. 'Daarom vond hij dat hij je als ridder te paard te hulp moest snellen, om je dak te repareren en je familie voor de ondergang te behoeden. Het had allemaal te maken met zijn belachelijke loyaliteit ten opzichte van je vader.'
Rufa boog het hoofd. Haar eigen onnozelheid, in combinatie met de armzalige omstandigheden van de familie, had Edward vrijwel gedwongen om het juiste te doen en met de Mans oudste dochter te trouwen. Prudence wilde dat ze wist dat Edward deze romantische daad had gesteld zonder rekening te houden met de gevoelens van de vrouw die van hem hield. En hij weigerde met Rufa te vrijen omdat hij zich nog verbonden voelde met deze andere vrouw. Omdat de situatie die Prudence beschreef zo wreed was, dacht Rufa dat het waar moest zijn.
'Pru?' klonk Edwards stem vanuit de gang.
'Ik zit hier!' Prudence werd door elke mannelijke stem opgeladen, alsof er een inwendige lichtknop werd omgedraaid.
Edward kwam de kamer binnen. 'O, hier ben je dus.' Hij keek hen aan.
Prudence glimlachte hem toe. 'Hallo. Waar heb jij je de hele ochtend verstopt?'
'Sorry, ik moest werken.'

'Rufa heeft geweldig goed voor me gezorgd.'
Edward trok een fronsend gezicht. Dat deed hij vaak in de aanwezigheid van Prudence. 'Mooi zo. Als we nog willen lunchen moeten we volgens mij nu weg. Dwing me alsjeblieft niet om een das om te doen.'
'Met deze hitte? Zo sadistisch ben ik niet.' Prudence sprong op en gaf Edward een kus op zijn wang. Ze veegde een denkbeeldig stofje van zijn schouder. 'En trouwens, dat shirt staat je geweldig.'
Weer fronste hij, maar Rufa zag nu voor het eerst wat precies de reden was dat ze zich zo ongemakkelijk voelde als ze Edward en Prudence samen zag. Er bestond geen lichamelijke reserve tussen hen. Prudence liet haar in de geheimtaal van vrouwen, die voor een man zo onhoorbaar was als een hondenfluitje, weten wat er in Parijs was voorgevallen. Zij en Edward waren geliefden gebleven en wat Prudence betrof was hun verhouding nog niet voorbij.
Daarna was alles anders. Prudence had het niet duidelijker kunnen zeggen als ze het door een megafoon had geroepen: zij en Edward hadden een veel inniger gemeenschappelijk verleden dan wat Rufa was wijsgemaakt, en Prudence wilde Rufa gewoon laten weten dat haar positie van jonge, mooie nieuwe bruid niet zo onaantastbaar was als ze dacht.
Was het bedoeld als waarschuwing dat ze nog steeds een gevaar vormde? Neerslachtig door deze uiterst merkwaardige situatie zei Rufa de twee gedag toen ze vertrokken om te gaan lunchen. Prudence zou geen enkele bedreiging voor haar vormen als Edward ergens anders bevrediging had kunnen vinden. In de warme nachten lag hij naast haar en raakte haar alleen per ongeluk aan. Ze lagen centimeters van elkaar vandaan, maar het leken kilometers. Had Prudence het geraden? Was het zo duidelijk?
Rufa stond in de lege zitkamer met het blad in haar handen geklemd, en even voelde ze zich misselijk van angst. De vroegere doodsangst voor de duisternis om haar heen kwam terug, die haar gekweld had sinds de Man was overleden. Edward had met deze vrouw geslapen toen hij naar Parijs was gegaan om een einde aan hun verhouding te maken. Prudence had de macht, en zij niet. Als Prudence de broze beschermlaag aan stukken wilde slaan die Rufa was begonnen op te trekken tegen de duisternis, dan kon ze dat.
Zodra Rufa aan Edward dacht en hem op zijn daden beoordeelde trok de angst uit haar weg. Hij was de meest eerzame man ter wereld. Hij hield van haar. Hij had alles voor haar gedaan en het minste wat ze terug kon doen was hem vertrouwen. Ze hoefde niet ver in haar binnenste te zoeken om te weten dat ze Edward haar leven

toevertrouwde. Het zonlicht toverde zilveren vlekken op de schone keukenoppervlakken. Rufa kneep haar ogen halfdicht tegen de schittering en zette het blad neer op de afdruipplaat. Ze vond het moeilijk om in seksuele zin aan Edward te denken, omdat ze hunkerde naar seks met hem. Maar als ze hem niet kon vertrouwen, waarin kon ze dan nog geloven?

Ze pakte de wit-met-gouden koffiepot van de oude mevrouw Culver op. Hij gleed uit haar vingers en viel in vele stukken kapot op de vloer. Rufa maakte een sprongetje van schrik en barstte in tranen uit. Ze had er genoeg van zich anders voor te doen dan ze was en op haar tenen te lopen. Ze was er ziek van om dienstmeisje te spelen voor Prudence, die erin slaagde om haar vijandigheid en weerzin over te brengen met elk vriendelijk verzoek dat ze deed. Ze wilde thuis zijn, waar je een gewone, recht-voor-zijn-raapruzie kon hebben.

'Rufa?'

Weer maakte ze een sprongetje. Tristan stond in de deuropening – ze was vergeten dat ze niet alleen was in het huis. Ontdaan dat ze betrapt was tijdens een huilbui scheurde Rufa een stuk keukenpapier af en hield dat tegen haar gezicht.

Ademloos zei ze: 'Hallo, je liet me schrikken...' en deed een belachelijke poging om opgewekt te klinken.

Rufa en Tristan hadden voorzichtig afstand van elkaar gehouden. Niet omdat ze elkaar niet mochten, maar omdat ze zich allebei bewust waren van de vreemde situatie. Rufa had als de aangetrouwde echtgenote van Tristans oom de status van volwassene. Tristan had, als zoon van Prudence, de status van kind. Maar hij was slechts zeven jaar jonger dan Rufa en dit gaf hun het gevoel dat het een schertsvertoning was.

De situatie werd nog ingewikkelder gemaakt door het feit dat Tristan zeer aantrekkelijk was. Hoewel Prudence en Edward hem als jongen beschouwden was hij in feite een jongeman van net twintig. Hij was lang en elegant met goudbruin haar dat over zijn schouders krulde en hij had warme, blauwe ogen.

'Sorry,' zei Rufa. 'Ik gedraag me als een dwaas. Er is niets aan de hand. Let er maar niet op.'

Het schokte hem haar te zien huilen. Hij keek naar de stukken en scherven porselein die over de vloer verspreid lagen. Spetters bitter ruikend koffiedrab zaten tegen de houten kastdeurtjes. 'Was het heel waardevol, of zo?'

Rufa probeerde te glimlachen. 'God, nee, het was gewoon de laatste druppel.'

Tristan, die eruitzag als Rupert Brooke en alsof hij op Brideshead thuishoorde, stond in de deuropening naar de vuile vloer te staren als een jeugdige hoofdrolspeler die per ongeluk via de verkeerde openslaande balkondeur was opgekomen.
'Ik weet wel wat er aan de hand is,' zei hij ernstig. 'Mijn moeder heeft het op je voorzien.'
'O, nee hoor...' Hij had precies in de roos geschoten en haar ontkennende woorden klonken bijzonder zwak.
'En je bent uitgeput, omdat je toestaat dat ze je als slavin behandelt.' Hij zei dit op verontwaardigde toon, wat haar troostte. Ze waren nu eerlijk tegen elkaar.
Rufa leunde vermoeid tegen het aanrecht. 'Ik kan haar moeilijk weigeren als ze me iets vraagt.'
'Jawel, dat kun je wel,' zei Tristan energiek. 'Ze zou een bord om haar nek moeten dragen waarop staat: "Doe niet wat ik vraag". Net als die diabetische hond in de pub die je niet mag voeren.'
Sinds Prudence was gearriveerd lachte Rufa nu voor het eerst weer voluit. 'Ik heb er moeite mee om niet voortdurend haar wensen vóór te zijn.'
'Mijn moeder heeft haar goede momenten,' zei Tristan, 'maar ik zie haar karakterfouten wel. Ik heb haar gesmeekt om niet zo akelig tegen je te doen, maar ze doet net alsof ze niet begrijpt wat ik bedoel. Ik denk dat ze veronderstelt dat ik te jong ben om te begrijpen wat jij gedaan hebt.'
'Gedaan? Ik?'
'Nou, je bent toch met Edward getrouwd?' zei Tristan alsof het de gewoonste zaak van de wereld was.
'Was dat een fout?'
'Een grote fout. Het was niet de bedoeling dat hij zou trouwen. En helemaal niet met iemand zoals jij, wier zusje op de voorpagina van *Vogue* staat.'
'Waarom is ze dan hierheen gekomen?'
'Om je eens goed te bekijken,' zei Tristan. 'Om je zwakke plekken te leren kennen, zodat ze rotopmerkingen over jou tegen Edward kan maken.'
Ze voelde zich enorm opgelucht nu de dingen gewoon bij hun naam genoemd werden. Rufa begon zich te ontspannen zonder dat ze het zelf in de gaten had. 'Denk je dat ze dat probeert te doen?'
'Waarschijnlijk wel.'
'Dan verspilt ze haar tijd. Edward begrijpt toespelingen niet.' Ze snoot haar neus. 'Dit is gemeen van me, om zo te praten. Om je moeder te bekritiseren.'

Tristan grinnikte. 'Bekritiseer maar een eind weg. Je moet leren haar te negeren. Beschouw haar gevit maar als een dubieus compliment.'
'Ik zal het proberen.'
'Ga zitten. Ik zal de overblijfselen van de Gouden Pot wel opruimen.'
'O, nee, dat kan ik niet...'
'Aljeblieft, Rufa. Ik heb nog geen poot uitgestoken om je te helpen. Geef me de kans te bewijzen dat ik niet helemaal onbruikbaar ben.'
Hij liep de kamer binnen, legde een warme hand om haar elleboog en leidde haar naar een stoel. 'Ik neem aan dat de schoonmaakmiddelen onder het aanrecht staan.'
In zijn spijkerbroek met grasvlekken knielde hij voor het kastje. Rufa depte haar gezicht droog en keek toe terwijl hij de scherven van de koffiepot opveegde en met een vaatdoekje de vloer dweilde. Hij liet overal scherfjes en vlekken achter. De keuken zag er nog smeriger uit dan daarvoor, toen hij dacht klaar te zijn.
'Zo, klaar.' Zijn gezicht was rood aangelopen van de inspanning waarmee hij zonder veel resultaat rond haar kastjes tekeer was gegaan.
Rufa stond op. 'Bedankt, het is geweldig. Kwam je eigenlijk iets te eten halen?'
'Nu je het zegt, ja. Sorry hoor, maar ik barst van de honger.'
'Ik zal iets voor je klaarmaken.'
'Nee, alsjeblieft, ik kan je nu moeilijk voor me laten koken.'
Ze moesten beiden lachen en keken elkaar toen nieuwsgierig aan, alsof ze nu pas aan elkaar waren voorgesteld.
Hij vroeg: 'De pub is toch open voor de lunch?'
Rufa zei: 'Je schijnt nogal bekend te zijn met die pub. Ik dacht dat je steeds lange wandelingen aan het maken was.'
'Daarvoor is het te warm. Ik moet af en toe wegvluchten van moeder, dus ga ik met een boek in de pub zitten.'
Nu de Chinese muur geslecht was, kon Rufa zichzelf voorstellen in Tristans plaats. 'Je hebt een rottijd achter de rug. Dat spijt me werkelijk.'
'Helemaal niet,' zei hij ernstig en tegelijkertijd enthousiast. 'Eerlijk, ik vind het hier heerlijk. Ik heb de helft van mijn leeswerk voor het komende studiejaar al af.' Zijn gezicht werd nog roder. Hij keek haar niet aan. 'Zou je met me willen gaan lunchen?'
Rufa glimlachte. 'Dat is erg aardig van je, maar mijn zusje heeft in die pub gewerkt en ze heeft me verteld wat ze met de steak en de nierpasteitjes doen. Het eten hier is veel beter.'
'Oké, dan blijven we hier. Maar dan maak ik de lunch klaar en jij

mag toekijken.' Hij keek haar weer aan. 'Met de afspraak dat het verboden is commentaar te leveren.'
Zijn poging om de touwtjes in handen te nemen was onverwacht roerend. Rufa zei: 'Nou, als je erop staat... er ligt heerlijke ham in de ijskast en ik heb...'
'Houd je mond, ik ben nu de baas.' Tristan draaide zich van haar af om de grote en vulgaire, nieuwe ijskast open te doen die Edward voor zijn bruid had aangeschaft. 'Het enige wat je hoeft te doen is gaan zitten en een beleefd gesprekje voeren. Of liever nog, een heel onbeleefd gesprek. Ik weet niet hoe het met jou is gesteld, maar ik ben doodziek van al die beleefdheid.'
Rufa, die er plezier in begon te krijgen, ging zitten en gaf zich over aan het luie genoegen hem te observeren. Het maakte haar niet uit wat ze at. Het was heerlijk om weer als een teer poppetje verzorgd te worden na alle bewonderende opmerkingen van Prudence over haar talent voor geestdodend werk.
'Het heeft niets met beleefdheid te maken,' zei ze. 'Ik heb er genoeg van mijn ware gevoelens te verbergen.'
Hij wierp haar over zijn schouder een blik toe. 'En wat voel je dan? Je kunt het me rustig vertellen.'
Het was gemakkelijk om met hem te praten. Op de een of andere manier gaf hij Rufa het gevoel dat hij aan haar kant stond. Maar hij was de zoon van Prudence en het zou verstandig zijn om hem met tact te behandelen. 'Je zou kunnen zeggen dat ik het beu ben om net te doen of ik de ene helft ben van een oud echtpaar, terwijl ik nog geen twee maanden ben getrouwd. Ik voel me nog steeds een bezoekster hier. Het maakt me nerveus.'
Tristan pakte een fles champagne. 'Dit zal helpen.'
'O, voor mij niet, dank je.'
'Waarom niet? Het is hoogzomer, snikheet en we hebben allebei niets bijzonders omhanden.' Hij ontkurkte de fles en schonk twee glazen vol.
Rufa vond dat ze moest zeggen: 'Ik moet iets bedenken voor het diner,' terwijl ze haar glas aanpakte.
'Ze kunnen wel een salade eten.'
'Ja, dat kan geen kwaad, hè?' Ze nipte aan haar champagne. De heerlijke koele vloeistof deed haar bloed sneller stromen. 'Het lijkt alsof Edward alleen geïnteresseerd is in gebakken aardappelen, en je moeder eet bijna niets.'
'Nu voel ik me schuldig, omdat jij altijd voor het eten opdraait.'
'Onzin. Ik vind het leuk om voor je te koken.' Nu ze dit zei besefte Rufa dat het waar was. Ze zou zich veel meer ontmoedigd heb-

ben gevoeld als Tristan niet zo genoten had van de gerechten die zijn moeder amper aanraakte.
Hij maakte sandwiches klaar van dikke sneden witbrood, koude stukjes boter, dikke plakken boerenham en stukken verse tomaat. Zijn sandwiches leken op die van Nancy: groot en onhandig waar de heerlijkheden vanaf dropen. Rufa was er nooit in geslaagd een dergelijke uit het hart gegrepen overvloedigheid te evenaren. Ze had al vaak gedacht dat je een amateur nodig had om een werkelijk bevredigende boterham uit het vuistje te maken.
'Laten we hem buiten opeten,' zei Tristan. Hij legde de sandwiches op een grote aardenwerken schaal die Rufa in Siena had ontdekt en pakte een tros schoongewassen witte druiven van de afdruipplaat. Rufa had die voor Prudence gekocht, die graag omringd werd door het betere voedsel, al nam ze er geen hap van. Rufa, die het idee van een picknick plotseling erg aantrekkelijk vond, nam de champagne, hun glazen en het overgebleven stuk van een zeer goed gelukte *tarte tatin* mee.
Op het afhellende stuk grond achter het huis stond een grote eik. Tristan had daar die ochtend zitten lezen. Er lag een kleed uitgespreid op de warme aarde. Daarop lag het boek *Midsummer Cushion* van John Clare, opengeslagen waar Tristan het opzij had gelegd. Rufa pakte het boek op. 'Moet je dit voor je studie lezen?'
'Min of meer,' zei Tristan verlegen. Ze voelde dat hij er wel over wilde praten, maar hij was terughoudend. 'Het past bij het weer en het platteland. En...' Meer wilde hij niet zeggen.
Rufa gaf hem zijn glas en maakte het zich gemakkelijk tegen de boom. Als ze haar hoofd ophief kon ze de kromme en met elkaar verstrengelde takken zien afsteken tegen de blauwe zomerlucht. Ze zaten in een tent van bladeren. Het zonlicht filterde erdoorheen en verschoof door het bewegen van de bladeren. De zon scheen op Tristans voorhoofd en zette zijn haar in een gouden schijnsel. Lui en tevreden aten ze zijn sandwiches en lachten zachtjes als er stukjes tomaat op hun schoot vielen.
Tristan schonk de glazen nog eens vol. De champagne begon warm te worden en de bubbetjes verloren hun activiteit. Rufa, die voldaan en slaperig was, kreeg geen hap van de *tarte tatin* meer naar binnen. Tristan at het op en pakte een handjevol druiven. Hij lag op zijn zij met zijn hoofd steunend op zijn elleboog naar Rufa te staren. Ze bewogen zich niet. Het enige geluid in de grote stilte om hen heen was gehamer ergens in de verte in de vallei. Een gonzende bij vloog lui tussen hen heen en weer.
Rufa zuchtte genietend. 'Dit is heerlijk.'

'Je zou dit wat vaker moeten doen,' zei Tristan.
'Ik ben niet goed in luieren.'
'Je luiert niet. Je luncht met mij.' Hij liet zijn stem vertrouwelijk zakken. 'Je praat met me. Je laat mij tegen je praten zonder me te behandelen alsof je mijn moeder was.'
'Het geeft me een schuldgevoel,' zei Rufa. 'Ik word nerveus als ik niet iets praktisch doe, dat een duidelijk resultaat heeft. Ik heb er behoefte aan om te merken dat ik iets kan bijdragen.'
'Dat is alleen de buitenkant. Het is even belangrijk om aandacht te besteden aan je innerlijk.' Hij bloosde en kreeg de woorden met moeite over zijn lippen. 'Als je me zou vertellen dat je niet van gedichten houdt zou ik je niet geloven. Je kunt er niet zo uitzien zonder ook een mooie ziel te hebben.'
Rufa deed haar slaperige ogen nu wijd open. Tristan keek haar aan, onder de indruk van zijn eigen stoutmoedigheid en bang voor haar antwoord. Hij zag er zo lief uit dat ze dacht dat haar hart zou breken. Voorzichtig reikte hij naar haar hand, die in haar schoot lag. Toen zijn warme huid de hare raakte, kreeg Rufa een licht gevoel in haar maag en er verspreidde zich een lome warmte tussen haar benen.
Ze trok haar hand onopvallend terug, terwijl ze zich afvroeg waarom ze niet boos was, of bang.

Hoofdstuk drie

Twee dagen na het vertrek van Prudence zei Edward opeens tegen Rufa dat hij weg moest. Haar ongedisciplineerde geest, die tegenwoordig de meest idiote gedachtesprongen maakte, voelde een fractie van een seconde grote angst, en het deurtje in haar geest waar 'Ontkenning' op stond dreigde open te gaan en allerlei waangedachten te laten ontsnappen.

Toen besefte ze dat hij niet bedoelde dat hij er met zijn eigen Camilla Parker-Bowles vandoor zou gaan. Hij legde gewoon uit dat hij een paar weken weg moest, misschien een maand. Hij was gedagvaard om naar Den Haag te komen en te getuigen voor de rechtbank van het Oorlogstribunaal. Dit was de zaak die nu al langer dan een jaar aan hem knaagde en Rufa kreeg een vaag schuldgevoel omdat ze er niet meer aandacht aan had besteed.

'Het spijt me,' zei hij. 'Het is vervelend, maar ik weet zeker dat je begrijpt dat ik er niet onderuit kan komen.'

'Nee, natuurlijk niet.'

Ze waren in de auto onderweg naar Melismate. Edward vond het prettig om moeilijke onderwerpen in de auto te bespreken, waar ze niet gecompliceerd konden worden door oogcontact.

Hij trok een fronsend gezicht terwijl hij naar de weg bleef kijken. 'Vraag dan eens hoe het zit.'

'Je hoeft me de details niet te vertellen,' zei Rufa vriendelijk. 'Je hoeft me niets te vertellen.' Voordat hij hiermee op de proppen was gekomen had ze uit het raam zitten staren naar het fluitenkruid en de late klaprozen, haar gedachten bij heel andere zaken.

'Het is belachelijk dat ik zo geheimzinnig doe,' zei hij. 'Maar het hele verhaal is erg lang en ingewikkeld, en houdt verband met allerlei andere dingen waarover ik niet graag praat.'

'Andere dingen?' echode Rufa plichtsgetrouw. Ze legde zich er bij neer dat ze zou luisteren, hoewel alles in haar in opstand kwam tegen de onaangenaamdheid, die onder de oppervlakte van alles op de loer leek te liggen.

'De reden waarom ik uit het leger ben gegaan. De vraagtekens die

ik moest zetten achter de moraliteit van wat we deden.'
'O.'
Het was een zwak antwoord, maar Edward was te geconcentreerd bezig met zijn poging de waarheid naar buiten te brengen om het op te merken. 'Het komt erop neer dat ik moet getuigen in het proces tegen een Servische crimineel met een onuitspreekbare naam, die eindelijk is aangeklaagd voor God weet hoeveel moorden. Zoveel moorden als ze kunnen bewijzen, neem ik aan. Het zou me zeker veel bevrediging schenken om die klootzak achter de tralies te zien.'
Rufa vroeg: 'Hoe goed ken je hem?'
'Ik heb de man nog nooit gezien,' zei Edward met een schor lachje. 'Ik heb alleen gezien wat hij gedaan heeft. Weet je nog dat ik je een keer verteld heb dat ik bij de troepen van de Verenigde Naties heb gezeten?' Hij verwachtte hierop geen antwoord. 'Iemand nam mij en vijf Nederlandse officieren mee naar een massagraf. We ontmoetten daar twee vrouwen die beweerden dat ze getuige waren geweest van het bloedbad.' Zijn stem klonk droog en achteloos: een teken van diepe gevoelens.
Ze zei: 'O, god,' terwijl ze hoopte dat hij haar niet te veel zou vertellen en zaken naar boven zou halen waarmee ze niet geconfronteerd wilde worden. Ze vond het de laatste tijd steeds moeilijker die te negeren. De Vier Ruiters uit de Openbaring waren begonnen door haar dromen heen te galopperen. Edward wist dat ze last had van nachtmerries, ofschoon ze zich met hand en tand had verzet tegen al zijn pogingen om erover te praten.
'Toen wij daar aankwamen hadden ze het graaf blootgelegd,' zei hij, 'als een archeologische vindplaats. Op de bodem lagen de lichamen kriskras door elkaar.'
Zwakjes vroeg Rufa: 'Hoeveel waren het er?'
'Negenenveertig. We hebben ze natuurlijk geteld. Negenenveertig Kroatische moslims, zei men, die bij elkaar waren gedreven en doodgeschoten in naam van de etnische zuivering. Ze zagen er precies zo uit als op de foto's in de krant. Beenderen met voldoende flarden kleding en vlees om nog op mensen te lijken.' Hij minderde even vaart om een tractor de gelegenheid te geven een poort in te slaan. 'Helaas is het graf vernietigd tijdens de laatste NAVO-bombardementen en niemand wist waar de vrouwen zich bevonden met wie we gesproken hadden. Het is daar zo'n chaos, het is ongelooflijk. Dus is alleen het rapport nog over dat we erover hebben ingediend.'
'Hebben jullie... zijn er geen foto's van genomen?'

'Die massagraven lijken allemaal op elkaar,' zei Edward. 'Ik denk dat ze proberen aan te voeren dat we een ander graf hebben gefotografeerd, dat ergens anders ligt. Er zijn er genoeg in dat verdomde land.' Hij hield zijn ogen ernstig op de weg gericht. 'Die ervaring was de zoveelste reden dat ik het leger niet meer kon verdragen. Als je ziet waartoe een leger in staat is, in naam van God weet wat... bij de mannen in dat graf waren de handen op hun rug gebonden. Ze waren allemaal van dichtbij door het hoofd geschoten. Dat was zonneklaar, in alle schedels zaten grote gapende gaten. Maar de verdediging zal vast beweren dat ze van angst zijn gestorven en dat de gaten veroorzaakt zijn door veldmuizen. Het zijn monsterlijke mensen. Ze weten niet wat schaamte is.'

'Edward...'

'Ze verdienen de democratie niet. Ze verdienen een totalitair regime. We hadden hen allemaal plat moeten bombarderen.'

'Edward... alsjeblieft... wil je erover ophouden?'

'Wat?' Hij draaide zijn hoofd en keek haar scherp aan. Rufa's gezicht was lijkbleek, haar lippen waren grijs en zweetdruppels parelden op haar bleke voorhoofd. Hij draaide onmiddellijk van de weg af en hield stil op een smal strookje gras.

Rufa maakte met bevende vingers het portier open, viel bijna de auto uit en braakte in het gras. Haar hele lichaam schokte van het overgeven. Ze werd binnenstebuiten gekeerd, het kwam uit haar tenen. Door de verstikkende misselijkheid heen was ze zich er vaag van bewust dat Edward uit de auto stapte, zijn arm om haar schouders sloeg en haar voorzichtig overeind hielp toen ze alles eruit had gekotst. Ze slaagde erin diep adem te halen en voelde zich beter. Ze was zelfs een beetje blij dat ze alle troep zo snel en efficiënt was kwijtgeraakt. Er leek een mechanisme in haar hersens te zitten dat ervoor zorgde dat het vreselijke gevoel werd weggewerkt voordat het haar zou doden.

'Ru, lieveling, het spijt me zo.' Hij nam haar in zijn armen. 'Ik kan bijna niet geloven dat ik dat allemaal heb gezegd... ik ben een compleet ongevoelige idioot... ik dacht er niet bij na. Ik had eraan moeten denken.'

Rufa had zich vast voorgenomen het zich niet te herinneren. Op haar eigen kordate manier zette ze de zaken weer recht. 'Sorry, hoor. Ik weet niet wat er opeens met me gebeurde.'

'Ru...'

'Zou het misschien door die gerookte schelvis komen?'

Edward zei: 'Gerookte schelvis, maak dat de kat wijs. Ik wou maar dat je eens met iemand ging praten over die nachtmerries.'

Rufa deed opzettelijk alsof ze dit niet had gehoord. 'Voel jij je goed? Je hebt er meer van gegeten dan ik.'
Hij kreunde zachtjes. Ze voelde zijn warme adem in haar haar. 'Zeg het me zodra je je beter voelt, liefste, dan breng ik je thuis.'
Rufa dook geërgerd onder zijn arm vandaan. 'Onzin, ik voel me nu prima. Laten we het maar vergeten.' Ze beval hem het voorval te vergeten en hij bleef haar met die vreselijke medelijdende blik aankijken. Begreep hij dan niet dat alles weer terug zou komen als hij erover bleef doorgaan? Er was niets met haar aan de hand. Ze liep naar de auto. 'Laten we gaan. Ik wil Linnet nog zien voor ze naar bed gaat.'
'Wacht...' Hij legde zijn hand op haar arm. 'Vlucht er niet van weg.'
'Van wat?' snauwde ze. 'Ik vlucht nergens voor. Ik ben weer helemaal in orde. Laat me alsjeblieft los.'
Hij slaakte een ongeruste maar toegevende zucht en trok zijn hand terug. 'Goed dan. Haal eerst even een paar keer diep adem, ja?'
Een paar minuten bleven ze zwijgend staan, zich beiden zeer bewust van de onuitsprekelijke woorden.
Rufa vroeg op de normaalste, meest achteloze toon die ze kon opbrengen: 'Wanneer ga je naar Den Haag?'
'Eind volgende week.' Weer bleef het stil. 'Terry Polter heeft toegezegd dat hij op de boerderij zal letten. En morgen komt Tristan terug, dus je zult niet alleen zijn.'
'Tristan hoeft niet te blijven. Ik vermaak me prima in m'n eentje.'
Hij glimlachte zo warm en lief dat ze het haast niet kon verdragen. 'Lieverd, je bent nog nooit van je leven alleen geweest. Je bent altijd omgeven geweest door veel mensen. Je hebt nog nooit echte stilte gehoord.'
'Wel waar.' Een diepere stilte dan die je hoorde als je een dode riep bestond er niet.
Hij zei: 'Ik heb het niet over de stilte als metafoor. Ik bedoel de wezenlijke soort, als er in de wijde omtrek geen levende ziel te bekennen is. Dat huis kan soms verschrikkelijk eenzaam zijn. En als ik weet dat jij eenzaam bent, word ik gek.'
'Een paar weken alleen zijn overleef ik wel,' zei Rufa.
'Hmm,' zei hij op een irritant sceptische toon. 'Ik heb toch liever dat ik weet dat Tristan in de buurt is, al is het maar om inbrekers af te schrikken. Ik wou dat ik je mee kon nemen, maar...'
'Maar Terry moet het kantoortje in kunnen en je hebt iemand nodig die boodschappen kan doorgeven. En we kunnen het huis niet leeg laten staan. Ik wou maar dat je ophield me te behandelen als een zielige gewonde.' Ze daagde hem uit, wetend dat hij het geslo-

ten boek zou moeten openen als hij haar wilde tegenspreken. En ook wetend dat hij haar dat niet zou aandoen.
Hij waagde het nog te zeggen: 'Je bent niet zo hard als je denkt. Je moet eens afkomen van het idee dat je verantwoordelijk bent voor alles en iedereen, en mij toestaan voor je te zorgen.'
'Sorry,' zei Rufa. 'Het is heel lief van je dat je dat wilt. Ik ben er alleen niet aan gewend.'
Edward deed een stap naar voren om haar op het voorhoofd te kussen en stapte toen de auto in. Hij zei over zijn schouder: 'Ik heb het gevoel dat ik je veel te hard heb laten werken sinds we terug zijn. Je hoeft nu tenminste geen druiven meer te plukken voor Pru.'
'Ik heb een bloedhekel aan haar,' zei Rufa plotseling.
Hij lachte. 'Dat dacht ik al.'
'Heeft ze het gemerkt? Ik bedoel, heeft ze iets gezegd?'
'Nee. Ze is niet zoals jij. Ze ligt niet wakker van wat de mensen van haar vinden.'
Ze had een opgewonden gevoel gekregen omdat ze haar mening over Prudence had gegeven, al bleek zijn reactie nogal een anticlimax. Rufa stapte in de auto en ze reden verder. Ze kwamen door een dorpje.
Rufa vroeg impulsief: 'Ben je met haar naar bed gegaan in Parijs?'
Hij leek van zijn stuk gebracht – meer dan ze ooit bij hem had gezien – en toen kwaad. 'Nee,' zei hij kortaf. 'Dat heb ik niet gedaan.'
'Maar je hebt onlangs nog met haar gevrijd, hè?' De wekenlange hunkering naar zijn seksuele aandacht maakte haar roekeloos. 'Niet alleen na de dood van Alice, bedoel ik.'
Edward bleef stuurs naar de weg kijken. 'Ik heb geen idee wat ze je op de mouw heeft gespeld, maar het is voorbij. Goed?'
'Waar is ze nu? In Londen?'
'Rufa, het is voorbij. Meer hoef je niet te weten.'
Hij bleef lange tijd zwijgen en Rufa was bang dat ze hem had beledigd. De auto minderde vaart toen ze het nieuwe hek van Melismate naderden, waarop het familiemotto *Evite La Pesne* was aangebracht. Edward draaide de oprijlaan op.
Met zijn rustige maar vastbesloten officiersstem zei hij: 'Het verleden is onbelangrijk. Ik zal niet beweren dat jij de enige vrouw bent van wie ik ooit heb gehouden, maar je bent de vrouw van wie ik nú houd.' Met een ruk trok hij de handrem aan en draaide zich om zodat hij haar recht kon aankijken. 'Pru heeft misschien wat gedoe veroorzaakt, maar jij hebt gewonnen. Oké?'
Ze stonden voor de deur en Linnet stormde erdoor naar buiten voordat hij nog iets kon zeggen.

Rufa bleef zichzelf voorhouden dat het een voorrecht was dat een man als Edward van haar hield. Zijn liefdesverklaring slaagde erin de giftige twijfel een beetje te verdrijven die Prudence in haar hart had gezaaid. Ze schaamde zich over de manier waarop haar herontdekte verlangen naar seks haar ondankbaar stemde. Het was niet zijn schuld dat het evenwicht van hun afspraak bedreigd werd omdat ze naar hem verlangde. Ze wilde erg graag weten wat er precies was gebeurd tussen Edward en Prudence. Ze betrapte zichzelf erop dat ze probeerde uit te vogelen of ze gelegenheid hadden gehad om met elkaar te vrijen. De hele situatie – haar hele huwelijk – was kwetsend, gênant en belachelijk.

Zo rustig mogelijk zwaaide ze hem uit toen hij naar Den Haag ging. Pas op het allerlaatste moment, toen Edward op het punt stond door zijn gate op het vliegveld te gaan, drong het tot Rufa door hoezeer ze hem zou missen. Zonder zijn geruststellende aanwezigheid leek de wereld haar onbekend en beangstigend toe. Hij sloeg zijn armen om haar heen en ze klampte zich stevig aan hem vast, waarbij ze haar hoofd tegen zijn schouder drukte en zijn armen vastgreep.

Gehaast en alsof hij iets illegaals deed, kuste Edward haar met echte en schokkende warmte op de mond. Toen was hij weg en Rufa bleef achter met een gevoel van nutteloosheid en eenzaamheid en met een brandend verlangen naar hem. In de eerste nacht van zijn afwezigheid viel ze pas in slaap toen de zon opkwam.

Tristan kwam terug en Rufa moest toegeven dat Edward gelijk had gehad – ze was blij dat ze niet meer alleen was. Tristans aanwezigheid gaf haar niet bepaald een veiliger gevoel, maar vulde het huis met jeugdig rumoer. Ofschoon hij de gemakkelijkste gast was die ze ooit had meegemaakt, verspreidde hij een soort onderdrukte, jeugdige sfeer. Hij was gekomen voor wat hij beschreef als 'een eenzame leessessie' en had een doos boeken, een doos cd's en een rugzakje bij zich, waarin twee witte spijkerbroeken, twee T-shirts en een pakje wegwerpscheermesjes bleken te zitten. Rufa gaf hem toestemming Edwards scheerzeep te gebruiken.

Tristan bracht de dagen lezend door, terwijl hij naar muziek luisterde op zijn walkman. 's Avonds at hij samen met Rufa in de keuken. Deze avonden gingen al snel het hoogtepunt van haar dag vormen. Ze kookte met liefde voor hem en hij hield haar bezig met zijn levensverhaal. De woorden stroomden uit zijn mond. Hij kon niet ophouden met vertellen.

Hij vertelde haar over zijn rijke, onrustige jeugd met Prudence en een hele reeks stiefvaders. Hij vertelde over zijn kostschool en over

hoe hij op de tennisbaan zijn maagdelijkheid had verloren aan de dochter van zijn huismeester.
Rufa, die dit nog nooit tegen iemand gezegd had, zei: 'Ik ben ontmaagd in de slaapkamer van het huisje van de oude mevrouw Reculver. Het was vreselijk romantisch.'
Tristans diepblauwe ogen in zijn gebruinde gezicht stonden vol toewijding. Hij zei: 'Ik heb het voornamelijk als tochtig ervaren en ik voelde me belachelijk met mijn blote billen in de open lucht. Ik wou dat ik mezelf had bewaard voor iemand als jij.'
Hij vertelde haar over de schoolproductie van het toneelstuk *The Tempest*, waarin hij afgelopen schooljaar, onder grote bijval van het publiek, naakt had opgetreden. De wispelturige, talentvolle jonge regisseur van de productie was smoorverliefd op hem geworden en had zich in de rivier geworpen toen hij erachter was gekomen dat Tristan alleen van meisjes hield.
'Er gebeurde verder niets, hoor,' verzekerde hij haar. 'Hij liep alleen een nat pak op, en dat had hij toch al. Ik begreep toen nog niets van de liefde. Ik wist niet wat het met mensen kon doen.'
Al hun gesprekken gingen over de liefde. Rufa wist heel goed dat Tristan verliefd op haar was. Hij keek voortdurend naar haar. Hij bewoog zich in haar aanwezigheid met overdreven eerbied. Hij voelde zich voortdurend verwonderd over de kracht en dichterlijkheid van zijn eigen emoties. Als ze hem per ongeluk aanraakte bloosde hij tot in zijn haarwortels. Hij begon te stotteren als ze te dicht bij hem stond.
Rufa zag er geen kwaad in zolang het maar niet werd uitgesproken. Ze was tevreden over zichzelf omdat ze afstand bewaarde, in de wetenschap dat die afstand zijn aanbidding vergrootte. Ze betrapte zichzelf erop dat ze hem observeerde en de kleine details van zijn onrustbarend knappe uiterlijk opmerkte: de schaduw die zijn lange wimpers wierpen op de zijdeachtige huid onder zijn ogen; de blauwe aderen aan de binnenkant van zijn onderarmen. Ze was zich scherp bewust van zijn aanwezigheid en wist heel goed dat zijn ogen haar overal volgden. Maar ze wist zeker dat ze de situatie in de hand had. Al die blozende aanbidding maakte haar alleen nog meer attent op het verschil in leeftijd tussen hen. Hij was bloedmooi, maar zijn onvolwassen gedrag was soms zeer ergerlijk. Hij was net twintig. Twee jaar geleden zat hij nog op school. Twee jaar geleden had Rufa geprobeerd geld te verdienen. Ze voelde zich soms wel duizend jaar ouder.
Edward leek heel ver weg. Als hij opbelde deed Rufa haar uiterste best om geïnteresseerd te klinken in zijn verhalen over zijn worste-

ling met de Europese bureaucratie en over het wachten in raamloze, airconditioned gangen. Het leek allemaal onecht omdat het zich buiten de tovercirkel afspeelde. Tristan had in zijn onschuldige, jeugdige egoïsme het huis doordrongen van liefde – ze kon het bijna proeven.

Al die liefde die in het huis rondwaarde maakte Rufa's verlangen naar Edward nog schrijnender. Hun avondlijke telefoongesprekken waren uiterst onbevredigend. Ze probeerde niet te denken aan de uitspraak van Prudence dat hij 'niet reageerde'. Hij had net zo goed in Australië kunnen zitten. Zij verlangde naar hem en blijkbaar verlangde hij ook naar haar. Waarom, waarom ging het huwelijk zo slecht? Wat de reden ook mocht zijn, ze had zich vast voorgenomen dat ze ervoor zou zorgen dat het beter werd als hij weer thuis was.

Een buitenstaander zou de merkwaardige situatie waarschijnlijk niet begrijpen. Rufa waakte ervoor dat haar moeder en zusjes niet zouden komen rondsnuffelen. Ze zouden meteen zien dat Tristan verliefd op haar was; zeker Rose, die dankzij de capriolen van de Man de neus van een bloedhond had als het om romantiek ging. Rufa voorkwam dat ze op bezoek op de boerderij kwamen door zelf en zonder Tristan naar Melismate te rijden. Ze beschreef Tristan achteloos als een 'jongen', waarbij ze vergat te vermelden dat hij twintig was en langer dan zij. Ze verzon allerlei redenen om hem niet aan hen voor te stellen.

Gelukkig werd het grootste gedeelte van Roses aandacht opgeëist door een nieuwe episode in het drama van Lydia. Alsof Rufa's huwelijk werkelijk alle familieproblemen had opgelost, had Lydia een bewustwordingsproces ondergaan. Geconfronteerd met de opschudding op Semple Farm had ze haar eigen energie en doel herontdekt. Ze had Rose geholpen het vuil te verwijderen dat zich nog steeds op elk oppervlak van het gerestaureerde huis verzamelde. Ze stuurde Linnet in gestreken en verstelde kleren naar haar vader. Zonder dat iemand het haar had gevraagd kookte ze – zelfs tamelijk goed, in ieder geval veel beter dan Rose. En op een ochtend kondigde ze bij Rufa aan dat ze bij een koor was gegaan, het Cotswold-koor. Het was een bekend koor dat in hoog aanzien stond en Edward was er beschermheer van. Hij had Rufa in de week voor hun huwelijk meegenomen naar een uitvoering van *Creation* van Haydn. Rufa herinnerde zich een boeiende avond met een heleboel middelbare mannen en vrouwen die hun mond als een kippenkontje hadden getuit en schrok op uit haar droom over Tristan.

'Je maakt zeker een grapje.'
'Je weet toch nog hoe dol ik op het koor op school was. Dat was zo ongeveer het enige waar ik goed in was,' zei Lydia. 'Dus ik heb al mijn moed verzameld en me ingeschreven voor een auditie.'
'Moest je auditie doen? Alleen zingen?' Rufa kon zich niet voorstellen dat haar ingetogen, hopeloos verliefde zusje zoiets zou durven.
Lydia giechelde. 'Ik was vreselijk zenuwachtig. Maar Phil Harding, de dirigent, was heel geduldig. Ik heb voor het eerst in ik weet niet hoeveel jaar bladmuziek gelezen. Vrijdag ga ik naar de repetitie. Phil heeft me bezworen dat het een informele bedoening is. Ze zijn net begonnen met Mozarts *Requiem*.'
Dit was de langste toespraak die Rufa Lydia in tijden had horen houden, en in ieder geval de langste zonder dat de naam van Ran was gevallen.
'M'n petje af,' zei ze warm. 'Ik was eigenlijk vergeten dat je altijd zo trouw naar de koorrepetities op St. Hildy ging.' Ze pakte een zandkoekje van een schaal die voor haar op tafel stond. 'Heeft de Man niet een keer op een van hun concerten gezongen?'
Lydia glimlachte. 'Dat was in B Mineur van Bach, we hadden te weinig tenoren. Weet je nog? Hij stond naast Nancy en die twee stonden er grapjes over te maken tot we niet meer konden van het lachen.'
Beide zusjes slaakten een zucht.
Rufa zei: 'Die zandkoekjes zijn heerlijk.'
'Heb ik vanmorgen samen met Linnet gemaakt.'
Innerlijk verbaasde Rufa zich erover dat Lydia zoiets normaals en georganiseerds als koekjes bakken met haar kind had gedaan. 'Hoe heb je haar er in vredesnaam van kunnen weerhouden om ze te verpesten?'
'We hebben elk een bakplaat vol gemaakt,' zei Lydia lachend. 'Ze heeft haar eigen wangedrochten mee naar Ran genomen.'
Met een ernstige blik leunde Rufa naar haar over. 'Je doet dit toch niet voor Ran? Vertel me alsjeblieft niet dat je probeert hem terug te krijgen door jezelf te veranderen in Nigella Lawson.'
Lydia bleef glimlachen maar er verscheen een verholen, staalharde blik in haar zachte, bleke ogen. 'Doe niet zo gek, ik doe niets voor hem. Ik ben tot het besluit gekomen dat ik dingen voor mezelf moet doen.' Ze aarzelde en zei ernstig: 'Om mezelf te vinden, zou je kunnen zeggen. Jullie zeuren al jaren aan mijn hoofd dat ik mijn leven aan het vergooien ben en jullie hebben absoluut gelijk. Ik kan niet eeuwig op hem blijven wachten. Ik ben het Linnet verschuldigd om

mijn leven weer op te pakken.'
'Ik kan het bijna niet geloven... dat ik dit nog mag meemaken.' Rufa lachte zachtjes. 'Ik kan niet wachten om het Nancy te vertellen.'
Lydia keek haar niet-begrijpend aan. 'Om haar wat te vertellen? Dat ik bij een koor ben gegaan?'
'Dat je Ran eindelijk hebt opgegeven, natuurlijk.'
'O, nee,' zei Lydia. 'Dat zal ik nooit doen, ik ben nog net zo heftig met hem getrouwd als vroeger. Maar hij moet de eerste stap doen. Hij moet me graag genoeg terug willen om me terug te krijgen.'
Vriendelijk zei Rufa: 'Ik denk niet dat hij dat zal doen. Polly is een vastbesloten type en ik denk niet dat ze in zonde op een boerderij zal willen leven. Ze zal hem vast en zeker dwingen met haar te trouwen.'
'Hij zal nooit met haar trouwen,' snauwde Lydia.
'Liddy...' Rufa had haar timide zusje in geen jaren horen snauwen.
Lydia hield voet bij stuk. 'Ik weet wel dat hij denkt dat hij dolverliefd op haar is. Maar ik weet – ik weet heel zeker – dat hij uiteindelijk zal zien waar hij werkelijk thuishoort en dan zal hij weer bij Linnet en mij terugkomen.'
Rufa zweeg en dacht na. Het had geen zin om met Lydya ruzie te maken over haar ex-echtgenoot. Maar het feit dat ze tekenen vertoonde van bewustzijn van de wereld om haar heen was veelbelovend. Ze bedacht hoe geweldig het zou zijn als Lydia bij de koorrepetities een paar leuke mannen zou ontmoeten. Ze was zo mooi – als ze maar eens ophield zich te kleden in die gerafelde, verbleekte katoenen zakken en haar haar met die armoedige speldjes vast te zetten.
'Laten we gaan winkelen,' zei ze impulsief.
'Wat?' Lydia begreep er niets van. Het was voor haar moeilijk van de hak op de tak te springen.
'Jij bent de enige die nog niet opgekalefaterd is, het enige deel van Melismate dat niet is gerestaureerd. Laten we naar Londen gaan en eens lekker uit de band springen.' Het idee van uit de band springen was opeens erg aanlokkelijk.
'Maar ik kan Linnet niet alleen laten...'
'Het is maar voor een dagje. Mam en Roger kunnen wel op haar passen. Of Ran.'
Lydia schudde ontkennend haar hoofd en glimlachte met een zekere koppige trots. 'Ze wil niets met Stinkie te maken hebben.'
Rufa giechelde. 'Die arme Polly. Het is niet leuk als Linnet je niet mag. Maar ze kan toch bij mam blijven. Als het nodig is kopen we

haar om.' Ze kreeg er steeds meer zin in. 'Toe, Liddy. We zullen zo'n lol hebben. We kunnen Nancy opzoeken en Wendy, ik heb nog niemand gezien sinds ik terug ben uit Italië.'
'Weet je het zeker? Ik bedoel, ik heb geen geld.'
Rufa reikte over de tafel naar Lydia's hand. 'Dat heb je niet nodig. Ik trakteer. We gaan jou eens helemaal opknappen en dan moet Ran oppassen, want dan ben je de mooiste vrouw in de wijde omgeving.'

Hoofdstuk vier

'En het eerste wat je daar moet doen is je haar laten afknippen,' zei Tristan. 'Je hebt prachtig haar, maar je zult nog mooier zijn als je er ongeveer zeventig procent afhaalt.'
Lydia begon te zeggen: 'O, maar ik denk niet dat ik zoiets drastisch...'
'Je bent een genie,' zei Rufa tegen hem. 'Het is een uitstekend idee. Ik zal Roshan vragen of hij een goede kapper weet.'
Tristan zat aan het stuur van Edwards Land Rover Discovery (Edward had met de voor hem typische efficiëntie de verzekering om laten zetten voor zijn vertrek). Tristan wilde per se het stuur overnemen toen ze waren gestopt bij een pompstation. Zonder dat ze het hem gevraagd hadden was hij meegegaan op winkelexpeditie en leverde met roerend enthousiasme zijn bijdrage aan Lydia's gedaantewisseling. Rufa vond het heel lief van hem, hoewel ze een beetje nerveus was omdat ze hem aan Nancy zou moeten voorstellen. Lydia was te zeer onder de indruk van al het nieuwe om veel aandacht aan Tristan te besteden of zich af te vragen waarom hij mee was gegaán, maar Nancy was iets heel anders. Voor Nancy was Rufa een open boek – ze kende haar soms beter dan zij zelf.
Lydia zat achter in de auto omdat ze misselijk werd als ze lang voorin moest zitten. De laatste keer dat ze in Londen was geweest was voor de geboorte van Linnet en toen was ze alleen naar de zuigelingenafdeling geweest van het warenhuis John Lewis in Oxford Street. Met lichte verwondering zag ze hoe bekend Rufa was met dat overvolle, exotische Babylon.
Tristan keek haar in zijn achteruitkijkspiegeltje aan. 'Neem me niet kwalijk, Lydia. Ik weet wel dat we elkaar pas vanmorgen hebben ontmoet, maar soms kan het onbevoordeelde oog van een vreemde bruikbaar zijn.'
'Ze moet meer van haar gezicht laten zien,' zei Rufa instemmend. 'Je verstopt je achter al dat haar, Liddy.'
Lydia zei met enigszins tegenstribbelende stem: 'De Man was dol op ons haar.'

'Selena heeft haar haar afgeknipt en de wereld is niet ingestort,' zei Rufa energiek. 'Het punt is, we moeten naar Tristan luisteren. Hij weet hoe een normaal uiterlijk eruitziet. Wil je er niet normaal uitzien?'
'Tja,' zei Lydia twijfelend. Een deel van haar verlangde hartstochtelijk naar normaliteit, maar het was een grote stap. 'Ik heb Linnet niet gevraagd of ze het goed vond. Misschien vindt ze het afschuwelijk en dan komen we allemaal op haar zwarte lijst.'
Dat was een belangrijk punt, maar Rufa wist dat haar zusje het ook over Ran had. 'Misschien vindt ze het prachtig.'
Tristan moest lachen. 'Wie is dat kind? Mussolini?'
Beide zusjes riepen tegelijk: 'Ja!' en begonnen ook te lachen.
'In godsnaam,' zei Rufa overredend, 'durf eens een risico te nemen.' De vroege ochtend was zilverkleurig en hield de belofte van hogere temperaturen in. Ze voelde zich roekeloos en jong en opgewekt. 'Doe eens iets voor jezelf, zonder iemand anders om raad te vragen. Als je je er beter door gaat voelen wil ik mijn haar ook wel laten afknippen.'
'Nee,' zei Tristan. Hij was plotseling ernstig – hij kon het ene moment vrolijk zijn en het andere ernstig – en beide met volle overgave. 'Jij niet.'
Na een korte, ademloze stilte zei Rufa voorzichtig: 'Ik neem aan dat dat een beetje te veel van het goede zou zijn. En trouwens, het is vandaag niet mijn dag, maar die van Liddy.' Dat moest ze zichzelf blijven voorhouden. Ze had het gevoel dat het wel haar dag was.

Ze waren walgelijk vroeg opgestaan om de files te ontlopen en zo veel mogelijk tijd te hebben om te winkelen. Rufa had geen moeite met opstaan en ze had beloofd op Tristans deur te kloppen om hem wakker te maken. In de grijze zomerse dageraad had ze voor de deur gestaan met gebalde vuist en voordat ze op de deur had gebonsd had ze eerst geluisterd. Ze kon vaag zijn ademhaling horen: regelmatige, ritmische zuchten, als golven. Toen ze aanklopte had hij gekreund. Toen ze een paar minuten later in de keuken stond had ze stommelende geluiden boven gehoord. Ze had het vuur onder de ketel uitgezet om het beter te kunnen horen. De wc werd doorgetrokken. De boiler in de kast maakte een hummend geluid, dat hoorbaar was als iemand douchte in de gastenbadkamer. Verbazingwekkend snel daarna kwam Tristan de keuken binnen met nat haar en barstend van energie. Hij had vier geroosterde boterhammen gegeten en een mooie omelet, licht als schuim,

die Rufa voor hem had klaargemaakt.
Ze kwamen iets voor negenen bij Wendy aan en stapten uit de auto om nog meer toast te eten. Nancy, die vanwege de hitte een soort lang, oranje vest aan had met waarschijnlijk niets eronder, legde stapels droge witte boterhammen onder de grill. Ze had Tristan met haar gebruikelijke hartelijkheid begroet, maar de opgetrokken wenkbrauw waarmee ze Rufa aankeek was een beetje verontrustend. Roshan (die net als Rufa geen moeite had zijn bed uit te komen) had een schaal met croissants klaargezet en een kan versgeperste sinaasappelsap. Selena had een nogal chagrijnig briefje achtergelaten waarin ze uitlegde dat ze niet mee kon gaan winkelen omdat ze 'een of andere stomme opname' had.
'Vindt ze het dan niet leuk om fotomodel te zijn?' vroeg Lydia met haar wijd open onschuldige ogen.
Roshan, knisperend elegant in een wit linnen pak, greep de koffiepot. 'Ze gaat liever dood dan het toe te geven, maar ze houdt het nooit vol. Ze doet het alleen maar om iets onduidelijks aan jullie te bewijzen. Rufa, wil jij de koffie maken? Je weet dat je het Wendy en Nancy niet kunt toevertrouwen om behoorlijke koffie te zetten, en ik moet een pot kruidenthee zetten voor Tiger.'
'Tiger?' Dit had Rufa niet verwacht. 'Is hij hier?'
'Ja, hoor. Hij ligt boven diep te slapen.' Roshan gedroeg zich energiek en zakelijk, maar zelfs hij kon (tot Rufa's interesse en schrik) het niet verbergen dat hij overduidelijk verliefd was – volledig betoverd en behekst, zijn ziel verbonden met die van een ander. 'Ik heb hem niet wakker gemaakt, omdat seks en natuurlijke slaap nog de enige pleziertjes in zijn leven zijn. Hij drinkt niet meer, hij gebruikt geen drugs, eet geen vette troep meer en valt geen jongedames meer lastig. Zonder al die chemicaliën blijkt hij nogal schrikachtig en onzeker te zijn. Ik moet hem blijven aanmoedigen – tja, hij doet het allemaal voor mij, zoals hij me voortdurend vertelt.'
'Liefde is iets geweldigs,' zei Nancy. 'Die lieve ouwe Tiger hoort tegenwoordig bij het meubilair hier in Tufnell Park. Ik kan het niet over mijn hart verkrijgen om hem niet te accepteren. Zelfs Max geeft toe dat je aan hem gewend raakt.'
'Hij stofzuigt de trap,' zei Wendy. 'Dat heeft hij in de ontwenningskliniek geleerd.'
Rufa glimlachte Roshan toe. 'Dus dit is de grote liefde?'
Plechtig zei hij: 'Rufa, ik heb nooit geweten dat het zo kon zijn. Tiger is een ramp. Hij is zo onwaarschijnlijk jaloers dat ik niet eens een briefje voor de melkman kan schrijven. Toen ik hem voor het

eerst zag probeerde hij zijn kwijlerige attenties op te dringen aan mijn beste vriendin. En toch ben ik echt dolverliefd op hem.'
'We zijn tegenwoordig van standing, nu de Verlossende Erfgenaam onze badkamer met ons deelt,' zei Nancy. 'Ik wed dat je het huis nauwelijks zult herkennen.'
Rufa keek vol genegenheid Wendy's kleine, volle keuken rond. Die zag er nu prettig rommelig en zigeunerachtig uit – wat moest ze ongelukkig geweest zijn, dacht ze, om hem deprimerend en slonzig te hebben gevonden. 'Ik vind het er mooier uitzien dat ooit. Ik heb dit huis gemist.'
'Grappig hoe snel de dingen kunnen veranderen,' merkte Wendy opgewekt op. 'Je krijgt de hartelijke groeten van Max, maar hij logeert bij zijn nieuwe vriendin, in Shepherd's Bush, geloof ik.'
Lydia vroeg: 'Was hij niet diegene die op Nancy viel?' Ze had de verhaallijn niet helemaal gevolgd. Die van haarzelf eiste te veel van haar aandacht op.
Tristan zei, met zijn mond vol toast en jam: 'Excuseer me even, ik moet plassen,' en hij liep de keuken uit. Hij was vandaag erg energiek en nerveus en moest voortdurend plassen. Rufa vond het bijna pijnlijk lief.
Zodra hij weg was wendde Roshan zich tot Rufa. 'Wat is er gaande?'
'Wat bedoel je?'
'Ik bedoel, mevrouw Reculver, wie is in vredesnaam die goddelijke jongeman?'
'Ik heb je toch verteld, hij is de zoon van Edwards eerste...'
'Ja, ja, de stamboom kennen we, dank je.' Roshan ging in Tristans stoel aan tafel zitten. 'Maar ik neem aan dat het je is opgevallen dat hij een glanzende jonge seksgod is?'
'Natuurlijk is haar dat niet opgevallen,' zei Nancy. 'Ru ziet de aantrekkelijkheid van mannen pas als ze daartoe schriftelijk toestemming heeft gekregen.'
'Doe niet zo raar.' Rufa voelde haar wangen branden. Ze probeerde te lachen. 'Hij wilde niet achterblijven op de boerderij en hij heeft een gedeelte van de weg gereden. Hij is... erg aardig, trouwens.' Ze dempte haar stem. 'Ik wilde eigenlijk niet dat hij zou blijven, maar Edward schijnt te denken dat ik behoefte heb aan een man die voor me zorgt.'
Nancy lachte. 'Dat is ook zo. God, hij kent je goed. Je hebt je hele leven doorgebracht in de schaduw van de een of andere superieure man.'
'Niet waar!' zei Rufa, geprikkeld omdat ze besefte dat dit waar was.

Eerst was er de Man zelf, kort onderbroken door Jonathan. Toen had ze na de rampzalige dood van de Man haar loyaliteit dankbaar naar Edward verlegd. Ze vond het vervelend om zichzelf in dit pathetische licht te bezien.
'Nou,' zei Roshan, 'als het niet om Rufa zou draaien zouden we nu ver gevorderd zijn in het derde bedrijf van *Desire Under the Elms*. Want die jongeman is zo'n stuk dat het bijna lachwekkend is.'
Nancy schonk zichzelf wat koffie in. 'Laat haar met rust. Begrijp je dan niet dat ze geen idee heeft waar je het over hebt?'
Rufa, die precies wist waarover hij het had, was opgelucht dat Nancy haar niet had doorzien. Voor dit moment liep ze even geen gevaar. Het was te gemakkelijk gegaan; omdat haar liefde niet werd beantwoord was Nancy minder achterdochtig dan gewoonlijk. Ook zij was veranderd door de liefde. Ze was iets afgevallen. Ondanks haar merkwaardige oranje jurk, die Rufa vreselijk vond vloeken bij haar haar, zag Nancy er schrikbarend mooi uit. Haar blanke schouders waren bezaaid met sproeten. Haar blote voeten – die kleiner en fijner waren dan die van Rufa – waren in piepkleine sandaaltjes gestoken en ze had haar teennagels goud gelakt. Om haar ene arm, iets boven haar elleboog, droeg ze een zilveren armband. Hoewel ze zich ervoor schaamde voelde Rufa een steek van ongerustheid. Wat zou Tristan van Nancy vinden? Hij was erg stil geweest sinds ze waren aangekomen, maar misschien kwam dat door zijn verlegenheid.
Toen liep hij de keuken weer binnen en wierp Rufa een speciale, intieme glimlach toe. Ze voelde zich warm worden vanbinnen, alsof de zon in haar ribbenkast was opgegaan. Dit werd gevolgd door een priemende steek van schuldig verlangen naar Edward; innerlijk schreeuwde ze hem toe om thuis te komen en haar te redden. Ze moest voorzichtig zijn dat ze al deze gevoelens niet liet blijken, omdat Nancy en Roshan naar haar keken.
Gelukkig was er geen gevaar dat Lydia vreemde conclusies zou trekken. Haar zintuigen, die al moeite genoeg hadden met deze haar onbekende wereld, waren te druk bezig met het verwerken van het ontzagwekkende vooruitzicht van het uitgeven van echt geld in winkels die niet gedreven werden door liefdadigheidsinstellingen of plaatselijke hippievriendjes van Ran. Ze besteedde trouwens toch nooit aandacht aan andere mannen dan haar ex-echtgenoot. Rufa trachtte Roshans onderzoekende blik af te leiden door om raad te vragen. Dat leek te werken. Hij ging pen en papier halen, overhandigde hun een keurig geschreven lijst van winkels en pleegde een persoonlijk telefoontje met een kapper die hem nog een dienst

verschuldigd was. Wendy was zo vriendelijk een minicab te bellen die hen naar West End zou brengen. Rufa begon te denken dat ze ieders aandacht nu een andere kant had opgestuurd.

Maar voordat ze vertrokken slaagde Nancy erin haar in de hal apart te nemen. Ze greep Rufa bij de pols. 'Gaat het wel goed met je?' Iedereen kon duidelijk aan haar stralende gezicht zien dat het goed met haar ging, dus moest Rufa glimlachen vanwege deze merkwaardige vraag. 'Natuurlijk. Edward heeft gezegd dat ik alle vrijheid had om Liddy op weg te helpen.'

'Wat aardig van hem.' Nancy keek haar in het schaarse licht van de gang doordringend aan. 'Hoe is het met hem?'

'Hij wacht nog steeds tot hij kan getuigen, die arme man. Hij zegt dat dat rondlummelen erger is dan in het leger dienen.' Ergens in haar achterhoofd daagde Rufa Nancy uit om haar van iets te beschuldigen.

Nancy zei: 'Je bent erg mager, Ru.'

Rufa lachte. 'Ik heb altijd gedacht dat je niet rijk en mager genoeg kon zijn. En kijk liever naar jezelf; als je nog meer afvalt blijft er niets meer over om Berry mee te verleiden.'

'Weet je zeker dat alles in orde is?'

'Nance, wat is er toch? Waarom zou het niet in orde zijn?'

'Ik weet het niet.' Nancy keek onderzoekend naar het gezicht van haar zusje. 'Het is gewoon zo lang geleden dat ik je echt heb gezien – de laatste keer was op je schitterende huwelijk. Je ziet er anders uit.'

'Ja, natuurlijk zie ik er anders uit,' zei Rufa terwijl ze iets meer overtuigingskracht in haar stem legde. 'Denk eens terug aan vorig jaar, toen ik als een bezetene jam aan het maken was om de begrafenisondernemer te kunnen betalen voordat hij ons voor het gerecht zou dagen. Ik wil er niet meer aan denken hoe ik er toen uitzag. Ik ben veranderd omdat alles nu zoveel beter gaat.'

'Is dat zo?' zei Nancy twijfelend. 'Het zal wel.' Ze omhelsde Rufa kort. 'Blijf me bellen. Beloof me dat je me zult bellen. Vertel me alles, net als vroeger. Ik vind het geen prettig gevoel dat je zo ver weg bent.'

Rufa keek door de openstaande voordeur naar buiten, naar Tristan die naast de minicab stond. 'Kom af en toe eens naar huis. Dan kun je met eigen ogen zien dat het met ons allemaal prima gaat.'

Om elf uur zat Lydia voor de spiegel van John Frieda's kapsalon in New Cavendish Street en staarde met een mengeling van fascinatie en afschuw naar de kapper die haar massa lichtbruin haar door zijn kieskeurige vingers liet glijden. Rufa en Tristan lieten haar daar achter en gingen op pad om het zoethoudertje voor Linnet te kopen bij Hamley. Ze kochten een Spacehopper voor haar (een idee van Tristan) en twee poppentruitjes voor de Gebroeders Ressany. Rufa kon de verleiding niet weerstaan om Tristan mee te slepen naar Gap Kids en daar drie schattige katoenen jurkjes uit het uitverkooprek te kopen. Ze vond het heerlijk om kleren voor Linnet te kopen. Toen ze thuiskwam uit Italië had ze een extra koffer bij zich die ermee vol zat.

Toen ze terugkwamen bij John Frieda zat Lydia te trillen van opwinding en zag ze er heel anders uit. Haar haar werd in bergen van de vloer geveegd. De kapper had haar haar in een soort bobstijl geknipt en het krulde leuk en natuurlijk als de rug van een lammetje. Het paste precies bij de broze knapheid van haar hartvormige gezicht. Ze zag er jeugdig en levendig uit en onverwacht chic – de kleren die ze aanhad leken opeens helemaal verkeerd. Het dringende van de situatie was nu tot Lydia doorgedrongen en ze stond te popelen om nu alles te veranderen.

Tristan zei voorzichtig dat hij honger had. Rufa trakteerde hen allemaal op een snelle lunch bij Dickins en Jones, waarna zij en Lydia zich op de winkels stortten. Bij Margaret Howell kochten ze linnen pantalons en gestreepte Bretonse truitjes, bij Joseph truien en blazers en bij Emporio Armani een mantelpakje, een spijkerbroek en een handtas. Ze kochten schoenen met naaldhakken en dodelijke punten bij Russell en Bromley en zilverkleurige sportschoenen van Donna Karan. Ze kochten stapels ondergoed bij Marks & Spencer (Lydia hield van degelijk ondergoed) en een beeldig jasje voor Linnet, dat ze geen van tweeën konden laten hangen.

Toen ze voor de winkel van John Medley in Brook Street stonden en weer tot hun positieven waren gekomen, zei Tristan klagelijk: 'Rufa, heb je je creditcard nog niet genoeg geplunderd? Ik moet al een uur vreselijk plassen.'

Lydia boog zich vermoeid voorover om haar tassen even neer te zetten. 'En als ik niet even kan zitten ga ik van mijn stokje.'

'Wat een stelletje zeurpieten,' zei Rufa lachend. 'Ik ben nog maar net begonnen; hier heb ik van gedroomd toen ik ervan droomde om geld te hebben. Maar goed, we houden ermee op.'

Ze voelde zich volkomen tevreden en gelukkig. Ze zaten gedrieën rond een tafeltje in een koffieshop in de drukkende hitte van de namiddag. Om hen heen lagen hopen gladde plastic tasjes met hun aankopen.

Lydia stortte zich bijna uitgehongerd op een chocoladepretzel. 'Ru, ik heb een fantastische dag gehad. Heel erg bedankt, en bedank ook Edward alsjeblieft voor me.' Ze glimlachte naar Tristan. 'En jou moet ik ook bedanken. Ik weet dat mannen er niets aan vinden om te winkelen. Als ik het probeer bij mijn echtgenoot begint hij te huilen.'

Hij lachte. 'Het is me gelukt mijn tranen te bedwingen. Zo erg was het niet.'

'Je hoeft me niet te bedanken,' zei Rufa. 'Ik heb ook een heerlijke dag gehad. Tot mijn schande moet ik bekennen dat ik het fijn vind om mensen te commanderen.'

Lydia wikkelde een tweede chocoladepretzel in een servet, voor Linnet. 'Denk je dat het vreselijk druk zal zijn onderweg naar huis?' Ze was uitgeput en leek opeens gekrompen nu ze besefte hoever ze van huis was.

'Maak je geen zorgen,' zei Rufa terwijl ze even in haar hand kneep. 'We zullen er niet lang over doen.'

Tristan boog zich naar haar toe en glimlachte overredend. 'Lydia, waarom ga je niet met de trein? Wij kunnen je naar het station brengen en iemand kan je komen ophalen. Dan kunnen Rufa en ik terugrijden als het wat rustiger op de weg is.'

Rufa's hart maakte een sprongetje. Het vooruitzicht met hem alleen te zijn in Londen was zowel duizelingwekkend als beangstigend. Haar vreugde en voorgevoel dat er een ramp zou gebeuren waren niet van elkaar te scheiden.

Hij keek haar in de ogen alsof ze de enige twee mensen op aarde waren. 'Ik had het woeste plan om naar *Dream* te gaan in Regent's Park. Het weer is er perfect voor.'

'O, wat leuk!' riep Rufa uit. 'Maar we kunnen vast geen kaartjes...'

'Prudence maakt altijd gebruik van een exclusief agentschap dat altijd kaartjes voor haar kan regelen. Ik zal hen bellen.'

'Ik vind het helemaal niet erg om met de trein te gaan,' verzekerde Lydia haar aanzienlijk opgemonterd. Ze hield van treinen. In een auto voelde ze zich opgesloten en machteloos, zeker als ze in een file stond. Ze waren die ochtend verschillende keren gestopt zodat Tristan naar de wc kon gaan en daardoor waren haar zorgen dat de auto kapot zou gaan of dat ze een ongeluk zouden krijgen toegenomen. 'Eerlijk. Dan hoeven jullie je niet te haasten.'

Het werd zonder problemen geregeld. Tristan zorgde voor de kaartjes voor het openluchttheater door middel van zijn moeders adembenemend dure agentschap. Ze propten Lydia met haar aankopen in een taxi, reden achter haar aan naar Paddington Station en zetten haar op de trein. In een laatste uitspatting kocht Rufa een eer-

steklas kaartje voor haar. Ze belde naar Melismate en vertelde een welwillende Roger hoe laat hij Lydia in Stroud moest afhalen. Tristan ging ergens een kop thee voor haar halen.
Lydia gaf hun allebei een dankbare kus. 'Het was geweldig. Als ik morgen wakker word zal ik denken dat het een droom was.'
De trein zette zich in beweging in de richting van de groene velden in het westen en Rufa en Tristan waren alleen. Alleen met hem zijn in het overvolle Paddington Station voelde op de een of andere manier intiemer aan dat alleen zijn in Edwards huis. Hij liet Rufa hem een stevige arm geven en sleepte haar zo dwars door de mensenmenigte naar de taxistandplaats. Hij zorgde voor haar, niet alsof ze invalide was – zoals Edward soms deed – maar met een formele, bijna eerbiedige zorgzaamheid.
Ze durfden het niet hardop te zeggen, maar hun schuldige, beangstigende en bedwelmende gevoelens schreeuwden het in gedachten uit. Tristan was hopelozer verliefd dan ooit en zijn liefde beschadigde zijn innerlijk en vocht om naar buiten te komen.

Rufa was nog nooit in het openluchttheater in Regent's Park geweest. Ze vond het betoverend mooi. Daar zaten ze in hartje Londen, tijdens deze stille en tropische avond, schouder aan schouder in een magische bomencirkel. In de verte was het gesmoorde verkeerslawaai vaag te horen. Op het toneel onder hen legden Shakespeares geliefden zuchtend hun lijdensweg af terwijl de elfen voetbalden met hun harten. De kleur van de lucht boven hen vervaagde van blauw naar parelkleurig.
Na de pauze – waarin ze worstelden om een plastic glaasje sinaasappelsap te bemachtigen – was het toneel een oase van licht die ingebed lag in een nest van grijze schaduwen. Het werd donker en in de bomen werden lichtjes ontstoken. Het was erg mooi. In de hele stad was geen zuiverder, mooier schouwspel te vinden. Rufa stroomde over van verrukking. Toen de maan aan de hemel verscheen werden alle problemen van de geliefden prettig opgelost. Puck, die leunde op een door de spotlights verlichte boog, liet zijn goede wil blijken: 'Geef me je hand, als we vrienden willen zijn, en Robin zal het met u goedmaken.' Om hen heen werd het langzaam nacht in de grote ruimte vol erotische verlangens.
Rufa voelde zich als een kind bij een pantomimevoorstelling en de betovering werd haar bijna te veel. Haar gedachten waren vervuld van gedichten en romantiek. Ze had het gevoel dat haar hart bloot lag; zo gevoelig voor de lichtste aanraking als de voelhorens van een slak. Tristan hield haar arm vast terwijl de rest van de toe-

hoorders om hen heen krioelde en het theater uitliep naar de donkere grasvelden van het park. De gloed van de straatverlichting scheen door het park waardoor het gebladerte smaragdgroen leek. Onwillig terug te keren naar de werkelijkheid stonden ze bij het hek van het park.
'Zullen we naar de weg lopen?' vroeg Tristan zachtjes. 'We moeten terug naar de auto.'
'Ja.' Rufa stond toe dat hij haar hand pakte. Als in een droom liep ze naast hem tot ze een verlichte taxi zagen. Tristan nam het op zich de taxi aan te houden en het adres aan de chauffeur te geven. Zonder elkaar aan te kijken zaten ze met droge mond naast elkaar. Ze zaten nog steeds hand in hand toen de taxi hen afzette in Tufnell Park Road.
Achter de smalle gordijntjes van Wendy's zitkamer scheen licht.
'Laten we niet naar binnen gaan,' murmelde Rufa. 'Laten we naar huis gaan.'
'Oké. Geef mij de sleutels maar. Ik zal wel rijden, jij bent te moe.'
Edwards auto stond onder een lantaarnpaal en ze voelde zich op de vingers getikt door zijn onverbiddelijke bekendheid. 'Vind je het niet erg?' Ze was doodmoe; veel te moe om te denken.
Tristan stond in het licht met zijn hand op haar schouder en nam haar op. 'Je ziet er uitgeput uit. O, Rufa, je hebt zwarte kringen onder je ogen; je bent al op sinds vanmorgen vroeg. Ik heb Edward beloofd dat ik ervoor zou zorgen dat je je niet te veel vermoeit.'
Rufa glimlachte. 'Hij maakt veel te veel drukte. Maar ik denk niet dat ik nog in staat ben om te rijden.'
Hij pakte de sleutels aan en deed het portier aan de passagierskant open. Toen ze in de auto zat zette hij haar stoel een stukje naar achteren. Ze deed haar autogordel om. Haar ogen vielen dicht. In gedachten zag ze de verlichte bomen, de elfjes in hun fonkelende lovertjes en de verbijsterde geliefden die elkaar dankbaar in de armen vielen. De warme midzomernachtdroom.

Ze werd wakker, zich vaag bewust dat de auto stilstond en dat Tristan haar zachtjes heen en weer schudde.
'Rufa...'
'Mmm, wat?' Rufa knipperde met haar ogen en zag dat ze op een parkeerterrein stonden bij een benzinestation. 'Waar zijn we? O, god, ik heb geslapen...'
'Het spijt me dat ik je wakker heb gemaakt, ik had je liever willen laten slapen tot we thuis waren, maar, drie keer raden, ik moet weer plassen en ik durf je niet hier alleen te laten.'

Rufa maakte haar gordel los en deed het portier open. 'Laten we dan maar naar binnen gaan.'
Het was een lelijk, felverlicht gebouw; een en al beton met felle lampen. Haar droom loste op. Ze voelde zich gekwetst en pijnlijk.
Tristan nam haar bij de hand en leidde haar langs de lange rijen auto's. Ze spraken af dat ze elkaar over tien minuten buiten het restaurant zouden treffen. Rufa ging naar het damestoilet. Op het zwaaideurtje had iemand gekrabbeld: 'Romantiek is waardeloos, voorspel betekent dat hij eerst vraagt hoe je heet!' De werkelijkheid dreef de spot met haar. Ze bestudeerde zichzelf in de lange, nietsverhullende spiegel boven de wastafel. Haar gezicht zag er bleek en duf uit, vond ze. Op haar ene wang zat een rode vlek waar ze tegen de stoel had liggen slapen. Ze plensde wat koud water op haar gezicht en probeerde het lichte gevoel in haar hoofd kwijt te raken.
Tristan stond buiten het restaurant te wachten. 'Ik besef zojuist dat ik barst van de honger. We zijn vergeten iets te eten.'
'Je hebt gelijk.' Ze keek op haar horloge en begon te lachen. 'We zijn echt in elfenland geweest. Het is al bijna middernacht.'
'Maar het was geweldig, vind je niet?'
'Heb ik dat nog niet gezegd?' Rufa voelde zich versuft. Sinds ze uit het theater waren vertrokken hadden ze zo uitputtend intensief met elkaar gecommuniceerd dat ze bijna was flauwgevallen. Maar blijkbaar hadden ze geen echt gesprek gevoerd. 'Het was zo fantastisch dat ik er geen woorden voor kan vinden. Ik moest bijna huilen toen het afgelopen was.'
Zijn gezicht was vlak bij het hare. 'Je hebt gehuild. Ik zag een traan uit je linkeroog rollen, het oog aan mijn kant.'
'Goed dan, ik heb echt gehuild,' zei Rufa glimlachend. 'Ik zal een paar sandwiches gaan kopen – warm eten in dit soort tenten vind ik altijd een beetje onbetrouwbaar.' Ze voelde dat hij nog iets anders over haar ogen had willen zeggen en dat kon ze niet toestaan. De dag was voorbij. Het was nu haar plicht weer in het gareel te lopen. Plotseling leek haar dat veilig en comfortabel toe en een duizelingwekkend ogenblik lang miste ze Edward verschrikkelijk.
Even leek hij verbijsterd, uit zijn evenwicht gebracht. Toen glimlachte hij opgewekt terug. Ze kochten vochtige kaassandwiches en namen die mee naar de auto, terwijl ze heel normaal over de uitvoering babbelden.
'Ik ben nu helemaal wakker,' zei Rufa. 'Ik kan wel een stukje rijden, als je wilt.'
'Nee. Je bent veel te moe, je zou wel een ongeluk kunnen veroorzaken of zoiets. En trouwens, ik vind het prettig om in deze auto

te rijden. Het geeft me een gevoel van volwassenheid.'
Voor nu had de afleidingsmanoevre gewerkt. Rufa gaf Tristan onderweg stukjes sandwich. Ze zaten opgewekt over koetjes en kalfjes te praten. Maar toen ze van de autoweg waren afgeslagen stokte het gesprek tot ze niets meer wisten te zeggen. Ze reden over de warme, slaperige weggetjes met hun donkere heggen. Rufa's hart ging als een bezetene tekeer. Ze voelde het bloed kloppen in haar oren. De spanning tussen hen liep op toen Tristan de auto voorzichtig over de hobbelige weg stuurde die naar de boerderij leidde. Ze stapte zo snel mogelijk uit, nog voordat hij de motor had afgezet en maakte de voordeur open. Het leek jaren geleden dat ze weg waren gegaan. De betrouwbare onveranderlijkheid van het huis – de post van gisteren lag nog op het haltafeltje, de gisteren neergezette margrieten ter ere van Sint Michiel waren nog vers – hielp haar een beetje haar zelfbeheersing terug te vinden.
Buiten sloeg het autoportier dicht en klonk de 'biep' van de deurvergrendeling. Rufa haastte zich door de gang naar de keuken, terwijl ze onderweg alle lichten aandeed. Haar handen beefden en deden niet wat ze wilde. Ze deed water in de waterkoker en zette hem aan in een verwoede poging om op haar gemak en normaal te lijken als Tristan zou binnenkomen.
Hij stond in de deuropening naar haar te staren. Als gehypnotiseerd staarde ze terug. Het was te laat. Niets kon hem nu nog tegenhouden. Terwijl hij haar bleef aankijken liep hij langzaam naar haar toe en nam haar in zijn armen.
Ze sidderde van verlangen. Zijn warme lippen drukten zich voorzichtig op de hare en toen hun lippen met elkaar versmolten was het genot zo groot dat ze bijna een orgasme kreeg. Geschrokken maakte ze zich van hem los.
'Ik kan het niet,' zei ze.
Hij klemde zijn armen nog steviger om haar middel. 'Mijn liefste.' Hij boog zijn hoofd om haar nogmaals te kussen.
Rufa rukte zich met krachtsinspanning los. Ze ging aan het andere eind van de keuken staan. Ze staarden elkaar in geschokt zwijgen aan, terwijl ze allebei zwaar ademden. Tristan bedekte zijn mond met de rug van zijn hand. Zijn ogen werden groot van verbazing.
'Nee. Het spijt me,' zei Rufa. Ze trilde van top tot teen. 'Het spijt me verschrikkelijk. Maar je weet dat ik het niet kan doen.'
'Waarom niet? Wat heb ik verkeerd gedaan?'
'In godsnaam,' zei Rufa verbijsterd. 'Ik heb het over Edward. Ik ben getrouwd, verdomme, er kan geen sprake van zijn...'

'Maar waar zijn we dan de hele dag mee bezig geweest?'
Nu werd Rufa kwaad. Ze wees elke suggestie dat ze eigenlijk al overspelig was van de hand. 'We hebben gewinkeld met mijn zusje en zijn naar een voorstelling geweest.'
Tristans eigen verbijstering veranderde in kwaadheid. Ze had hem nog nooit boos gezien. Hij leek groter, sterker en harder, en tegelijkertijd jonger.
'Je weet heel goed dat het meer dan dat was,' zei hij. 'Je hebt de hele dag signalen uitgestuurd. Daarom hebben we gezorgd dat Lydia wegging en zijn we naar het theater gegaan. Je liet me weten dat het zou gaan gebeuren.'
'Ik heb je niets laten weten,' zei Rufa. Nu ze kwaad was op Tristan werd het gemakkelijker hem te weerstaan en zich haar liefde voor Edward voor de geest te halen. Want ze hield van Edward, al leek hij haar niet te willen hebben. Zonder hem zou ze in duisternis gehuld zijn. 'Je hebt het je allemaal verbeeld zonder mij te vragen wat mijn gevoelens waren. Denk je soms dat ik niet van mijn man houd? We zijn in zijn huis, verdomme. Denk je echt dat ik van het soort ben dat hem bedriegt zodra hij zijn hielen gelicht heeft? Denk je dat ik zo'n soort vrouw ben?' Ze was werkelijk razend. Ze walgde van het soort vrouw dat zij bijna was geworden.
'Nee, natuurlijk niet.' Tristan was opnieuw stomverbaasd en vroeg zich af of hij zich de kracht van Rufa's verlangende kus zojuist had ingebeeld. 'Rufa, het spijt me... het spijt me echt als ik me vergist heb. Maar dit gaat niet alleen over seks.' Hij liep naar haar toe en pakte haar hand. 'Wees niet boos op me, daar kan ik niet tegen. Ik zou je niet hebben aangeraakt als ik had vermoed dat je het niet wist. God, Rufa, ik ben zo verliefd op je dat het pijn doet.'
Het was zinloos. Ze was machteloos. Ze smolt toen ze de pijn in zijn ogen zag. Ze voelde een steek van verdriet omdat ze deze woorden nooit van Edward had gehoord.
Ze zei: 'Ik wist het inderdaad.'
'Ik ben hier niet naartoe gekomen met de gedachte dat ik met Edwards vrouw naar bed zou kunnen. Ik kwam hierheen omdat ik dacht dat het leuk zou zijn om Edward weer eens te zien. En trouwens, ik wist geen andere bestemming die geen geld zou kosten. Ik had me Edwards vrouw voorgesteld als een boerinnentype van een jaar of veertig.' Hij bloosde. Er was nu geen stoppen meer aan zijn bekentenis. 'Ik viel bijna om toen ik je zag. Ik kon mijn ogen niet geloven toen ik zag hoe mooi je was. Ik had er niet over durven dromen om je aan te raken. Maar je bent zo verschrikkelijk aardig voor me geweest. Je bent zo lief, zo verstandig...'

'Houd op...'
Hij wilde haar hand niet loslaten. 'Honderden keren wilde ik mezelf aan je voeten werpen en je smeken van me te houden. Ik heb nooit geweten dat verliefdheid zo'n pijn kon doen.' Er lag een waas van tranen in zijn heldere ogen. 'Af en toe kreeg ik het gevoel dat ik zou willen sterven als je maar naar me zou glimlachen. Ik zal mijn verstand verliezen als je zegt dat je niets voor me voelt.'
Er rolden twee hete tranen over Rufa's wangen. Ze raakte zijn haar aan. 'Het heeft geen zin erom te liegen. Natuurlijk heb ik gevoelens voor je. Maar ik wil die gevoelens niet en ik moet ertegen vechten.'
'Je gaat me vertellen dat het je plicht is, of zo,' zei hij treurig.
'Ik denk niet dat jij weet wat plicht betekent. Jij denkt dat het niets met liefde te maken heeft. Maar in feite draait het juist om liefde, dat is het hele punt. En als ik zeg dat ik van Edward houd doet die uitspraak geen enkel recht aan wat ik bedoel. Ik ben niet alleen erg op hem gesteld. Dankzij hem kan ik me staande houden. Als ik dat ooit vergeet...'
'Maar hij is er nu niet,' murmelde Tristan op dringende toon. 'Hoe zou hij het ooit te weten komen dat we met elkaar naar bed gaan? Hij zal er nooit achter komen en je hoeft het hem niet te vertellen. Alsjeblieft, Rufa...' Hij drukte haar hand tegen zijn kruis aan, tegen zijn erectie. 'Alsjeblieft, alsjeblieft, ik ga kapot van verlangen naar jou...'
Rufa trok haar hand snel weg. Hij smeekte haar om illegaal seks te bedrijven in het huis van haar echtgenoot. Haar visie op de situatie was nu veranderd en de romantische idylle kreeg een schandelijk en smerig bijsmaakje. Tristan leek te denken dat ze hem iets verschuldigd was omdat ze haar hart, zeer tegen haar zin, aan hem had verloren. Waarom was hij niet in staat deze afschuwelijke situatie vanuit haar standpunt te bekijken als hij zo waanzinnig verliefd op haar was?
'Tristan, het spijt me,' zei ze met meer kracht in haar stem dan ze de afgelopen dag had kunnen opbrengen. 'Je bent verliefd geworden op de verkeerde vrouw.'
Hij fronste. 'Je bent gewoon te laf om toe te geven wat er is gebeurd. Dit is geen grappig voorvalletje, geen voorbijgaande bevlieging. Ik zal nooit over jou heenkomen.'
'Dat zul je wel als we het nu een halt toeroepen,' zei Rufa. 'Het is beter om het te vergeten.'
'Nee!' Hij schreeuwde het uit en ze schrokken allebei. Tristan was diep gekwetst en de pijn die hij voelde maakte hem woedend. 'Je

kunt niet zomaar tegen me zeggen dat ik je moet vergeten. Ik heb je mijn hele leven toevertrouwd. Je weigert in te zien hoe belangrijk het is omdat je zo bang bent je prettige, comfortabele huis te verliezen en al die zakken met geld...'
'Hoe durf je verdomme tegen mij te praten over geld?' schreeuwde Rufa. Het gepraat over Edwards geld bracht haar buiten zichzelf en ze werd bevangen door razernij. 'O, je aanbidt me verdomme zolang je denkt dat het allemaal jouw kant op zal komen, maar als je even je zin niet krijgt ga je mij ervan beschuldigen dat ik achter Edwards verdomde geld aanzit!'
'Nou, wil je dan beweren dat dat niet zo is? Kom nou, Rufa. Speel geen spelletjes.'
'Dit is geen spelletje. Waarom wil je me niet geloven als ik zeg dat ik van hem houd?'
Tristan trilde van woede. De tranen sprongen in zijn ogen en bleven als een glinstering op zijn wimpers liggen. 'Als je werkelijk van hem zou houden, zou je met hem naar bed gaan.'
Rufa fluisterde: 'Wie... waar heb je het in vredesnaam over?'
Nu zwegen ze allebei. Tristan durfde haar bijna niet in haar witte, gepijnigde gezicht te kijken, maar hij was nog steeds boos genoeg om eruit te flappen: 'Prudence heeft het me verteld. Ze zei dat ze aan Edward had gevraagd wat er mis was omdat ze wist dat hij ergens mee zat en hij vertelde haar dat jullie geen seks met elkaar hebben. En dat is eerlijk gezegd het enige dat me op de been heeft gehouden... ik bedoel, ik vind Edward aardig, en zo. Maar als ik geweten zou hebben dat je met hem naar bed ging had ik mezelf iets aangedaan.'
Rufa leunde tegen de keukentafel. Ze voelde zich alsof ze een harde vuistslag had gekregen tegen het beeld van haar leven, waardoor het in gruzelementen lag. Edward had haar verraden. Hij had hun diepste, donkerste geheim besproken met Prudence, nota bene! Direct buiten haar voordeur lokte de duisternis. Het zou nu gemakkelijk zijn om te sterven, als daarmee de pijn weg zou gaan.
'Ze heeft gelogen. Het is niet waar.'
'Nee, jij bent degene die liegt. Je leeft erin. Je hele leven is een enorme leugen.' Tristan huilde en stond in vuur en vlam; hij ranselde haar af met zijn woede.
'Het is niet waar. Alsjeblieft... probeer te begrijpen...'
'Weet je wat de ironie van het hele verhaal is?' vroeg hij. 'Ik had mezelf misschien tegen je kunnen beschermen als ik beter naar Edward had geluisterd. Hij heeft me min of meer de waarheid verteld en ik wilde niet luisteren.'

'De waarheid? Wat...'
'Waarom denk je dat hij me vroeg hier bij jou te blijven? Waarom denk je dat hij de autoverzekering op mijn naam heeft gezet en dat soort dingen? Hij acht je niet in staat om voor jezelf te zorgen. Je stond op het punt in te storten totdat ik kwam.'
'Ga weg!' gilde Rufa. Ze herkende haar eigen duivelse stem niet, die uit haar tenen kwam. 'Ga weg! Ga weg!'
'En waarom denk je dat ze ruzie hebben gehad in Parijs? Heeft hij je verteld dat hij jaren en jaren de minnaar van Prudence is geweest? Ik bedoel, waarom denk je dat ze haar huwelijken niet langer dan vijf minuten kan volhouden? Volgens mij heeft ze het volste recht om boos te zijn vanwege jou. Als hij dan zonodig moest trouwen had hij met háár moeten trouwen!'
'Ga weg!'
Tristan veegde met zijn mouw over zijn gezicht. 'O, ik ga verdomme al.'
'Laat me met rust!'
'Je hebt mijn leven verpest. Ik hoop dat je tevreden bent, frigide kreng.' Hij drong zich ruw langs haar. De voordeur werd met zo'n kracht dichtgeslagen dat er een ruitje uit de keukendeur op de vloer in scherven viel. Rufa hoorde Edwards auto wegscheuren, het pad af. Toen werd het geluid overstemd door de allesoverheersende stilte. Ze stond bewegingloos te luisteren. Haar enorme woede was weggeëbd. Ze was duizelig en een beetje misselijk. Tristan was weg. Ze was hem kwijt en ze hield meer van hem dan van wie dan ook. Hij hield van haar en zij had zijn liefde verworpen.
Ze had hem afgeweerd vanwege Edward en Edward vond haar een halve gare. Hoe had hij het kunnen doen, hoe had hij hun huwelijk met Prudence kunnen bespreken? En waarom was hij niet in staat hun niet-bestaande seksleven met Rufa te bespreken, terwijl hij er blijkbaar wel tijdens de lunch met die ouwe trut over kon babbelen? Omdat Edward en Prudence minnaars waren, natuurlijk. Succesvolle minnaars, die elkaar al jaren en jaren kenden. Wie weet pleegde hij die gezellige telefoontjes uit Den Haag met haar alleen maar om er zeker van te zijn dat ze het nog volhield. Hij vond zijn jonge vrouw een risico, een vergissing. Misschien had hij Prudence ook over de nachtmerries verteld. Waarom niet? Ze was zo dom geweest te denken dat hij niemand zou vertellen over hun steriele leven. Tristan had gelijk, zij en Edward leefden hun leven als één grote, waanzinnige leugen.
Ze verloor de greep op de werkelijkheid en geestesbeelden namen het over – beelden van Edward, van de Man, van Tristan, die steeds

van haar wegvluchtten en haar achterlieten in een wereld zonder liefde.
Ze ging zitten, verborg haar hoofd in haar armen en huilde tot ze het bewustzijn verloor.

Hoofdstuk vijf

Met bonkend hart ontwaakte ze door het schrille gerinkel van de telefoon. Met een schok kwam ze weer tot bewustzijn en merkte dat ze met haar ene wang op de keukentafel rustte, er bijna aan vastgeplakt zat door het snot en de tranen. Het zonlicht stroomde door het raam boven het aanrecht naar binnen. Rufa sprong op en wankelde even omdat haar ene been sliep. Als het Edward zou zijn, moest ze haar best doen normaal te klinken.

'Hallo?' Het kwam eruit als gekraak.

'Ru, met Tristan. En voordat je iets zegt: het spijt me van gisteravond. Ik heb me als een ellendeling gedragen en ik zal het nooit kunnen goedmaken.' Hij sprak snel, smekend en vol energie. 'Ze zouden me door de straten moeten slepen en in het openbaar afranselen. Je hebt het volste recht om de telefoon erop te gooien en nooit meer tegen me te praten... ik bedoel, daarmee zou je mijn hart natuurlijk breken, maar ik verdien niet beter. Hallo? Ben je er nog?'

Rufa kreeg het gevoel dat ze was herboren in kleur nadat ze maanden in miserabel zwart-wit had doorgebracht. De wereld stond weer op zijn plaats en opeens zag ze de glinsterende pracht van de ochtend. 'Ja, ik ben hier. Waar ben jij?'

'In Cirencester. Het is een lang verhaal. Het komt erop neer dat ik een lift naar huis nodig heb en mijn creditcard, die ligt op de kaptafel, in mijn portefeuille. Zou je die willen meenemen?'

Ze lachte. 'Wat is er in vredesnaam aan de hand? Waarvoor heb je een creditcard nodig?'

'Omdat... wees alsjeblieft niet boos... ik een probleempje heb gehad met Edwards auto en ik moet de man betalen die hem naar de garage heeft gesleept.'

'Een probleempje?'

'Kom me halen en dan zal ik alles uitleggen,' zei Tristan. 'Ben je echt niet boos?'

'Hoe kwaad moet ik zijn?'

'Nou, heel kwaad, om je de waarheid te zeggen.'

Een lach borrelde in Rufa op. Ze was plotseling belachelijk blij, zoals ze God mag weten hoelang niet was geweest. Ze had niet beseft dat ze was vergeten hoe het voelde om zo blij te zijn tot ze het zich nu weer herinnerde. Het leek of er een sluier werd opgelicht of er een mist optrok. 'Je kunt me maar beter vertellen waar je uithangt,' zei ze.

Hij stond te wachten voor een garage vlak bij de openbare parkeerplaats. Op het moment dat ze hem zag trok Rufa's hart zich samen van verlangen. Zijn witte spijkerbroek en overhemd zaten onder de smurrie en de ene kant van zijn lange haar plakte aan elkaar en was vies. Er zat een vierkante pleister op zijn voorhoofd geplakt. Hij was prachtig. Ze nam dit allemaal in zich op terwijl ze haar Renault tot stilstand bracht naast de wasstraat.
Tristan rende naar haar toe, zij sprong uit de auto. Ze wisten niet hoe ze elkaar moesten begroeten en bleven verlegen naar hun voeten staren.
En jongeman in overall met een kortgeschoren, stoppelige schedel en een oorbel in kuierde naar hen toe. 'Dit is ze zeker?'
Tristan keek op. 'Ja, dit is mevrouw Reculver. De auto is van haar echtgenoot.'
'Juist ja.' De jongeman grinnikte hen betekenisvol toe. 'Je hebt heel wat uit te leggen.'
'Dit is Ken,' zei Tristan. 'Hij is zo vriendelijk geweest me hierheen te slepen op basis van het vertrouwen dat ik een creditcard had. Heb je hem bij je?'
'Tristan, wat is er met je hoofd gebeurd? Ben je in orde?' Rufa raakte voorzichtig de pleister op zijn voorhoofd aan.
'Hij heeft hechtingen,' zei Ken. 'Ik moest hem bij de eerste hulp ophalen.'
'Eerste hulp? Vertel me nou in godsnaam wat er is gebeurd!' zei ze geschrokken.
'Je gaat door het lint als je de auto ziet,' zei Ken, die nog steeds grinnikte.
Hij ging hen voor om het hoofdgebouw heen naar een naar olie ruikende schuur waar het geluid weerkaatste en zielige grassprietjes door de betonnen vloer staken. Langs een muur stonden roestige olievaten en dikke kabelrollen opgestapeld. Direct voor hen stond een autowrak zonder voorruit en er ontbrak een portier. De motorkap was als een harmonica in elkaar gedrukt en de airbag hing futloos aan het stuur. Rufa besefte opeens dat ze keek naar Edwards Land Rover. Het duizelde haar.
Snel pakte Tristan haar hand. 'Sorry, ik had je moeten waarschuwen.'

'Godallemachtig,' zei ze. Alle kleur was uit haar gezicht getrokken. 'Je... je had wel dood kunnen zijn.'
'Hij is een geluksvogel, deze figuur,' zei Ken terwijl hij Rufa aanstaarde. 'Hij heeft alleen een paar hechtingen.'
'Rufa, het spijt me zo,' zei Tristan. 'Maar de verzekering zal wel betalen, want ik was niet dronken of zo.'
'Wat kan mij die auto schelen, idioot.' Ze had zich hersteld. 'Het gaat om jou. Ik was je bijna kwijt.'
'Zou je dat erg gevonden hebben?'
'Doe niet zo stom. Ik zou kapot geweest zijn.'
'O, mijn lieveling...' Hij straalde. Het was nu uitgesproken, en meer woorden hoefden ze er niet aan vuil te maken. Tristan nam Rufa voorzichtig in zijn armen. Ze sloeg haar armen om zijn nek en trok hem tegen zich aan zodat ze zijn hart kon horen kloppen. De vreselijke nabijheid van de dood joeg haar grote angst aan. In één seconde had dat prachtige leven weggerukt geweest kunnen zijn. Ze wilde hem voor altijd vasthouden.
Ken begon uitvoerig te hoesten. 'Waar heb je die creditcard?'
Rufa en Tristan lieten elkaar los en kwamen weer met beide voeten op de aarde terug. Rufa haalde Tristans portefeuille te voorschijn. Ze gingen het kantoortje binnen, dat vol stond met overvolle asbakken en gedeukte archiefkasten en Tristan betaalde de rekening.
Toen waren ze vrij. Ze liepen hand in hand de garage uit en waren op dat ogenblik zielstevreden dat ze samen waren en verliefd.
Tristan wierp een blik op zijn horloge. 'Halfelf. Zullen we ergens een kopje koffie drinken?' Hij glimlachte haar toe en zijn gezicht was zo dicht bij het hare dat ze alleen nog zijn heldere, glinsterende ogen kon zien. 'Het lijkt alsof ik dit altijd tegen je zeg, maar ik rammel van de honger.'
'Ik zal je op een ontbijt trakteren,' zei Rufa. 'Dan kun je me het hele akelige verhaal vertellen... en kunnen we een versie verzinnen die acceptabel is voor Edward.' Het was vreemd hoe theoretisch Edward op dit moment leek. Als ze te lang over hem nadacht was de pijn ondraaglijk – de man die met haar was getrouwd omdat hij vond dat haar familie meer recht op zijn geld had dan zijn jarenlange minnares; die, naar was gebleken, geen seks met haar wilde hebben omdat hij dat als ontrouw jegens Prudence beschouwde. Het was veel veiliger en prettiger om helemaal niet aan Edward te denken.
Ze vonden een ouderwets café waarvan de met hout gelambriseerde wanden vol hingen met martingaalschildjes en bonte gravures.

Rufa ging aan een tafeltje bij het raam zitten. Tristan ging het opgedroogde bloed uit zijn haar wassen.
'Hoe zie ik eruit?' vroeg hij toen hij terugkwam. 'Ik lijk nu niet meer zo erg op Rab C. Nesbitt, hoop ik.' Rufa vond dat hij op een jonge ridder leek, die besmeurd was met de modder van Naseby of Edgehill.
Ze lachte. 'Je bent smerig maar tamelijk toonbaar. Het is goed genoeg. De Man ging hier altijd op blote voeten naar binnen.'
Ze bestelden thee met croissants, Engelse muffins en geroosterde baconsandwiches. Tristan viel als een wilde op het voedsel aan. Rufa herinnerde zich dat hij niet meer had gegeten sinds ze hem die kaasbroodjes aan de grote weg had gegeven, gisteravond. Gisteren leek een ander tijdperk.
'Ik was razend,' zei Tristan. 'Ik was me nauwelijks bewust dat ik in de auto zat. Ik moest er steeds aan denken dat je me had afgewezen. Ik wist zeker dat je me haatte. Ik haatte mezelf om de dingen die ik tegen je heb gezegd, waar ik geen woord van meende.'
Rufa staarde in haar thee. 'Sommige dingen klopten precies.'
'Nee, het was allemaal kinderpraat,' zei hij met volle overtuiging. 'Ik had je nooit zo mogen aanvallen. Ik had het recht niet om bepaalde dingen aan te nemen.'
'Waar kreeg je het ongeluk?'
'Ik reed op een stenen muur vlakbij Hardy Cross. Hij stond in de bocht en ik zag hem te laat.' Tristan begon te blozen. Hij reikte over de tafel naar haar hand. 'Om je de waarheid te zeggen zag ik hem niet omdat ik zat te huilen.'
Ze keek vlug op. 'Ik ook. Wat een belachelijke gedachte dat we allebei zaten te huilen terwijl ik alleen maar de waarheid had hoeven toegeven.'
'De waarheid? Dat je van me houdt?'
'Ja. Ik weet niet waarom ik zo bang werd.' Dit was een leugen. Rufa wist dat heel goed. Ze was bang om haar anker kwijt te raken; de persoon wiens mening voor haar de belangrijkste ter wereld was.
Tristan zei: 'Vanwege Edward,' alsof Edward een vermoeiende verplichting was.
Snel voegde ze eraan toe: 'Ik bedoel niet dat ik bang voor hém ben.'
'God, ik wel,' zei Tristan. 'Zeker nu ik verliefd ben geworden op zijn vrouw en zijn auto in de prak heb gereden. Hij zal me waarschijnlijk te grazen nemen zoals hij dat bij de SAS heeft geleerd en me daarna wurgen.'
'Doe niet zo raar,' zei Rufa scherp, die het vervelend vond in een positie gemanoevreerd te worden waarin ze Edward moest verde-

digen en zich ergerde aan Tristans luchtigheid. Ze had op dit moment geen behoefte om op zijn stralende jeugd te worden gewezen. Even zweeg ze. 'Je moet begrijpen hoeveel ik van je houd,' zei ze. 'Je moet begrijpen hoeveel pijn het me doet om Edward te bedriegen. Maar ik ben nu te ver gegaan. En als ik je niet kan liefhebben zal ik eronderdoor gaan.' Ze verlangde zo hevig naar liefde. Ze werd duizelig van het verlangen met een man samen te zijn die hartstochtelijke verklaringen aflegde en zei dat hij voor haar wilde sterven.
Tristan trok zijn hand terug. 'Je praat altijd over doodgaan en gedood worden.'
'Is dat zo?'
'Je bent zo intens, jouw gevoelens zijn zo scherp als een mes. Ik wist het al de eerste avond die we samen doorbrachten, toen je die zalige Italiaanse maaltijd had bereid. Je was onwaarschijnlijk mooi, maar ik had het sterke gevoel dat je ongelukkig was. Alsof je jezelf kwijt was. Zo werd ik verliefd op je.' Zonder te kijken pakte hij de overgebleven helft van zijn sandwich, nam een grote hap en praatte snel door met volle mond. 'Ik weet niet hoe het kwam en of ik het wel leuk vind. Je hebt me geen keus gegeven. Toen ik gisteravond wegreed dacht ik dat de wereld was vergaan; ik kon een leven zonder jou niet verdragen. Twee seconden voor ik op die muur knalde voelde ik me geloof ik nogal nobel, omdat ik op het punt stond mijn leven voor je te geven.' Hij glimlachte stralend – wat hem betreft was nu alles helemaal in orde. 'Toen bleek ik niet dood te zijn en voelde ik me een sukkel. Het portier was verbogen, of zoiets, en ik kon er niet uit.'
'Heb je daar lang gezeten?'
'Nou, het leek eeuwen te duren. Blijkbaar heeft een of andere ouwe tante de klap gehoord en die durfde niet naar buiten te komen om poolshoogte te nemen, omdat ze dacht dat ik een verpletterd lijk zou zijn.'
Rufa kromp in elkaar. 'Zeg dat niet.' Hij deed er buitengewoon luchtig over, alsof het ongeluk had bewezen dat hij onsterfelijk was. 'Ze heeft alle hulpdiensten gebeld, behalve de Bergbeklimmers Reddingsdienst. Ik werd overstroomd door alle dappere mannen van Gloucestershire. De brandweer kreeg het portier eraf, de politie nam me een ademtest af en de ambulance vervoerde me naar het ziekenhuis.'
'Heeft de politie je ergens van beschuldigd?'
Tristan schudde ontkennend het hoofd terwijl hij een grote slok thee nam. 'Ik was niet dronken en je kunt iemand niet bekeuren omdat

hij zit te snikken terwijl hij rijdt, toch? Eigenlijk waren ze poeslief. Ze zeiden allemaal dat het wel duidelijk was dat je veel van me hield.'

Rufa kon haar lachen niet bedwingen. 'O, god, wat heb je hun allemaal verteld? Ik zal een politieagent nooit meer in de ogen durven kijken.' Tristan was erin geslaagd hen met zijn charmes te betoveren terwijl hij in een verongelukte auto zat. Het deed haar denken aan de Man; die werd ook voortdurend gearresteerd en stond toch op zeer goede voet met de halve politiemacht in het graafschap. Er waren tientallen politieagenten naar zijn begrafenis gekomen.

'Ik heb geen namen genoemd,' stelde Tristan haar gerust.

'Nou, dat is een hele troost.'

Achter haar klonk een energiek getik op het matglazen raam. Rufa draaide zich om en zag het warrige hoofd van Rose boven het kleurrijke gordijntje uitkomen, die straalde en iets onverstaanbaars zei. De laatste persoon die ze wilde zien nu ze totaal niet op haar hoede was. Ze glimlachte en wuifde en deed haar best een dolblije uitdrukking op haar gezicht te toveren.

'Mijn moeder,' mopperde ze tegen Tristan.

'O.'

'Ze komt naar binnen. Val me gewoon bij, wat ik haar ook vertel.'

Ze stonden allebei op toen Rose het café kwam binnenzeilen, beladen met rammelende boodschappentassen. Als Rufa beter had nagedacht had ze Tristan nooit hier mee naartoe genomen. Het café was allesbehalve discreet maar tot op dit moment was het nog niet bij haar opgekomen dat ze misschien iets te verbergen had.

De serveerster van middelbare leeftijd die achter de counter stond begroette Rose als een oude vriendin. 'Nou, kijk eens wie we daar hebben, we hebben je tijden niet gezien. En we hebben die langwerpige donuts die je zo lekker vindt.'

'O, ja, alsjeblieft, en een kopje koffie. Nee, thee. Nee, toch maar koffie.' Rose omhelsde haar dochter. 'Lieverd, wat heerlijk om je te zien. Ik zat nog te denken, ik moet je bellen om te zeggen hoe snoezig Linnet eruitziet in dat gele jurkje dat je voor haar hebt gekocht; ze wilde het vandaag per se aan.' Ze richtte haar stralende blik op Tristan. 'En jij bent natuurlijk Tristan. Liddy heeft hoog over je opgegeven. Ze zei dat ze nog nooit een man had meegemaakt die zich zo goed in winkels kon gedragen. Wat heb je in vredesnaam met je hoofd uitgespookt?'

Zonder zijn antwoord af te wachten liet Rose zich in een stoel zakken en begon in een van haar tassen te zoeken. 'Ik heb bij Boots wat arnicacrème gekocht, wil je er wat van hebben?'

'Nee, dank je. Het is niets ernstigs.' Tristan wierp Rufa een vragende blik toe.
Maar Rufa kon zien dat Roses voelsprieten niet in werking waren. Dat had ze altijd als ze ging winkelen – het was zo lang geleden dat ze geld had gehad. Van het legitiem winkelen met de kleine toelage die Edward haar gaf zodat ze hem 'niet zou lastigvallen' raakte ze helemaal in verrukking.
'Liddy heeft gisteren een heerlijke dag gehad,' zei Rose. 'Ze zag er aanbiddelijk uit toen ze terugkwam. Als die man die het koor leidt haar ziet zal hij haar volgens mij een aanzoek doen. Ik weet zeker dat hij haar leuk vindt.'
Tristan vroeg: 'Wat vond Linnet van de Spacehopper?'
Rose grinnikte. 'Normaal gesproken zou ik haar vandaag hebben meegenomen, maar ze kan alleen maar denken aan die verdomde Spacehopper. Het is Roger gelukt hem met de voetpomp op te blazen en toen ik wegging was ze als een gek over het terras aan het stuiteren. Vandaar de arnica, steriele gaasjes en hippe pleisters. Ze heeft al een geschaafde knie en een bult op haar hoofd.' Eindelijk liet ze haar tassen met rust en richtte haar aandacht volledig op Tristan. 'Ik ben zo blij dat ik je nu eindelijk ontmoet. Ik begrijp niet waarom Ru je niet heeft meegenomen naar Melismate.'
'Hij moet eigenlijk hard studeren,' zei Rufa.
'In deze hitte? Onzin. Kom een keertje langs, als Liddy gekookt heeft. Kijk maar uit voor je reputatie, Ru, ze begint een echte rivale te worden.'
'Ik zou Melismate dolgraag willen zien,' zei Tristan. Onder de tafel raakte zijn knie die van Rufa. Ze durfde niet naar hem te kijken. Ze konden onmogelijk naar Melismate gaan. Voor de eerste keer in haar leven had ze haar gevoelens niet onder controle. Ze was bang dat die haar zouden verraden.
Gelukkig werden Roses koffie en donut gebracht, waardoor ze werd afgeleid. Maar zodra de serveerster weg was vroeg ze helaas: 'En, hoe is het met Edward?'
'Goed,' zei Rufa terwijl ze haar blik op haar bord gericht hield. Ze had Edward sinds eergisteren niet meer gesproken. Het was niet bij haar opgekomen om te kijken of er een boodschap op het antwoordapparaat stond. Ze besefte dat ze zo snel mogelijk een geruststellende mededeling in zijn hotel moest achterlaten. Ze wilde hem niet persoonlijk spreken maar ze wilde ook niet dat hij ongerust zou worden. 'Hij brengt veel tijd door met wachten terwijl het hof beslist of zijn getuigenverklaring wel of niet geldig is. Hij is nog niet opgeroepen.'

'Arme man,' zei Rose. 'Net een maand getrouwd en nu moet hij werkeloos rondhangen, kilometers van huis. Doe hem vooral de hartelijke groeten als je hem spreekt.'
'Dat zal ik doen.'
'Hij zal er wel gek van worden. Ik weet dat Edward er niet tegen kan om niets omhanden te hebben. Hij moet ergens leiding aan geven. Ik heb altijd gedacht dat een dictatorschap in Zuid-Amerika wel iets voor hem zou zijn.'
Tristan moest lachen. Rufa kon zien dat hij Rose mocht, wat tegelijkertijd vleiend en zorgwekkend was. 'Dat zou dan een zeer efficiënt dictatorschap zijn, geen geluier meer in de zon onder enorme hoeden.'
'Tja, je kent hem,' zei Rose. 'Gelukkig is Ru precies hetzelfde. Altijd bezig iets te maken, te herstellen, te snoeien of plannen te maken.'
Hij glimlachte Rufa toe, wat hem een nieuwsgierige blik van Rose opleverde. 'Ja, Rufa is een wandelende bestraffing van luiheid. Daarom heb ik al zoveel werk af; mijn mentor zal flauwvallen van schrik.'
Hij plaagde haar, omgaf haar met warmte. Rufa glimlachte terug, want het gaf haar een heerlijk gevoel. 'Hartelijk dank. Je schildert me wel heel saai af.'
'Nancy noemde haar altijd "de blikken onderbroek",' zei Rose opgewekt, terwijl ze Tristan opnam. 'Ze zei dat je het blik hoorde rammelen zodra je even ging zitten om uit te rusten.'
Ze moesten allemaal lachen. Rufa's en Tristans handen raakten elkaar onder de tafel en Rufa wilde hem zo graag kussen. Als ze op de boerderij terug zouden zijn, zouden ze de liefde bedrijven. Ze kreeg een licht, verwachtingsvol gevoel in haar maag.
Toen zei Rose: 'Ik heb me afgevraagd of je op Alice zou lijken, maar dat is helemaal niet zo, eigenlijk lijk je meer op de Man.'
'O, nee,' protesteerde Rufa.
'O, ja,' zei Rose, terwijl ze een diepe zucht van herinnering slaakte. 'Zoals hij was toen ik hem leerde kennen.'
Rufa pakte haar portemonnee uit haar tas. 'We moeten gaan.'
Tristan sprong op. 'Ik ga wel betalen.' Hij liep naar de kassa op de counter.
Rose keek hem nadenkend na. 'Een jonge Apollo,' zei ze.
'Sorry?' Rufa leek haar niet gehoord te hebben.
Rose richtte haar blik nu op haar. 'Je vergeet niet de groeten aan Edward te doen, hè?'
'Nee, hoor.'

'Zeg maar dat hij snel thuis moet komen.'
'Het helpt niet om ongeduldig te zijn,' zei Rufa.
'Kom eens langs, schat.' Rose streek even over Rufa's onderarm. 'Je oude huis mist je. En mijn kleine Linnet ook. Ik vind het idee dat je daar alleen op die boerderij zit niet prettig.'
'Ik ben niet alleen. Tristan houdt me gezelschap.'
Rose zei: 'Ja, ach... zorg in ieder geval goed voor jezelf.'

Hoofdstuk zes

De kapperszaak had geen enkele uitstraling. Op het vuile, geblokte linoleum lagen her en der plukken haar. Aan de vergeelde muren hingen zwart-witfoto's van weinig aantrekkelijke mannen met diverse ouderwetse kapsels. De kapper stond achter een van de twee kunstleren stoelen bij de spiegel de schaarse haren van een kalende pensioengerechtigde te knippen. Joost mocht weten waarom Ran per se hierheen had gewild, terwijl er een adequate, hoewel niet erg indrukwekkende, kapper om de hoek zat.

De kapper keek Ran somber aan. Hij wreef een laatste keer met zijn handdoek over het hoofd van de pensioengerechtigde en haalde de nylon kapmantel van zijn schouders. 'Ja?'

Polly duwde Ran vastbesloten de zaak in en deed de deur achter zich dicht. 'Het spijt me, maar er schijnt een misverstandje te zijn ontstaan.'

'Wat?'

'We wilden zijn haar laten knippen.'

'Maar dat heb ik net gedaan!'

'Ik ben bang dat u het niet goed gedaan heeft.'

De kapper kreeg een strijdlustige blik in zijn ogen. Het was een mager, zuur mannetje. 'Wat mankeert eraan?'

'Nou, het ziet er nog precies hetzelfde uit. Ik kan helemaal niet zien dat het geknipt is. Toen hij naar buiten kwam was er niets aan veranderd.' Polly nam een pluk van Rans glanzende, schouderlange haar tussen haar vingers. 'Ik dacht dat hij had uitgelegd wat hij wilde. En ik vind het eerlijk gezegd overdreven om hem te laten betalen voor niets.'

De kapper zette zijn handen in zijn zij. 'Hoor eens, ik heb gewoon gedaan wat hij vroeg, ja? Hij zei dat er maar een klein stukje af mocht. Hij zei dat ik alleen de punten mocht knippen. Zeg het haar zelf, vriend.'

Hij wendde zich tot Ran, die hulpeloos zijn schouders ophaalde.

'Dit moet een vergissing zijn,' snauwde Polly. 'Ik dacht dat ik het heel duidelijk had gemaakt dat hij het van achteren en opzij kort

wilde, en bovenop iets langer... tja, ik neem niet aan dat de naam Hugh Grant u iets zegt.' Ze wierp een minachtende blik op de foto's en koos de minst weerzinwekkende uit. 'Zoiets als die daar, maar zonder gel. Zeg het hem, lieveling.'
'Ik wil het niet zo kort,' mopperde Ran. 'Dat staat me voor geen meter.'
'Wel waar. Ik zeg je voor de laatste keer dat je haar er nu volkomen belachelijk uitziet. Alleen pizzakoeriers hebben van dat walgelijke lange haar.'
'Maar het hoort bij me,' zei Ran met het begin van nukkigheid in zijn stem. 'Het geeft uitdrukking aan mijn persoonlijkheid.'
'Onzin. Je had dat haar ook niet toen je geboren werd, doe me een lol.' Polly keek de kapper recht aan. 'Knipt u het opnieuw, alstublieft. We zullen natuurlijk weer betalen.' Tevreden dat de zaak geregeld was ging ze in een wiebelig plastic stoeltje zitten bladeren in haar nieuwe *Vogue*.
Twijfelend keek de kapper naar Ran. 'Nou?'
Ran stond er ongelukkig en verslagen bij, met zijn handen tot vuisten gebald in de zakken van zijn nieuwe zwarte linnen broek. 'Ja, goed dan. Ik bedoel, bedankt.'
'Gaat u dan maar zitten.' De kapper gebaarde naar de lege stoel. 'Ik kom zo bij u.' Hij haalde een grote houten borstel te voorschijn en begon daarmee de schouders van de pensioengerechtigde schoon te vegen alsof hij hen allemaal het liefst zijn winkel uit wilde zwiepen.
Met een lange, bevende, beladen zucht (die niet het minste effect op Polly had) ging Ran voor de spiegel zitten.
De pensioengerechtigde betaalde en vertrok. De kapper pakte zijn schaar en ging op zijn krukje achter Ran zitten. 'Goed, daar gaan we weer. Hoeveel moet eraf?'
'Zoveel als zij zei,' mompelde Ran. Hij kromp in elkaar toen de schaar dreigend boven zijn hoofd werd gehouden.
'Ik kan verdomme geen gedachten lezen,' zei de kapper. Hij mompelde ook, vanwege het onverbiddelijke blonde hoofd dat zich over de *Vogue* had gebogen. 'U kunt de volgende keer beter een briefje van haar meenemen.'
'De volgende keer? O, god.'
'Tja, het haar groeit, nietwaar?'
'Dat zal wel. O, god.'
'Doe je ogen maar dicht, vriend. Dan gaat het sneller.'
Ran kneep zijn ogen dicht. Behendig maar niet erg fijngevoelig begon de kapper aan zijn haar. Het haar op de achterkant van Rans

schedel knipte hij zeer kort en reikte toen naar de tondeuse. Toen hij die aanzette jammerde Ran meelijwekkend. De kapper aarzelde.
'O, schiet toch op,' zei Polly.
De tondeuse zoemde. Rans haar werd van achteren en opzij weggeschoren waardoor het zacht en glanzend werd als de huid van een zeehond. Over zijn voorhoofd viel een dikke, romantische lok. Polly sloeg haar tijdschrift dicht en keek gespannen toe.
'Klaar,' zei de kapper. 'U kunt uw ogen weer opendoen.'
Ran deed zijn ogen open, zag zichzelf in de spiegel en kreunde langdurig. 'Shit!'
'Ja, zo is het prima – en zo erg was het niet, toch?' Polly stond op en zocht in haar handtas. 'Precies wat we wilden.' Ze betaalde, gaf een flinke fooi en nam Ran mee de zaak uit.
Hij zei: 'Ik zie eruit als een imbeciel.'
'Lieverd, doe niet zo raar. Je ziet er schitterend uit.' Polly was dolblij. Ze kon haast niet geloven hoe knap hij nu was: gevoelig, met haar dat op een verleidelijke manier enigszins in de war zat. Toen ze hem zo zag, in zijn nieuwe linnen pantalon en witlinnen overhemd, liep het water haar in de mond. Ze bekeek hun gestalten in de weerschijn van de etalages. Zo moesten ze eruitzien als ze Justine en Hugo die avond zouden ontmoeten. Justine had bij Polly op school gezeten en had gebeld om te zeggen dat ze naar het duistere Gloucestershire zouden komen om bij Hugo's moeder te logeren. Justine was natuurlijk razend nieuwsgierig naar Ran, al had ze Polly er braaf van verzekerd dat ze haar erg miste. Ze zou zich terughaasten naar Londen en verslag uitbrengen aan Polly's andere vrienden, dus het was essentieel dat ze een goede indruk zou krijgen. Semple Farm was nog niet presentabel. Polly had afgesproken dat ze Justine en Hugo bij een concert zouden treffen en ze daarna mee uit eten zouden nemen in een charmant landelijk hotel. Nu kon ze zich erop verheugen, in het vertrouwen dat Justine groen zou zien van jaloezie.
Als Ran nu maar wat vrolijker werd. Hij schudde Polly's hand van zijn arm af en liep humeurig naast haar. Ze negeerde hem opzettelijk en pakte haar laatste boodschappenlijst uit haar tas.
'Ik heb een leuk interessant winkeltje gezien waar ze beeldige handbeschilderde kastjes verkopen. En prachtige tapisseriekussens, die ervoor kunnen zorgen dat de nieuwigheid van de bank minder opvalt. Ik wil een soort organische, antieke uitstraling scheppen.'
Hij gaf geen antwoord. Maar daar was Polly al aan gewend. Die schat, hij hield niet van veranderingen en reageerde er meestal op

door te mokken, alsof zij zich daar iets van aantrok. Hij kreeg eindelijk door dat ze gewend was haar zin te krijgen.
Vlak voordat ze de hoofdstraat insloegen bleef Ran stilstaan. Hij haalde een gebreide Peruaanse muts met oorkleppen en een kwastje erbovenop uit zijn zak. Hij zette hem op.
Polly trok hem van zijn hoofd. 'Wat doe je nou!'
'Mijn hoofd voelt bloot.'
'Onzin. Het is snikheet. En al was dat niet zo, dan nog zou ik niet gezien willen worden met iemand die rondloopt met een puntmuts, als een of andere enorme elf.'
'Toe nou, Poll!'
'En noem me geen Poll. Ik ben geen papegaai.' Vlakbij stond een vuilnisemmer. Polly gooide de muts er met een rilling van afschuw in.
'Hé!' Ran sprong verontwaardigd naar voren, stak zijn ene arm in de vuilnisemmer en redde zijn muts. Toen hij hem eruit haalde zat er een ijscopapiertje aan een van de oorkleppen geplakt. 'Je probeert het niet eens te begrijpen. Deze muts betekent veel voor me. Niet alleen omdat hij bij me past – het was een geschenk van een echte sjamaan. Hij kwam uit het dorp waar de muts gemaakt is.' Hij zette de muts weer op.
Polly trok hem weer af en stopte hem in haar keurige handtas. 'Laat ik er geen doekjes om winden, Ran. Het kan me niet schelen van wie je hem gekregen hebt of waar hij vandaan komt. Je ziet eruit als een idioot met dat ding op.'
'Idioot?' zei hij gekwetst. 'Hij hoort bij mijn verleden!'
'Misschien kun je hem inlijsten. Want hij heeft niets met je huidige leven te maken.'
Ze deed haar best om haar woede te bedwingen. Hoe verrukkelijk Ran ook was, hij werd steeds lastiger. Zijn smachtende kleinejongensgedrag verhulde een onrustbarende koppigheid. Hij kwam steeds weer terug met dingen die zij had weggegooid. De zolder op Semple Farm, die Polly innerlijk al had bestemd voor een toekomstig kindermeisje, lag tot de nok toe vol met rommel. Besefte de idioot niet dat ze hem juist een plezier deed? En belangrijker, besefte hij niet hoeveel geld haar plannetjes haar zouden gaan kosten?
Maar hij had zijn verzet nu opgegeven, zoals hij uiteindelijk altijd deed. En voor de zoveelste keer smolt Polly toen ze zag hoe knap hij was. Ze reikte omhoog om zijn geschoren hoofd te aaien. 'Wees alsjeblieft niet boos, mijn allerliefste. Ik wil alleen dat de hele wereld ziet hoe goddelijk je bent.'
Ze keken elkaar in de ogen. Hun wederzijdse verlangen ging als een

elektrische stroom tussen hen heen en weer. Polly likte langzaam met het puntje van haar tong rond haar lippen. Dit was hun intieme code voor orale seks. Hoewel ze dit soort dingen met Berry niet graag had gedaan, kon ze Ran wel de hele dag afzuigen. Hij glimlachte, zijn bloed was gaan koken, zo voorspelbaar als een pannetje melk op het vuur. Voorlopig was al zijn weerstand weggeëbd. Polly liet haar hand in de zijne glijden. Hij kneep liefhebbend in haar vingers. Veilig in hun onstilbare hartstocht voor elkaar slenterden ze samen de hoofdstraat in.
'Kijk,' zei Ran, 'daar heb je Rufa.'
Ze bevond zich aan de overkant en liep snel, bijna op een drafje. Ze had haar autosleutels in de hand. Ze droeg een ronde rieten mand met bloemen en flessen wijn. Polly nam zich voor om net zo'n ronde mand te gaan kopen, maar toen besefte ze dat die niet de reden was dat Rufa zo'n gevoel voor glamour had.
'Ze ziet er erg goed uit,' zei Polly kritisch. Ze had Rufa sinds de beslissende dag van haar huwelijk niet meer gezien. 'Wat heeft ze met zichzelf gedaan? Het huwelijk bevalt haar blijkbaar.' Dit was een kleine hint voor Ran, die merkwaardig terughoudend was als het op een definitieve datum aankwam.
'Ze is gewoon gelukkig,' zei Ran, die haar met verdrietige ogen nakeek. 'Je hoeft niet te trouwen om gelukkig te zijn.'

Met een diepe zucht rolde Tristan zich op zijn rug. 'Sorry, dat ging sneller dan de bedoeling was. Als je niet zo verdomd mooi zou zijn zou ik me langer kunnen inhouden.'
'Je bent volkomen verderfelijk,' zei Rufa. 'Door jou zullen we nog allebei gearresteerd worden.'
Ze lagen in een bed van sleutelbloemen aan de rand van een vlak rooiveld. De Renault hing duizeligmakend tegen de met gras begroeide helling naast de weg aan.
Hij leunde met zijn elleboog omhoog en boog zich voorover om haar tepels te kussen. 'Ik kan er niets aan doen. Ik wil je dag en nacht neuken. Ik wil je laten klaarkomen tot je het uitgilt. Ik wil je met mijn lichaam aanbidden.'
Rufa's paarse zijden jurk was om haar middel gedrapeerd, losgeknoopt tot aan haar navel, zodat haar borsten waren blootgesteld aan de warme lucht. Haar wanordelijke kleding had meer met wulpsheid dan met naaktheid te maken. Ze voelde zich verzadigd en teder en had geen zin zich aan te kleden. Tristan had haar gesmeekt de auto stil te zetten. Hij had gedreigd dat hij tijdens het concert een luidruchtig en openlijk orgasme zou krijgen als ze niet

deed wat hij wilde. Ze genoot van zijn dringende behoeften. Vanaf de dag van het ongeluk hadden ze voortdurend de liefde bedreven. Ze hadden zich opgesloten op de boerderij, alle bezoekers afgeweerd en de tijd genegeerd. Tristan was een uitstekend minnaar, jong genoeg om keer op keer klaar te komen en daarna volkomen uitgeput in haar armen in slaap te vallen. Hij wist niet dat ze hem observeerde in zijn slaap, terwijl haar tranen op zijn haar vielen. Haar geluk deed haar pijn, want het ging ten koste van anderen en kon niet voortduren. Het was moeilijk dit Tristan te doen begrijpen. Zijn emotionele woordenschat bevatte het concept van verraad gewoon niet. Ze had behoefte aan een minnaar die haar begreep en meevoelde met haar pijn. Tristan was nog niet volwassen genoeg om zover te zijn. Hij moest vermaakt worden en afgeleid, als een kind. Zodra iets te zwaarwichtig werd, kreeg hij het benauwd. Er was geen sprake van dat hij haar tot steun zou zijn.
'We moeten gaan,' mompelde ze, maar bewoog zich niet.
Tristan vroeg: 'Heb je Edward nog te pakken gekregen?'
Rufa werd gespannen en probeerde de herinnering weg te duwen. Ja, ze had Edward te pakken gekregen. Ze was voor het eerst niet in staat geweest zijn dagelijkse telefoontje aan te nemen – ze had Tristan toegestaan haar zover te krijgen om staande in de douche de liefde te bedrijven. Ze had zich vreselijk gevoeld toen ze Edwards boodschap op de telefoonbeantwoorder hoorde. Hij had uitgesproken afstandelijk en afkeurend geklonken toen ze hem terugbelde, maar misschien had hij gewoon weinig tijd gehad. Ze voerden trouwens toch zelden intieme gesprekken. De manier waarop Edward aan de telefoon sprak was uiterst laconiek, maar wel vol genegenheid. Meestal beperkte hij de gespreksonderwerpen tot het werk op de boerderij en op Melismate. Ze kreeg nooit de gelegenheid om hem alles te vertellen, hem te smeken haar te komen redden.
Ze zei: 'Ja, heel kort.'
Tristan, die zich ervan bewust was dat het onderwerp haar van streek bracht, hield zijn stem vriendelijk en neutraal. 'Zei hij nog iets bijzonders?'
'Hij weet nog niet wanneer hij thuiskomt, als je dat soms bedoelt.'
'Goed zo.'
'Zeg dat niet, Tristan, ik voel me er zo slecht door.'
'Je bent niet slecht. Je bent een engel.' Hij kwam overeind en knoopte zijn broek dicht. 'Ik ben geen engel en ik voel me niet zo schuldig ten opzichte van Edward als jij. Hij zit aan de overkant van de zee. Dat betekent dat ik meer tijd kan doorbrengen in het paradijs.'
Rufa zuchtte. 'Ik wou maar dat we altijd zo konden leven, officieel

samen, zodat we niets te verbergen hebben. Ik kan de gedachte niet verdragen dat je weg zult gaan.'
'Praat er niet meer over,' zei Tristan. 'Het is nog niet zover.'
'Binnenkort begint de universiteit weer.'
'Vergeet het. Concentreer je op het eeuwigdurende heden.'
'Ik heb maar half geleefd voordat ik jou ontmoette,' zei Rufa. 'Hoe kan ik terug naar halfdood zijn?' De kleuren in de echte wereld waren hard en deden pijn aan de ogen. Ze wist wel dat de plek waar ze met Tristan was slechts een pastelkleurige droom was, maar dat deerde haar niet. Ze begon voor het eerst te begrijpen waarom de Man op zo grote schaal overspel had gepleegd. Hij had hetzelfde magische koninkrijk nagejaagd: het vederlichte land van nieuwe seksuele passie. De werkelijkheid was pijnlijk voor hem – net zoals die dat nu voor haar was – en hij had alleen maar geprobeerd te ontsnappen. De gedachte waaraan kon ze niet verdragen.
Ze was bezig een gevaarlijke gedachtegang te volgen. Ze dwong zichzelf naar Tristan te glimlachen.
Hij boog zich voorover om haar een kus op haar voorhoofd te geven. 'Je hebt weer een van je zwaarmoedige "after-seks" buien.'
'Sorry. Ik zal wat vrolijker moeten worden, anders is het concert vanavond niet om doorheen te komen.' Ik praat te veel over mezelf en mijn nare gevoelens, dacht ze. Tristan kon niet goed omgaan met intensiteit. Hij dacht dat mensen een toneelstukje opvoerden als ze leden onder een romance. Ze ging zitten en knoopte haar jurk dicht. Ze veegden stukjes aarde van elkaar af en lachend controleerden ze elkaar op grasvlekken. Ze zaten nu in hun zeepbel en terecht maakte hij zich geen zorgen over de toekomst. Samenzijn was het enige dat telde.
Rufa kon de schijn niet meer ophouden. Lydia zou vanavond Mozarts *Requiem* zingen in het Cotswoldkoor. Ze moest erheen en ze kon Tristan niet achterlaten. Onbeschaamd had ze op Edwards naam twee kaartjes besteld tegen het speciale tarief dat gold voor levenslange beschermheren van het koor. Veel van de andere beschermheren waren bij haar huwelijk geweest en ze zou heel wat onovertuigende uitleg moeten geven, maar het was beter dan zonder Tristan te gaan.
Ze zouden gelukkig met een heel stel zijn – het was veiliger met meer mensen. In de grote kerk waar het concert werd gehouden trof Rufa al snel Rose, Roger en Linnet in de steeds groter wordende menigte achterin.
Rose begroette Tristan met een smakkende kus. 'Wat leuk om je weer te zien.'

Linnet sloeg haar armpjes om Rufa's benen. 'Ik laat je niet los, je zult mee naar huis moeten gaan.'
'Ik ben veel te lang weggebleven, hè? Maar morgen kom ik je opzoeken.' Rufa streelde haar donkere haar, terwijl ze zichzelf verafschuwde omdat ze het kleine meisje zo lang had verwaarloosd. 'Het is je laatste vakantiedag, toch?'
'Ja, en ik zit in een nieuwe klas, en weet je, die twee meisjes aan wie ik zo'n hekel heb zitten in de klas bij juffrouw Thaw.'
'O, dat is mooi.'
'Ze kunnen me in de pauze nog wel achternazitten, maar ze mogen niet bij mij aan tafel zitten en stiekem gemene dingen tegen me zeggen.'
'O, daar ben ik blij om,' zei Rufa. 'Dan hoef je alleen maar te letten op de meisjes die je aardig vindt.'
Linnet richtte haar aandacht op de hoofdingang van de kerk. 'Pappie! Daar is pappie! HALLO, PAPPIE!'
Ran was binnengekomen met Polly en twee strak in het pak zittende vreemden. Zijn nogal vermoeide gezicht kreeg een verheugde uitdrukking. Hij haastte zich naar Linnet en nam haar met een zwaai in zijn armen.
'Goeie god,' mompelde Rose, 'wat heeft hij met zijn haar gedaan? Opgegeten?'
Zonder op de ontzette gezichtsuitdrukking van Polly te letten zette Ran Linnet met een zwaai weer op de grond. Ze ging met haar vuile roze sportschoenen boven op zijn nieuwe instappers staan en giechelde toen hij zo met haar door de menigte danste. De mensen deden een stap opzij om plaats voor hen te maken en glimlachten toegeeflijk naar de uitbundige jonge vader met zijn vrolijke kleine meisje.
Rose gaf hem een hartelijke kus. 'Ik had niet verwacht je hier tegen te komen. Ik had niet gedacht dat jij het type was voor het Cotswoldkoor.' Ze zei het alsof het een of andere seksuele afwijking was.
Zijn gezicht betrok. 'Diep vanbinnen heb ik iets met alle soorten muziek, Rose. Ik dacht dat je dat wel wist. Wat doen jullie hier?'
'Mammie zingt in het koor,' zei Linnet, die zijn hand vasthield en die heen en weer zwaaide. 'Dit is haar eerste concert.'
'Wat? Wat?' zei Ran geschrokken. 'Dat meen je niet.'
'Je haar is kort,' merkte Linnet eindelijk op. 'Je ziet er stom uit.'
'Ik weet het. Sorry. Als ik je van school kom halen zal ik een hoed opzetten.'
'Je moest het zeker van Stinkie afknippen.'

'Ja, het is allemaal Stinkies schuld.'
'Ran!' protesteerde Rose terwijl ze lachte. 'Ga haar nou niet aanmoedigen!'
'Je past nu bij mammie,' zei Linnet. 'Zij heeft ook al haar haar afgeknipt.'
'Wát?'
Polly kwam aanlopen met haar vrienden, net op tijd om de uitdrukking van gepijnigde verontwaardiging op Rans gezicht te zien.
'Liddy kan haar haar niet afknippen!' riep hij uit. 'Dat is het beste wat ze te bieden heeft! Wie heeft haar zo gek gekregen?'
Linnet stond energiek aan zijn broekzak te trekken, waarbij ze een zoom kapottrok. 'Mag ik mijn haar ook afknippen?'
Er ging een siddering door hem heen. 'Alsjeblieft niet!'
Polly liep met een stralende namaaklach op Rufa af om haar te omhelzen. Ze zagen elkaar weer voor de eerste keer sinds de bruiloft.
'Je ziet er zo geweldig uit, ik hoop dat je het fijn hebt gehad in Italië.' Ze giechelde zachtjes. 'O, god, de mensen staan te staren naar de Slechte Vrouw.'
Rufa schrok, maar besefte toen dat Polly het over zichzelf had. 'Je hebt ons allemaal wel verbaasd doen staan.'
'We moeten snel eens samen gaan lunchen, dan kan ik je het hele verhaal vertellen. Mijn leven... nou, ik voel me of dat zich afspeelt in een achtbaan. Dit is Justine D'Alambert en dat is Hugo, haar man.'
'Prettig kennis met jullie te maken,' zei Rufa terwijl ze Justine en Hugo een hand gaf.
'Dit is Rufa Reculver, die indirect verantwoordelijk is voor mijn aanval van verstandsverbijstering. Wat jammer dat Edward hier niet bij kan zijn.' Polly pakte Ran bij zijn mouw. 'Kom mee, lieveling, anders zijn straks alle goede plaatsen al weg.' Ze wierp Rufa een laatste samenzweerderige glimlach toe en liep met haar gezelschap weg over het middenpad.
'We moeten een plaatsje vooraan zien te bemachtigen,' zei Rose. 'Liddy is zo zenuwachtig; ik wil niet dat ze naar ons moet zoeken.'
Rufa bleef een beetje achter zodat ze Tristans hand kon pakken zonder dat haar moeder het zou zien. Ze had er behoefte aan hem aan te raken, hem vast te houden. Hij zag er een beetje verveeld uit. Ze trok zijn hand tegen haar dij.
Een lange, grijsharige vrouw duwde tegen hen aan. Rufa draaide zich om en keek in de woedende ogen van lady Bute. Haar koele ogen gleden van Rufa naar Tristan en vulden zich met minachting toen haar blik weer op Rufa rustte.

'Pardon,' zei ze terwijl ze zich met een duidelijk gebaar van weerzin van hen verwijderde.
Deze ontmoeting, die slechts een paar seconden duurde, maakte Rufa bijna aan het huilen. De Verschrikkelijke Lady Phibes had haar gedwongen zichzelf te beschouwen zoals een buitenstaander haar zag: een pasgetrouwde bruid die openlijk tegen een andere man aankroop. Die zich gedroeg als een onnozele tiener. Die zich gedroeg als een ware dochter van de Man.
Tristan trok voorzichtig zijn hand los omdat ze het middenpad blokkeerden. Hij deed een paar stappen naar voren. Rufa staarde naar zijn rug en werd plotseling bang. Ze had alle verantwoordelijkheid op de schouders van deze jongen geladen, ze had Edward verraden en haar familie opgeofferd. Als hij niet in staat was dit alles te dragen had ze niemand meer.
Hij draaide zich om en glimlachte haar toe met een intieme blik in zijn ogen. Rufa trok zich er niets van aan dat Rose nieuwsgierig haar hoofd achter hem omhoogstak. Ze glimlachte terug en ze waren beiden even verzonken in de heerlijke herinnering aan hun liefdesspel, amper een uur daarvoor. Ze mocht nu niet aan hun liefde twijfelen, want dan zou ze hen allebei gek maken. Tristan had de neiging afstand te nemen zodra zij wilde dat hij haar zijn eeuwige liefde zou verklaren. In tegenstelling tot Edward kon hij alleen in het heden leven. Ze ging dicht tegen hem aan zitten en voelde de warme aanraking van zijn lichaam, rook haar eigen geur die vermengd was met die van hem.
De orkestleden hadden hun plaats ingenomen in het schip. Er klonk applaus en men ging zitten terwijl het koor binnenstroomde. De tenoren en bassen waren in smoking. De vrouwen droegen lange zwarte rokken met een witte blouse. Lydia was erin geslaagd dit strenge uniform een wonderbaarlijke uitstraling te geven. Haar korte krullen kregen een diepgouden glans door de lichtval. Ze had zich opgemaakt en was zo elegant en perfect als een porseleinen poppetje. Met haar partituur in de hand geklemd keek ze nerveus om zich heen, zag Linnet en wierp haar een plotselinge, verrukte glimlach toe.
Polly, die aan de andere kant van het middenpad zat, huiverde van schrik. Ze had niet geweten dat Lydia hier zou zingen, anders was ze nooit naar dit verdomde concert gegaan. Ze zocht de rijen witte blouses af naar dat armoedige wezentje met die enorme haardos, die haar als een dwaas had staan toeschreeuwen dat ze nooit met Ran zou trouwen. Het was een schok voor haar toen ze Lydia ontdekte, die helemaal veranderd was en nu beslist concurrentie vorm-

de. Naast haar voelde ze Ran verstijven; hij was duidelijk net zo verrast als zij. Hij was onnozel genoeg om onder de indruk te raken van zijn onverwacht mooie ex-vrouw, alsof ze elkaar niet al die jaren diep ongelukkig hadden gemaakt. Ze haakte haar arm bezitterig door de zijne.
Het applaus zwol aan tot het de kerk helemaal vulde. De solisten kwamen op, gevolgd door de dirigent. Het was een lange, magere man met een fris gezicht en een kalend hoofd. Het gekuch en geroezemoes stierven weg. De eerste akkoorden werden aangeslagen. Polly siste: 'Houd op met dat gewriemel!' en porde Ran hard in zijn ribben.

'Hij is beeldschoon,' zei Justine. 'Ik zou Hugo zo voor hem laten zitten. Geen wonder dat je de kluts bent kwijtgeraakt en die arme ouwe Berry voor het altaar hebt laten staan. De seks is zeker goddelijk?'
Polly lachte. 'Absoluut. Ik heb nooit geweten dat het zo heerlijk kon zijn.'
'Tja, je bent altijd al een geluksvogel geweest.'
Justine zou overal, bij elke lunchafspraak in Londen, uitgebreid verslag doen over de ongelooflijke aantrekkelijkheid van Ran, en dat was precies wat ze wilde. Maar verder begon deze avond steeds irritanter te worden. Het was pauze en Ran was haastig naar buiten gelopen om te roken, hoewel hij wist dat Polly deze gewoonte verafschuwde. Ze had niet gerekend op de ex-vrouw, de dochter en de grote hoeveelheid Hasty's. Begreep Ran dan nu nog niet dat hij niet meer bij die clan hoorde?
De musici namen hun plaatsen weer in en er bleven nog slechts een paar mensen achter in de kerk staan om snel hun glas futloze Perrier of lauwe witte wijn op te drinken.
Hugo zei: 'Ik neem aan dat we... eh...'
'Ja, we gaan niet op Ran wachten.' Polly ging hen voor naar hun zitplaatsen terwijl ze net deed of ze niet woedend was dat Ran niet op tijd was teruggekomen. Waar was hij verdomme mee bezig? Hoe kon hij zich zo ongemanierd gedragen? Hoe durfde hij haar zo voor gek te zetten? Gedurende de tweede helft van het *Requiem* zat ze zich op te vreten van woede. Er moest blijkbaar nog heel wat werk verzet worden voordat haar nieuwe minnaar publiekelijk gepresenteerd kon worden.
Toen het concert was afgelopen trof ze hem aan tussen de bende Hasty's, met zijn slapende dochter in zijn armen. Hij leek niet te vinden dat hij haar enig excuus schuldig was. Hij leek haar niet

eens op te merken, tot ze zijn arm aanraakte.
'O, hallo,' zei hij lusteloos.
Ze siste: 'Wat is er gebeurd? Waar was je?'
'Ik moest vreselijk nodig plassen en de rij was een kilometer lang. Dus ben ik even de pub binnengelopen.'
'Hoe kun je dat verdomme doen! Je had het me weleens kunnen vertellen.'
'Hmm. Sorry,' zei Ran, terwijl hij zijn hemelse donkere ogen gericht hield op de mensen die bij Rose stonden. Een blozende en glimlachende Lydia was bezig de dirigent aan hen voor te stellen.
'Phil is zo aardig voor me geweest,' zei ze. 'Hij heeft ervoor gezorgd dat ik er niet onderuit kon, hoewel ik als de dood was dat ik midden in het Sanctus een valse noot zou zingen.'
'Phil' schuifelde verlegen heen en weer. 'Ze wilde programma's verkopen maar ik zei dat we te weinig sopranen hadden om haar te laten gaan.'
Ze moesten allebei lachen bij deze gemeenschappelijke herinnering. Polly zag hoe hij Lydia automatisch afschermde van de mensen die zich langs haar heen drongen. Het was wel duidelijk voor haar dat de man dol op haar was, en wat zou hij een prachtige oplossing kunnen vormen voor het eeuwige probleem van een ex-vrouw en een kind.
Ook Ran had het gezien. Zijn engelachtige gezicht was vertrokken in duidelijke, ijzige woede.

Hoofdstuk zeven

'Heb je er geen bezwaar tegen?' vroeg Ran. 'Ik bedoel, je vindt het toch niet erg dat ik hier kom?'
'Natuurlijk niet, lieverd,' zei Nancy. 'Dit is een bar. We moedigen mensen zelfs aan om binnen te komen. En trouwens, ik vind het leuk om je te zien.'
'Bedankt. Je hebt geen idee hoeveel dat voor me betekent.'
Nancy's mond vertrok. Ze wilde lachen, maar kon het niet over haar hart verkrijgen omdat Ran blijkbaar in zo'n treurige stemming was. Hoewel Rose haar had verteld over zijn nieuwe uiterlijk, schrok ze er toch van. Met zijn korte haar en ontdaan van alle onnozele attributen was hij zo knap dat het bijna belachelijk was; het andere barmeisje in Forbes & Gunning kon haar ogen niet van hem afhouden.
Ran slaakte een diepe zucht en klom op een barkruk. 'Nance, kan ik even met je praten?'
'Ga je gang. Beschouw me als biechtstoel of als een psychiatrische sofa met gesprongen veren. Mijn barmeiden-eed zal je privacy beschermen.'
De normale Ran zou dit een grappige opmerking hebben gevonden. De gerenoveerde versie slaakte alleen nog een diepe zucht.
Nancy vroeg: 'En, wat wil je drinken? Ik ben bang dat we geen tarwesap hebben.'
Hij keek haar met zijn grote, doordringende ogen verwijtend aan. 'Maakt niet uit, als er maar veel alcohol in zit, alsjeblieft.'
Ze boog zich naar hem toe. 'Doe niet zo idioot. Je weet dat je er niet tegen kunt.'
'Ik moet ermee oefenen,' zei Ran somber. 'Het is de enige stemming beïnvloedende substantie waar Polly haar goedkeuring aan hecht.'
Nancy schonk hem een glas versgeperst sinaasappelsap in uit de grote, beslagen kan in de ijskast die achter haar stond. 'Hoe gaat het met die goeie ouwe Polly?'
'Geweldig, dank je,' zei Ran nog somberder. 'Ze zegt dat ze nooit geweten heeft dat je zo gelukkig kon zijn.'

'Jeetje, wat fijn.'
'Ja.'
Even hing er een betekenisvolle stilte.
Nancy vroeg: 'Wat kom je doen in Londen?'
Hij haalde lusteloos zijn schouders op. 'Polly heeft een lunchafspraak. Ik heb net mijn maat laten nemen voor een pak.'
Nu kon ze haar lachen niet meer bedwingen. 'Wat... een echt, handgemaakt kostuum? Die Australische is vastbesloten je om te toveren in een heer. Ik kan niet wachten om het mam te vertellen.'
'Ja, vertel het tegen Rose. Waarom niet?' Zijn stem klonk hol. 'Ze heeft al de pest aan me.'
'Kom op, Ran, word eens wat vrolijker. Wat is er aan de hand?'
'Wat kan jou dat schelen? Ik hoor immers niet meer bij jullie.'
Nancy kneep even in zijn hand. 'Ik ben dol op je, met wie je ook naar bed gaat. Dat weet je best. Doe alsjeblieft niet zo melodramatisch, het drama-uurtje begint pas om zes uur.'
'Ik heb mijn leven niet meer in de hand,' zei Ran. Fronsend keek hij in zijn glas en sloeg toen de inhoud achterover alsof het een biertje was. 'Ik heb nog nooit zo'n heftige passie gevoeld en ik weet niet waar het toe zal leiden. Polly heeft zich elke cel in mijn lichaam toegeëigend. En elke seconde van elke minuut van elke dag. Wat natuurlijk geweldig is.'
'Ja, natuurlijk.' Nancy stond achter de bar ondertussen groene olijven in kommetjes te lepelen. Ze had al vele toespraken van Ran over zijn passies aangehoord.
'Maar, Nance, ik raak mezelf kwijt. Mijn identiteit. Alles wat me maakt tot wie ik ben.'
'Ze heeft je uit de kaftans gekregen, hè?'
'En mijn tempelbelletjes en mijn altaar voor Lakshmi heeft ze ook weggedaan.' Hij bespeurde geen spot bij haar. 'Het zou me niets kunnen schelen als ze me maar een beetje vrijheid gaf. Nancy, ik mis jullie allemaal zo!'
Ze verbaasde zich erover dat ze geroerd was. 'Maar je bent altijd welkom op Melismate.'
'Polly lijkt het als een bedreiging te zien,' zei Ran. 'Ze wil niet met me mee en ze zou door het lint gaan als ik alleen langs zou komen. Ze begrijpt niet dat jullie de enige familie zijn die ik heb. Rose is als een moeder voor me en jullie zijn allemaal surrogaatzusjes. Ik mag niet meer omgaan met de mensen van wie ik houd.'
'O, Ran, je bent de vader van Linnet. Niemand wil je verbannen.'
Hij was nu goed op gang gekomen. 'Weet je waaraan ik steeds moet denken? Aan dat boek waaruit Rose altijd citeert.'

'Welk boek, lieverd? Ze heeft er meer dan een gelezen, weet je.' Nancy's sympathieke toon werd al wat minder. Ze was altijd al de eerste van de meisjes geweest die zijn vioolsolo's beu werd.
'We zijn met Linnet naar de film geweest. Die over die vier zusjes.'
'*Little Women*?'
'Ja, die. Er komt een jongen in voor die naast hen woont en verliefd wordt op de meisjes.'
'Laurie,' hielp Nancy.
'Ja. Ze leren Laurie wat liefde is en adopteren hem. Dat ben ik. Ik lijk precies op Laurie.'
'Ho, ho,' zei Nancy. 'Laurie verleidde niet een van de meisjes terwijl ze minderjarig was, maakte haar niet zwanger en ging vervolgens niet door met zich te misdragen met alle andere vrouwen in Concord, Massachussets.'
Rans lippen trilden. 'Ik probeer je duidelijk te maken dat ik ben veranderd. Ik begin met afschuwelijke helderheid te beseffen wat ik kwijt ben. Ik besef dat ik me in deze situatie bevind omdat ik erg egoïstisch en dom geweest ben.'
Opnieuw hing er een korte stilte, waarin Nancy het overduidelijk met hem eens was.
'Hoe dan ook,' mopperde hij, 'het is mijn eigen schuld en ik moet er zelf uit zien te komen. Helemaal alleen.'
Nancy voelde dat ze een kleur kreeg. Berry stond in zijn hemdsmouwen in de deuropening, met zijn jasje over zijn arm. Ze had hem niet meer gezien sinds Rufa's bruiloft. Ze ontmoette hem nu voor het eerst als vrijgezel. Ze kreeg kinderachtige vlinders in haar buik. Ze vervloekte zichzelf voor de duizendste keer omdat ze er zo'n zooitje van had gemaakt toen ze had geprobeerd hem te verleiden. Had ze maar geweten dat Polly ervandoor zou gaan, dan had ze kunnen afwachten en het op de juiste manier kunnen doen.
Ran slaakte een kreetje toen hij Berry zag. Geschrokken keken de twee mannen elkaar aan. De bar was leeg. Ze konden elkaar met geen mogelijkheid vermijden. Berry wist niet precies hoe hij moest reageren. Hij was Ran zo langzamerhand dankbaar geworden dat die hem van Polly had verlost, maar het zou natuurlijk van een slechte opvoeding getuigen als hij niet in ieder geval voorwendde kwaad te zijn. Uit zijn ooghoeken zag hij Nancy, die probeerde haar lachen in te houden, en hij wilde dolgraag met haar meelachen.
O, god, wat hield hij van haar. Het vrat hem vanbinnen op en hij dreigde zijn verstand te verliezen. En nu diende zich een kleine mogelijkheid aan. Hij was die ochtend uit Frankfurt komen vliegen en zou diezelfde middag weer teruggaan. Hij had twee kostbare uur-

tjes om haar glimlach in zich op te nemen voordat hij terug moest naar de vreugdeloze flat die zijn bedrijf voor hem had gehuurd. Hij glimlachte Nancy toe en stak zijn hand uit naar Ran. 'Hallo.'
'Berry, lieverd,' zei Nancy. 'Ik dacht dat jij in het land van de Lederhosen vertoefde.'
'Ik ben... ik ben maar een dagje in Londen, helaas.'
Ran sprong van de barkruk af. Hij greep Berry's hand met twee handen beet. 'Je verbaast me... ben je niet boos? Ga je me niet uitdagen voor een gevecht of zoiets?'
Berry grinnikte. 'Doe niet zo belachelijk.'
'Ik dacht dat je woedend op me zou zijn. Ik heb Polly gestolen en je leven verpest.'
'O, zo zou ik het niet willen stellen.' Hij trok voorzichtig zijn hand terug. 'Polly heeft tenslotte haar eigen wil.'
'Dat kun je wel zeggen,' zei Ran instemmend.
Berry hoorde Nancy ingehouden proestend lachen en moest even op de binnenkant van zijn wang bijten.
'Ze wilde niet met me trouwen,' zei hij tegen Ran, 'en dat had ik te respecteren. Het gaat nu prima met me. Ik kan zelfs zeggen dat ik hoop dat jullie samen gelukkig worden.'
'O, god, dat is geweldig!' Voordat Berry hem kon tegenhouden had hij zijn hand weer vastgepakt. 'Dat is zo... zo grootmoedig, zo genereus...'
Nu trok Berry zijn hand snel terug. Het gevaar bestond altijd dat Ran er een kus op zou geven. 'Het is al goed.' Hij wendde zich tot Nancy. 'Ik heb wat tijd over voordat mijn vlucht gaat. Je kunt je zeker niet vrijmaken voor de lunch?'
Hij was blij toen hij Nancy's hemelsblauwe ogen vreugdevol zag oplichten. Die blik trok echter weg toen Simon, haar baas, uit zijn kantoor kwam. Er kwamen meer mensen de bar in. Hij keek Nancy fronsend aan. 'Het is hier niet de Rover's Return, Nancy. Iets minder gekwebbel en iets meer werk, alsjeblieft.'
'Nou, je hoort het,' zei Nancy teleurgesteld. 'Maar je bent me nu een lunch verschuldigd, een verrukkelijke lunch.'
Hij lachte. 'Een toplunch.'
'En vraag het me iets langer van tevoren.' Ze zag dat haar baas naar haar keek en liep snel naar de andere kant van de bar.
Berry zuchtte. Toen glimlachte hij naar Ran. 'Heb jij tijd om te lunchen?'
'Wat, nu? Weet je het zeker?'
'Absoluut. Als bewijs dat ik niet boos ben.' De engel had hem toegelachen; ze was blij geweest om hem te zien. Dit was een van die

momenten dat hij Ran aardig vond. Hij vond de hele wereld aardig.

Het restaurant zat vol met mannen in identieke gestreepte overhemden, dassen en manchetknopen. Over elke stoelleuning hing hetzelfde donkergrijze colbert. Ran, met zijn modieuze zwarte linnen kleding, viel in dit gezelschap op als een pauw tussen een troep duiven. Berry wenste dat de tafeltjes niet zo dicht bij elkaar stonden. Hij bedacht hoe vreemd het was om gezien te worden in het gezelschap van een man die zo knap was, terwijl ze geen van tweeën homofiel waren. Hij hing zijn jasje over de leuning van zijn stoel.
'Tomatensoep,' zei Ran vanachter het beduimelde menu. 'Biefstuk en niertjespastei met aardappelpuree en uienjus. Chocolade custardpudding.' Hij reikte het menu over de tafel aan.
'Met deze hitte?'
'Polly geeft ons dit soort dingen nooit te eten.'
'Nee, dat is niet haar stijl.' Berry vond het vervelend om met Ran over Polly te praten. Hij hoopte maar dat Ran het fatsoen zou opbrengen om niet hun ervaringen met elkaar te willen vergelijken.
'Ze kan erg goed koken,' vervolgde Ran. 'Maar ze maakt niet vaak gewone maaltijden. Ik mis de gebakken eieren en gebakken witte bonen.'
Berry gebaarde naar de ober om het eten en mineraalwater te bestellen. Het was warm. Hij wenste dat hij zijn das kon afdoen.
'Dit is erg aardig van je,' zei Ran toen de ober weg was.
'Dat zit wel goed.'
'Sommige kerels zouden me willen vermoorden.'
Berry lachte. 'Je kunt er niet over ophouden, hè? Laten we ons gewoon ontspannen en het vergeten. Het is veel te warm voor drama's.'
'Oké.' Ran leunde met zijn ellebogen op de tafel. 'Mag ik je iets vragen?'
'Ja, waarom niet.'
'Het gaat me eigenlijk niet aan, maar ik vraag het me al tijden af... hoe heb jij Polly ten huwelijk gevraagd?'
Berry kon het even niet volgen. 'Sorry?'
'Je weet wel. Heb je voor haar geknield, of was het tijdens een romantisch dineetje. Hoe heb je het gedaan?'
'Ik weet niet. Zoals iedereen het doet. Hoe heb jij Lydia ten huwelijk gevraagd?'
'O, dat zal ik nooit meer vergeten,' zei Ran weemoedig. 'We lagen in ons blootje onder een heg.'

'Hmm. Wat romantisch. Maar als je van plan bent het met Polly ook zo te doen geef ik je weinig kans.'
Berry gaf zijn verzet op en berustte erin dat hij over zijn voormalige verloofde zou praten, iets wat een heer normaal niet deed.
'Ze zou woedend zijn, denk je niet?'
'Zeker weten.'
'Het is echt vreselijk als ze boos wordt, hè?'
'Zeg dat wel.' Berry kon niet liegen. Mijn god, het was inderdaad vreselijk. Ze ontnam je alle zelfvertrouwen en maakte je aan het bibberen en jammeren. Je moest jaren studeren om te weten hoe je Polly van haar kwaadheid kon afbrengen. Hij voelde met Ran mee.
'Hoor eens, ik zal eerlijk tegen je zijn. Ik weet niet meer precies wanneer ik haar ten huwelijk heb gevraagd. Ik heb niet op een bepaald moment aan haar gevraagd: "Wil je met me trouwen?" Ik wist dat ik van haar hield en bij haar wilde zijn en dat soort dingen. Ik had net mijn eerste baan, na Oxford, en haar ouders hadden haar een flat gegeven voor haar eenentwintigste verjaardag...'
'Dus lag het voor de hand dat je bij haar introk,' vulde Ran aan.
Berry knikte bevestigend. 'Dat was het, het lag voor de hand. En daarna begon Polly over ons huwelijk te praten. Eerst als grapje. Langzamerhand werd het serieus.'
Ran luisterde ingespannen toe. 'En wanneer kwam je erachter dat je niet meer terug kon?'
'O, dat weet ik nog wel. Ze bracht onze bruiloft ter sprake bij mijn moeder. Ik kon natuurlijk moeilijk zeggen dat ik van niets wist. Hoewel ik erg blij was, uiteraard. Dolblij.' Berry schraapte zijn keel. 'Hoe dan ook, ze bleef steeds toespelingen maken. Als ik wilde dat ze gelukkig was hoefde ik alleen maar op te letten. Ze liet me plaatjes van ringen zien en liet haar ringen in het huis liggen zodat ik haar maat zou weten. Dus ben ik naar haar favoriete juwelier gegaan en heb ik een ring voor haar gekocht.' Hij kon niet nalaten eraan toe te voegen: 'Een verdomd dure ring, trouwens.'
'En dat was het?'
'Zo ongeveer wel. Ik nam hem mee naar huis en gaf hem aan haar. En om een of andere reden was ze heel verrast. Ze vertelde al haar vrienden dat ik onbezonnen en impulsief was.'
'Was dat zo?'
Berry zuchtte. 'Kom nou, je kent me toch. Ik ben de minst impulsieve man ter wereld.'
'Je hebt geluk,' zei Ran mismoedig. 'Ik stort me altijd overal op zonder erbij na te denken. Daarom is het nu zover gekomen. Ze praat over onze bruiloft alsof het allemaal al geregeld is. Dat bete-

kent dat ik waarschijnlijk met haar zal trouwen, denk je niet?'
'Ik dacht dat je dat wilde.'
'Dat denkt iedereen. Niemand neemt de moeite om mij te vragen wat ik ervan vind.' Ran fronste zijn gebogen wenkbrauwen, die zwart als Indische inkt waren tegen zijn perkamentachtige huid. 'Ik voel me ingesloten. Ik kreeg bijna een hysterische aanval bij die verdomde kleermaker.'
'Sorry?'
'Ze stuurde me erheen om de maat voor een kostuum te laten nemen,' zei Ran bitter. 'Ik moest eeuwen doodstil staan, terwijl een of andere ouwe nicht aan mijn benen zat te frummelen, en toen het eindelijk klaar was liet hij zich ontvallen dat ze een rokkostuum had besteld. Het leek wel of ik werd opgemeten voor mijn doodskist.'
Een ober kwam Rans soep en Berry's gerookte zalm brengen.
'Het valt niet mee,' zei Berry. 'De meeste mensen begrijpen niet hoe het werkt met Polly. Mijn zusje vond mij altijd een zwakkeling omdat ik haar niet strenger aanpakte, haar niet vertelde wat ze wel en niet kon doen, als het ware. Maar de paar keer dat ik het heb geprobeerd lukte het Polly altijd om aan het langste eind te trekken en voordat ik het wist smeekte ik haar om vergiffenis voor een of andere vreselijke daad waarvan ik niet wist dat ik die gepleegd had.'
Hij strooide wat zwarte peper op zijn zalm. 'Ik zal eerlijk tegen je zijn, Ran. Als je niet met haar wilt trouwen is het kostuum geen goed voorteken.'
Ran roerde in zijn soep alsof hij er iets in probeerde te ontdekken. 'Ik heb het te ver laten komen. Ik kan niet meer terug.' Hij liet de lepel in de soepkom staan. 'Wat moet ik in vredesnaam doen?'
'Wat *wíl* je doen?'
'Dat zou ik niet vragen als ik het wist. God, wat heb ik er een zooitje van gemaakt. Ik heb alle mensen die van me hielden van me vervreemd, alles weggegooid wat me lief is...' Zijn ogen vulden zich met tranen. Dikke tranen druppelden van zijn wimpers. 'Soms wou ik dat ik dood was.'
Berry bleef bewegingloos zitten, de zalm nog op zijn tong. Alsjeblieft, geen tranen. Niet hier. Als hij stil bleef zitten en zijn mond hield zou Ran zich misschien beheersen.
'Ze is tussen mij en Linnet gekomen,' zei Ran. 'Ze begrijpt Linnet niet, ze vindt het niet leuk om met haar te praten. Ze vindt het niet leuk als ik langsga op Melismate om haar te zien. Nu denkt mijn baby dat ik meer van Polly houd dan van haar. Het voelt alsof er een mes in mijn hart wordt gestoten.' Een luidruchtige snik ontsnapte hem.

Berry siste: 'Ran, in godsnaam...' De mannen aan de tafels naast hen wierpen hen weifelende blikken toe.
'Gisteren ging ik haar van school halen en ze kwam naar me toe rennen. En toen ze zag dat Polly bij me was bleef ze opeens staan en de vreugde verdween van haar gezicht. Ik kan haar gezichtsuitdrukking niet beschrijven.' Hij veegde driftig met zijn mouw over zijn ogen. 'Ik heb het verpest. Ik ben mijn dochter kwijt. Ze zal bij die hitsige kerel van het koor gaan wonen.'
'Kerel van het koor?' echode Berry. De mensen aan de aangrenzende tafeltjes zaten nu openlijk mee te luisteren. Een man had zijn vork neergelegd en zat te kijken.
'Hij heeft de leiding over dat chique koor waar Lydia bij is gegaan, en je had hem moeten zien, hij kon zijn ogen niet van haar afhouden. Normaal gesproken vlucht ze altijd als een man te amoureus wordt. Maar nu stond ze te glimlachen en hing ze aan zijn lippen. Ja Phil, nee Phil, je hebt zoveel talent, Phil, ik kon het niet aanzien!'
'Maar je bent niet meer met haar getrouwd.' Berry had het gevoel dat hij dit even duidelijk moest maken, al zat iedereen te kijken.
Met Ran viel niet meer te praten. 'Ze houdt privérepetities met die ouwe slavendrijvende geit, voor haar gedeelte van "Spem in Alium", dat een erg moeilijk veertigdelig motet is. En de ondertitel kan maar beter niet "Sperma in Lydia" luiden, want dan breng ik mezelf om!' Hij verborg zijn gezicht in zijn servet.
Berry leunde voorover over de tafel. Heel zacht, maar zeer duidelijk, zei hij: 'Je maakt jezelf volkomen belachelijk. Beheers je!'
Hij ging kaarsrecht zitten en at zijn zalm.
Ran snoof hard terwijl hij zijn gezicht depte. Als klap op de vuurpijl snoot hij zijn neus in zijn servet. 'Sorry. God, dat lucht op.' Hij snoot nogmaals zijn neus en stortte zich bijna opgewekt op zijn soep.
'Even serieus,' zei Berry, 'niemand kan jou dwingen te trouwen. Ga eens met Polly praten, ze valt best wel mee.'
'Polly is een schat. Het is niet loyaal van me om over haar te klagen. Maar ik kijk terug op dingen die ik in het verleden heb gedaan. Ik vind niet dat Liddy en ik ons huwelijk goed hebben afgesloten.' Ran slurpte het laatste beetje soep naar binnen, veegde zijn mond af met het schone gedeelte van zijn servet en zuchtte. 'Die familie, hè. Als het je lotsbestemming is om op een van hen verliefd te worden, blijft ze voor altijd in je hart zitten.'

Hoofdstuk acht

Linnet kwam de keuken op Melismate binnenstormen met een gekreukeld tekenvel in haar hand. 'H'lo, oma.'

Rose boog zich voorover en slaagde erin het meisje lang genoeg vast te houden om een kus op haar hoofd te planten. 'Is dat een van je tekeningen? Wat mooi. Deze keuken kan wel een paar mooie tekeningen gebruiken.'

'Het zijn appels en een banaan. Het heet een Stil Leven, omdat er geen dingen op staan die bewegen. Mag ik naar *The Worst Witch* kijken?' Linnet wachtte niet op antwoord, schudde haar Pikachu-rugzakje en haar roze vestje van haar schouders, liet die op de grond vallen, greep de Gebroeders Ressany van het dressoir en holde de keuken weer uit. Over haar schouder riep ze: 'Sap alsjeblieft... zonder stukjes.'

Rose raapte het rugzakje en het vestje op en keek verstoord op toen Rufa binnenkwam. Ze wist dat haar oudste dochter ernstig bezwaar had tegen video kijken na school. Toen Rufa nog op Melismate woonde had ze hard gewerkt om een behoorlijke routine voor Linnet op te bouwen. Zelfs als ze druk bezig was met jam maken had ze streng de hand gehouden aan bedtijd, etenstijd, goede manieren en gezond voedsel. Maar Rufa was hier al weken niet geweest en de discipline was een beetje afgezakt, zoals Rose moest beamen. Ze was er volledig op voorbereid zichzelf te verdedigen met een toespraak over verstoorde routines vanwege een hectische zomer.

Maar Rufa leek de video en de slordig neergegooide spullen niet op te merken. Ze bleef bij de deur staan met haar autosleutels in haar hand. Ze glimlachte, maar ze leek kilometers ver weg, vond Rose; ze straalde licht uit van een andere planeet.

Rose ging theewater opzetten. 'Bedankt dat je haar hebt opgehaald, liefje.'

'O, geen probleem.' Eindelijk keek Rufa haar moeder aan. 'Ik vind het heerlijk om haar van school te halen. Als ze naar buiten komt is ze zo vol van haar eigen wereldje.'

'Nou, het was een goede oplossing, nu de auto staat te verkommeren in de garage en Ran weg is naar de races.'
'Waar is hij heen?'
'Hij zit saucijzenbroodjes te eten in een box in Cheltenham. Polly wilde hem voorstellen aan een paar vrienden van haar. Dus dat was natuurlijk belangrijker dan zijn dochter van school halen.'
Rufa glimlachte. 'Ze is geen vrouw die je gemakkelijk tegenspreekt. Waar is Lydia, trouwens? Is ze niet thuis?'
Rose pakte een schone mok uit de nieuwe vaatwasmachine. 'Nee, ze is aan het repeteren met Phil Harding en ik zou niet willen dat ze dat moest missen. Phils koor heeft haar weer tot leven gewekt. Ze is niet meer zo levendig geweest sinds ze Ran heeft verlaten. Ga toch zitten, lieverd.'
'O, ik kan niet blijven, bedankt.'
Rose draaide zich om zodat ze haar recht kon aankijken en zette haar handen in haar zij. 'Onzin. We hebben je al tijden niet gezien. Ik verbied je om weg te gaan zonder eerst een kop thee te drinken.'
Rufa lachte. 'Goed dan. Ik blijf even een kopje thee drinken.' Ze liep van de deur naar de tafel en ging zitten, nog steeds met haar sleutels in haar hand.
Alsof ze op bezoek is, dacht Rose. Alsof dit huis en zijn bewoners haar niet langer interesseren – en ditzelfde meisje had zichzelf willen opofferen om hen allemaal voor de ondergang te behoeden. Ze nam Rufa heimelijk op terwijl ze twee theezakjes in de mokken hing. Ze was beslist anders: ze had glazige ogen en haar kalmte leek gespeeld.
'Vertel me hoe het met je gaat. Geef me de details van alles wat je denkt en doet als je niet slaapt.' Rose ging bij haar aan de tafel zitten. 'Ik heb je gemist. Wij allemaal.'
'Ik heb het druk gehad,' zei Rufa. 'Er is zoveel werk te doen.'
'Zoals wat?'
'Op het ogenblik maak ik tomatenchutney.'
'O, lekker, Roger is dol op jouw chutney. Krijgen we een paar potten?'
Rufa lachte. 'Je kunt een hele kist krijgen. Ik heb kilo's van het spul gemaakt. Het hele huis staat vol met potten. Misschien verkoop ik er een aantal aan dat winkeltje in Bourton.'
'Lieverd, ik dacht dat je was opgehouden met het leuren met je spullen in toeristenplaatsjes. Het is niet meer nodig je uit te sloven boven een hete oven, dus waarom doe je het nog?'
'Gewoon voor de lol,' zei Rufa. 'We hebben belachelijk veel tomaten en ik weet niet meer hoe ik ze op moet krijgen.' Plotseling be-

gon ze te lachen en haar gezicht klaarde op van vrolijkheid. 'Tristan plukt die verdomde dingen sneller dan ik ze kan inmaken.'
Rose zuchtte. 'Hoor ons nou eens praten. Een jaar geleden waren je kookkunsten werkelijk belangrijk. Ik schaam me als ik eraan denk hoe ik op jouw jam rekende.'
'Het lukte je altijd om zakken fruit voor een goede prijs te kopen.'
'Ja, maar ik dacht dat je dat allemaal achter de rug had. Edward zal woedend zijn.'
'Nee, hoor.' Haar stralende gezicht betrok en Rufa werd stil en gespannen, doordat ze een muur optrok tegen de pijn of het schuldgevoel of wat het ook was waardoor ze eventjes zichtbaar gekweld leek. 'Hij vindt het leuk als ik dingen onderneem.'
Rose bedacht hoe doorzichtig ze was – je kon altijd precies zien wat ze voelde, want het stond in haar grote, serieuze, stralende ogen geschreven. Terwijl ze haar oplettend aankeek, vroeg ze: 'Hoe gaat het trouwens met hem? Weet hij al wanneer hij naar huis komt?'
'Er bestaat een goede kans dat hij volgende week zal worden opgeroepen. Als hij eenmaal moet gaan getuigen, duurt het niet lang meer. Hij is niet de enige getuige.'
'Waarom duurt het allemaal zo lang?'
'O, blijkbaar beweert de aangeklaagde voortdurend dat hij een vreselijke ziekte heeft.'
'Ik had nooit gedacht dat ik mezelf dit zou horen zeggen, maar ik mis Edward,' verklaarde Rose. 'Afgezien van alle andere redenen hebben we een loodgieter moeten laten komen om het toilet beneden te repareren. Edward zou het in een paar seconden hebben opgelost.'
'Ja, jij zielenpoot.' Rufa pakte haar kom thee en blies over het oppervlak om de thee te laten afkoelen.
'Het was de vlotterkraan maar. De man gaf er een rukje aan en presenteerde vervolgens een rekening van ongeveer een miljoen pond. Dus ik weiger iemand te laten komen voor de afvoer; laat Edward eerst maar eens kijken.' Rose verwachtte dat Rufa zou protesteren dat Edward niet de klusjesman voor de familie was. Maar Rufa had zich weer teruggetrokken in haar gelukzalige innerlijke toevluchtsoord, en ze glimlachte alleen.
Rose herkende haar dochters grote angst om een te moeilijke situatie tegemoet te treden. Ze herinnerde zich hoe Rufa zich had gedragen in de weken na de dood van de Man. Ze had zich tot het uiterste ingespannen om een beschermende muur op te trekken van verstandig omgaan met de situatie, waarmee ze haar diepe ver-

warring probeerde te verbergen. Rose gaf zichzelf de schuld dat ze niet in staat was geweest haar eigen verdriet opzij te zetten om tot haar dochter door te dringen. Edward scheen haar te begrijpen en ze wenste uit het diepst van haar hart dat hij thuis zou komen.
De voordeur sloeg dicht.
'Hoe dan ook, daar hebben we Roger,' zei Rose. 'Wat betekent dat de auto gerepareerd is en ons weer dapper zal dienen.'
Het was Roger niet. Selena kwam binnen, broodmager en met een afzakkende spijkerbroek en een afgeknipt T-shirt aan, terwijl ze een uitpuilende rugzak achter zich aan sleepte.
'Hoi mam, hoi Ru,' zei ze verlegen grinnikend. 'Kunnen jullie me even helpen met mijn tassen?'

Selena had twee grote leren koffers bij zich die vol met boeken zaten. Ze waren ongelooflijk zwaar. Rose, Rufa, Selena en de taxichauffeur moesten ze met z'n vieren tillen en naar binnen slepen. Rufa, die haar oude energie weer terug leek te hebben, zette een ketel water op.
Linnet kwam gillend van vreugde de keuken binnenhollen en zij en Selena lagen al gauw als jonge hondjes met elkaar te worstelen. Toen ze weer op adem was gekomen rommelde Selena in haar rugzak en haalde er een verfomfaaide plastic tas uit. Er zat een roze fluwelen tasje in waar een groot rood hart van lovertjes op genaaid zat.
'O, BEDANKT, wat mooi, wat mooi..' Vol eerbied bekeek Linnet het tasje. Ze ontdekte dat er chocolaatjes in zaten en begon weer te gillen. Ze omklemde Selena's benen. 'Ben je voor altijd en altijd thuisgekomen?'
'Niet voor altijd,' zei Selena. Ze wierp Rose een bezorgde blik toe. 'Voor even.'
'Maar beloof je dat je niet gaat trouwen en niet gaat werken?'
Rose en Rufa keken elkaar betekenisvol aan en Selena, die tussen hen in stond, deed een stap opzij. 'Dat beloof ik.'
'Goed zo. Wil je naar *The Worst Witch* kijken?'
'Nee, dank je. Ik wil even met oma praten.'
'Oké.' Linnet holde weer weg met het tasje tegen haar borst geklemd.
'Ze wil met me praten!' mompelde Rose. 'Hoor je dat? Ze spreekt de wens uit dat ze met mij wil praten!'
'Houd je mond, mam,' zei Rufa. 'Selena, neem een kop thee en let maar niet op haar.'
'Rustig maar, ik wist wel dat ze sarcastisch zou doen.' Selena vouw-

de haar lange lichaam in een stoel. 'Ik ben blij dat jij hier bent. Ik was van plan je te bellen.'
Rose ging in een stoel tegenover haar zitten. 'Ik vind het heerlijk om je te zien, lieverd, maar wat is er in vredesnaam aan de hand? Kom je echt weer thuis?'
'Als je het goedvindt.'
'Natuurlijk vind ik het goed, doe niet zo dramatisch, maar hoe zit het met je verbazingwekkende loopbaan?'
'Ik ben ermee opgehouden,' zei Selena. 'Model zijn is waardeloos.' Ze wierp Rufa een scheve glimlach toe. 'Ik heb besloten om te proberen op Cambridge te komen.'
'Echt waar? O, god, dat is geweldig!' De oude Rufa was nu weer helemaal terug. 'Ik wist wel dat je niet voor niets zo intelligent was!'
'Ik moet haast wel dood zijn,' zei Rose. 'En nu ben ik in de hemel. Mijn probleemtiener geeft me nu eindelijk iets om over op te scheppen.' Het leek alsof de klok was teruggedraaid, bedacht ze vol genegenheid, naar de tijd van vóór de rastakapsels en piercings. Voor het eerst in tijden wist ze weer hoe Selena eruitzag als ze gelukkig was. 'Nou, hoe is het allemaal zo gekomen?'
'Roshan loopt al eeuwen aan mijn kop te zeuren,' zei Selena. Zonder te kijken stak ze haar hand uit naar de koekjes. 'Maar Max heeft de doorslag gegeven. Ik zat te klagen over de mensen met wie ik moet werken: de fotografen die denken dat ze god zijn, de jammerende anorexialijders, die enge vrouwen die over je praten alsof je er niet bij bent. En toen zei Max dat ik gewoon eens moest toegeven dat ik er niet thuishoor. Hij zei dat hij niet wist wat ik probeerde te bewijzen, maar dat hij eraan twijfelde of het de moeite waard was om mijn leven aan op te offeren.'
Rose vroeg: 'En wat probeerde je te bewijzen?'
'Ik weet het niet,' zei Selena, niet op haar gemak. 'Misschien moest ik bewijzen dat ik niet het lelijke eendje was.'
Rufa lachte zachtjes. 'Daar ben je zeker in geslaagd, we hebben allemaal genoten van jouw foto op het omslag van *Vogue*. Tristan zegt dat je op een art-decobeeld lijkt.'
'Wie is Tristan?'
Rufa bloosde verlegen. 'Dat vergat ik, je kent hem nog niet. Hij is een neef van Alice. Hij logeert op de boerderij.'
'O.'
'De Man heeft altijd volgehouden dat jij een schoonheid zou worden,' zei Rose. 'Daarom was hij zo streng toen je die vreselijke metalen dingen op je tanden moest dragen. Hij heeft zelfs de rekening betaald.'

Selena wierp haar een van haar zeldzame, stralende glimlachjes toe, waarbij haar perfecte gebit zichtbaar werd. 'Ik haatte hem erom. Maar nu ben ik hem natuurlijk dankbaar.'
Rufa zei: 'Jij en je gebit waren waarschijnlijk de beste investering die hij ooit gedaan heeft.'
'Maar vertel verder,' drong Rose aan. 'Even terug naar belangrijker zaken. Heb je op dat moment besloten ermee op te houden?'
'Nee,' zei Selena. 'Dat gesprek was gisteravond. Ik zag het licht vanmorgen. Ik had een zachtpaarse baljurk aan met een tulpvormige rok en ik stond tot mijn knieën in de vijver in Hyde Park.'
'Goeie god! Waarom?'
'Om gefotografeerd te worden, natuurlijk,' zei Rufa lachend. 'Waarom zou ze anders met een baljurk in de Serpentinevijver staan?'
'Het was voor *Harpers & Queen*,' zei Selena. 'Het agentschap zal wel woedend op me zijn, ik heb het hun nog niet verteld. Maar opeens vroeg ik me af wat ik daar in godsnaam deed. Ik zag niemand die ik respecteerde of zelfs aardig vond. Iedereen behandelde me trouwens toch alsof ik van plastic was. En ik wist dat de volgende klus niet beter zou zijn. Dus dacht ik, bekijk het maar. Ik stapte uit het water, trok de jurk uit en mijn spijkerbroek aan en ging terug naar het huis van Wendy. Max was vandaag thuis aan het werk, ik heb hem op een drankje getrakteerd in de Clarence voordat ik wegging, om hem te bedanken.' Ze klonk vrolijk en vol zelfvertrouwen. 'Jullie krijgen de hartelijke groeten van hem, trouwens.'
Rufa werd aangestoken door haar enthousiasme. 'Je had geen beter moment kunnen uitkiezen. Wanneer begint St. Hildy weer? Mam, je moet mevrouw Cutting vandaag maar even bellen.'
'Heb ik al gedaan,' zei Selena koeltjes. 'Ze was de eerste die ik belde toen ik de modder van de vijver van mijn voeten had gewassen. Ze zei dat ik van harte welkom was.'
'Die vrouw is een masochiste,' zei Rose. 'Je was een absolute kwelgeest voor haar, ik begrijp niet dat ze nu om meer smeekt.'
'Je hebt gewoon mevrouw Cutting opgebeld en gezegd dat je terugkwam?' Rufa was onder de indruk. 'God, dat zou ik nooit gedurfd hebben.'
'Jij bent een aanstelster,' zei Selena niet onvriendelijk. 'Je kunt nooit beslissen aan welke regeltjes je je niet hoeft te houden, dus gehoorzaam je ze allemaal.'
'O, ja? Nou, ma Cutting was altijd aardiger als je intelligent was, en ik was niet de allerslimste.'
Rose vond dat Rufa een beetje afstandelijk en gedwongen reageer-

de. Haar droom werd bewaarheid nu Selena terug naar school ging, dus waarom was ze dan niet uitbundig blij? Wat was er met haar aan de hand? Ze zag er zo mogelijk nog mooier uit dan normaal. Maar er was iets aan haar dat anders was. Het hart zonk Rose in de schoenen toen ze zich voor de geest haalde hoe Rufa eruit had gezien en zich had gedragen in de tijd dat ze verliefd was op die afschuwelijke Jonathan. Rufa en de liefde vormden een licht ontvlambare combinatie. Het sexy zijn (ze kon er geen ander woord voor verzinnen) haalde de scherpe kantjes er bij Rufa vanaf en leek haar vanbinnen te verlichten. Ze had er in het bijzijn van Edward nooit zo uitgezien.

Rose zei: 'Trouwens, hoe is het met Tristan?'

Rufa lachte. Ze kwam tot leven; ze stond zowat in brand. 'Heel goed, en eindelijk is hij hard aan het werk, want het alternatief is tomaten plukken. Hij zegt dat hij hoopt dat hij er nooit meer een hoeft te zien.'

'Jammer dat hij niet hier is,' zei Rose gemaakt achteloos. 'Hij heeft precies de juiste leeftijd voor Selena.'

Kwaad kromp Rufa in elkaar. Ze was tien jaar ouder dan Selena. Ze had haar moeders poging door om zogenaamd ongeïnteresseerd te zijn en was vastbesloten om niets los te laten. 'Hij is een stuk ouder, hoor. Bijna eenentwintig.'

'O, maar zo'n groot verschil zit er niet tussen twintig en zeventien.' Rose liet de onafgemaakte zin tussen hen in hangen, namelijk dat er een groter verschil zat tussen ruim twintig en bijna achtentwintig.

'Hij is erg volwassen voor zijn leeftijd,' zei Rufa op koude toon, hoewel ze wist dat het tegengestelde waar was. 'Soms denk ik dat hij volwassener is dan ik.' Ze stond op. 'Ik moet weg.'

'Wacht even...' Iets deed Rose opspringen en naar haar toe lopen. Ze gaf haar dochter een stevige pakkerd. 'Kom snel weer terug, ja, lieverd? Wacht alsjeblieft niet zo lang om weer langs te komen.' Ze kon zich niet losmaken van het idee dat ze haar kwijt was geraakt. Zonder iets te zeggen boog Rufa zich voorover om haar een kus te geven en liep toen op een drafje naar haar auto.

Later, toen Selena Linnet een verhaaltje voorlas (ze had altijd al veel geduld gehad om voor te lezen), schonk Rose een heilzame gin-tonic voor zichzelf in en dacht diep na. Ze was bang dat ze zichzelf moest verwijten dat ze Rufa dat opofferende huwelijk had laten doorzetten. Haar hele instinct had zich ertegen verzet. Had ze dat gevoel opzij gezet omdat ze het geld zo hard nodig hadden? Als ze beter had opgelet, had ze dit dan kunnen zien aankomen?

O, God, dacht ze, besta alstublieft, zodat ik in u kan geloven en onze relatie kan beginnen met een dringend gebed: Zorg er alstublieft voor dat ik ongelijk heb over Ru, maar als dat niet mogelijk is, zorg dan alstublieft voor haar.

Hoofdstuk negen

'Dus de raad van bestuur heeft voor het voortzetten van de beurs gestemd,' zei mevrouw Cutting. 'Het heeft waarschijnlijk geholpen dat ze op de cover van *Vogue* stond. Ik heb in ieder geval niet erg hoeven smeken.'

'Dank u,' zei Rose vanuit de grond van haar hart. 'Hartelijk bedankt.'

De directrice van de St. Hildegard's school was direct na de vergadering van het bestuur naar Melismate gekomen om Rose ervan op de hoogte te stellen dat Selena's beurs was veilig gesteld, ondanks haar afkeurenswaardige gedrag van het afgelopen jaar. Rose voelde zich zwak van opluchting; gezien de huidige situatie was ze bang geweest dat ze Edward zou moeten vragen het schoolgeld te betalen.

Ze was zeer verrast geweest en ook geschrokken toen ze mevrouw Cutting op de stoep zag staan. De directrice van Selena's school was geen erg indrukwekkende vrouw, maar Rose kon zich haar eigen stormachtige schooljaren nog goed herinneren. Haar relatie met de schoolautoriteiten van de meisjesschool waren hierdoor altijd gekleurd geweest. In het verleden had ze het aan de Man overgelaten om hen met zijn charmes te betoveren. Nu moest ze zich inhouden om zich niet te verontschuldigen voor de staat waarin het huis zich bevond, alsof mevrouw Cutting haar uit de klas had weggeroepen en een uitleg eiste.

Verontschuldigingen waren trouwens niet meer nodig. Selena, stralend en onherkenbaar deugdzaam, was de directrice en haar moeder voorgegaan naar de zitkamer. De kamer gaf Rose een ongemakkelijk gevoel. De afgelopen tien jaar was het een kale vierkante ruimte geweest, zonder kleden, gordijnen en meubels, waar een kil wit licht in viel. Ze hadden hem nooit gebruikt en hij gaf Rose het gevoel dat ze een vreemde was in een vreemd huis. De Man zou de kamer niet herkend hebben.

Rufa had al heel lang de ambitie gekoesterd om Melismate een zitkamer te geven die het volgens haar verdiende. Tijdens de grote restauratie had ze dikke gordijnen van Indiase zijde opgehangen, de vloer bedekt met verschillende Perzische kleden en de alkoven gevuld met boeken. Ze had de onverkoopbare familieportretten schoongemaakt en opnieuw ingelijst en de slecht geschilderde Hasty-voorouders keken vanaf de muur op hen neer: een achttiende-eeuwse Hasty, amateuristisch op hout geklodderd, als een uithangbord van een kroeg; een laat-Victoriaanse Hasty, die leek te zijn geschilderd met verschillende tinten jus; en een Hasty uit 1930 in grove pastelkleuren. Rufa had de bergen rommel uitgekamd, op zoek naar elk voorwerp dat de moeite van het redden waard was. Ze had een enorme Knole-bank gekocht en twee leunstoelen, die nu bij de open haard stonden. Tot Roses verbazing had Selena wat houtblokken aangestoken om de herfstkilte te verdrijven. Maar de kamer was nog steeds kil en hun stemmen weerkaatsten.

Rose vond dat mevrouw Cutting meer op haar gemak leek in de zitkamer dan zij. Het was een aantrekkelijke vrouw van een jaar of vijftig met een keurig, steil bruin kapsel. Ze droeg een zachtblauw truitje onder een blazer van Fair Isle en zwarte schoenen met hoge hakken. Rose, die als gewoonlijk een slobbertrui en een versleten corduroy broek aanhad, voelde zich alsof ze een standje zou krijgen – 'Rose Darrow, je bent een schande voor deze school!'. Ze had net haar kaplaarzen uitgetrokken toen mevrouw Cutting arriveerde en het stoorde haar te zien dat haar grote teen door een gat in haar ene sok stak. Heimelijk bedekte ze die met haar andere voet.

'U bent verschrikkelijk aardig en wonderbaarlijk geduldig geweest,' zei ze. 'Ik geloof werkelijk dat ze het dit keer niet zal verpesten. Ik krijg haar niet zover dat ze me precies vertelt wat ze in Londen heeft uitgespookt, maar sinds ze terug is, is ze veel gelukkiger.'

'Ik wilde vertrouwen in haar houden,' zei mevrouw Cutting ernstig. 'Het was volkomen duidelijk waarom ze vorig jaar zo moeilijk was. Het was haar manier van reageren op de dood van haar vader.'

Rose zuchtte en voelde zich opeens alleen zonder de Man – hij was zo opvallend afwezig, stond zo buiten al hun plannen. 'Ik heb mijn best gedaan, maar ik kon niet tot haar doordringen. De stiltes waren afschuwelijk, erger nog dan haar ongemanierdheid. Ik dacht soms dat ze zich zover in zichzelf wilde terugtrekken dat ze helemaal zou verdwijnen.'

'Mevrouw Hasty, ik bedoel niet te zeggen dat het uw schuld was. Ik weet dat jullie allemaal een moeilijke tijd hebben doorgemaakt.'

'Noemt u me toch Rose.'

Mevrouw Cutting glimlachte nogmaals. 'Waarom zou ik dat doen

als u weigert mij met Theresa aan te spreken?'
'Gun me even tijd,' zei Rose, die haar glimlach dankbaar beantwoordde. 'Ik verwacht nog steeds dat u me gaat vertellen dat ze weer in de klas heeft gerookt.'
De twee vrouwen lachten. Mevrouw Cutting zei: 'Selena en ik hebben dat allemaal achter ons gelaten en begrijpen elkaar nu goed. Ze is nu geconcentreerd en gemotiveerd en het zou me verbazen als ik haar niet op Cambridge kan krijgen. Ze is een van de intelligentste meisjes aan wie ik ooit heb lesgegeven.'
De deur ging open. Selena zelf kwam binnen met een dienblad met thee. Ze zette het blad neer op de antieke kist op het haardkleed en Rose probeerde te kijken alsof dit de gewoonste zaak van de wereld was. Selena had echte thee gezet, in een theepot, en had de nieuwe kopjes en schotels uitgepakt die Rufa bij Heal had gekocht. Met een ernstig gezicht schonk ze de thee in. Rose bezag haar met de ogen van een vreemde, deze evenwichtige, gracieuze en volkomen presentabele tiener. De gedaantewisseling die haar dochters hadden ondergaan vervulde haar van verbazing. De Man zou de groene loten niet herkennen, die aan de puinhopen van zijn gezin waren ontsproten.
'Ik ga nu weg, als u het niet erg vindt,' zei Selena tegen mevrouw Cutting. 'Ik heb Linnet beloofd dat ik haar zal voorlezen.'
'Natuurlijk vind ik dat niet erg. Wat ga je voorlezen?'
'*The Phoenix and the Carpet.*'
'O, Nesbit, wat geweldig! Je hebt werkelijk een uitstekende smaak. Vindt ze het leuk?'
'Ze vindt het heerlijk.'
'Nou, laat je niet door mij tegenhouden. Ik zie je maandag op school.' Toen het onherkenbare toonbeeld van deugd de kamer had verlaten wendde mevrouw Cutting zich weer tot Rose. 'Weet u aan wie ze me doet denken, nu die afschuwelijke piercings verdwenen zijn? Ik zie steeds Rufa voor me toen ze dezelfde leeftijd had.'
Mevrouw Cutting was op Rufa gesteld. Haar genegenheid voor de Man was afgenomen toen hij zijn eerstgeborene ervan had overtuigd dat ze niet naar de universiteit moest gaan. Ze had Rufa sindsdien regelmatig ingehuurd voor haar dineetjes en ze had alle meisjes aan het schrikken gebracht door bij de bruiloft te verschijnen.
'Ja, ik neem aan dat ze wel op elkaar lijken,' zei Rose nadenkend. Het was haar nog niet opgevallen. Ze had Selena tot nu toe beschouwd als een verlengde versie van haarzelf en Lydia. Maar de manier waarop ze haar hoofd hield en haar dartele lange benen deden absoluut aan Rufa denken. 'Ze heeft dezelfde natuurlijke in-

slag om de dingen op de juiste wijze te doen. Ik zal u maar vertellen dat de open haard niet meer is gebruikt sinds het Ontzet van Mafeking, en ze heeft niet eens aanmaakblokjes gebruikt.'
'Hoe gaat het met Rufa?' vroeg mevrouw Cutting vriendelijk.
'Prima!' verklaarde Rose, net iets te enthousiast.
'Het zal wel fijn voor u zijn, nu ze zo dichtbij is komen wonen.'
'O, ja, heerlijk.'
'Waarmee houdt ze zich tegenwoordig bezig? Gaat ze nog door met haar kookkunsten?'
'Ze... ze weet het nog niet,' improviseerde Rose. Ze had Rufa al tijden niet meer gezien. Ze belde hooguit twee keer per week en haar telefoongesprekken waren vaag en gehaast. Waarmee hield ze zich bezig? Inderdaad, waarmee? Rose kon moeilijk aan de directrice van haar dochters vroegere school vertellen dat ze Rufa er sterk van verdacht een onstuimige verhouding te hebben met de neef van haar echtgenoot.
Mevrouw Cutting zei: 'Over Rufa heb ik me de meeste zorgen gemaakt toen uw man overleed. Ze stonden elkaar zeer na, nietwaar? Ik was bang dat ze de schok niet zou kunnen verwerken.'
Ja, dat kun je wel zeggen, dacht Rose. U kent haar beter dan ik, mij heeft ze maanden om de tuin weten te leiden.
'Maar ze schijnt er aardig bovenop gekomen te zijn,' vervolgde mevrouw Cutting. 'Ik heb nog nooit zo'n prachtig bruidje gezien, en zoals u zich kunt voorstellen, heb ik er al heel wat gezien. Ik moet selectief omgaan met uitnodigingen, anders zou ik geen enkele zaterdag in de zomer vrij zijn. Maar Rufa's huwelijk was een speciaal symbool van vernieuwing. Ik zou het absoluut niet hebben willen missen.'
Buiten, vanachter de weelderig geplooide Indiase zijde, hoorden ze het geluid van wielen op het grind. Rose wurmde zich uit de nieuwe bank om naar buiten in de schemering te turen. 'Het is Rufa's auto,' zei ze blij. 'Nu kunt u het haar zelf vragen.'
Het was Rufa niet. Als ze het spiegelbeeld van mevrouw Cutting niet in het raam had gezien, had Rose een harde gil geslaakt. Edward. Wat kwam Edward hier doen, terwijl iedereen dacht dat hij in Den Haag zat? En waarom was hij alleen? Het was te donker om zijn gezichtsuitdrukking te kunnen zien, maar Rose zag dat zijn hele houding spanning en woede uitstraalde. Later vertelde ze Lydia en Selena: 'Ik kreeg een hol gevoel in mijn maag, ik wist meteen dat er iets niet in orde was.'
Ze hoorde hem op de zware deur bonzen. Ze hoorde Lydia vanuit de keuken roepen: 'Ik ga wel!'

En toen, veel te snel, stond Edward bij hen in de kamer. Hij zag er knap, schoon en stijf uit in zijn donkere kostuum met zijn regimentsdas.
Rose gaf hem een kus op de wang, voornamelijk omdat mevrouw Cutting erbij was. 'Edward, wat fijn om je weer te zien. Wanneer ben je thuisgekomen? Je kent Theresa Cutting ongetwijfeld wel.'
Edwards donkere ogen schitterden gevaarlijk. Hij besteedde geen aandacht aan mevrouw Cutting: een zeer slecht teken bij zo'n welopgevoed man.
'Ik denk dat je wel weet waarom ik hier ben,' zei hij. 'Ik wil Rufa spreken.'
'Rufa?' Rose deed haar uiterste best opgewekt te klinken, in verband met de aanwezigheid van mevrouw Cutting. 'Ze is niet hier, vrees ik. Was ze niet thuis toen je daar aankwam?'
Edward zei: 'Lieg alsjeblieft niet tegen me, Rose.'
'Waarom zou ik liegen? Ik heb haar al weken niet gezien. Ga toch zitten.'
Hij ging niet zitten. Hij bleef in de deuropening staan. Hij keek Rose met zijn woedende ogen strak aan. 'Ik ben ongeveer een halfuur geleden op de boerderij gearriveerd,' zei hij. 'Er lag een briefje op de keukentafel. Rufa heeft me verlaten.'
'Wat?' Nu gilde Rose het wel uit. 'O, god, nee toch! O, god, dat idiote meisje!'
Mevrouw Cutting stond snel op, met een discrete uitdrukking op haar gezicht. 'Ik moet ervandoor. Het was fijn u weer te zien.' Ze haastte zich de kamer uit zonder een hand te geven of nog om te kijken.
'Ik heb het zien aankomen,' kreunde Rose. 'Waarom heb ik niets tegen haar gezegd? Lieverd, het spijt me zo. Ik kan alleen ter verdediging aanvoeren dat ze waarschijnlijk haar verstand verloren heeft.' Ze hield haar ogen op de grond gericht; ze durfde hem niet aan te kijken. 'Wat stond er in het briefje?'
'Het kwam erop neer dat ze me verliet. En dat het haar speet. Ik vind dat ik tenminste recht heb op een uitleg. Waar is ze?'
Rose graaide in haar zak naar sigaretten en lucifers. Ze stak er een op en gooide de uitgebrande lucifer kwaad in het haardvuur. 'Voor de laatste maal, Rufa is niet hier.'
'Je weet waar ze is,' zei Edward.
'Niet zeker, ze heeft me niets verteld,' zei Rose. 'Ik neem aan dat ze bij Tristan is.' Ze keek naar hem op en besefte dat ze hem ernstig had geshockeerd. Ongelooflijk genoeg had hij er totaal geen vermoeden van. Wat mankeerde die man?

'Tristan?'
'Moet je horen, ik weet het niet zeker. Maar ik heb hen samen gezien. Het was nogal duidelijk.'
Zijn stem klonk zacht en smeulend van woede. 'Ik geloof je niet.'
'Nou, laten we hopen dat ik het mis heb.'
'Maar hij is nog maar een jongen!'
'Hij leek mij geen jongen,' zei Rose op scherpe toon. 'Hij leek meer een jongeman, een tamelijk arrogante jongeman.'
'Het is allemaal zijn schuld, zeker?' voer Edward tegen haar uit. Rose deed verdedigend een stap terug toen hij zijn stem tegen haar verhief. 'En zij dan? Haar verraad tegenover mij?'
'Je smeekte haar zo ongeveer dat te doen,' snauwde Rose terug. 'Wat verwachtte je dan in godsnaam? Jij vertrekt naar het buitenland en laat haar alleen thuis samen met een mateloos aantrekkelijke jongeman. Wat verwacht je dan?'
'Ik vertrouwde haar. Jullie hebben allemaal de moraal van een straatkat, maar ik dacht dat zij anders was. Ze is precies de Man, het lijkt wel een terugkerende nachtmerrie.'
'Het is normaal om seks te bedrijven!' schreeuwde Rose, die zich aangevallen voelde. 'Voor alle mensen ter wereld behalve voor jou is het de natuurlijkste zaak! O, lieve god...' Ze duwde haar handpalmen tegen haar wangen en dwong zich tot kalmte. 'Sorry. Sorry. Dit is belachelijk. Waarom sta ik tegen jou te schreeuwen? Waarschijnlijk omdat het zo ontzettend gênant is.'
Edward begreep er niets van. 'Waarom is het gênant voor jou?'
'Ach, kom nou. Ze heeft je een fortuin afgetroggeld. Natuurlijk is het haar schuld. En de mijne. Ik heb toegestaan dat ze met je trouwde terwijl ik wist dat ze zich aan een strohalm vastklampte. O, god, wat een rotzooi.'
Zijn kwaadheid was weggeëbd. De atmosfeer in de kamer was geladen met zijn bezorgdheid. 'Ik wist het ook,' zei hij. 'Ze heeft nachtmerries gehad over Rufus. Ze belde me twee dagen geleden huilend op en smeekte me om thuis te komen. Ik heb alles in het werk gesteld om weg te komen... en ik ben te laat gekomen.'
'Het punt is dat ze van je houdt. Ze vond het waarschijnlijk heel erg om ervandoor te gaan. Ze heeft haar verstand verloren.' Rose deed een stap naar hem toe en raakte verlegen zijn arm aan. 'Kom in de keuken en drink iets.'
'Hoe openlijk hebben ze zich gedragen? Lacht de hele buurt me nu uit?'
'Niemand lacht je uit.'
'Jezus, ze hebben allemaal medelijden met me.' Edward vertrok zijn

gezicht alsof hij bramen doorslikte. 'Heb je whisky in huis?'
'Ja. Ik zal je een grote inschenken.' Ze duwde hem de zitkamer uit – Rufa's droom – en deed dankbaar de deur achter hen dicht. De situatie zou er in de keuken niet beter op worden, maar wel gemakkelijker te verwerken. Gelukkig was er niemand in de keuken. Lydia, die de laatste tijd blijk gaf van een voor een Hasty ongebruikelijke tact, had zich boven teruggetrokken zodat ze Selena en Linnet weg kon houden. Het hele huis rook naar problemen. Rose schonk voor zichzelf een groot glas gin in. Ze schonk voor Edward zoveel whisky in dat hij somber glimlachte toen ze hem het glas gaf.
'Medicijn,' zei hij.
'Het helpt.' Rose ging aan de tafel zitten. Edward liet zich verdoofd door de schok in een stoel tegenover haar vallen. De stilte leek eeuwen te duren.
Rose slaakte een diepe zucht. 'Edward, sorry hoor, maar had je er werkelijk geen vermoeden van dat er iets gaande was met Tristan?'
'Nee,' zei hij fronsend. 'Dat betekent waarschijnlijk dat ik een dwaas ben. Maar ik begrijp er niets van. Elke andere vrouw... maar Rufa niet. Rufa nooit.'
'Waarom niet? Ze is maar een vrouw, geen engel. Het feit dat ze naar bed gaat met een zeer aantrekkelijke jongeman die bij je in huis is, is een zeer begrijpelijke, veel voorkomende misdaad.'
'Hmm.' Hij keek haar aan. 'Is Tristan zeer aantrekkelijk? Het valt mij niet op dat hij volwassen is. Voor mij blijft hij een kind.'
'En je bent op hem gesteld,' zei Rose verdrietig.
'Ja. Je weet nog wel dat Alice hem aanbad. Hij was nog maar klein toen ze overleed.'
'Onze baby's groeien op,' zei Rose. 'En dan laten ze ons alles zien wat we verkeerd gedaan hebben. Ik heb te veel op Ru gesteund toen de Man overleed; zij had immers de reputatie verstandig te zijn. Op de een of andere manier heb ik haar geen ruimte gegeven om de dingen uit te praten. En zij raakte eraan gewend dat niemand echt naar haar luisterde. Behalve jij. Maar toen was het al te laat en wist ze niet hoe ze om hulp moest vragen.'
'Betekent ervandoor gaan met Tristan dat ze hulp vraagt?' beet Edward haar toe.
Zijn pijn sneed Rose door het hart. Ze zocht naar woorden waarmee ze de waarheid zou kunnen verzachten. 'Het leek meer op een vreselijke kalverliefde. Toen ik hen samen zag gedroeg ze zich alsof ze voor het eerst seks had ontdekt... misschien,' voegde ze er haastig aan toe, 'omdat ze jou miste.'
'Gelul,' zei Edward zachtjes. 'We zijn één keer met elkaar naar bed

geweest, zoals ze je ongetwijfeld heeft verteld.'
'Ze heeft me niets verteld, maar ik heb het me wel afgevraagd,' gaf Rose toe. Het schonk haar geen bevrediging dat ze het bij het rechte eind had gehad. 'Ik kon geen andere reden bedenken voor haar verraad, bijna nog tijdens jullie huwelijksreis. Wat was het probleem? Ik weet dat het een onbeschaamde vraag is, maar het is onmogelijk dat ze je geweigerd heeft. Ru is de meest plichtgetrouwe persoon die ik ken.'
'Dat was juist het probleem,' zei Edward. 'Ik kon niets ondernemen zolang ik vermoedde dat ze het uit plichtsgevoel deed.'
Ze knikte begrijpend. 'Daar knap je op af. Ik vroeg me al af hoe je dat vraagstuk zou omzeilen. Iemand die ijdeler was dan jij zou erin geslaagd zijn zichzelf ervan te overtuigen dat ze erom smeekte.'
Hij glimlachte somber. 'Was dat een compliment, Rose? Rustig aan, hoor.'
Ze glimlachte terug. 'Ik meen het. Je bent een in-goede man; een van de besten die ik ooit heb ontmoet. Elke vrouw met een beetje verstand zou zo met je in bed duiken. Het is niet eerlijk dat je impotent bent geworden door je ingebouwde gevoel voor fatsoen.'
'Ik ben niet impotent, doe me een lol, zeg.' Hij was niet langer geïrriteerd. Hij leek zelfs een beetje geamuseerd door haar gebrek aan tact.
'O, nou, het spijt me. Maar voor zover ik weet heb je nog geen flanelletje met iemand gedeeld sinds de dood van Alice. Het was toch bij me opgekomen dat je het niet meer kon.'
Edward dronk zijn glas leeg. 'Ik zou eigenlijk niet weten waarom ik je dit zou vertellen, maar ik heb wel seks gehad na Alices dood. Natuurlijk. Niet in de directe omgeving, voornamelijk omdat Rufus het als concurrentie zou hebben opgevat.
'Absoluut,' zei Rose instemmend. 'Je zou wel gek geweest zijn als je het hem verteld had. Er mocht slechts één leeuw in deze jungle rondlopen.'
'En het zou... tja, het zou gênant geweest zijn.'
Rose zei: 'Mijn god, je gaat me toch niet vertellen dat je weer met Prudence bent begonnen! Nee toch!'
Hij vertrok boos zijn gezicht. 'Ja, oké dan. Ik heb een soort relatie met Prudence gehad.'
'Wat betekent dat verdomme?'
'Ik had niet het idee dat het echt serieus tussen ons was. We zagen elkaar tussen haar huwelijken in.'
'Heb je dit aan Rufa verteld?'
'Ik heb haar verteld dat we een affaire hebben gehad nadat Alice

was overleden,' zei hij verdedigend.
'Dat is jaren geleden,' zei Rose. 'En het vervolg?'
'Luister, het was niet serieus, zeker niet van mijn kant. Pru wilde nooit dat ik lang bleef. En ze knapte nogal op me af toen ik uit het leger ging.'
Rose was wit van woede. 'Geen wonder dat die ouwe tang niet naar de bruiloft wilde komen. Ik neem aan dat je naar Parijs bent gegaan om haar het nieuws te vertellen?'
'Ja,' zei Edward mistroostig, verbaasd dat hij op zijn gedrag werd aangevallen.
'En toen was ze woedend op je, nietwaar? En ze huilde en schreeuwde en beschuldigde je van verraad.'
'Ja,' zei Edward met een diepe zucht. 'Ik neem aan dat ik het had kunnen verwachten. Maar dat was niet zo, Rose, geloof me alsjeblieft. Ik dacht eerlijk dat het al maanden voorbij was. Ik wist niet beter of Pru had het uitgemaakt vlak voordat Rufus overleed. Ik was er niet op voorbereid om behandeld te worden alsof ik een of andere afspraak had verbroken.'
'Ach, kom nou, bekijk het eens van haar kant,' zei Rose. 'Die goeie, betrouwbare ouwe Edward, altijd goed voor een etentje en een wip, blijkt net als alle anderen te zijn... hij gaat ervandoor met iemand die twintig jaar jonger is.'
Het bleef stil.
Edward zei: 'Je vindt me een idioot.'
'Nee, ik vind je typisch een man. Anders had je Ru het hele verhaal verteld.'
'Ik vond niet dat er iets te vertellen viel.'
Rose snoof luidruchtig. 'Dus heb je dat verdomde mens bij je thuis uitgenodigd.'
'Pru nodigde zichzelf uit. Ik kon geen reden bedenken om te weigeren. Ik ging ervan uit, omdat ik eindelijk getrouwd was...'
'Nou, ik wed dat Rufa erachter is gekomen,' zei Rose. 'Ze is misschien gek, maar niet dom. Bedenk eens hoe het op haar moet zijn overgekomen. Ze slaagt er niet in om haar man op haar huwelijksreis het bed in te krijgen, en vervolgens nodigt haar echtgenoot zijn oude vlam uit voor een logeerpartij.'
Edward vertrok weer zijn gezicht. 'Maar zo was het niet! Ik ben misschien verliefd geweest op Prudence toen we samen iets hadden nadat Alice overleden was. Maar dat werd niets en de keer daarop was het heel anders. Pru maakte het me heel duidelijk dat ze alleen behoefte had aan een schouder om op uit te huilen... iemand die haar begreep. Ik weet zeker dat ze niets tegen Rufa heeft gezegd.'

'Ik niet,' zei Rose op bittere toon. 'Ik kan me nog herinneren hoe ze was toen ze jou liet vallen voor de Man, ze wreef het me voortdurend onder de neus. Het was de enige keer dat ik ruzie met hem kreeg over een van zijn liefjes.' Toen ze de gepijnigde blik op zijn gezicht zag had ze er spijt van dat ze dit allemaal gezegd had. Pijn en nog eens pijn. Met tranen in haar ogen stak ze nog een sigaret op. 'Ik begrijp jou niet, Edward. Ik begrijp niet waarom je steeds om meer vraagt. Eerst gaat de Man ervandoor met Prudence en dan smeert zijn dochter 'm met haar zoon. Deze familie heeft je vreselijk behandeld. Ik begrijp niet dat je geen slopershamer gaat halen en het hele huis in elkaar timmert. Je zou volkomen in je recht staan.'
Hij begreep dat ze serieus was en gaf haar een serieus antwoord. 'Ik denk dat het komt omdat ik zoveel van jullie allemaal houd.'
'Omdat je van Rufa houdt,' snoof Rose. Ze graaide in haar mouw op zoek naar een stukje gebruikte tissue.
'Van jullie allemaal. Jullie zijn als een familie voor me geweest, iedereen heeft behoefte aan een paar lastige familieleden. Laten we zeggen dat ik het prettig vind om me te ergeren. Het heeft me ervan weerhouden om van eenzaamheid te sterven.' Hij was nog nooit zo open geweest tegen Rose. Plotseling verlegen door de intimiteit stond hij op. 'Mag ik nog een beetje? Ik betaal het je terug.'
'Praat alsjeblieft niet over geld,' zei Rose. 'Als we niet zo geobsedeerd waren geweest door dat verdomde geld dan zaten we hier nu niet. Geef de Gordon's gin even aan.
Edward liep terug naar de tafel met een vol glas whisky en gaf de groene fles met gin aan Rose. 'Ik ga heel dronken worden,' kondigde hij plechtig aan. 'Ik word net zo dronken als toen op Boxing Day, toen Rufus de kont van Bute had vastgeplakt. Daarna blijf ik hier slapen, op die merkwaardig monsterlijke bank die Rufa voor je zitkamer heeft gekozen.'
Rose giechelde en veegde haar neus af. Wat bewonderde ze een man die zijn gedrag efficiënt organiseerde, die dronken kon worden zonder de hulpdiensten te hoeven inschakelen. 'Je bent van harte welkom. Ik zal zelfs schone lakens voor je te voorschijn halen. Het is veel beter dan terug te gaan naar de boerderij.' De boerderij waar hij twee echtgenotes verloren had: de een dood, de ander tijdelijk zoek. De gin begon haar gevoel al een beetje te verdoven.
Hij nam nog een slok whisky. 'Morgen ga ik naar Oxford om Rufa te halen.'
'Ho, ho. Misschien wil ze niet gehaald worden.'
'Ik moet haar nog een kans geven,' zei hij. 'Voor een gedeelte is het

ook mijn schuld. Ik heb het dom aangepakt met Prudence. Ik was haar niets verschuldigd en ik had nooit moeten toestaan dat ze me een schuldgevoel aanpraatte. Ik zal mijn excuses aanbieden en een nieuw begin.'

Zonder precies te weten waarom beviel de klank van zijn woorden Rose niet. 'Bedoel je dat je besloten hebt haar te vergeven?'

'Natuurlijk.'

'Alsjeblieft, Edward, vergeef haar niet...' Ze hield haar mond.

'Vergeef haar niet?' vroeg hij geërgerd. 'Moet ik soms nog meer doen?'

Rose zei: 'Vergeef haar alsjeblieft niet te veel.'

Hoofdstuk tien

Tristans vader had een klein huisje voor hem gekocht in het gedeelte van Oxford dat Jericho werd genoemd. Het zat ingeklemd tussen een rij twee verdiepingen tellende huizen, elk met een erker die uitkeek op een piepklein tuintje. De voordeur was scharlakenrood geverfd. In de vensterbanken stonden stoffige groene planten. Er hing een vrolijke, studentikoze sfeer in de enigszins afgetakelde omgeving.

Edward stond aan de overkant naar het huis te staren. Hij had er moeite mee het in verband te brengen met Rufa. Plotseling was hij ziek van verlangen naar haar. Hij vervloekte zichzelf omdat hij haar niet had durven vertellen hoe hartstochtelijk hij vanaf een afstand van haar had gehouden tijdens de jaren na zijn vertrek uit het leger. Hij had haar niet goed duidelijk gemaakt hoeveel hij nu van haar hield. Over een paar minuten zou hij Rufa zien en hij wist dat hij bereid was haar op zijn knieën te smeken. Hij kon geen andere manier bedenken om haar aan de armen van haar triomfantelijke jonge minnaar te ontfutselen.

Als hij er rationeel over nadacht haatte hij Tristan niet – de baby die aanbeden was door Alice, het hartveroverende kleine knulletje, het groentje dat achteloos zijn huwelijk om zeep had geholpen. In de auto onderweg naar Oxford was hij al tot de conclusie gekomen dat het geen zin had het Tristan moeilijk te maken. Hij zou zich redelijk opstellen en elke neiging tot kwaadheid in bedwang houden.

Hij stak de weg over en kreeg het gevoel dat de nietszeggende witte ramen naar hem staarden; hij probeerde het beeld van Tristan en Rufa die binnen in elkaars armen verstrengeld lagen uit zijn hoofd te zetten. Hij drukte op de dof geworden koperen bel en schoof met zijn voet een stapel in plastic verpakte telefoonboeken opzij. De slagader in zijn hals klopte onstuimig. Toen hij in de loopgraven onder vuur had gelegen was hij niet zo nerveus geweest als nu. Alles wat hij van tevoren had bedacht om te zeggen leek nu verkeerd. Er bewoog iets in het huis. Edward raakte nog meer gespannen en was verrast toen de deur werd geopend door een meisje met een

rond gezicht, dat zo te zien een jaar of twaalf was. De bovenkant van haar hoofd kwam tot zijn borstbeen. Ze had ernstige bruine ogen en droeg een bril.
'Ja?'
'Ik... eh... is Tristan in de buurt?'
Het kleine meisje antwoordde terughoudend: 'Hij is min of meer in de buurt, maar min of meer ook niet.'
'Ik ben zijn oom,' zei Edward. Met een wrange smaak in zijn mond vanwege deze enorme leugen, voegde hij eraan toe: 'Ik weet zeker dat hij me graag wil zien en ik kan niet later terugkomen. Ik ben alleen vanmorgen in Oxford.'
'O, goed dan,' zei ze. 'Dat is wat anders. Komt u binnen.'
Edward liep achter haar aan door de gang, waar twee fietsen stonden, naar een smal keukentje dat uitkeek op een overwoekerd en verwaarloosd stukje tuin. Het keukentje was nieuw, goedkoop ingericht en ongelooflijk rommelig. Tegen een muur stond een kleine tafel met twee gammele stoelen. Edward ging op een van de stoelen zitten zodat hij niet zoveel ruimte zou innemen.
'Ik ben Clytie,' zei het meisje.
'Je bent... wat?'
'Zo heet ik, helaas, Clytemnestra Williams. Mijn vader is leraar klassieke talen.'
'O. Ik ben Edward Reculver.' Hij wachtte af om te zien of ze op zijn naam zou reageren.
Het enige wat ze vroeg was: 'Wilt u een kopje thee?' Ze kende haar plicht ten opzichte van ouderachtige mensen. 'We hebben pepermunt- of kamillethee. En gewone, natuurlijk.'
Edward kon een glimlach niet bedwingen. 'Gewone, alsjeblieft. Waar ken je Tristan van?'
'Nou, ik woon hier,' zei Clytie. Ze pakte twee vuile mokken van het afdruiprek en waste ze energiek af boven de gootsteen. 'Ik huur woonruimte van hem.'
In gedachten stelde hij haar leeftijd naar boven bij. 'Op welk college zit je?'
'In Somerville. Ik studeer Engelse literatuur, net als Tristan.'
Ze wist al wat hij zou vragen, dacht Edward knorrig, omdat alle oude mensen dezelfde vragen stelden. Hij wist niet hoe hij Tristan en Rufa te spreken zou moeten vragen. Hij was bang voor wat hij zou aantreffen.
Ze vroeg: 'Gebruikt u melk in de thee?'
'Graag.'
Clytie liep naar de ijskast, die was bedekt met magneetklemmetjes,

foto's en briefjes waar iets op gekrabbeld stond. De binnenkant van de deur was volgepropt met pakken melk, waarvan een aantal was aangekoekt met een gelige substantie. Ze rook aan een of twee pakken voordat ze er een uitkoos en de ijskast weer dichtdeed. Ze zette de thee langzaam, alsof ze er examen in deed. Edward voelde zich zo oud als de Everest en werd op een merkwaardige manier geroerd door haar jeugd. Ze ging tegenover hem zitten. Hun knieën raakten elkaar onder de tafel.

'Ik zou kunnen gaan zeggen dat u er bent,' stelde ze voor.

Edward schrok ervan dat ze zo vol vertrouwen was. Geen wonder dat de Man zo neurotisch was geweest als het zijn dochters betrof. Het moet wel afschuwelijk zijn, dacht hij, om je kleine meisjes de wereld in te sturen, wetend waar mannen toe in staat waren.

Toen viel hem de foto op die op de ijskast was bevestigd. Het was een uitzicht op de vallei thuis, genomen vanaf de rand van zijn boerderij. Links onderin op de foto zat Rufa met haar donkerrode haar over een schouder. Vanwaar hij stond kon hij haar extatische, uitbundige lach zien. Even voelde hij een wanhopige steek van eenzaamheid. Clytie volgde zijn blik nieuwsgierig. Het was niet eerlijk om misbruik te maken van haar onwetendheid.

Hij zei vriendelijk: 'Ik ben Rufa's echtgenoot.'

Onder andere omstandigheden zou het komisch geweest zijn om te zien hoe Clyties mond openviel. Vol ontzetting zei ze: 'U? O, God... hij zal me vermoorden! Ik denk niet dat ik u binnen had mogen laten.'

'Ik ga wel weg, als je dat liever hebt.'

'Nee, dat is onzin.' Ze had zich hersteld. 'Ik dacht namelijk dat Rufa's echtgenoot oud was. En u bent nogal jong. U... u bent toch niet van plan om hem te vermoorden, of zoiets?'

Ondanks zichzelf moest hij glimlachen. 'Nee.'

'Nou, ik vind dat u moet blijven. Hij zal de confrontatie toch een keer moeten aangaan. En volgens mij bent u wel een toffe peer.'

Edward schreef in gedachten een brief aan Clyties klassiek geschoolde vader waarin hij hem smeekte haar te waarschuwen voor mannen die wel tof leken. 'Bedankt. Zoals je ziet ben ik ongewapend. En min of meer bij mijn positieven. Ik wil alleen met ze praten.'

Haar eerdere ontzetting stak weer de kop op. 'Ze? O... nee... zij...' Clytie deed een duidelijke poging om iets te verzinnen, maar bleef toen steken. 'Hoor eens, ik zal geen woord zeggen. Het gaat me niet aan. Ik zal u naar boven brengen.'

Rufa was niet hier. Edward voelde zich diep teleurgesteld en was plotseling razend op Tristan. Als Rufa er niet bij was om hem in

bedwang te houden wilde hij die kleine opsodemieter levend villen. Hij liep somber achter Clytie de pas beklede, maar vuile trap op en kwam op een kleine overloop.
Ze klopte zachtjes op een dichte deur. 'Triss!'
Een stem binnen snauwde: 'Wat?'
'Er is hier iemand voor je.'
'Zeg maar dat ze opdonderen!'
'Dat gaat niet,' zei Clytie. 'Het is Rufa's echtgenoot.'
Vanachter de deur bleef het doodstil. Na enige tijd klonken er geluiden van een stoel die over de vloer werd gesleept, en toen voetstappen. Edward verstijfde en balde automatisch zijn vuisten.
De deur ging open. Hij keek recht in Tristans blauwe ogen. Hij zag er vreselijk uit. Zijn gezicht was bleek en opgezet en zijn lange haar was slap en ongewassen. Hij had zwarte kringen onder zijn ogen. Hij zag er diep ellendig uit. Edward zag dat hij vreselijk had gehuild en kreeg een onheilspellend gevoel. Ze keken elkaar hulpeloos aan en wisten niet wat ze moesten zeggen.
'Ik laat jullie alleen,' zei Clytie met tamelijk spijtige stem. 'Ik vind dat jullie het goed moeten maken, de omstandigheden in aanmerking genomen.' Ze ging naar beneden.
Edward vroeg: 'Welke omstandigheden? Waarom doet ze zo geheimzinning? Waar is Rufa?'
'Kom binnen,' zei Tristan. Ondanks zijn diepe ellende klonk hij een beetje gemelijk. 'Geef me maar op mijn donder. Ik weet al precies wat je gaat zeggen.' Hij keek naar de grond. Hij liep zijn kamer weer in en ging achter een rommelig bureau naast het raam zitten.
Edward onderdrukte de neiging om Tristan een dreun te verkopen.
'Waar is Rufa?'
'Weg,' zei Tristan.
'Weg? Wat bedoel je daarmee?'
Tristan draaide zijn stoel rond zodat hij Edward kon zien, maar hij keek hem niet aan. 'Het is voorbij. Ze wil me niet meer. Ze heeft me verlaten.'
Het kostte Edward moeite om dit te verwerken. Hij had verwacht een liefdesnest aan te treffen, maar hier zat Tristan, net zo in de steek gelaten en verdrietig als hijzelf. Hij begreep er niets van. 'Hoor eens, wat is er gebeurd?'
'Ik kan er niet over praten.'
'Dwing jezelf,' zei Edward kortaf. Hoe durfde Tristan zich te gedragen alsof zijn verdriet belangrijker was dan dat van hem?
Eindelijk keek Tristan hem recht aan. 'We hebben ruzie gehad.'
'Probeer je me te vertellen dat ze hem gesmeerd is na een ruzie tus-

sen geliefden? Dat geloof ik niet.'
'Nou, geloof het maar wel!' schreeuwde Tristan. Het laatste woord brak in een snik.
Edward zuchtte. Het laatste wat hij wilde was een schreeuwpartij. Zijn kwetsbare trots had al genoeg geleden. 'Als je me niet de waarheid zegt, moet ik concluderen dat je haar ergens verstopt hebt.'
'Het was niet mijn idee,' gooide Tristan er wanhopig uit. Zijn rood omrande ogen vulden zich met tranen. 'Ik heb haar niet gezegd dat ze ervandoor moest gaan. Ja, ik ben verliefd op haar geworden. Ja, ik heb een verhouding met haar gehad. Maar voor zover ik wist had ik haar op de boerderij achtergelaten. Ik vond het verschrikkelijk, ik smeekte haar om een volgende afspraak, en ze weigerde het. Ze deed alsof ze me nooit meer wilde zien.' Hij keek de andere kant op, zich terugtrekkend van Edwards scherpe onderzoekende blik. 'En toen stond ze hier eergisteren opeens voor de deur.' Hij trok een zielige pruillip. 'Alles was veranderd, omdat ze... ze erachter was gekomen dat ze zwanger was.'
Edward begroef zijn vuisten in zijn zakken en klemde zijn kaken op elkaar om niet hard te gaan brullen. Dit was net zo wreed als de dood. Hij was niet alleen zijn vrouw kwijt, maar ook zijn kans op een kind. 'En wat had je daarop te zeggen?'
De toon van zijn stem deed Tristan in elkaar krimpen. 'Ik schrok me helemaal kapot.'
Er hing een geladen stilte tussen hen. Tristan wachtte af tot Edward het vervolg zou invullen.
Edward zei: 'Je zei dat ze abortus moest plegen.'
'Nee, dat zou ik nooit doen.' Hij klonk weifelachtig. 'Eerlijk waar. Ik ging er gewoon van uit, je weet wel... het kwam niet eens bij me op dat ze het kind zou willen houden. Ik bedoel, hoe zouden we ons moeten redden met een baby? Denkt ze echt dat ik mijn examens zou willen afzeggen omdat ik vastzit op een kinderafdeling? God, wat een nachtmerrie.'
Het verlangen om hem een enorme dreun op zijn gezicht te geven, zoals Gary Cooper in de film, was zo overweldigend dat het bijna erotisch was. Edward deed zijn uiterste best om zijn woede te bedwingen. 'Waarschijnlijk reageerde je niet bepaald zoals ze hoopte.'
'Nee. Ze scheen te denken dat ik met haar zou willen trouwen of zoiets.' Tristan wreef vermoeid in zijn ogen. 'Toen verkilde ze helemaal. Ze zei dat ik niet genoeg van haar hield. Ik werd bang en bezwoor haar dat ik van haar hield en dat ik alles voor haar zou doen. Maar het was te laat. Ze zei dat ik haar dwong te kiezen tussen mij en de baby.'

'En uiteraard koos ze voor de baby,' zei Edward. 'Je kent haar helemaal niet, hè? En zij heeft beseft dat ze jou niet kent.'
Tristan knikte. Hij begon te huilen. 'Ze zei dat ze gek was geweest om verliefd op me te worden, omdat de man van wie ze was gaan houden helemaal niet bestond. Ze zag nu wie ik werkelijk was. En dat was het. Ze ging weg.' Een snik doorvoer hem. Hij draaide zijn stoel weer naar het bureau en begroef zijn hoofd in zijn armen.
Edward kon zijn gedachten niet meer op een rij krijgen. Hij keek om zich heen op zoek naar een zitplaats. Er stond alleen een bed met een vochtig, slordig neergekwakt dekbed. Hij ging erop zitten. 'Waar is ze heen gegaan?'
'Ik weet het niet,' zei Tristan met gedempte stem. 'Als ik het wist zou ik er al zijn en haar smeken me te vergeven. Ik zou mezelf dwingen de baby te accepteren, als ze maar terug zou komen.'
Edward negeerde de opmerking over smeken om vergeving. Hij kende Rufa. Dit zou ze hem nooit vergeven. Tristan vormde geen gevaar meer. 'Heb je enig idee?'
'Nee.'
'Londen. Natuurlijk.' Edward sprong op en pakte de telefoon die op het bureau stond. Hij toetste Wendy's nummer in, dat hij uit het hoofd kende uit zijn verlovingstijd.
Wendy nam op en klonk zenuwachtig toen ze hoorde dat hij het was – hij had die vrouw nooit veel zinnige woorden horen uiten. Rose had waarschijnlijk sinds zonsopgang aan de telefoon gezeten om de hele wereld te vertellen dat Rufa ervandoor was. Hij informeerde zo neutraal mogelijk naar haar en hing abrupt op toen Wendy zei dat Rufa niet bij haar was.
Ongerustheid knaagde aan hem. Rufa liep ergens zwanger en alleen rond. Ze was weggelopen bij haar echtgenoot en was afgewezen door de vader van haar kind. De beangstigende duisternis rondom haar had haar eindelijk te pakken gekregen. Hij moest haar vinden. Ondertussen zat hij met Tristan, die temidden van zijn verstoorde hartstocht zat te huilen. Edward merkte dat hij niet langer kwaad was. Tristan zou het wel overleven, omdat hij iets betreurde dat al voorbij was. Maar voor hem zou het pas voorbij zijn als hij zijn weggelopen bruid had gered.
Hij raakte verlegen Tristans schouder aan. 'Kom op, denk na. Denk terug aan alles wat ze tegen je heeft gezegd. Waar zou ze heen gaan? Was ze bang dat ik boos zou zijn?'
Tristan hief zijn hoofd op. 'Zij was kwaad op jou. Je hebt haar pijn gedaan.'
'Ik? Wat heb ik in vredesnaam gedaan?'

'Je hebt Prudence verteld over je seksleven. Of liever gezegd, over het gebrek daaraan.' Tristan kwam nu op gang omdat hij iets had om mee terug te vechten tegen de bedrogen echtgenoot.
Edward ademde zwaar uit en probeerde een nieuwe woedeaanval in te houden. 'En Prudence heeft het jou verteld.'
'Uiteraard. Wat had je dan gedacht?'
Tja, natuurlijk, dacht Edward. Hij had kunnen weten dat hij Prudence niet iets kon toevertrouwen dat in de toekomst tegen hem gebruikt zou kunnen worden. Hij had het nooit moeten laten gebeuren dat ze hem met haar vleierij en geflirt zover had gekregen haar in vertrouwen te nemen. Zijn behoefte daartoe was te sterk geweest. Nu zou Rufa denken dat hij haar had verraden; en daar had ze gelijk in.
'Elke man van wie ze ooit heeft gehouden heeft haar in de steek gelaten,' zei hij. 'God alleen weet wat ze nu doormaakt.'
Tristan ging rechtop zitten. 'Edward...'
'Mmm?'
'Het spijt me.'
'Je verontschuldigt je tegen de verkeerde persoon. Maar mijn vergiffenis heb je, hoor.'
'Bedankt.' Tristan snoot zijn neus, bevend van opluchting. 'En het spijt me van je auto.' Edward moest bijna lachen. De vernielde auto was oud nieuws en belachelijk irrelevant. 'Geeft niet. Ik ben blij dat jij er heelhuids vanaf bent gekomen.'
Ze keken elkaar onzeker aan om de sfeer te proeven.
'Bedankt,' fluisterde Tristan.
God, hij zag er zo jong uit. 'Zorg ervoor dat je werk hierdoor niet in de knel komt, Triss,' zei Edward impulsief. 'Je komt er wel overheen, dat vernederde gevoel raak je wel kwijt. Op een dag zul je erop terugkijken en beseffen wat een absolute rotzak je bent geweest. En dan zul je er waarschijnlijk een boek over schrijven.' Hij aaide vol genegenheid en een beetje minachtend met zijn hand door Tristans haar. 'Dus ik geef je de raad om het allemaal als een ervaring te beschouwen.' Hij liep de kamer uit.
Clytie zat in de keuken. Ze liep naar Edward toe toen hij zich langs de fietsen in de gang wurmde en legde haar hand met afgebeten nagels op zijn arm. 'Alstublieft,' mompelde ze, 'weest u alstublieft niet al te boos op hem. Volgens mij is zijn hart gebroken.'
Edward vroeg zich bitter af wat dit kind in vredesnaam kon weten van gebroken harten.

Hoofdstuk elf

Rufa droomde dat de Man haar riep. Ze zag zichzelf zitten bij het raam in haar slaapkamer op Melismate. Tegelijkertijd kon ze de Man beneden in de zitkamer zien zitten met zijn hoofd in zijn handen. In haar droom slaagde Rufa er niet in om op te staan en hem te gaan helpen, hoewel ze wist dat hij haar nodig had. Ze zat en bleef zitten; de Man riep haar en bleef roepen.

Plotseling ontwaakte ze, haar gezicht nat van de tranen. De vrouw die aan de andere kant van het kleine tafeltje zat keek haar meelevend over haar tijdschrift *Housekeeping* aan. Rufa ging rechtop zitten en keek uit het raam. De golvende grijze velden buiten – het standaarduitzicht vanuit elk treinraampje in Engeland – werden donkerder naarmate de zonsondergang naderde. Ze zag haar bleke gezicht met het slordige haar weerspiegeld in het raam, met het landschap op de achtergrond. Ze draaide zich van het raam af en pakte een tissue uit de tas die naast haar stond.

'Ik heb hem voor u in de gaten gehouden,' zei de vrouw tegenover haar.

'Sorry?' Het duurde even voordat Rufa begreep dat ze werd aangesproken.

'Uw tas. U moet voorzichtig zijn met in slaap vallen.'

'Bedankt,' zei Rufa met een poging tot een glimlach.

De vrouw vertrok haar mond een paar keer tot ze haar nieuwsgierigheid niet meer kon bedwingen. 'Ik ga even naar de restauratiewagon... zal ik een kopje thee voor u meebrengen. U ziet er niet zo goed uit.'

Rufa bracht met moeite een glimlach te voorschijn terwijl ze dacht dat dit wel zeer zwak uitgedrukt was. 'O, ik voel me goed, alleen...'

De vrouw zag er vriendelijk uit. Ze had haar haar golvend opgestoken en lachrimpels in haar gezicht. Ze was zo moederlijk en troostrijk als mevrouw Noah. Impulsief zei ze, zodat ze de woorden kon proeven: 'Ik ben in verwachting.'

Dit was een uiterst bevredigende verklaring, zelfs voor huilen in de trein. De vrouw glimlachte opgelucht.

'Ochtendmisselijkheid? O, jeetje. Wat akelig, hè? Dan kun je zeker wel een kop thee gebruiken.' Ze stond kordaat op, pakte haar zakelijk ogende handtas en streek haar tweedrok glad. 'Mij heeft het altijd geholpen.'
'Ik zou graag een kopje thee lusten,' zei Rufa, dankbaar dat ze als normaal werd beschouwd. 'Erg vriendelijk van u.'
'Ik kan me het gevoel nog herinneren.'
Toen ze alleen was verdween Rufa's glimlach, die ze met moeite had vastgehouden. Ze wedde dat deze vrouw niet wist hoe het voelde om weg te lopen bij je echtgenoot en je minnaar, terwijl je het kind van de minnaar droeg. Ze bedacht hoe vreemd het was dat ze had moeten huilen om de Man, terwijl ze nog geen traan had vergoten om haar vervlogen hoop.
Eindelijk was ze kalm genoeg om de rokende puinhoop van haar leven rustig te beschouwen en Rufa dacht terug aan het moment waarop de nachtmerries waren teruggekomen. Aanvankelijk waren ze af en toe opgedoken; maar de voortekenen waren duidelijk genoeg als ze er aandacht aan zou hebben besteed.
De hittegolf, die hen in de droom gevangen had gehouden, was op een ochtend opeens voorbij geweest. De geliefden werden wakker en zagen dat het buiten gestaag regende. Rufa, die genoeg had aan Tristans aanwezigheid om zich compleet en gelukkig te voelen, had een knappend houtvuur aangestoken in de zitkamer. En tot haar verbazing had Tristan niet de behoefte getoond om voor het haardvuur de liefde met haar te bedrijven. Haar verbazing was nog groter geworden toen hij aankondigde dat hij zich 'opgesloten' voelde en voorstelde om naar Melismate te rijden. Hij had geweigerd te begrijpen waarom dat absoluut onmogelijk was. Ze hadden ruzie gekregen. Geen levensbedreigende ruzie, maar een irriterende, kibbelende, ergerlijke woordenwisseling – vooral van zijn kant, omdat hij haar al snel aan het huilen had gekregen. Tristan was geschrokken en tegelijkertijd opgetogen geweest omdat hij zoveel macht over haar bleek te hebben en had berouw getoond en haar getroost. Naakt, in de gloed van het haardvuur, hadden ze elkaar hun liefde bezworen, zoals Rufa al die tijd had gewenst. Nu wenste ze dat ze meer aandacht had besteed aan zijn onvermogen om de toekomst het hoofd te bieden. Ze had moeten erkennen dat die tussen hen in lag.
Ergens, dacht ze, wist ik precies wat er aan de hand was.
Die nacht waren de nachtmerries weer begonnen, terwijl ze in Tristans armen in het smalle logeerbed sliep (haar weigering met hem in haar eigen bed te slapen had hij ook niet begrepen). Ze had ge-

droomd dat ze geknield zat op de vloer van de kleine zitkamer op Melismate en de scherven opveegde van iets kostbaars. Ze had de stem van de Man gehoord, die haar verzekerde dat ze het weer zou kunnen repareren. In haar droom had Rufa geweten dat dit iets was wat ze nooit zou kunnen repareren. Ze was in tranen wakker geworden en op het moment dat ze ontwaakte had ze een steek van spijt gevoeld omdat ze naast Tristan lag en niet naast Edward.
Tristan was lief voor haar geweest, maar zijn manier van troosten haalde het niet bij die van Edward. Hij was in slaap gevallen terwijl Rufa nog bezig was de droom te beschrijven. Ze had zichzelf er op dat moment aan herinnerd dat hij nog jong was en geen ervaring met de dood had – hij had nooit de dood van een naaste meegemaakt; hij kon zich totaal niet voorstellen dat hem dat zou overkomen. Het was haar schuld, niet die van Tristan. Waarom had ze het geriskeerd hem af te stoten door deze wanhopige beelden uit haar onderbewustzijn?
De daaropvolgende (ook regenachtige) dag had ze veel moeite gedaan om de sfeer ongedwongen te houden. Ze had hem gevleid en met hem geflirt, net zolang tot Tristan weer onder haar betovering viel. De magische zeepbel had hen weer omvat. Ze had de tijd stilgezet en verdreef alle gedachten aan Edward uit haar geest. Maar ze was bezig geweest de hoop te koesteren – het was nauwelijks meer dan een fantasie geweest – dat Edward haar zou vergeven en haar de kans zou geven opnieuw te beginnen. Het vooruitzicht van een leven zonder Edward was erg beangstigend aan het worden.
Op de laatste dag die ze met Tristan had doorgebracht had de zon nog een laatste opwachting gemaakt. Het was minder warm geweest en de frisse wind blies de buitenwereld naar binnen. Tristan had een groot talent om de toekomst te negeren, maar zelfs hij had toegegeven dat hij terug moest naar Oxford. Ze waren voor het laatst naar hun geliefkoosde plekken gewandeld en hij was plotseling in paniek geraakt. Hij had Rufa gesmeekt om met hem mee te gaan, bij hem te blijven, met hem te leven en te sterven.
Rufa had zich hardop en treurig afgevraagd of ze moest proberen toegelaten te worden tot de universiteit. Tristan had hierop nauwelijks gereageerd en haar daarmee bedekt te kennen geven dat hij dat geen goed idee vond, en ze bracht het niet meer ter sprake. Ze was zo geroerd geweest door zijn smeekbede dat ze het moment niet wilde bederven.
Het was de vraag of het allemaal anders was gelopen als ze met hem mee was gegaan naar Oxford. En zou hij minder geschrokken

zijn door het nieuws over haar zwangerschap als ze er samen achter waren gekomen?
Het had natuurlijk geen zin daarover te speculeren. Op die dag had ze het belangrijk gevonden formeel afscheid van Edward te nemen, alsof ze op sterven lag. Of alsof ze zijn toestemming wilde vragen om hem te verlaten.
Misschien, dacht ze nu, hoopte ik dat hij een manier kon bedenken om me te redden en te houden.
Rufa en Tristan hadden allebei op een gepijnigde manier genoten van hun *Brief Encounter*-afscheid op het station. Ze hadden zich aan elkaar vastgeklampt en heerlijke tranen met tuiten gehuild. Rufa begreep nog steeds niet waarom ze had gehuild toen ze later Edward aan de telefoon had, en waarom ze hem had gesmeekt naar huis te komen. Die tranen waren helemaal niet heerlijk geweest. Ze vonden hun oorsprong in een tijdelijke doodsangst voor de haar omringende duisternis, en toen Rufa was gekalmeerd had ze versteld gestaan van haar eigen merkwaardige gedrag.
Toen Tristan weg was ging de tijd weer lopen. Rufa had afleiding gezocht in de saaiere aspecten van het boodschappen doen (waspoeder, bleekwater, vaatdoekjes), die ze had laten versloffen tijdens haar idylle. Ze werkte methodisch de rekken af bij Boot's en vulde haar boodschappenmandje met tandpasta, shampoo, zeep en een paar leuke flanellen nachthemdjes die in de aanbieding waren.
En zoals altijd was ze stil blijven staan bij het rek met het maandverband. Ze pakte een pak tampons en vroeg zich met een plotseling gevoel van paniek af wanneer ze voor het laatst ongesteld was geweest. Normaal gesproken tekende ze de datum altijd op in haar agenda.
De momenten die daarop volgden zag ze nog steeds met beangstigende duidelijkheid voor zich. Ze zou nooit vergeten hoe ze bijna roerloos haar mandje had neergezet en haar agenda uit haar tas had gehaald. Bijna stikkend van paniek was ze terug gaan bladeren en erachter gekomen dat ze bijna tweeënhalve week over tijd was. De tijd verstreek blijkbaar toch, al maakte je jezelf wijs dat hij stilstond. Ze had een zwangerschapstest gekocht en had geworsteld om het feit te aanvaarden dat ze zwanger was.
Daarna was er nog maar één weg die ze kon volgen. Ze had besloten dat haar spijtgevoelens over Edward nu zinloos waren, omdat die veel te laat waren gekomen. In goede en slechte tijden behoorde ze nu aan Tristan toe, en die gedachte zorgde ervoor dat ze haar verstand niet verloor. Ze had zulke warme, liefdevolle en vreugdevolle gevoelens voor Tristan en het prachtige kind dat in het huis-

je in Jericho ter wereld zou komen. Als ze over haar baby dacht was ze met ontzag vervuld van de nieuwe liefde die zich aan haar had geopenbaard. Wie weet zou het een jongetje zijn die de leemte in haar hart kon vullen die was achtergebleven bij de dood van de Man.

De vriendelijke vrouw kwam heen en weer zwaaiend aangelopen in het gangpad met een papieren zakje in haar hand. Rufa vond het kalmerend om te zien hoe ze het zich gemakkelijk maakte toen ze ging zitten en de kokendhete plastic bekertjes en melkcups uitpakte.

'Ik heb twee melkcups voor je meegenomen,' zei de vrouw, 'omdat één nooit genoeg is. En een paar gemberkoekjes.'

'Ontzettend bedankt, maar ik denk echt niet...'

'Je denkt misschien dat je er geen trek in hebt,' onderbrak de vrouw haar vastbesloten, 'maar zodra je er eentje hebt opgegeten zul je je stukken beter voelen.'

Rufa glimlachte en pakte het in plastic verpakte koekje aan. 'Hielp dat bij u ook?'

'Toen ik in verwachting was van mijn dochter hielden ze me op de been. Ik gaf in die tijd les aan achtjarige kinderen en ik at er zoveel van dat ze me juffrouw Gemberkoekje noemden.'

Rufa nam beleefd een slokje treinthee en een hapje van het treinkoekje. Tot haar verbazing ging ze zich er beter door voelen. Het duizelige, zwakke gevoel ging weg en ze kon weer normaal denken.

'Ik zei het toch,' zei mevrouw Gemberkoekje. Ze pakte glimlachend en tactvol haar tijdschrift weer op.

De ramen leken op zwarte spiegels waarin een knus beeld werd weerspiegeld van de coupé. Rufa had het gevoel dat ze nu sterk genoeg was om de enorme puinhoop te lijf te gaan die ze van haar leven had gemaakt sinds ze getrouwd was – sinds de Man was overleden. Alle wegen leidden terug naar zijn dood. Ze vroeg zich af waar ze al die tijd was geweest; wat haar ertoe gedreven had zichzelf zo drastisch uit te schakelen.

Al was het onvergeeflijk dat Tristan het onromantische vraagstuk van anticonceptie over het hoofd had gezien, begrijpelijk was het wel. Hij was jong en was ervan uitgegaan dat zij ervoor gezorgd had. Maar tot op dit moment was Rufa er trots op geweest dat ze haar leven in orde had. Nancy of Lydia gingen misschien naar buiten met ladders in hun kousen of beschadigde nagellak op hun nagels; Rufa nooit. De Man was er heel goed in geweest een picknick te organiseren en dan het eten te vergeten, en dan was Rufa de persoon op de achtergrond geweest die het voor elkaar kreeg sandwiches te voorschijn te toveren. De tengere Rose had anticonceptie als niet ter zake doende beschouwd. Rufa, die haar bestaan te danken had aan deze dwaasheid, had het haar moeder altijd een beetje kwalijk genomen dat ze zich in de hartstochtelijke verhouding had gestort zonder na te denken over de gevolgen. Nu schaamde ze zich daarvoor.

Wat een koppig kreng ben ik geweest, dacht ze; tevreden over mezelf omdat ik zo deugdzaam was en anderen veroordelen vanwege hun zwakheid.

Het kostte haar moeite om over haar vroegere propere en zelfingenomen ik na te denken. Zo blind was ze geweest, zo ingetoomd en geremd. Ze wilde dat ze van de aardbodem kon verdwijnen. Als ze hun allemaal onder ogen moest komen zou dat betekenen dat ze haar onverdraaglijke persoonlijkheid in hun gezichten weerspiegeld zou zien. Ze was er niet tegen opgewassen om met haar neus op haar weerzinwekkende afgang gedrukt te worden.

Toen ze ervandoor ging uit Tristans huis was ze erin geslaagd zichzelf en haar koffer op het treinstation van Oxford terecht te laten komen en was op een trein naar Londen gestapt. Ze was van plan geweest onderdak bij Wendy te zoeken. Ze was daarheen in een taxi onderweg geweest, handenwringend van de zorgen, toen ze opeens besefte dat ze Nancy, Wendy en Roshan niet onder ogen kon komen. Ze zouden het aan Edward en aan Rose vertellen. Dat zou onverdraaglijk zijn – ze zou de minachting in hun ogen lezen. Impulsief had ze de chauffeur gevraagd haar naar King's Cross te brengen, dat het enige hoofdstation was waar ze in haar verwarring op kon komen.

Toen ze op King's Cross was, was ze bij W.H. Smith's naar binnen gelopen om een briefkaart en een pakje postzegels te kopen. Ze wilde niet dat men zich te veel zorgen zou maken. Ze zou hun laten weten waar ze was zodra ze er was aangekomen, en het zou heel, heel ver weg zijn. Ze zou wat tijd winnen voordat ze bij haar zouden komen.

Deze trein, die naar Edinburgh ging, stond op het punt te vertrekken. Rufa vond Edinburgh mooi en historisch klinken en dat beviel haar wel. Ze herinnerde zich een dinerklantje van haar die daar een huis had. Deze vriendelijke vrouw, die veel kennissen had, zou een handig contact kunnen zijn – ze zou weer moeten gaan werken. Ze had op dit moment genoeg geld op haar bankrekening, maar het geld was van Edward. Hij zou haar toelage nu intrekken. En al deed hij dat niet, dan zou Rufa zich verplicht voelen eraf te blijven. Ze zou de pijn verdrijven door hard te werken en voor haar

stommiteiten boeten door een leven voor haar baby op te bouwen. Het was een merkwaardig troostende gedachte om zich weer zorgen te maken over werk en geld.
Op de briefkaart stond een afbeelding van Buckinham Palace, botergeel onder een turquoise lucht. Rufa zat een hele tijd met haar pen tegen haar kin te tikken terwijl ze woorden probeerde te vinden waarin zo weinig mogelijk van haar vroegere ik zou doorklinken. Ze schreef op: 'Het spijt me heel erg.' (Ze had gedacht aan: 'Haat me alsjeblieft niet', maar had dit meteen weer verworpen, dat klonk te zeurderig.) 'Zeg alsjeblieft tegen iedereen dat ze zich geen zorgen hoeven maken, het gaat goed met me. Liefs Rufa.' Ze adresseerde de kaart aan Nancy in Tufnell Park – Nancy zou het minst hard over haar oordelen.
Het platteland maakte plaats voor verlichte gebouwen. Er doemde een massa lichten en huizen op. De trein minderde vaart toen ze Durham binnenreden. De aardige vrouw tegenover haar had haar jas aangetrokken en deed haar spulletjes netjes in keurige tassen. Ze had al een halfuur klaargezeten met haar handschoenen aan. De trein kwam tot stilstand en ze stond op. 'Nou, tot ziens,' zei ze glimlachend. 'Veel geluk.'
Rufa stak haar de kaart toe. 'Zou u deze voor me willen posten, als het niet te veel moeite is? De postzegel zit er al op.'
'Ja, hoor, natuurlijk. Het is helemaal geen moeite.'
'Dank u wel,' zei Rufa. De glimlach waarmee ze afscheid van de vrouw nam kostte haar dit keer geen moeite. Ze was opgetogen en voelde zich euforisch, verbaasd door haar eigen achterbakse list. Nancy zou een briefkaart uit Durham ontvangen en ze zouden elk hoekje van Durham kunnen doorzoeken zonder haar te vinden. Ze zou onvindbaar zijn, in Edinburgh. Voor het eerst in haar leven zou niemand weten waar ze zich bevond. Het was beangstigend gemakkelijk, dacht ze, om te verdwijnen.

Op Waverley Station was het een warboel van lichten en mensen. Rufa, een nietig stipje in de menigte, probeerde te bedenken wat ze nu moest doen. Het was laat. Ze voelde een nieuw soort vermoeidheid diep in haar botten. Ze had een dringend verlangen om te gaan liggen, de baby deelde nu de lakens uit. Onder de indruk van haar eigen tegenwoordigheid van geest sprak ze een politieagent aan en vroeg naar het dichtstbijzijnde hotel.
De man nam haar van top tot teen op, zag haar Mulberry-koffer, haar Prada-handtas en haar verlovingsring en wees haar de weg naar het Balmoral Hotel. Rufa had een beetje moeite met zijn ac-

cent, maar begreep uit zijn woorden dat ze geen taxi hoefde te nemen. Ze tilde haar koffer op en liep naar Princess Street. Je kon het Balmoral Hotel niet over het hoofd zien. Ze was gelukkig te uitgeput om zich zorgen te maken over het feit dat het chique hotel niet geschikt was voor een gevallen vrouw.
Ze liet haar gold creditcard zien bij de glanzende balie. Ze kon niets bedenken waardoor ze haar echte naam niet zou hoeven geven en ze schreef zich in als mevrouw Reculver. Wat een enorm geluk, dacht ze, dat de briefkaart in Durham was gepost – het zou zeker tijden duren voordat iemand eraan zou denken om de hotels in Edinburgh te checken.
De kamer was heerlijk comfortabel. Zodra ze de kruier een pond fooi had gegeven en de deur achter hem had dichtgedaan trok Rufa haar jas uit en liet ze zich op het grote tweepersoonsbed vallen, waarop een dikke sprei lag. Ze werd duizelig van opluchting. Ze hoopte uit de grond van haar hart dat ze zich niet de volle negen maanden zo zou voelen. Morgen zou ze bedenken hoe ze aan een flat kon komen. Ze zou een plaatselijke krant kopen en de advertenties uitpluizen op zoek naar werk. Ze zou Diana Carstairs-McNogwat opbellen en haar vertellen dat ze beschikbaar was voor dineetjes.
Haar hand dwaalde naar haar maag. Ze legde haar hand op haar platte buik. Ze deed haar ogen dicht. Voor het eerst stelde ze zich een echte baby voor en werd bevangen door een intense, woeste vreugde, waarin geen plaats meer was voor de dood van de Man, Tristans tekortkomingen of Edwards woede. De baby was het enige dat telde. Het kleine zachte wezentje zou zich in haar armen nestelen en het kleine tere mondje zou zich sluiten om haar verlangende borst. Ze zou het donzige hoofdje tegen haar armholte voelen en ze zou de kracht hebben te lachen om haar wanhoop en de ellende die ze alle anderen had aangedaan. Ze begon voor het kindje te zingen terwijl ze in gedachten de stem van de Man hoorde, die haar in een lang vervlogen tijdperk in slaap zong.

Hoofdstuk twaalf

Rufa had Edinburgh altijd horen beschrijven als een mooie stad. Toen ze de volgende ochtend uit het raam keek zag ze een somber en onheilspellend beeld. Om de rand van de Castle Rock stonden daken en torenspitsen gegroepeerd met op de top het grijze kasteel. Op de voorgrond zat het standbeeld van Sir Walter Scott in zijn Victoriaanse gothische ruimteraket peinzend in de richting van Holyrood te staren. Ze kon de winkels zien aan de ene kant van Princess Street, die tegenover verwaarloosde tuinen en een spoorlijn lagen, die eigenlijk een rivier had moeten zijn. De herfst was hier eeuwen geleden gearriveerd, had zijn koffers uitgepakt en was niet meer weggegaan.

De radiateur onder het raam was heet en deed haar haar recht overeind staan, maar het raam was koud. De mensen in de straten beneden droegen dikke jassen en bogen hun hoofd tegen de wind. Rufa trok haar crèmekleurige kasjmier trui aan, die zo zacht en warm als een omhelzing aanvoelde, en ging naar beneden om te ontbijten.

Ze was nog steeds moe, maar de misselijkheid was bijna weg. Ze at pap, bacon, eieren, een worstje en twee geroosterde boterhammen. De serveerster keek verbaasd en Rufa nam het haar niet kwalijk, ze was zelf ook verbaasd. De aanvallen van duizelingwekkende honger waren begonnen voordat ze wist dat ze zwanger was. Als ze zo'n aanval had leek haar maag een bodemloze put.

Toen haar maag eenmaal vol was kon ze weer rationeel denken. Ze had zich gisteren verbazingwekkend onnozel gedragen met dat gedoe van die briefkaart uit Durham. Edward zou precies weten waar ze was zodra hij het rekeningoverzicht van haar creditcard zou zien. Als ze zich werkelijk wilde verschuilen zou ze een flink bedrag moeten opnemen en daarvan anoniem leven tot ze werk gevonden zou hebben. Ze moest eerst op zoek naar een flat. Rufa had nog nooit een flat gehuurd en ze had geen idee hoe je dat aan moest pakken. Verlegen informeerde ze bij de jonge vrouw van de receptie.

Ze zag dat het meisje niet goed begreep waarom het zo dringend was, waarom zou deze dame met de dure kasjmier trui zo snel een goedkope flat willen vinden? Het meisje gaf haar een plaatselijke krant waarin een aantal advertenties stond van verhuurbureaus. Rufa koos het bureau met de grootste advertentie uit en bestelde een taxi. Ze ging terug naar haar kamer. Ze vlocht haar haar in de glanzende witte badkamer en maakte zich licht op. Haar lippenstift smaakte naar zeep en ze moest een paar maal slikken om het gevoel van misselijkheid te verdrijven. Als ze geestelijk maar sterk bleef kon ze deze aanvallen weerstaan. Ze had slechts één keer de controle verloren, bij Tristan thuis.

Het was alsof ze zich een afschuwelijke droom herinnerde. Nog afgezien van de pijn had ze zich diep vernederd gevoeld omdat ze zich zo dwaas had gedragen; ze had bij hem op de stoep gestaan, glimlachend en met een koffer in haar hand, belachelijk zeker dat ze welkom zou zijn. Tristan had opengedaan. Een opvallend lang moment had hij eerder geshockeerd dan blij gekeken. Een seconde later waren ze elkaar in de armen gevallen.

Hij had gemompeld: 'Het was afschuwelijk... ik heb zo naar je verlangd... ik werd gek van verlangen naar je...'

Hij had haar trots voorgesteld aan een meisje dat in de keuken cornflakes zat te eten. 'Ze is hier! Dit is Rufa!'

Het meisje, dat een lief gezichtje had, had blijkbaar verbazingwekkende dingen over Rufa gehoord. In een opgewekte demonstratie van tact had ze met haar cornflakes de keuken verlaten. Tristan had Rufa nogmaals gekust waarbij hij met zijn hand over haar heup gleed. Rufa zuchtte en kromde zich tegen hem aan, maar merkte dat haar lichaam niet op de gebruikelijke manier op hem reageerde; misschien kwam dat door de voortdurende, onromantische misselijkheid. De geheimtaal van hun intimiteit bevatte geen uitdrukking voor misselijkheid.

En toen had Tristan gevraagd: 'En, hoe raak je zo hier in Oxford verzeild? Hoe lang kun je blijven?'

Dat was het eerste teken van afstand tussen hen. Rufa kreeg een akelig voorgevoel. Na zijn opmerking lag de zware taak voor haar om uit te leggen dat ze naar Oxford was gekomen omdat het de enige plaats was waar ze terecht kon, en dat ze voor altijd zou blijven.

Rufa begon de hotelkamer op te ruimen, vouwde de handdoeken netjes op en pakte haar kleine maar smetteloze verzameling Chanel-cosmetica uit. Er was helaas geen makkelijke manier om een man te vertellen dat hij je zwanger had gemaakt. In oude films reageerden de mannen altijd met onhandige, innemende tederheid: ze

werden op een komische manier nerveus en zeiden dat de echtgenote moest gaan zitten. Tristan had gereageerd met beteuterd ongeloof, dat veranderde in afschuw.
Daarna was haar wereld met een beangstigende snelheid ingestort. De man die ze aanbad veranderde voor haar ogen in een koele vreemdeling die ze niet herkende. Hij had het over klinieken gehad en over vrienden die daarvan gebruik hadden gemaakt. Hij was opgelucht geweest toen hij hoorde dat Edward het niet wist.
'Dat is verdomme tenminste iets...als we snel genoeg zijn komt hij er nooit achter.' Op dat moment was haar maag in opstand gekomen. Ze had een waas voor haar ogen gekregen. Happend naar adem had ze gezegd dat ze moest overgeven en Tristan had haar ruw een smerig toilet ingeduwd, dat vol met vieze vlekken zat, als de tanden van een roker. Ze had hevig gebraakt en had het gevoel dat ze al haar hoop en dromen, elke fantasie en illusie had uitgekotst.
Zijn huisgenootje was aardig voor haar geweest. Ze had haar horen kokhalzen en was naar beneden gerend om pepermuntthee voor Rufa te maken. Haar vriendelijkheid had het gebrek aan tederheid van Tristan onderstreept. Hij had zich stijfjes en afwerend opgesteld, alsof ze hem gekwetst had.
Misschien was dat ook wel zo, dacht Rufa. Hij was te jong om een dergelijke situatie aan te kunnen. Haar wonderbaarlijke, vergulde jongeling was een bang, egoïstisch jongetje gebleken. Alles wat hij had gezegd had haar overduidelijk gemaakt dat de grote hartstocht verdwenen was. Hij verwachtte van haar dat ze hun kind zou vermoorden.
'Je moet er niet zo emotioneel over denken,' had hij gezegd. 'Het is geen kind, het is een aantal cellen.'
Rufa telde het contante geld dat ze in haar tas had, ondertussen denkend dat Tristan niet helemaal harteloos was geweest, en dat dat feit het nog erger had gemaakt. Zodra hij had begrepen dat haar liefde voor hem verdwenen was, had hij gehuild en haar gesmeekt hem niet af te wijzen. Toen was het al veel te laat geweest. In haar verdriet had Rufa begrepen dat er van hem geen steun, geen redding zou komen. Ofschoon ze dit niet had verwacht – het haar dood had betekend als ze dit had kunnen voorzien – voelde ze zich alleen. Dit was een gemene, maar toepasselijke straf voor de bedenkster van het Huwelijksspel. De poedelprijs, het Alleenstaande-Moederspel.
De telefoon naast haar bed rinkelde. Rufa schrok en ging nerveus met haar rug tegen de muur zitten. Met bevende hand nam ze op. 'Ja?'

Het was Edward niet. Het was het meisje van de receptie, die aankondigde dat de taxi voor stond. Rufa schaamde zich dat ze teleurgesteld was. Wat stom om teleurgesteld te zijn dat het niet haar woedende echtgenoot was, die zij zo slecht had behandeld. Ze moest leren onafhankelijk te zijn, om voor zichzelf te zorgen zonder om de vijf minuten naar Edward te rennen. Het zou moeilijk zijn om met die gewoonte te breken.

Buiten het hotel overviel de wind haar met volle kracht en deed haar ogen tranen. Het rook naar aangebrande toast, gelardeerd met de nasmaak van een zuur riekende oprisping. De taxi vervoerde haar door straten van onverbiddelijke grijze stenen en kleine raampjes in hoge, nietszeggende muren. Er was geen sprietje groen te bekennen. Geen bomen, geen parken, geen bloembakken. Geen grassprietjes die uit scheuren in een muur staken, geen mos tussen het plaveisel. De natuur kon niets uitrichten tegen de stenen. De steriele koelheid van de stad deed haar snakken naar de weelderige velden van thuis.

Het verhuurbureau bestond uit een kantoor in een deprimerende rij huizen. Bezorgd kijkende mensen zaten in oranje plastic stoelen te wachten. Er stonden een lange balie, een rij versleten archiefkasten en een paar oude computers. Er klonk voortdurend telefoongerinkel. Rufa merkte dat niemand er geïnteresseerd in was te horen wat voor flat ze zocht. Zodra ze haar bestedingslimiet had gezegd kreeg ze een stapel getypte papieren overhandigd.

Ze liet zich in een stoel zakken om ze te bestuderen. Ze had bedacht dat ze een kleine flat met een tuintje nodig had in een rustige buurt niet te ver van het centrum. Als ze weer dineetjes zou gaan bereiden, zou ze centraal moeten wonen, zeker als de baby kwam. Haar opgewektheid vervloog toen ze de beschrijving las van de beschikbare flats. Ze leken haar onwaarschijnlijk duur toe, en hoewel ze Edinburgh niet kende, was het duidelijk dat ze vreselijk waren.

Ze liep met de papieren terug naar de balie. 'Het spijt me erg, maar deze flats moeten allemaal gedeeld worden. Ik zoek een zelfstandige woning.'

De vrouw achter de balie keek haar smalend aan (zo leek het Rufa tenminste toe). 'Dan zult u meer moeten betalen, vrees ik.'

'Hoeveel meer? Nee, laat maar. Kunt u me wat meer details laten zien, alstublieft? Ik heb niet meer dan één slaapkamer nodig, maar ik wil wel een eigen keuken en badkamer.'

Voordat Rufa haar wensen had gestameld draaide de vrouw haar de rug toe. Ze rukte een archiefkast open en pakte er een andere stapel papier uit.

Rufa ging terug naar haar stoel. Toen ze de prijzen zag was ze blij dat ze was gaan zitten. Alle goden, zouden de flats in deze sombere stad werkelijk zoveel kosten? De goedkoopste was in het gebied rond de North Bridge, volgens de toelichting vlak bij Arthur's Seat. Rufa had foto's gezien van Arthur's Seat, omgeven door groen, en stelde zich vaag voor dat het zou lijken op de buitenwijken van Cheltenham. Misschien zou het er net uit te houden zijn – ze was zich ervan bewust dat ze naar de maatstaven van de meeste mensen erg verwend was. De kasteelvrouwe zou een stapje terug moeten doen, als onderdeel van de prijs die ze moest betalen voor haar schandelijke gedrag.
Ze vroeg of ze de flat kon gaan bekijken en de vrouw gaf haar een adres. Ter plaatse moest ze vragen naar een mevrouw Ritchie, die op de benedenverdieping woonde. Rufa hield weer een taxi aan. Die reed haar door sombere, afschrikwekkend grijze straten en hield stil in de meest afschuwelijke straat. Ze vroeg de chauffeur op haar te wachten.
Aan de buitenkant van het huis was geen bel te bekennen. Ze duwde de zware deur open en bevond zich in een donkere gemeenschappelijke hal, die in flessengroen was geschilderd; gedeprimeerd moest ze denken aan haar vroegere spelletjesdoos op St. Hildegard. Kookgeuren en de reuk van desinfecteermiddelen streden met elkaar om voorrang. Aan de muur onder aan de trap hing een verveloze houten plank met de woorden TRAPROOSTER. Aan een pin was een schijf bevestigd, waarop nog net het cijfer 2 te lezen was. Rufa drukte op de bel van de dichtstbijzijnde deur. Mevrouw Ritchie deed open. Het was een vriendelijke jonge vrouw. Ze kauwde op iets en achter haar was het geluid van een radio hoorbaar. Rufa moest een plosteling opkomend gevoel van honger bedwingen. Mevrouw Ritchie ging haar voor op de krakende bruine trap. Achteromkijkend legde ze vrolijk uit wat de betekenis van de houten plank was. Engelsen, zei ze, waren soms verbaasd te horen dat van de inwoners van een Schotse flat verwacht werd dat ze eens in de zes weken de trap en de hal schoonmaakten.
Rufa had al besloten dat er veel te veel bruine trappen waren en het vooruitzicht die te moeten schoonmaken stond haar tegen. De flat bleek klein en ongelooflijk benauwd; het rook er naar vocht. Hier zou ze niet kunnen overleven. Ze moest er niet aan denken haar baby op een plek als deze ter wereld te brengen.
Afgemat en teleurgesteld ging ze terug naar het verhuurbureau. Dit keer bekeek de vrouw achter de balie haar met meer aandacht. Als Rufa bereid was een kortetermijncontract van drie maanden te ac-

cepteren, zei ze, dan had ze misschien iets dat beter bij haar paste. De huurprijs die ze noemde was erg hoog, maar ze zou het net kunnen betalen. Rufa wist dat het duur en onpraktisch was, maar het kon haar niet meer schelen. Als de flat haar ook maar een beetje zou bevallen, zou ze drie maanden tijd hebben gewonnen voordat ze de mensen thuis onder ogen zou moeten komen.

De flat bleek onderdeel te zijn van een vierhonderd jaar oude binnenhof aan de rand van de Royal Mile, ongeveer vijftig meter onder het kasteel. De muren waren bijna een meter dik en het was er zo koud als in een kerker in de Bastille. Er zaten een keuken, een slaapkamer en een badkamer in, allemaal piepklein. De enige winkels in de nabijheid verkochten alleen Schots geruite sleutelhangers en T-shirts van *Monarch of the Glen*. Tijdens de eerste week van haar verblijf werd Rufa drie keer wakker door eenentwintig saluutschoten, die werden afgevuurd op het kasteel.
Ze vond het prettig om dicht bij het kasteel te wonen. Het solide stenen gebouw gaf haar een veilig gevoel. De bewakers wensten haar 'goedenacht' als ze langs hen heen liep. Soms liep ze speciaal om, alleen om een vriendelijke stem te horen. Ze voelde zich vreselijk ongelukkig. Ik had kunnen weten, dacht ze, dat Edward alleen van plan was om me geld te geven – niet zichzelf.
In die zin hoorde hij aan Prudence toe. Hij was hevig verwikkeld in hun vroegere relatie en vond dat hij geen recht had op een volledig huwelijk met zijn wettelijke echtgenote. Ze begreep nu waarom hun enige liefdesnacht vagelijk illegaal had aangevoeld; Edward had het ervaren als overspel. Ze haatte zichzelf vanwege haar domme gedrag. Ze haatte zichzelf omdat ze zo'n stampij had gemaakt over Melismate dat Edward zich gedwongen had gevoeld haar te redden.
Ze bleef binnen in de flat tot ze de kou en de stilte niet langer kon verdragen en maakte dan lange wandelingen door de steile straten van de zwart geworden, mooie, monumentale Oude Stad.
Ze kon niet voorkomen dat ze Edwards geld uitgaf, hoewel ze probeerde alles contant te betalen, zodat ze moeilijker te vinden zou zijn. De enige zekerheid waaraan ze zich vastklampte in deze chaotische situatie was dat ze niet gevonden wilde worden. Dat had niet alleen met haar trots te maken. Ze voelde de pijn die ze Edward had toegebracht als een dolk in haar eigen hart.
Ze was erg moe en kon de hele dag wel slapen. Alleen al zich wassen en zorgen dat haar kleren gestreken waren kostte haar veel moeite. Maar stukje bij beetje werkte ze zichzelf het moeras uit. Diana

Carstairs-McInglis, de vriendelijke gastvrouw voor wie ze in Londen had gekookt, zou pas de volgende lente in haar huis uit de tijd van koning George verblijven, maar ze had beloofd dat ze Rufa zou aanbevelen bij haar kennissen in Edinburgh. Al snel na deze belofte belde een van hen op om Rufa in te huren voor een groot diner. Ze woonde in een kasteel ongeveer een uur rijden vanaf de stad, maar bood aan voor vervoer te zorgen. Ook zei ze tegen Rufa waar ze de beste ingrediënten kon kopen, hoewel het menu voor het grootste gedeelte bestond uit vlees, vis en wild van haar landgoed. Werken bleek het beste medicijn te zijn. Rufa bracht een drukke dag door in de antieke keuken van het kasteel en onderweg naar huis sliep ze de hele tijd. Maar haar kookkunst werd geprezen en ze herontdekte haar plezier in het bereiden van perfect voedsel. Ze begreep de zin van Schotland als ze de kwaliteit van het rundvlees en de zalm voelde. Haar werkgeefster had de Schotse sneeuwhoen laten besterven tot de maden zich door de hals hadden heengewerkt en ze op de vloer van de voorraadkamer lagen (zo vertelde ze Rufa trots). Tijdens het plukken van de vogels en het verwijderen van de loden kogeltjes moest Rufa twee keer overgeven, maar het resultaat was een wonder van malsheid en smaak. Ze kon nog steeds koken en geld verdienen. Maar ze wilde meer verdienen. Vanaf haar geboorte had ze al een schuld aan de rest van de wereld gehad.

In de weken voor kerst stonden er nog meer diners op het programma. Rufa bande de gedachte aan kerst uit haar gedachten. Het verlangen naar Melismate werd met de dag sterker. Als ze door de straten liep of over de parketvloer van de warme National Gallery of Scotland oefende ze in gedachten telefoongesprekken met Nancy. Ze kwam er nooit toe daadwerkelijk te bellen. Nancy zou willen dat ze naar huis kwam en haar schandelijke gedrag onder ogen zou zien. Ze kon zich niet voorstellen dat ze zou kunnen terugkomen als de vroegere Rufa. Ze waren allemaal beter af zonder haar – zeker Edward, hoewel ze zich een beetje schaamde over het feit dat ze hem zo vreselijk miste. De baby, die gestaag in haar groeide, gaf haar moed. Op sommige dagen voelde ze zich sterk genoeg om de hele wereld aan te kunnen terwille van haar kind. Ze beloofde zichzelf dat ze naar huis zou gaan als de baby was geboren. Het zou een soort paspoort vormen naar hun goedwillendheid, dacht ze. Ze zullen me moeten vergeven als ik een baby heb.

Een van haar wandelingen bracht haar een trap af naar een smalle straat vol kunstwinkeltjes en boetiekjes. Er was een café waar ze soms een kop thee dronk. Het was een lawaaiige tent waar veel jongeren kwamen, waar de universiteitsstudenten uren doorbrachten.

Rufa observeerde hen en verwonderde zich over hun jeugd. Was Tristan ook zo jong geweest toen ze verliefd op hem was geworden?
Ik deed net alsof ik even jong was, dacht ze; misschien probeerde ik de jeugd terug te vinden die ik heb gemist.
Voor het beslagen raam van het café hing een briefje waarin om een kok werd gevraagd. Rufa kon deze mogelijkheid van een regelmatig inkomen niet negeren. Ze solliciteerde naar de baan en gaf Diana Carstairs-McInglis op als referentie. Na een uitputtende proefavond werd ze aangenomen en moest voor de studenten bergen 'stovies' klaarmaken, een heerlijk mengsel van gehakt, uien en aardappels. Het was hard werken in de warme keuken en haar voeten waren opgezwollen. Tijdens haar vrije dagen kon ze alleen nog op de kleine bank liggen met haar voeten omhoog, terwijl ze aftandse klassiekers las die ze in een tweedehands boekwinkel op de Grassmarket had gekocht. Maar het harde werken verdoofde haar zintuigen en hielp de tijd verdrijven. De dagen kregen weer betekenis en vorm. Ze raakte bevriend met Amy, de energieke eigenares van het café, die van middelbare leeftijd was. Ze was weer onder de mensen. Ze begon iets minder een hekel aan zichzelf te krijgen.

Het leek alsof er messen werden rondgedraaid in haar binnenste. Rufa werd zich bewust van de pijn nog voor ze wakker werd. Verdoofd door de slaap dacht ze dat dit de ergste menstruatiepijn was die ze ooit had meegemaakt.
Maar dat kon niet waar zijn.
Ze tastte naar het lichtknopje. Bloed golfde uit haar op het laken. Ze zat er tijden naar te kijken, weigerend te accepteren wat ze zag. De messen werden weer rondgedraaid en de pijn werd erger. Rufa huilde als een wanhopig dier.
Ze was niet goed genoeg geweest. Ze werd nog steeds gestraft. Ze moest eeuwig aan de rand van de wereld leven, zonder reden van bestaan.

Hoofdstuk dertien

'Ik heb erover gedacht om de muur tussen de keuken en de bijkeuken weg te breken,' zei Polly. 'Om er een grote, warme ruimte van te maken, een beetje zoals de keuken op Melismate, maar dan netter, natuurlijk. Ik wil de sfeer van het huis weer naar boven halen.'

Ze liep naar Rans kant van de tafel met haar witte Wedgwood-koffiepot (voor dagelijks gebruik) in de hand, en schonk geurige donkere koffie in zijn mok met kokendhete melk. Hij gromde afwezig en sloeg de pagina van zijn *Guardian* zo onbeheerst om dat er een stukje toast op de grond viel. Hij zag het niet. Ran kon slechts één ding tegelijk doen en het lezen van de *Guardian* nam al zijn concentratievermogen in beslag.

Polly bukte zich om de toast op te rapen. Rome was ook niet in één dag gebouwd, zoals ze zich voortdurend voorhield. Ran was zich niet bewust van zijn omgeving en haar grote renovatie schoot niet erg op, maar toch waren er al dingen veranderd. Ze stond zichzelf toe optimistisch te zijn. Zijn erbarmelijke keuken was nu tenminste schoon. De tafel was geschrobd, er stonden nieuwe stoelen en ze had nieuw serviesgoed en nieuwe pannen aangeschaft. Polly had het oeroude Aga-fornuis aan de praat gekregen en dat straalde nu een prettige warmte uit die hen tegen de bittere novemberkou beschermde. Ze moest eraan denken om ruim van tevoren de haardvuren te ontsteken voor vanavond. Godzijdank waren plattelandsmensen eraan gewend het koud te hebben. Het feit dat je tijdens het diner je gecondenseerde adem kon zien was hier niet zo'n sociale ramp als in Londen.

Ze praatte door op de overdreven opgewekte, zonnige toon die ze aansloeg als Ran een beetje achter zijn broek moest worden gezeten. 'En als we toch bezig zijn moeten we toch echt ook dat stuk muur verwijderen tussen de zitkamer en wat jij zo lief de salon noemt.'

Ran was verdiept in zijn krant, dronk zonder te kijken zijn koffie en zat met de steel van zijn zilveren lepel in zijn oor te porren.

'Het moet vroeger waarschijnlijk een behoorlijke zitkamer geweest zijn,' zei Polly. 'Het zal een prachtige ruimte worden. Ik wil veel licht hebben, want dat is een typisch voordeel van huizen uit de vroege periode van koning George zoals dit.' Ze zuchtte. 'Had ik maar een toverstok, dan kon ik zorgen dat het vanavond al klaar was. Ik heb mijn best gedaan, maar het blijft een nachtmerrie voor elke gastvrouw. Het toilet beneden ziet er niet uit. Dat is nog iets dat ik ga herstellen voordat het winter wordt.' Ze ging tegenover hem zitten en vouwde haar handen afwachtend op de tafel.
Ran keek haar even aan. 'Hmm?'
'Ik heb het over de wc beneden.'
'O. Is die weer verstopt?'
Polly slaakte nogmaals een zucht. 'Er moet een nieuwe wastafel in, een nieuwe toiletpot, een nieuwe deur en hij moet geschilderd worden in die prachtige donkergroene kleur die John Oliver gebruikt. En ik moet besluiten of achttiende-eeuwse jachttaferelen klassiek zijn of juist cliché.'
De wazige blik in Rans niet-begrijpende ogen trok weg. 'Ho even, Poll, dat gaat een fortuin kosten.'
Ze glimlachte terwijl ze de koffie inschonk, terwijl ze genoot van de serene aanblik die ze bood. 'Ik weet dat het een enorm project is, maar ik wil het niet in gedeelten doen. Misschien vraag ik de Bickerstaffs wel. Ze zijn duur, maar ze zijn het waard. Dat vertelde die arme Rufa me tenminste een paar dagen voordat ze van de aardbodem verdween.'
Ran had geen zin om over Rufa te praten. 'Maar het gaat een bom duiten kosten,' herhaalde hij. Hij had die koppige glans in zijn prachtige ogen.
Polly legde een liefkozende klank in haar stem. 'O, lieverd, daarover hoef jij je niet druk te maken. Ik ben geen Christina Onassis, maar arm ben ik niet bepaald. Ik kan het me zeker veroorloven om hier nog een paar verbeteringen aan te brengen, dat beschouw ik als een investering in de toekomst.'
'Maar het is jouw geld,' zei Ran. 'Ik kan je geen geld laten besteden aan mijn huis.'
Polly mompelde: '*Ons* geld, toch? Ons huis.'
Hij trok zijn perfecte wenkbrauwen onheilspellend samen. 'Als je de waarheid wilt weten, heb ik geen zin in nog meer veranderingen. Ik vind het prima zoals het nu is.'
'Nu stel je je aan.' Dit was erg vervelend aan het worden. Ze moest zich inspannen om haar stem licht en redelijk te laten klinken. 'Je kunt je in deze chaos onmogelijk prettig voelen.'

'Ik heb de salon nodig om te mediteren.'
'Je kunt ook in de nieuwe zitkamer mediteren.'
'Waarom wil je al mijn muren afbreken?' zei Ran klagerig. 'Dit is mijn huis!'
Polly's trouwjurk hing nog steeds in zijn blauwe beschermhoes aan de achterkant van de deur. Ze vond het niet nodig hem erop te wijzen dat dit ook haar huis was. Ze glimlachte in zijn hemelse ogen. 'Liefje, ik ben niet bezig te proberen jouw huis te vernietigen, eerlijk niet. Ik weet dat ik soms te veel kan doorzagen over interieurdecoratie. Ik ben gewoon een beetje nerveus over vanavond.'
'Vanavond?' herhaalde Ran onschuldig.
Ze liet een toegeeflijk lachje ontsnappen. 'Je bent het vergeten, hè? Ik geef een dineetje voor Hugo en Justine en Hugo's ouders.'
'O, ja.'
'Ik geef toe dat ik me erg druk maak als ik gasten ontvang. Ik heb al zo lang niet meer behoorlijk gekookt. Ik had die arme Rufa graag willen inhuren, als ze niet rijk getrouwd was, ervandoor was gegaan met haar minnaar en het koken had opgegeven. Ik ken niemand anders die ik met die fazanten kan vertrouwen.'
Ran vouwde zijn krant op. Met een gezicht alsof hij voor het vuurpeloton stond, zei hij: 'Het punt is... het spijt me werkelijk... maar ik zal er niet bij zijn.'
Er viel een geladen stilte. Het bloed trok langzaam weg uit Polly's lippen; ze kneep haar witte lippen samen van ongelooflijke woede. Dit dineetje was bedoeld als haar introductie bij de plaatselijke adel. Als je op het platteland woonde was het essentieel dat je jezelf voorstelde aan de juiste buren; Rans overleden vader had hiertoe nooit de moeite genomen. Hugo's ouders namen een belangrijke positie in in de landadelijke hiërarchie in dit deel van Gloucestershire. Ze was al weken met het menu bezig. Hoe durfde Ran net te doen alsof hij van niets wist?
'Natuurlijk zul je erbij zijn,' zei ze. 'Waar zou je anders zijn?'
Hij trok een ongelukkig gezicht. 'Het punt is dat het vijf november is.'
'En?'
'Sorry dat ik vergeten ben het je te vertellen, maar Nancy heeft een paar mensen uitgenodigd voor een vreugdevuurfeestje.'
Verdomde Nancy, dacht Polly nijdig; waarom kan ze niet gewoon terug naar Londen gaan? 'Nou, ze zal het wel begrijpen als je zegt dat je niet kunt komen.'
'Ik moet erheen,' zei Ran. 'Ik heb het Linnet beloofd.'
'Maar je bent er twee dagen geleden al geweest, op haar verjaar-

dag. Ik vind dat je voor de verandering ook weleens aandacht aan mij kunt besteden.' Polly zweeg; het was nooit een goed idee om te zeuren. 'Ik ben tenslotte helemaal naar Londen gegaan voor die roze fiets.'

'Nee, ik kan hen niet teleurstellen,' zei Ran plechtig. 'Nancy heeft het feestje speciaal georganiseerd om Linnet op te beuren.'

'Volgens mij was ze in een uitstekende bui.'

'Ze mist Rufa.'

'In godsnaam,' snauwde Polly. 'Je vlucht altijd naar Melismate. Je woont er zowat. Ik wou maar dat je accepteerde dat je niet meer bij de Hasty's hoort. Als je er maar blijft rondhangen maak je jezelf alleen maar belachelijk.'

'Ik hang liever bij de Hasty's rond dan bij die sul van een Hugo,' zei Ran vurig.

'O, ik weet wel waar het echt om gaat... je hebt weer last van je obsessie met Lydia.'

'Ik ben niet door haar geobsedeerd!' Dit was zijn zwakste plek.

'Alleen maar omdat ze bij een koor is gegaan en eindelijk is gaan leven...'

'Dit heeft niets met Liddy te maken, hoor je?'

'Ik neem aan dat ik maar akkoord moet gaan met een compromis,' zei Polly ijzig. 'Mijn moeder zei altijd dat dat de kern is van een goed huwelijk. Aangezien je de afspraak hebt gemaakt moet je je gezicht maar vroeg in de avond daar laten zien... ik neem tenminste aan dat het vroeg begint, vanwege Linnet. Maar je moet om uiterlijk zeven uur weggaan. En doe alsjeblieft je goeie pak pas aan als je terug bent.'

'Ik kom niet terug,' zei Ran met ongebruikelijke volharding. 'Ik blijf zolang het feestje duurt. Ik heb sterretjes gekocht.'

'Je zorgt dat je hier om zeven uur terug bent!' Polly wist niet van wijken. 'Ik heb de D'Alamberts uitgenodigd om met ons, als stel, kennis te maken. Ik heb hun officieus over de bruiloft verteld. Als jij niet hier bent, sta ik compleet voor gek.'

'Wat voor verdomde bruiloft?' schreeuwde Ran. 'Ik wou dat je het mij ook had verteld, voordat je het nieuws wijd en zijd verspreidde! Wanneer heb ik ja gezegd?'

Ze stond op en bleef kaarsrecht staan om de huiveringen van woede in bedwang te houden. 'Iedere keer als ik iets doe wat jou niet zint probeer je het te verpesten door net te doen alsof we niet gaan trouwen. Het is verschrikkelijk kinderachtig. Waarom zou ik anders al dat geld uitgeven?'

'Ik heb het je al gezegd. Ik wil je verdomde geld niet!'

'Wat ontzettend karaktervol en nobel van je. Ik verwacht je hier om zeven uur. Als je een minuut te laat bent, kun je vannacht op de bank slapen.' Polly had ernaar toe gewerkt om op dit moment koninklijk de kamer te verlaten, en haar laatste dreigement met het dichtslaan van de deur kracht bij te zetten.
Ran hield haar echter tegen door plotseling uit zijn stoel te springen, waardoor sneetjes toast in de rondte vlogen. 'Ik kom pas terug als ik er zin in heb! Deze avond is voor Linnet. Je probeert altijd tussen ons te komen!'
Hij stormde de kamer uit en sloeg zo hard met de deur dat Polly's trouwjurk een sprongetje maakte in zijn blauwe plastic lijkwade.

Nancy liep met een schaal saucijzenbroodjes naar het stalerf, waar Roger het vreugdevuur had aangestoken. Het vuur vormde nu een drie meter hoge muur van oranje en bloedrode vlammen, en het knetterde dat het een lust was. Op de keukentafel stond een uitgebreid buffet uitgestald. Er gingen drankjes en hapjes rond. Alles leek op rolletjes te lopen, hoewel Nancy enige twijfels koesterde. Afgezien van het ongemakkelijke feit dat iedereen in de wijde omtrek op de hoogte was van Rufa's verhaal, had ze nog nooit alleen de verantwoordelijkheid voor een feest gedragen.
Ze was even stil blijven staan, want ze miste Rufa zo erg dat de tranen haar in de ogen sprongen. Nancy had al veel tranen vergoten sinds Edward met het nieuws was teruggekeerd uit Oxford. Waar had die onnozele gans zich in vredesnaam verstopt? Rose had beweerd dat ze na een paar dagen wel zou opduiken, maar Nancy kende haar zusje beter. Rufa kon ongelooflijk koppig zijn. Ze was veel gevoeliger voor schaamte dan enig ander lid van hun familie; ze zou hen pas onder ogen komen als ze zichzelf onder ogen durfde te komen. Ze zou liever doodgaan dan thuiskomen.
Nancy had een avond in de wijnbar doorgebracht, huilend tegen Roshans schouder, omdat ze Rufa eenzaam en wanhopig voor zich zag. Ze was terug gevlucht naar Melismate en had erop gestaan dat ze de politie zouden bellen. Maar Rufa was volwassen en de politie kon niet veel doen. Edward was hun enige hoop. Ongeveer een week nadat de briefkaart uit Durham was gearriveerd had Edward het rekeningoverzicht van Rufa's creditcard opengemaakt en ontdekt dat ze zich in Edinburgh bevond. Hij was nu naar haar op zoek en zou het hun laten weten zodra hij haar had opgespoord. Nancy hield van hem omdat hij van Rufa hield. Ze dacht dat ze de ongerustheid niet had kunnen verdragen als Edward zich niet met de zaak had bemoeid.

Dit feestje was bedoeld om de angst uit te bannen. Ze waren allemaal bang voor de grote tegenstellingen die nu in de familie speelden. De Man had altijd op tegenslagen gereageerd door een feest te geven en ze probeerden hiermee nu zijn geest op te roepen. Nancy was geshockeerd geweest door de hoeveelheid werk die zoiets met zich meebracht – het telefoneren, het eindeloos boodschappen doen, het snijden, boter smeren en alles klaarzetten. Rufa was steeds degene geweest die zich met dit soort dingen bezighield, en die was er altijd in geslaagd op de een of andere manier de indruk te wekken dat ze het nog leuk vond ook. Ze kon wonderen bewerkstelligen; ze liet magische dingen gebeuren.
Maar dit is mijn feestje, dacht Nancy, ik moet het op mijn eigen manier doen.
Rose liep rond tussen de gasten en vulde de glazen. Lydia en Selena hadden op een geweldige manier hun steentje bijgedragen. Toen ze was thuisgekomen werd Nancy geïntrigeerd door de veranderingen die haar zusjes hadden ondergaan en ze bleef zich voortdurend afvragen of ze ook zo veranderd zouden zijn als Ru niet van de aardbodem was verdwenen. Selena, die kort daarvoor nog humeurig haar fotosessies had afgewerkt, had Nancy verbaasd door haar op het station te komen afhalen in een keurige witte Volkswagen Golf. Sinds haar terugkeer op Melismate had ze haar rijbewijs gehaald en reed nu zichzelf en Linnet elke dag naar school. Ze had voor het eten van vanavond een indrukwekkende stoofschotel van wild gemaakt. Ze was jong genoeg om het afgelopen nachtmerriejaar achter zich te laten en was nu een aanwinst voor St. Hildegard's; het leek bijna alsof de Man nooit was gestorven.
Er had zich ook een nieuwe Lydia geopenbaard. Ze zag er nog steeds zo bevallig en lieflijk uit als vroeger, maar niet meer zo zacht dat je haar omver kon blazen. Haar uitstekende kookkunst had de maaltijd mogelijk gemaakt – ze had gemberbroodjes, ingewikkelde salades, gebakken aardappels en vegetarische hotdogs te voorschijn getoverd.
'Je hoeft me niet te bedanken,' had ze eerder die dag gezegd. 'Beschouw het maar als jouw beloning omdat je Linnet hebt weten op te vrolijken.' Het was Nancy aan het hart gegaan dat ze Linnet elke avond huilend om Rufa aantrof, terwijl ze steeds opnieuw vroeg waarom ze niet belde. Ze had al haar verhalentalenten aangeboord om hilarische avonturen voor de Gebroeders Ressany te verzinnen en fantastische verhalen over Rufa's mythische leven in Schotland, die doorspekt waren met ingenieuze redenen waarom ze geen contact kon opnemen. Nancy vond het niet prettig dat Rufa hierdoor

een fictieve persoonlijkheid kreeg, maar Lydia bezwoor haar dat Linnet veel vrolijker was geworden.
Toen ze nu naar Linnet keek, besloot Nancy dat het feestje een uitstekende afleiding vormde. Ze had Terry en Sandra Poulter uitgenodigd, die in dienst van Edward waren en een kind hadden dat bij Linnet in de klas zat op de dorpsschool. Twee van Lydia's vrienden van het koor hadden ook hun kinderen meegenomen, die in dezelfde klas zaten. Nancy glimlachte naar de drie kleine meisjes, wier silhouet zichtbaar was tegen de achtergrond van de vlammen en die stonden te huiveren van plezier.
Hoe lang is het geleden, vroeg ze zich af, dat er aardige normale mensen zoals zij naar feestjes op Melismate kwamen?
Selena had twee vriendinnen gevraagd uit de Oxbridge-klas van St. Hildy's. Ze heetten Laura en Clarissa en leken in de verste verte niet op de Neanderthalers met wie Selena het jaar daarvoor was opgetrokken. Ze hadden sterretjes in hun hand en leken net zo kinderlijk als de jongere kinderen. Ze hadden keurige wollen handschoenen aan en hun haar glansde. Selena probeerde haar naam in de lucht te schrijven. Haar warme, lachende adem condenseerde door de vrieskou in een krans om haar hoofd.
Als ik mijn ogen halfdicht doe, dacht Nancy, kan ik hem bijna zien. Plotseling wist ze dat de Man goedkeurend op het gebeuren neerzag, alsof hij naast haar stond en dit tegen haar zei.
Lydia had bisschopswijn gemaakt, volgens een oud recept van de Man, in een gedeukte theeketel die ze uit een vuilnisvat buiten de kerk had gered. Ze zag er charmant uit in haar nieuwe spijkerbroek en oversized rode trui. Ze had een stuk of tien mensen van het Cotswold-koor uitgenodigd en stond met een aandachtig en stralend gezicht te luisteren naar Phil Harding, de dirigent.
'Moet je hem zien,' klonk Rans bittere stem in Nancy's oor, 'hij kan haar geen moment met rust laten.'
'Neem een saucijzenbroodje,' zei Nancy, terwijl ze de schaal voor zijn neus hield.
'Zijn het biologische?'
'Natuurlijk niet.' Ze trok de schaal terug. 'Kijk niet zo kwaad, Ran.'
'Hij is gek op haar, dat is weerzinwekkend duidelijk.'
'Dat mag toch?'
Ran mompelde, bijna tegen zichzelf: 'Nee, dat mag níét.'
'En volgens mij begint zij hem ook leuk te vinden.'
Ran zei boos: 'Hij maakt gewoon misbruik van haar.'
'Ga eens wat vuurwerk aansteken voor Linnet,' zei Nancy. 'Daarom ben je toch gekomen?'

'Ik wil die kwijlerige zingende klootzak in de gaten houden!'
Nancy liet een vriendelijk, maar minachtend lachje horen. 'God, jij hebt wel lef. Als je zo jaloers bent kun je beter bedenken hoe je haar weer voor je kunt winnen, voordat het bij die kwijlerige zanger opkomt om met haar te trouwen.'
'Misschien doe ik dat wel.'
'En wat zou je financier daarvan vinden?'
'Polly is mijn verloofde niet,' zei Ran kwaad.
'Ik zei niet: fiancée, je hebt me best gehoord. Waar is ze, trouwens?'
'Thuis. Ze heeft wat vrienden op bezoek.'
'O... wat aardig van haar dat ze je heeft toegestaan hierheen te komen. Waarom ga je niet een beetje rondlopen in plaats van achter Lydia te staan met je sikkel en zandloper in de aanslag?'
'Daar heb ik geen zin in.'
'Nou, Ran, het kan me eigenlijk niet schelen waar je zin in hebt.' Nancy dempte haar stem. 'Je bent uitgenodigd om Linnet een plezier te doen. Dus ga haar een plezier doen.'
'Ik wil haar bui niet verpesten door mijn kwaadheid.'
'Verpest dan je eigen bui door net te doen alsof je niet kwaad bent. Het wordt tijd dat je jezelf tot de orde roept, al is het alleen voor vanavond.'
Nancy liet hem staan en nam de saucijzenbroodjes mee naar de levendige groep mensen die rond Lydia stond. Het moest gezegd worden dat de Man zou hebben moeten lachen om sommigen van deze koormensen – zo netjes, zo beleefd, zo verpletterend onschuldig. Maar Lydia leek zich uitstekend bij hen op haar gemak te voelen. Ze stond vlak bij Phil Harding mee te doen aan het onschuldig geroddel en de flauwe muzikale grapjes. En waarom niet? Nancy schaamde zich omdat ze deze spottende gedachte had. Als het aan haar lag prefereerde Lydia blijkbaar niet-originele vriendelijkheid boven het alarmerende zwerversbestaan van de Man. Het was merkwaardig, dacht Nancy, dat ze allemaal bezig waren hun ware ik te ontdekken, dat zich buiten de schaduw bevond die hij had geworpen.
Lydia verwijderde zich uit de groep om een beker bisschopswijn in te schenken, die ze aan Nancy overhandigde. 'Hier, voor jou, je hebt de hele avond nog niets gedronken.'
'Dank je, lieverd. Het loopt wel goed, vind je niet?'
'Geweldig. Je bent een genie.'
'Ze staan in ieder geval niet meer zwijgend bij elkaar.'
'Iedereen amuseert zich kostelijk.' Lydia schonk nog een beker wijn

in. 'Zou je die even naar Ran willen brengen? Hij raakt maar overstuur als ik het doe.'
'Oké. Laten we ten koste van alles een scène zien te vermijden.'
Ze keken allebei naar Ran, die met zijn armen over elkaar gevouwen stond te staren naar Phil Harding. Nancy probeerde het niet hilarisch te vinden dat hij de kale dirigent als een serieuze rivaal beschouwde. 'Hij heeft ruzie met Waltzing Matilda, denk je niet? Ik herken de tekenen.'
'Welke tekenen?'
'Nou, hij zit nu nog in het mokkende stadium,' zei Nancy, die haar stem met opzet luid liet klinken. 'Dat zal langzaam veranderen in melancholie. Volgens mijn berekening zal hij rond halfacht in tranen uitbarsten.'
'Kreng. Doe niet zo gemeen.'
'Ha! Je moet lachen!' zei Nancy, terwijl ze beschuldigend naar haar zusje wees. Ze begonnen allebei te giechelen, duidelijk tot grote ergernis van Ran.
'Hij vindt het vreselijk om me met mijn eigen vrienden te zien,' mompelde Lydia. 'Toen we getrouwd waren, moesten we altijd omgaan met mensen die hij had uitgekozen, van die wierookfiguren, die de hele tijd op de grond zaten en "Om" zeiden. Hij vindt de vrienden die ik zelf maak te bedreigend.' Haar gezicht straalde genegenheid uit voor haar ex-echtgenoot.
'Liddy,' zei Nancy streng, 'je gaat me toch niet vertellen dat je hem met opzet jaloers maakt.'
Lydia glimlachte. 'Natuurlijk wel.'
'Waarom zou je die moeite doen? Waarom besteed je eigenlijk aandacht aan hem?' Op het moment dat ze de vraag stelde wist Nancy al dat het zinloos was. Haar dwaze zusje, dat al sinds het jaar nul onder Rans betovering stond, had haar gedaanteverwisseling alleen voor hem ondergaan, met een doelbewustheid waarnaar je alleen kon raden. Waarom dacht Liddy dat ze hem nu wel aan zou kunnen? Koesterde ze de illusie dat hij zou veranderen?
Nancy bracht de bisschopswijn naar Ran. 'Hier zul je van opvrolijken.'
Ran sputterde: 'Ik sta niet te mokken. Het is echt iets voor jou om ware pijn niet te herkennen.'
'Gelul,' zei Nancy, die vond dat dit het enige antwoord was dat hij verdiende. Wat was het toch met de Hasty-meisjes en mannen? Rufa had haar verstandshuwelijk vrijwel geheel zelfstandig geregeld, om vervolgens Tristan haar hart te laten breken. Lydia had zich koppig vastgeklampt aan de dorpsidioot. Nancy zelf was verliefd

geworden op de enige behoorlijke man die ze waren tegengekomen, en Berry zat in Frankfurt. Selena was hun enige hoop om niet te eindigen als een stelletje chagrijnige ouwe muurbloempjes. Ze nam de lege schaal mee naar de keuken, waar het warm en licht was na de fluwelen duisternis buiten. Selena's enorme wildstoofpot werd warm gehouden op het fornuis. Nancy haalde een bakplaat met sissende cocktailworstjes uit de oven.

De telefoon ging. Ze pakte de hoorn op. 'Hallo?'

'Spreek ik met Nancy?' Het was de stem van Polly, die kortaf en boos klonk. 'Mag ik Ran even spreken, alsjeblieft. Is hij nog bij jullie?'

'Hoi, Polly, ja, hij is hier nog.'

'Mag ik hem even aan de telefoon?'

'Hij is buiten, en nogal ver weg,' zei Nancy. Ze kiepte met haar vrije hand de worstjes in een schaal. 'Zal ik vragen of hij je even terugbelt?'

'Eigenlijk moet ik hem nu meteen spreken. Het is dringend. Kun je hem gaan halen?'

'Tja, als je het niet erg vindt om te wachten... jammer dat je niet kon komen, trouwens. Het is hier ontzettend gezellig.'

'Ik vond het erg aardig van je om me uit te nodigen,' zei Polly kortaf. 'Maar helaas geven we een dineetje. Ran schijnt de tijd vergeten te zijn.'

'Wat een sukkel,' zei Nancy, terwijl ze haar best deed – niet haar uiterste best – om niet te lachen. 'Ik ga hem even halen.'

Nancy slenterde op haar dooie gemak naar het erf, want ze kon de verleiding niet weerstaan het geduld van Heimelijke Australische nog wat langer op de proef te stellen. Ran stond er nog steeds, in oorlogszuchtige houding, nu iets dichter bij de groep mensen van het koor.

'Ran, lieverd, je financier is aan de telefoon.'

'O.'

'Je wordt blijkbaar verwacht bij een dineetje.'

'Ik haat dineetjes,' zei Ran. 'Zeg maar dat ik niet kom.'

'Vertel het haar zelf maar. Ik heb het veel te druk om me te bemoeien met jouw ordinaire huiselijke probleempjes.'

Plotseling greep hij haar hand en keek haar met zijn zwarte ogen smekend aan. 'Begrijp je het dan niet? Als ik even niet kijk... moet je haar zien! Ze staat helemaal tegen hem aan!'

Nancy maakte voorzichtig haar hand los. 'Jij durft! Je hebt zelf tegen de halve vrouwelijke bevolking van Gloucestershire aan gestaan.'

'Alsjeblieft, Nance, zeg maar tegen Polly dat ik verlaat ben.'
Ze lachte. 'Goed dan, maar ik denk niet dat ze iets voor je zal warmhouden.'
'Ik weet dat ik diep in de shit zit, en het kan me niet schelen. Alsjeblieft!'
'Ik zei toch dat ik het zou doen.' Licht beschaamd omdat ze zich op deze taak verheugde ging Nancy terug naar de keuken en pakte de telefoon weer op. 'Hallo, Polly?'
'Eindelijk!' siste Polly. Nancy hoorde op de achtergrond het gerinkel van glazen en goed opgevoed gelach. 'Is hij onderweg? Het is al acht uur geweest... de gasten zijn er... stop hem in zijn auto en stuur hem hierheen, voordat ik gek word!'
'Sorry, hij wil niet aan de telefoon komen. Hij zegt dat hij later zal komen.'
'Later! Wat betekent dat verdomme?'
'Ik moet nu echt ophangen, Polly, excuseer me, de plichten van de gastvrouw, je weet wel. Daag!' Nancy hing op. Ze merkte dat ze een beetje medelijden had met de geduchte, bazige tante. Polly had al haar schepen achter zich verbrand en kwam er nu achter dat Ran niet zo plooibaar was als hij leek. Ze had Berry, de beste man ter wereld, vrijwillig opgegeven voor deze idioot. Het was een troostrijke gedachte dat zelfs mensen die zichzelf als expert in het Huwelijksspel beschouwden toch nog bij de laatste hindernis onderuit konden gaan.

'Liddy...' Ran trok opdringerig aan haar paarse mouw. 'Alsjeblieft, ik moet met je praten!'
'Even wachten,' zei Lydia. 'Heb je al iets gegeten?'
'Nee. Ik hoef niets.'
'Weet je het zeker? De stoofschotel is verrukkelijk.'
'Hoe lang ga je hier nog mee door? O, alsjeblieft!'
De keuken was vol. Lydia, Selena en Nancy hadden zojuist een lopende band gevormd om de borden door te geven. Roger was bezig een stuk of tien koppen thee te maken. Rose, die glazige ogen had van opgetogenheid, liep van groep naar groep om de glazen bij te vullen. Er klonk een voortdurend geroezemoes.
'Ik kan niet zomaar weglopen,' zei Lydia overredend. 'Ik moet op de meisjes letten en ervoor zorgen dat ze nog iets anders eten dan alleen chocoladetoffees.' Haar lieve glimlach verlichtte haar delicate gezichtje toen ze naar Linnet en haar twee vriendinnetjes keek, die op minuscule stoeltjes aan Linnets piepkleine tafeltje zaten. De Gebroeders Ressany, met wie Linnet normaal gesproken dineerde,

waren naar het dressoir verbannen. De meisjes zaten onder de roetvlekken en gierden van de lach terwijl ze opmerkingen naar elkaar gilden waarin het woord 'kont' voorkwam.
'Ze hebben het prima naar hun zin,' zei Ran. 'Alsjeblieft, Liddy, ik moet echt met je praten.'
Het moment was daar. Lydia voelde zich verbazingwekkend kalm en op haar gemak. Eindelijk had Ran in de gaten gekregen dat haar gedaanteverwisseling niet oppervlakkig was. Ze had zichzelf onderworpen aan een pijnlijk denkproces. Om het grof te zeggen, had ze de markt getest en haar werkelijke waarde vastgesteld. Ran wist niet dat ze die arme Phil Harding al had afgewezen – die tienmaal zoveel waard was als haar echtgenoot, hoe je het ook bekeek. Haar scheldpartij tegen Polly, op die vernederende middag van het hotelservies, had iets in Lydia's geest doen klikken. Het had haar duidelijk gemaakt hoe diep ze was gezonken. Ze had zichzelf gezien door de ogen van een vreemde: een onevenwichtige, sullige mislukkelinge. Hoe zou een doelbewuste man als Ran ooit naar zo'n zielig schepsel kunnen verlangen? Op dat moment had ze besloten te proberen het Huwelijksspel te spelen door die vervelende Polly te laten werken voor haar geld. Het was de moeite van het proberen waard, omdat er zoveel geluk op het spel stond.
Ze vroeg: 'Kunnen we hier niet praten?'
'Nee!'
'Nou, goed dan.' Er waren mensen in de keuken, de zitkamer en de Grote Hal. 'Dan gaan we maar naar boven. Maar maak het niet te lang, hoor.' Ze ging hem voor op de ongelijke houten trap. 'Ik vind het niet erg als ik het vuurwerk van zo meteen mis, maar direct daarna moeten we zingen.'
Ran haastte zich om haar bij te houden. 'Zingen?'
'We hebben een paar madrigalen ingestudeerd.'
'Hmm... dat was zeker een idee van die kale.'
'Nee,' zei Lydia rustig, 'van mij. Jij geeft ongetwijfeld de voorkeur aan ritueel gezang uit het regenwoud, maar ik vind het heerlijk om madrigalen te zingen. Phil zegt dat de akoestiek in de Hal perfect is.' Ze stapte haar slaapkamer binnen en deed het licht aan. 'Nou, praat maar.'
Ran was verbijsterd. Hij had de binnenkant van Lydia's slaapkamer niet meer gezien sinds lang voor de renovatie van Melismate. Onbewust had hij verwacht de bekende afgebladderde muren en stapels versleten kleren te zien. Hij was niet voorbereid op dit charmante, met schemerlampen verlichte boudoir met veel chintz.
'Ik herken je niet meer,' zei hij klagend. 'Wat is er met je gebeurd?'

'Niets. Ik ben altijd al zo geweest, zoals je had kunnen weten als je de moeite had genomen erachter te komen. Ik houd van mooie muziek en mooie spullen. Ik sta 's morgens graag op een redelijke tijd op, en ik vind het prettig als Linnet in behoorlijke kleding naar school toe gaat.'
Ran ijsbeerde afwezig over de gewreven vloer en gebloemde tapijten heen en weer. 'Toen wij samenleefden gaf je niets om al die dingen.'
'Ik hield zoveel van je dat ik aanvaardde dat ik ze niet had.'
'Bezittingen? Sinds wanneer verlang jij naar bezit?'
'Nou, dat is het niet alleen,' zei Lydia. 'Het draait eigenlijk niet echt om dingen. Het gaat erom dat ik volgens dezelfde maatstaven wil leven als andere mensen.'
'Houd toch op,' zei Ran zielig. 'Je klinkt net zoals Poll.'
'Nou, ik heb veel van haar geleerd, hoor. Zij wacht niet af tot ze toestemming krijgt om iets te doen.'
'Je bent jezelf niet!' In zijn aantrekkelijke gezicht begonnen rimpels te verschijnen en aan zijn slapen begon hij grijs te worden. Net zomin als de Man kon hij de tijd tegenhouden. Met elk jaar dat verstreek werd hij iets minder perfect.
Lydia had vast en bewust besloten dat ze hem niet als de Man zou laten worden. Ze ging op het bed zitten. 'Het spijt me dat je de veranderingen niet leuk vindt. Maar je hebt geen recht er bezwaar tegen te maken.'
'Wel als het gevolgen heeft voor mijn dochter,' zei Ran.
Deze redenering had Lydia al verwacht en ze had zich erop voorbereid. 'Het gaat beter met Linnet dan ooit,' zei ze rustig. 'Ze weet waar ze thuishoort en voelt zich veilig. Ze maakt behoorlijke vriendinnetjes op school en wordt niet meer behandeld als een raar buitenstaandertje. Als je denkt me te kunnen bekritiseren over de manier waarop ik haar opvoed, kun je doodvallen.'
Ran zette grote ogen op. Lydia zei nooit, nóóit zulke dingen.
Ze wachtte tot hij zou begrijpen hoe hoog de berg was die hij moest beklimmen. Ze bleven beiden zwijgen, en ze weigerde degene te zijn die de stilte zou verbreken. Van het feestje beneden klonken stemmen en gelach op.
Ran hield op met ijsberen. Hij was bleek en zag er opeens jaren ouder uit.
'Niemand vroeg haar ooit om te komen spelen,' zei Lydia. 'Gedeeltelijk omdat haar moeder een haveloze, depressieve vrouw was die in een krot woonde. En voor het andere gedeelte omdat haar vader een seksmaniak was... die ook in een krot woonde. De eni-

ge echte vrienden die ze in die tijd had waren de Gebroeders Ressany.'
'Seksmaniak?' Ran kon in zijn trance van verbazing alleen de belangrijkste woorden herhalen. Zijn lieve Lydia had nog nooit gesproken alsof zijn gedrag kon worden beoordeeld naar gewone maatstaven.
Ze zuchtte. 'Jij wilde met mij praten, en nu ben ik alleen degene die praat. Sorry.'
'Dat had je me moeten vertellen, over Linnet,' zei hij zachtjes.
'Wat zou je dan hebben gedaan?'
'Ik weet het niet.' Hij liet zich op het kleed op zijn knieën vallen. 'Ik zou geprobeerd hebben er iets aan te doen. Ik kan er niet tegen als ze niet gelukkig is. Ik haat mezelf omdat ik Polly tussen ons in laat komen. Waarom ben ik zo'n stomme klootzak?'
Ze glimlachte. 'Je grijpt naar de dingen die je wilt hebben zonder aan de gevaren te denken. Zoals Linnet de zwanen achternazit.'
Hij brak niet in tranen uit, was niet gemelijk en probeerde zichzelf ook niet opgeblazen te rechtvaardigen. 'Kon ik de klok maar terugdraaien,' zei hij rustig. 'Ik heb ongelooflijke fouten gemaakt.'
'Is Polly een fout?'
'Arm ding, ze kan er niets aan doen.'
Lydia herhaalde: 'Is Polly een fout?'
'Ja,' zei Ran op nederige toon. 'O, god, het is afschuwelijk. Je zou moeten zien wat ze met het huis heeft uitgespookt. Ze denkt dat ze me gekocht heeft. Ik kan het haar maar niet duidelijk maken dat ik niet met haar wil trouwen.'
'Maar ga je met haar trouwen?'
Ran pakte haar hand. 'Nee. Ik ga niet met Polly trouwen. Ik heb het in mijn hoofd gehaald dat ik verliefd op haar was... ach, je weet hoe ik ben.'
Lydia's hand verstijfde in de zijne. 'Dus je gaat het haar vertellen?'
'Ja. Al zal ze me waarschijnlijk vermoorden en mijn huis bezetten tot ik haar alle poen kan terugbetalen die ze eraan heeft uitgegeven. Het kan me niet schelen. Het is altijd beter dan mijn kind te kwetsen.' Ran kreunde zachtjes en hield Lydia's hand tegen zijn wang. 'Ik heb mezelf dit keer echt in de nesten gewerkt, hè? En dan zie ik jou en besef wat een grote idioot ik ben geweest toen ik je liet gaan. Het spijt me zo dat ik vanavond zo boos ben geworden, maar je liep daar rond, en je zag er zo ongelooflijk mooi uit... en je bombardeerde me met geestelijke boodschappen die ik niet kon negeren... '
'Als je me nu wilt hebben, moet je me voor altijd willen,' zei Lydia.

'En als je me voor altijd wilt hebben moeten de regels veranderen. Je weet wat ik bedoel.' Ademloos dwong ze zichzelf de toespraak af te steken die ze in gedachten al zo vaak geoefend had. 'Je hebt me vreselijk ongelukkig gemaakt toen we getrouwd waren. Toen je me de eerste keer bedroog dacht ik dat ik zou sterven. Je zei dat ik eraan zou wennen... '
'O, god!' zei Ran met vertrokken gezicht. 'Dat heb ik inderdaad gezegd, hè?'
'Maar ik ben er nooit aan gewend geraakt. Iedere keer ging er iets dood vanbinnen. Ik ben altijd blijven hopen dat je me weer terug zou willen.' Ze slikte moeizaam. De tranen sprongen in haar ogen. 'Misschien zou het allemaal niet zoveel uitmaken als ik niet van je hield.'
Hij zag er opeens veel jonger uit. Voor de eerste keer die avond glimlachte hij voluit. 'Houd je nog steeds van me?'
'Hoe kun je me dat vragen... ik ben geen seconde gestopt met van je te houden... ' zei Lydia snikkend.
Ran sprong op, ging naast haar op het bed zitten en nam haar in zijn armen. Hij duwde haar hoofd met een teder gebaar tegen zijn schouder. Hij fluisterde: 'Liddy, vergeef me alsjeblieft en laten we opnieuw beginnen. Ik ben een stomme klootzak, maar ik heb nu in ieder geval geleerd dat ik zonder jou niet gelukkig kan zijn. En zonder Linnet. Ik wil mijn gezin terug.'

Aan het einde van de avond had Nancy zich behoorlijk geërgerd aan Lydia. Ze was tijdens de maaltijd verdwenen, zodat haar zusjes de mensen van het koor moesten bezighouden en moesten voorwenden dat ze verrukt waren toen die plotseling madrigalen begonnen te zingen. Ze begrepen natuurlijk helemaal niet waarom Lydia weg was en Nancy had een zwak verhaal verzonnen over een plotselinge migraine. Ze hadden het allemaal geloofd en waren vertrokken met veel uitingen van bezorgdheid.
Het feestje liep nu op zijn einde en de laatste plakkers hielpen opgewekt met opruimen. Linnet en haar overgebleven vriendinnetje, Lauren Poulter, hingen op de bank en keken met slaperige ogen naar *The Little Mermaid*. Rose en Nancy schraapten de etensresten in de vuilnisbak en vulden de vaatwasser. Selena stond aan het aanrecht en stortte zich op de pannen.
Door alle activiteit en verwarring duurde het een paar minuten voordat Nancy Polly opmerkte. Strak van woede stond ze tussen de laatste gasten met hun grove truien en smerige handen. Ze droeg een nieuwe Barbour-jas over een zwartfluwelen cocktailjurk. Een

eenzame diamant schitterde aan haar hals.
'Ik kom Ran halen.' Ze was te kwaad om zich iets van de omstanders aan te trekken.
Nancy gooide aardappelschillen in de afvalbak. 'Ran? Ik dacht dat hij al eeuwen geleden was weggegaan. Is hij niet bij jou?'
'Ik weet dat hij hier is, Nancy,' zei Polly. 'En als ik hem niet meteen te zien krijg hoef ik hem ook nooit meer te zien.'
'Ho even, niemand probeert hem te verstoppen.' Nancy tikte Rose op de schouder. 'Mam, heb jij Ran gezien?'
'Nee, en ik heb die verdomde Lydia ook niet meer gezien. Hoe durft ze ons hier met de troep te laten zitten? Ik wist niet waar ik moest kijken toen ze die madrigalen begonnen te zingen. Wat een gezeur.'
Rose had het brutaal-eerlijke niveau van dronkenschap bereikt.
Polly's keurige, blonde gezicht leek van razernij op een Japans nohmasker. 'Hij heeft me het hele diner in mijn eentje laten opknappen. Ik ben nog nooit in mijn leven zo vernederd. En ik weiger thuis te blijven wachten tot hij de goedheid heeft om terug te komen.'
'Nou, als je hem wilt gaan zoeken, ga je gang,' zei Rose vriendelijk. 'Wil je een kopje thee, nu je hier toch bent?'
'Nee, dank je.' Polly struinde doelbewust in de richting van het gelach in de Grote Hal. In de deuropening snoof ze ongeduldig en verdween in de richting van de trap.
Rose en Nancy keken haar met vage sympathie na.
Rose zei: 'Ze kan het beter met eigen ogen zien. Hij durft het haar toch niet te vertellen.'
Nancy zuchtte en rolde met haar ogen. 'Ik vind Liddy wel een beetje dom. Waarom heeft ze niet iemand anders verleid?'
'Omdat ze met hem getrouwd is,' zei Rose. 'In tegenstelling tot Ran wist zij dat een huwelijk niet biologisch afbreekbaar is, zeker als er een kind bij betrokken is. Hij heeft moeten leren dat wegwerphuwelijken niet bestaan. Je vader heeft dat altijd geweten. Daarom kwam hij altijd weer terug.'
Nancy was verbaasd. Ze had haar moeder nooit op deze enigszins kritische toon over de Man horen spreken. 'Jij was zijn grote liefde.'
'Ja, omdat ik met hem ben getrouwd en het heb volgehouden. Maar het was niet gemakkelijk. Waarom denk je dat ik zo oud leek en hij niet? Ik was zijn portret op zolder.' Ze was ontnuchterd en zag nu dat Nancy verbaasd was. 'O, lieverd, ik vond het niet erg. Er waren aanzienlijke compensaties. Ik heb ervoor gekozen, en Liddy ook. En twee mensen die zo'n perfect kind hebben als Linnet zouden verdomme aan elkaar geketend moeten worden.' Ze deed een

stap naar voren om snel haar wijnglas te pakken. 'Vlug, schenk me bij, voordat ik op Ann Widdecombe ga lijken.'
Polly kwam met een wit gezicht en vuurspuwende ogen de keuken binnenlopen.
Rose vroeg: 'Heb je hem gevonden?'
Polly gaf geen antwoord. Ze keek vernietigend de keuken rond en stormde weg door de achterdeur als de kwade heks bij de doop.
Een halfuur later werd het Nancy allemaal duidelijk, toen ze de slapende Linnet naar boven droeg. De deur van Lydia's slaapkamer stond op een kier. In diepe slaap lagen Lydia en Ran vredig in elkaars armen in het rommelige bed.

Hoofdstuk veertien

Rufa stond bij de oversteekplaats bij het Caledonian Hotel te wachten, terwijl ze zich schrap zette tegen de wind. Het dagelijkse leven in deze stad bestond uit een eindeloos gevecht met de wind. Hij schuurde langs de grijze stenen, joeg de winkelende menigte voort in Princess Street en bulderde door de Georgiaanse ravijnachtige straten van de Nieuwe Stad. Het was ongelooflijk koud. Ondanks haar handschoenen deden haar handen pijn.

Toen ze bijna begon te huilen werd ze weer bevangen door dat vreemde en niet onplezierige gevoel van onthechting. Het voorbij denderende verkeer, de gehaaste menigte, de verlichte kerstetalages – alles leek onecht en tweedimensionaal, als een foto. Rufa probeerde weer aansluiting te vinden, zodat ze zich voldoende zou herinneren om de ingewikkelde terugtocht naar de flat te kunnen maken. Ze had daar beter kunnen blijven, gehuld in haar winterjas en onder het gehuurde dekbed.

Maar ze moest een cadeautje voor Linnet kopen. Dat was een grote opgave. Het theesetje dat ze voor Linnets verjaardag had gekocht had vele uren gevergd van glazig ronddwalen in speelgoedwinkels. Toen moest ze nog inpakpapier vinden, een kaart (met een badge waarop 6 JAAR GEWORDEN! stond) en een jiffy-envelop. Vroeger zou ze deze taak in een uur hebben volbracht. Maar tegenwoordig leek alles een verbazingwekkende hoeveelheid energie te vergen. Toen ze in de rij stond in het postkantoor was ze flauwgevallen.

Dat flauwvallen was erg gênant geweest. Het wemelde er van de nieuwsgierige oude dametjes die hun pensioen kwamen halen en ze had bijna niet weg kunnen komen. Ze wilden een ambulance bellen, maar werden afgeleid toen Rufa loog dat ze zwanger was. In verwachting zijn verklaarde blijkbaar allerlei soorten medische problemen. Je hoofd kon eraf rollen en in de goot terechtkomen en als je dan zei dat je zwanger was zou iedereen zeggen: ‘O, dan valt het wel mee.’

Ze was waarschijnlijk flauwgevallen omdat ze niet at. Niet dat ze niet van eten hield maar haar lichaam had er gewoon geen behoefte

aan. Of het struiken broccoli, lappen vlees, brood, witporseleinen borden, roestvrij stalen vorken waren, het was haar om het even. De enorme inspanning die het kostte om iets in haar mond te schuiven putte haar uit. Vanmorgen had ze er ruim een uur over gedaan om tijdens het programma *Today* een sneetje geroosterd brood naar binnen te werken. Ze had steeds weer naar haar bord gekeken, om vervolgens tot de ontdekking te komen dat het sneetje nog hetzelfde formaat had – het sneetje toast van Fortunatus, dat gedoemd was nooit kleiner te worden. Maar het ging prima met haar zolang ze maar niet te veel aan verkeerde dingen dacht. Zoals aan de hartverscheurende kerstversiering, die haar hevig naar huis deed verlangen. Haar oude huis waarnaar ze verlangde bestond niet meer. Ze wilde het vroegere Melismate, smerig, chaotisch en vervallen, waar ze de Man zou aantreffen in de keuken met Linnet op zijn knie – Rose in haar borrelstoel – en de meisjes boven in de vroegere kinderkamer. Ze had de kinderkamer verpest door hem wit te schilderen en de rommel in de stal op zolder te zetten. Deze destructie was betaald met Edwards geld. Het was haar bedoeling geweest het huis van de Man te redden, maar ze had het verkracht.
De gedachte aan Edward gaf haar een warm gevoel. Die aanvallen van warmte vielen haar de laatste tijd op; alle lawaai werd erdoor gedempt en de grond onder haar voeten voelde aan als een spons. Van ver weg zag Rufa dat het groene mannetje op het verkeerslicht was verschenen. De mensen om haar heen haastten zich om over te steken. Voordat Rufa zich herinnerde dat zij ook had willen oversteken was het mannetje alweer rood. Waarom ging alles toch zo snel?
Iemand legde een hand op haar bovenarm. 'Rufa? Ik dacht al dat jij het was.'
Ze draaide haar hoofd om en zag de laatste persoon die ze hier verwachtte: Adrian Mecklenberg.

Adrian reageerde met de onberispelijke zorgzaamheid die je mocht verwachten van een man die zijn leven heeft gewijd aan het streven naar perfectie. Het leek alsof hij de instructies volgde van een of ander mysterieus boek over etiquette: Wat te doen indien een u bekende dame flauwvalt in Princess Street.
Hij nam Rufa mee naar het Caledonian Hotel en installeerde haar snel in een zaal ter grootte van een met tapijt bedekt voetbalstadion. Hij zorgde dat er een privé-arts werd gebeld. Dit alles nam nog geen vijftien minuten in beslag en toen vertrok hij naar zijn vergadering in George Street. Rufa's rationele ik schaamde zich vrese-

lijk. Voor Adrian zou flauwvallen even beledigend en smakeloos zijn als een harde wind laten – de ongewenste aandacht, het gedoe, het gebrek aan zelfbeheersing.
De arts bleek een jonge vrouw te zijn die niet ouder was dan Rufa zelf. Ze begon elke vraag met 'En'.
'En hoe lang is het geleden dat u een miskraam heeft gehad?'
'Bijna vijf weken.' Ze dronken uitstekende sterke thee en Rufa boog zich naar voren om de dokter bij te schenken.
'Dank u. En heeft u veel bloed verloren?'
'Liters. Het hield maar niet op. Maar het is nu over.'
'En had u nog enige andere ontlasting?'
Wat een vraag! Godzijdank hoefde Adrian dit niet aan te horen. 'Nee.'
'Hoe lang heeft de pijn aangehouden?'
Daar moest Rufa over nadenken. Het was moeilijk om verschillende soorten pijn uit elkaar te houden; om te bepalen wanneer de ene soort ophoudt en de volgende begint. 'Ach, het komt en gaat weer weg. Het is draaglijk.'
De dokter knikte. Haar patiëntenbenadering was nog een beetje plechtig en onzeker, dacht Rufa; misschien was ze nog niet zo lang arts. 'Heeft uw huisarts u er iets voor gegeven?'
'Ik heb eigenlijk geen huisarts,' zei Rufa verontschuldigend. 'Ik ben hier nog niet zo lang en ben er nog niet aan toe gekomen.'
'Maar u bent toch wel naar een arts gegaan toen u de miskraam had gehad?'
'Ik zie niet in waarom,' zei Rufa. 'Niemand kon er iets aan doen.'
De dokter keek afkeurend en toen bewust tactvol. 'U moet altijd hulp hebben bij zoiets.'
'Ik neem Nurofen in,' probeerde Rufa.
'En u eet goed?'
'O, ja.' Dat was waar. Ze deed erg haar best met eten. Ze keek naar buiten, naar de grijze lucht, terwijl de arts iets in een blocnote schreef.
'U heeft bloedarmoede,' verklaarde ze. 'Ik schrijf u ijzer voor. En het ziet ernaar uit dat u een infectie heeft, dus geef ik u een antibioticakuurtje, maar laat u zich in godsnaam goed onderzoeken. Het kan zijn dat u vitamine D en C nodig heeft, maar dat kan ik niet zonder nader onderzoek bevestigen.' Ze scheurde het recept uit haar boekje.
Rufa glimlachte; ze was blij dat het consult voorbij leek te zijn. Haar ene vrije dag gleed tussen haar vingers door. Ze stak haar hand uit.

De dokter zei: 'Het is de bedoeling dat ik dit afgeef aan de balie. Opdracht van meneer Mecklenberg.'
'Waarom?'
'Het is een particulier recept,' zei de arts vriendelijk. 'Hij heeft geregeld dat het gehaald en betaald wordt. U hoeft zich daar niet mee bezig te houden.'
Rufa was onder de indruk. 'Wat is hij toch efficiënt.'
De ondervraging was nog niet helemaal afgelopen. De dokter vroeg: 'En hoe voelt u zich nu?'
Een raadselachtige vraag. 'Nou, ik weet het niet. Goed.'
'Bent u de laatste tijd depressief geweest?'
'Volgens mij niet.' Wat betekende dat? 'Depressief' betekende toch dat je heel verdrietig was, en Rufa dacht niet dat ze echt verdrietig geweest was.
'Dat zou kunnen verklaren waarom u niet eet,' zei de dokter.
'Ik heb u toch verteld dat ik wel eet. Het gaat gewoon allemaal door.'
'Wat gaat door?'
'U weet wel. Het leven. Maar ik begin er nu weer greep op te krijgen.'
'Goed zo,' zei de dokter, die opeens glimlachte. 'Doe het een dag of twee rustig aan en probeer eens stevig te lunchen. Ik geloof dat meneer Mecklenberg beneden op u wacht.'
Rufa ging naar beneden naar de eetzaal, wensend dat ze zich wat eleganter had gekleed. Adrian was kieskeurig en hij zou niet graag gezien worden terwijl hij lunchte met een vrouw in spijkerbroek. Had ze die kasjmier trui maar aangetrokken! Maar onder haar oude blauwe schipperstrui kon ze twee thermische hemden aan, en het was ijzig koud in de flat.
Adrian stond op uit zijn stoel bij het discrete hoektafeltje waar hij de *Financial Times* had zitten lezen. Rufa gaf hem een kuise kus op zijn schone, gladgeschoren wang. 'Je bent zo lief voor me geweest. Excuus voor al die onrust.'
Hij schoof haar stoel aan en ging zitten. 'Verontschuldig je alsjeblieft niet. Gaat het nu beter met je?'
'Prima. Ik begrijp niet wat ik opeens had.' Nogal verbaasd merkte Rufa dat ze het prettig vond om Adrian te zien. Als je niet bezig was hem tot een huwelijk te verleiden was het veel ontspannener om met hem te praten, en ze hunkerde naar conversatie. Ze had al weken geen behoorlijk gesprek gevoerd.
'Ik moet het zeggen, Adrian, je bent ontzettend lief voor me. Veel liever dan ik verdien.'

Hij was vagelijk geamuseerd. 'Laten we het daar niet over hebben. Ik heb tournedos voor je besteld, want je ziet eruit of je wel iets stevigs kunt gebruiken. Je bent een stuk magerder dan de laatste keer dat ik je gezien heb.'
Hij had haar voor het laatst gezien bij Berry thuis, op de avond van haar verloving met Edward. Rufa wilde dit niet oprakelen en zei niets. Adrian verwachtte geen antwoord.
'Je ziet er helemaal anders uit,' zei hij, 'maar je kunt je haar niet verbergen, ik herkende je meteen. Nou, neem een glas wijn en vertel me wat je in Edinburgh uitspookt.'
'Ik werk voornamelijk,' zei Rufa voorzichtig.
'Waar?'
'Ik verzorg nog steeds mijn diners. En ik werk in een café vlak bij de Grassmarket. Het heet Nessie's, naar het monster. Je kent het waarschijnlijk niet.'
Adrian trok een van zijn wenkbrauwen lichtjes op als teken van verrassing. 'Een café? Wat vindt je man daarvan?'
Rufa vond dat hij recht op de waarheid had. Nippend aan de volle rode wijn vertelde ze beknopt de hoofdpunten van haar catastrofale dwaze verhaal. Ze probeerde haar stem licht en nonchalant te houden; ze wist nog hoe Adrian een verhaal graag hoorde: duidelijk en kernachtig. Hij luisterde zonder te reageren.
Hun voorgerecht arriveerde: een heerlijke terrine van gerookte eend. Rufa bewonderde het gerecht en deed een vastbesloten poging om het te verorberen. Kauwen, kauwen, kauwen, slikken. Hoe kregen normale, dikke mensen dit de hele dag voor elkaar?
Voordat ze het op had kwam er een man in kostuum naar hun tafeltje, die Adrian een witpapieren zak overhandigde. 'Uw pillen, meneer.'
'Dank u.' Hij gaf de zak over de tafel aan Rufa. 'Ik denk dat je er nu meteen mee moet beginnen.'
Rufa maakte de zak open en haalde er twee potjes met pillen uit. In het ene potje zaten gladde bruine pillen die naar roest roken. In het andere zaten witte pillen. Ze nam er een van elk. Adrian keek ondertussen misprijzend de andere kant op.
'Ik begrijp nog steeds niet goed,' zei hij, 'waarom je hier bent. Wat houdt je in vredesnaam tegen om gewoon terug naar je familie te gaan?'
'Ik durf hen niet onder ogen te komen,' zei Rufa. Ze was zich ervan bewust dat dit een zwakke verklaring was en deed haar best het uit te leggen. 'Zie je, het huis en alles dat erin staat is betaald door Edward. Ik had dat als voorwaarde gesteld om met hem te

trouwen. En nu heb ik onze overeenkomst gebroken. Ik heb hem van zijn eer beroofd.'
'Ik heb blijkbaar een stukje gemist,' zei Adrian. 'Ik had begrepen dat je met mij wilde trouwen vanwege mijn geld. Maar ook heb ik begrepen dat dat minder belangrijk was dan mij was voorgespiegeld. Het leek mij nogal duidelijk dat je verliefd was op meneer Reculver.'
'O, ja?'
'Ik moet bekennen dat ik lichtelijk was aangeslagen toen ik erachter kwam dat ik was gebruikt als instrument om de ware geliefden tot elkaar te brengen.'
Rufa voelde haar wangen branden. Wat hij zei deed haar goedkoop en dwaas lijken, en hij had gelijk. 'Ik weet dat je een hekel hebt aan verontschuldigingen, maar ik heb spijt van mijn gedrag. Als ik er nu op terugkijk, kan ik het haast niet geloven.'
'Dus bij nader inzien blijk je toch niet van meneer Reculver te houden?'
'Zo eenvoudig ligt het niet.' Rufa schoof een stukje eend over haar bord heen en weer om het ongewenste voedsel in een ander patroon te leggen. 'Ik houd in feite wel van hem. Dat verergert de zaak, vind je niet? Ik houd van hem en mis hem het meest van allemaal, en moet je zien hoe ik hem behandeld heb. Hij is werkelijk veel beter af zonder mij.'
'Vindt hij dat ook?'
'Ik denk het wel.' Ze waagde het Adrian aan te kijken en zag dat hij haar met dezelfde uitdrukking van toegeeflijke geamuseerdheid bezag. 'Alsjeblieft... als je iemand van thuis tegenkomt... verraad me alsjeblieft niet. Zeg alsjeblieft niet dat je me hebt gezien. Dat zou ik niet kunnen verdragen.'
Zijn geamuseerdheid kreeg iets laatdunkends. 'Rufa, probeer te onthouden dat ik niet tot jouw kringen behoor en dat ik zeker niet de gewoonte heb om te roddelen. Ik pieker er niet over om me ermee te bemoeien.' Hij seinde met opgetrokken wenkbrauw naar de ober. 'Als je niet van plan bent dat op te eten stel ik voor dat je het voorgerecht laat staan. Ik moet om drie uur naar het vliegveld.'

'Aha, Berry.' Adrian, die zijn jas nog aanhad, stapte het kantoor binnen dat Berry met hem deelde.
Berry schrok en keek schuldbewust op, omdat hij erop betrapt werd dat hij in hemdsmouwen en bretels wezenloos voor zich uit zat te staren. Hij sprong overeind. 'Adrian. Hoe is de vergadering...?'
'Dit heeft niets met zaken te maken.' Adrian nam zijn koffertje in zijn andere hand. Zijn grijze ogen bleven even rusten op een ver-

kreukelde chipsverpakking op het bureau. 'Of met plezier, goed beschouwd. Zie jij dat zusje van Rufa Hasty nog weleens, die voor barmeid speelt?'
Berry voelde zijn gezicht knalrood worden. 'Ja. Ze... ze werkt bij Forbes & Gunning. Daar ga ik weleens heen.'
'Wist jij dat Rufa ervandoor is gegaan?'
'Ja, dat wist ik.' Toen hij zich een week geleden, een paar uur na zijn aankomst uit Frankfurt, naar de wijnbar had gehaast, had het andere barmeisje – die had gezien hoe teleurgesteld hij was dat Nancy er niet was – hem het hele verhaal van Rufa's verdwijning verteld. Zijn liefste Nancy had, zo bleek, een hele nacht lang tranen met tuiten uit haar schattige ogen gehuild. De gedachte hieraan deed hem lichamelijk pijn. Hij smachtte naar een excuus om haar in zijn armen te nemen en te troosten.
'Nou, vertel haar dan maar dat ik Rufa gezien heb. Ik heb haar vandaag in Edinburgh ontmoet en met haar geluncht. Ze werkt in een café dat Nessie's heet, in een zijstraat van de Grassmarket. Welke weet ik niet, maar zoveel kunnen er niet zijn.'
Berry was verbijsterd. Hij probeerde zijn mond niet te laten openvallen. 'Heeft ze telefoon?'
'Ze heeft me geen nummer gegeven,' zei Adrian. 'Ze liet me beloven dat ik niemand zou vertellen dat ik haar gezien had.'
'En waarom is ze van gedachten veranderd?'
Adrian zuchtte. 'Dat is niet gebeurd. Ik heb tegen haar gelogen. Ze zag er zo vreselijk uit dat ik wist dat ik iemand moest sturen om haar op te halen.'
'Is ze ziek?' Dit klonk alarmerend. Berry wist dat Adrian zich er alleen mee zou bemoeien als hij vond dat hij geen keus had.
'Ja,' zei Adrian kordaat. 'Toen ze me zag viel ze flauw. Ze heeft blijkbaar een miskraam gehad.' Hij trok zijn ogen minachtend samen. 'De dokter dacht dat ze bloedarmoede had en probeerde me wijs te maken dat ze infecties had en depressief was; het was een uiterst akelige ervaring.'
'Toch,' zei Berry dapper, 'was het ontzettend aardig van je om haar onder je hoede te nemen.'
Adrian vertrok zijn gezicht onverwacht in een koele glimlach. 'Heb het lef niet mij te beschuldigen van vriendelijkheid. Tegen al mijn instincten in werd ik erin meegetrokken. Mag ik er nu van uitgaan dat ik mijn plicht heb gedaan?'
'Ja, natuurlijk,' zei Berry snel. 'Ik ga onmiddellijk naar Nancy.' Hij greep zijn jasje dat over de stoel hing. 'En ik weet zeker dat ze zou willen dat ik je bedankte.'

'Zeg tegen haar dat ze dat onnozele gansje terugstuurt naar haar echtgenoot,' zei Adrian. Zonder verder een woord te zeggen verliet hij het kantoor; de tijd die hij aan Rufa wilde besteden was nu op. Berry besefte dat hij moest opschieten, maar op weg naar buiten ging hij het herentoilet binnen om zijn onhandelbare haar met water glad te strijken en zijn das recht te trekken. Het was avond en er liepen niet zoveel mensen meer langs de Cheapside. Het opzichtige, merkwaardig steriele geschitter van de kerstboom in de ontvangsthal van Berry's kantoorgebouw deed hem terugdenken aan een jaar geleden, aan die betoverende nacht waarin hij Nancy voor het eerst had gezien.

Het leek alsof hij zich het leven van iemand anders herinnerde. Een jaar geleden rond deze tijd had hij samengewoond met Polly, in het volste vertrouwen dat dat zo zou blijven tot een van hen zou overlijden. Hij was gezet en zelfvoldaan geweest; Polly had in de behaaglijke zekerheid verkeerd dat ze haar pagina in Burke's *Peerage* zou krijgen. En door die ene toevallige ontmoeting met Ran Verrall op kerstavond vorig jaar was alles op zijn kop gezet, zijn hele wereld en die van Polly; zelfs die van Adrian.

Nu, bijna een jaar later, hield Polly zich in haar razernij thuis in de buurt van Petersfield schuil, bij haar ouders, die intense paardenliefhebbers waren. Ze had Ran in bed betrapt met zijn ex-vrouw en had uit wraak zijn hele huis leeggehaald (het andere barmeisje had hem van deze details voorzien). Berry zelf had ondertussen een jaar doorgebracht met zichzelf uitputten door zijn onbeantwoorde hartstocht, tot hij net zo mager was als in zijn schooltijd. Sinds hij vorige week zijn taak in Frankfurt had beëindigd, was hij telkens weer tevergeefs naar de wijnbar gegaan. Het andere meisje, Fran geheten, had uitgelegd dat Nancy momenteel nog slechts twee dagen werkte en de meeste tijd doorbracht op Melismate. Vandaag zou Nancy werken. En hoewel hij besefte dat het een beetje gemeen was, bedacht hij desondanks dat het nieuws over Rufa de volmaakte binnenkomer was om haar vertrouwen te winnen.

De bar was versierd met in zilverkleur gespoten druivenbladeren en vol met feestvierende gasten. Ondanks het vroege uur zat er een grote groep beleggingsmensen van een naburige bank, die papieren hoedjes hadden opgezet ter ere van hun eerste kerstborrel van het seizoen. Berry zag Nancy's rode haar oplichten tussen de rijen breedgeschouderde grijze pakken. Ze werkte als een paard, zette flessen en glazen op dienbladen en gooide briefjes op de bar. In een nobel gebaar weerstond Berry de neiging om later terug te komen, als het iets rustiger zou zijn; Rufa was ziek en haar familie moest zo snel

mogelijk op de hoogte worden gebracht.
Hij zette zich schrap en begon zich door de menigte heen te worstelen. Het kostte kracht en hij moest zich aan de rand van de bar vastklampen om niet van zijn plaats geduwd te worden.
Nancy straalde toen ze hem zag. 'Hallo... wat kan ik voor je inschenken?'
'Niets... hallo... ik moet je spreken.'
'Wat?'
Met een laatste vastbesloten duw slaagde hij erin zich over de bar naar haar toe te buigen. 'Het gaat over Rufa. Adrian heeft haar vandaag in Edinburgh gezien.' Zo bondig mogelijk vertelde Berry haar de hoofdpunten boven het geluid van mannenstemmen uit. Nancy luisterde roerloos toe. Toen hij bij het gedeelte over de miskraam kwam en het flauwvallen en ziek zijn stroomden de tranen uit haar blauwe ogen. Hij verlangde er intens naar haar te troosten.
Ze zei: 'Ik moet Edward bellen,' en haastte zich zonder een woord te zeggen weg.
Berry probeerde uit alle macht zijn positie te behouden terwijl hij met ellebogen gepord en tegen de mahoniehouten bar geperst werd. Nancy had hem nodig. Hij weigerde haar nu in de steek te laten, en hij werd gesterkt in zijn beslissing toen hij haar zag terugkomen terwijl ze haar ogen afveegde.
Hij vroeg: 'Heb je hem te pakken gekregen?'
'Ja,' glimlachte ze door haar tranen heen. 'Ik ben blij dat je er nog bent.'
Berry zag uit zijn ooghoeken Simon, die met zijn personeel samenwerkte in een lang voorschoot en achterdochtig naar Nancy keek.
'Ik zal nu iets bestellen,' zei hij. 'Een fles champagne van het huis, alsjeblieft. En twee glazen.'
'O. Je hebt iemand bij je.' Ze klonk – zonder twijfel – teleurgesteld.
'Ja. Ik heb jou,' zei Berry, die hoopte dat hij zijn ongepaste vreugde uit zijn stem kon houden. 'En jij hebt een drankje nodig.'
'Ik kan niet weg, het is veel te druk.'
'Wanneer ben je klaar?'
'Pas om een uur of elf.'
'Zou je niet een pauze kunnen nemen?'
Simon werkte zich naar hen toe. 'Werk eens een beetje door, Nancy, er is vandaag geen tijd om audiëntie te houden.'
'Sorry,' zei Nancy, terwijl er twee tranen van haar wimpers vielen. Haar onderlip trilde.
Berry voelde dat er een formidabel, opwellend, triomfantelijk ge-

voel van kracht door hem heen stroomde. Op dat moment had hij een leeuw kunnen doden. 'Neemt u me niet kwalijk...' Hij tikte Simon met zijn creditcard bazig op de arm, zoals hij de andere mannen had zien doen. 'Nancy heeft zojuist slecht nieuws gehoord. Familiezaken. Ik vind dat ik haar beter even hier weg kan halen. Kunnen we ergens rustig praten?'
Simon had dit niet verwacht en hij wierp Nancy een onderzoekende blik toe. 'O, juist. Sorry. Ik kan haar wel een hafuurtje missen. Gaan jullie maar naar het kantoor.'
'Bedankt,' zei Berry.
Simon deed een houten klep omhoog om Berry achter de bar te laten. Berry sloeg een beschermende arm om Nancy's schouder. Haar zachte huid, die warm aanvoelde onder haar dunne zwarte vest, joeg zijn hartslag op tot ongekende hoogte. Terwijl ze haar ogen met haar handen afveegde ging ze hem voor naar een deur die zich diep in de bakstenen keldermuur bevond. Erachter was een klein, raamloos kantoortje.
Berry deed de deur achter zich dicht. Hij nam Nancy in zijn armen en duwde haar hoofd tegen zijn schouder. 'Lieveling,' mompelde hij. 'Mijn lieveling, het komt allemaal wel weer goed.'
Haar stem werd gesmoord door zijn jasje. 'Ik weet dat ik onnozel ben. Ik kan gewoon niet tegen de gedachte van Ru die een miskraam krijgt en van haar stokje gaat bij Adrian... god, het is zo'n opluchting te weten dat ze niet dood is!'
Luid snuivend deed ze een stap terug en zocht afwezig in haar zakken.
Berry haalde zijn zakdoek te voorschijn. Hij stopte die in Nancy's hand. 'Maar nu komt alles in orde met haar. Je hebt haar nu gevonden en je hoeft je niet meer ongerust te maken.'
'Ik wist dat er iets aan de hand was; dat heb ik altijd met Rufa. We zijn met elkaar verbonden.' Ze depte haar gezicht droog. 'Ik kan er niet over uit dat Adrian de barmhartige Samaritaan heeft gespeeld.'
Hij lachte zachtjes. 'De nogal tegenstribbelende en humeurige Samaritaan. Hoewel ik denk dat hij op zijn eigen, merkwaardige manier op haar gesteld is.'
'Het is ironisch dat hij degene moest zijn die haar heeft gevonden, terwijl Edward de zolen van zijn schoenen heeft gelopen op zoek naar haar in Edinburgh. Hij is er al drie keer geweest en heeft nog geen glimp van haar opgevangen. Mag ik mijn neus in je zakdoek snuiten of wil je hem terug?'
'Houd hem maar.'
'Bedankt.' Nancy snoot haar neus. 'Hij rijdt er vanavond weer heen.

Ik weet niet of ik er goed aan heb gedaan het hem als eerste te vertellen, maar hij is wel degene die het recht heeft haar op te eisen. En hij is zoveel effectiever dan wij allemaal. Hij zal haar mee naar huis nemen... o, Berry, ze zal met kerst thuis zijn!'
Voor de eerste keer glimlachte ze werkelijk: een stralende, schitterende glimlach die haar tranen deed opdrogen. Ze sloeg haar armen om Berry's nek en omhelsde hem stevig. Het was voor Berry ongelooflijk eenvoudig – en het voelde geweldig natuurlijk aan – om haar warme hals te kussen, haar zachte wang, haar sensuele mond.
Hij trok zijn mond terug terwijl hij een hand op haar borst hield. 'Hoor eens, ik moet het tegen je zeggen,' fluisterde hij, 'want ik kan het niet langer voor me houden... je bent een godin, je bent een engel, en ik ben stapelgek op je vanaf het moment dat we elkaar ontmoetten, toen je me dwong naar je tepels te kijken.'
'O, lieveling.' De tranen stroomden uit Nancy's ogen, maar ze glimlachte gelukzalig. 'Ik ben al stapelgek op je sinds het moment dat je me vertelde dat je niet genoeg geld voor dat stomme Huwelijksspel had.'
Hongerig zochten ze elkaars mond. Berry (die zelfs geen geile gedachte had durven koesteren in Polly's aanwezigheid voordat hij haar mee uiteten had genomen) duwde zijn onbeschaamde erectie tegen Nancy's dij. Hij kreunde zachtjes en liet zijn hand tussen haar borsten glijden. 'Je bent nog steeds erg van streek,' fluisterde hij. 'Ik zal tegen je baas zeggen dat je niet meer kunt werken, en dan neem ik je mee naar huis, en dan zal ik in elk denkbaar standje de liefde met je bedrijven. Dat zou weleens dagen kunnen duren.'
'Weken.' Ze streek speels met haar hand over zijn gulp.
'Maanden... misschien zelfs jaren. Het spijt me erg, maar eigenlijk denk ik dat ik je voor altijd moet vasthouden.'

Hoofdstuk vijftien

Je kon Nessie's niet over het hoofd zien. Boven het raam van het café hing een zwierig paars Loch Ness-monster te wapperen. Zodra hij het zag stond Edward stil. Hij was zo nerveus dat hij bijna niet kon ademhalen. Stel je voor dat Rufa hier niet zou zijn? Stel je voor dat ze er wel was? Zijn vastbesloten, bijna obsessieve zoektocht naar haar had haar gevaarlijk onwezenlijk gemaakt, zo ongrijpbaar als mist.
Hij hield zijn ogen gericht op het verlichte raam en probeerde zijn handen een beetje warm te wrijven. De hemel was loodkleurig en zwaar met de dreiging van sneeuw. Na Nancy's ademloze telefoontje was hij rechtstreeks naar Edinburgh gereden en was alleen even gestopt om het hoopvolle nieuws aan Rose door te geven. Hij was laat aangekomen bij zijn hotel in Charlotte Square, na een inspannende, ongeduldige autorit over eindeloze autowegen. En tot zijn eigen verbazing had hij geslapen tot tien uur, terwijl hij vrijwel geen vredige, droomloze nacht had beleefd sinds zijn huwelijk. Hij kon slechts aan één ding denken, tot hij wist dat Rufa in veiligheid was. De drie voorgaande trips naar Edinburgh hadden zijn vastbeslotenheid alleen maar vergroot. Hij had de in verlegenheid gebrachte maar hulpvaardige staf van het hotel ondervraagd waar Rufa haar creditcard had gebruikt. Een van de meisjes had zich herinnerd dat ze op zoek was geweest naar een flat. Edward had zich geduldig door elk verhuurbureau in het telefoonboek heengewerkt en had de hele stad doorkruist. En al die tijd had ze zich hier staan afbeulen. Hij was haar waarschijnlijk honderden keren op een paar meter afstand gepasseerd.
Hij had gewacht tot lunchtijd zodat ze aan het werk zou zijn en er minder kans was dat ze van hem zou weglopen. Voorbereid op de zoveelste teleurstelling stak hij de nauwe straat over en liep naar het raam van het café.
Het leek of zijn hart stilstond. Hij zag haar.
Rufa stond in een gestreept slagersschort te roeren in een sauspan in een soort open keuken. Edward had haar voor het laatst op het

vliegveld gezien, voordat hij naar Den Haag was vertrokken, en hij schrok toen hij zag hoe ze was veranderd. Ze was veel te mager. Ze had scherp ingevallen wangen en donkere kringen onder haar ogen. Ze was bleek en zag er uitgeput uit, en onverdragelijk mooi. Toen het tot hem doordrong dat ze echt, werkelijk hier was, stroomde een gevoel van grote opluchting door hem heen. De tranen rolden over zijn wangen, die ijskoud aanvoelden in de snijdende wind.
Ze draaide haar hoofd om en zag hem. Haar ogen werden groot van schrik en ze bleef doodstil staan. Edward baande zich blindelings een weg naar binnen, struinde recht op Rufa af en sloeg zijn armen om haar heen. Hij drukte haar stevig tegen zich aan. Haar botten voelden scherp en breekbaar aan onder haar verschillende lagen kleding. Hij ademde de geur van haar haar in alsof hij een diepe hap zuurstof nam. Toen duwde hij haar zachtjes van zich af zodat hij haar kon aankijken. Met zijn handen op haar schouders hield hij haar blik vast. Ze huilde niet en had een verbijsterde blik in haar ogen.
'Mijn lieveling,' mompelde Edward, terwijl hij zich niets aantrok van de mensen die naar hen staarden. 'Zeg iets. Zeg me dat je nooit meer zult weglopen. Zeg me dat je blij bent dat ik je gevonden heb.'
Rufa zei: 'Ik ben mijn baby verloren.' Een geluidloze snik ontsnapte haar. Ze sloeg haar armen om zijn nek en begon te huilen met haar hoofd tegen zijn schouder.
Het huilen duurde niet lang. Ze trok zich van hem terug en veegde de tranen weg met de rug van haar hand, terwijl ze verontschuldigingen stamelde. Ze wilde per se haar dienst afmaken. Edward weigerde weg te gaan. Hij ging aan een hoektafeltje zitten en verloor haar geen moment uit het oog, alsof hij bang was dat ze weg zou vliegen. Ze bracht hem een bord 'stovies', dat hij zonder iets te proeven naar binnen werkte. Het was schoolvakantie en het was niet druk in het café. Hij zag haar heen en weer lopen tussen de sauspan en de bar, terwijl ze klanten toelachte en met de andere vrouw in de open keuken praatte.
Het leek alsof ze in een bizarre droom gevangenzat. Af en toe wierp ze hem een weifelende, ongeruste blik toe. En iedere keer glimlachte hij haar toe, alsof hij haar wilde geruststellen. Hij was niet gekomen om haar zijn afkeuring te laten blijken of haar gedrag te veroordelen. Hij wilde haar laten weten dat ze gered zou worden. Het was overduidelijk dat dat nodig was. Hij dacht dat ze het fijn begon te vinden hem te zien. Toen hij glimlachte verscheen er een sprankje hoop in haar verdrietige ogen.
De andere vrouw kwam naar Edwards tafeltje toe met een kop thee.

‘U bent haar echtgenoot, nietwaar? Ze heeft me het een en ander over u verteld. Ik zal haar wegsturen zodra we klaar zijn met de warme maaltijden.’
Hij had de vrouw graag bedolven onder de vragen, maar daar was geen tijd voor. Hij moest wachten tot Rufa het grote fornuis had schoongemaakt, de bar met Dettox had schoongeveegd en haar schort had opgevouwen. Ze zag lijkwit en zodra ze even stilstond zwaaide ze op haar benen. Brandend van ongeduld wachtte Edward tot de eigenaresse van het café Rufa’s jas had gepakt, iets tegen haar had gezegd en haar een kus had gegeven.
Rufa’s flat was vlakbij. Ze namen een kortere weg via de Royal Mile en een steile stenen trap. Edward bleef achter haar lopen terwijl ze de trap beklom, voorbereid om zijn arm uit te steken als ze zou vallen – ze ploeterde hijgend verder tegen de ijzige wind in. Toen ze eenmaal in haar flat waren deed ze niet langer alsof het goed met haar ging en liet ze zich met een zucht van verlichting op de bank vallen.
‘Trappen,’ zei ze terwijl ze probeerde te glimlachen. ‘Alles in deze stad is verticaal.’
Sinds wanneer had Rufa moeite met trappen? En hoe lang moesten ze nog net doen alsof ze niet ziek was? Edward slikte de neiging in om haar de les te lezen over het feit dat ze voor zichzelf moest zorgen. Hij moest onthouden dat hij geen peloton toesprak, geen lastige soldaat tot de orde riep. In het burgerleven dreef de gewoonte iemand de les te lezen dwaze jonge echtgenotes van je weg. ‘Ik zal thee zetten.’
‘Dat lijkt me heerlijk.’ Ze probeerde niet eens te protesteren tegen het feit dat hij haar bediende: een zeer slecht teken.
Hij ging naar het keukentje, dat het formaat van een doodskist had. Er zat een piepklein raampje in dat uitkeek op de eeuwenoude binnenhof beneden, waar een groep Japanse toeristen aan het fotograferen was. Hij was ontzet toen hij zag dat Rufa niets had gedaan om de keuken een beetje gezellig te maken. Behalve een paar vette theebiscuitjes was er geen voedsel te bekennen. Haar geliefde kookboeken lagen in een slordige stapel op de afdruipplaat. De Rufa die hij kende was hier nooit aanwezig geweest.
Toen hij de zitkamer binnenkwam met de thee lag Rufa vast te slapen, met haar jas en handschoenen nog aan. Hij zei zachtjes haar naam. Ze bewoog zich niet. Edward legde heel voorzichtig haar benen op de bank en schoof een hard kussen onder haar hoofd. In de benauwde slaapkamer vond hij een vochtig dekbed, drapeerde dat over haar heen en ging zitten wachten tot ze wakker zou worden.

Lieve god, wat zag ze er akelig uit. Ze zou niet hier in dit mausoleum moeten wonen, zonder een levende ziel om mee te praten, of iemand die er iets om gaf of ze leefde of doodging. Niet nu ze iemand had om voor te leven en te sterven, als ze hem maar zou toelaten.

Terwijl hij die namiddag naar haar zat te kijken, viel de duisternis al vroeg in. Toen hij haar gezicht in de schaduw niet meer kon ontwaren deed Edward een lamp aan en liep zachtjes rond om de gordijnen dicht te doen en de winternacht buiten te sluiten. Dikke vlokken sneeuw dwarrelden in het licht dat uit het venster scheen.

Hij ging weer zitten, terwijl hij zich afvroeg of hij ooit een manier zou vinden om haar te vertellen hoe lang en hoe intens hij al van haar hield. Wat de plaatselijke roddelaars ook dachten, het was niet begonnen toen ze nog een kind was. Als klein meisje was Rufa slechts een van de slonzige kinderen van de Man geweest, met uitgevallen melktanden en slungelige, veulenachtige benen. Tijdens de perioden dat hij thuis was had hij Rufa vaak in zijn keuken aangetroffen, waar ze bij zijn moeder en Alice zat en hen ernstig hielp met het doppen van boontjes of het maken van beslag. Naarmate de jaren vorderden had de Man zijn aandacht gevestigd op Rufa's ontluikende schoonheid. Edward had dit in theorie wel opgemerkt, maar was pas verliefd op haar geworden na zijn vertrek uit het leger.

Aanvankelijk waren ze vrienden geweest. Rufa had, in tegenstelling tot de anderen, gezien dat de dood van zijn moeder zijn depressiviteit en zijn gevoel van onthechting had verergerd. Hij vroeg zich af of ze had geraden hoe afhankelijk hij van haar was geworden gedurende dat lange, mistroostige jaar. De waarheid was tot hem doorgedrongen tijdens een uitgebreide picknick op Melismate, die de Man had georganiseerd voor Roses verjaardag. Het bacchanaal was onderbroken door een hevige regenbui en iedereen was weggerend om beschutting te zoeken. Edward was naast Rufa onder een van de schragen tafels terechtgekomen. Hij had naar haar natte haar en haar druipende, lachende profiel gestaard en was plotseling in staat geweest zijn gevoel voor haar te benoemen. Hij was verliefd op haar geworden, en niet zo'n beetje ook.

Hij observeerde haar nadenkend terwijl ze sliep. Misschien kwam het door het verzachtende effect van het licht, maar ze leek er iets beter uit te zien. Er was weer wat kleur op haar lippen gekomen. Zoals zo vaak moest Edward denken aan die nacht in Italië, toen hij zich niet meer had kunnen beheersen. Hij gaf de brandy de schuld. Hij was teut geweest en die arme Rufa was zo dronken als een toeter; ze had alle remmen losgegooid en kon nauwelijks nog

op haar benen staan. Tijdens de daad had hij schaamte gevoeld, maar zijn hartstocht had hem nog nooit tevoren zo wild gemaakt. Ik heb haar tot een orgasme gebracht, dacht Edward, en toen verloor ze het bewustzijn en ik hield niet op. Ik heb een bewusteloze vrouw geneukt; ze zouden me moeten opsluiten.
De herinnering bracht zijn bloed aan de kook en dat joeg hem angst aan. Hij was geschokt geweest toen Rufa de volgende dag zo ziek was geweest. Edward was ernstig verontrust geweest door haar smachtende kwetsbaarheid sinds de dood van de Man. Alleen god wist wat de aanblik van haar vaders lichaam bij haar teweeg had gebracht. Hij wenste dat hij haar niet zo had onderhouden over het feit dat ze de waarheid niet onder ogen durfde zien. Hij schaamde zich bij de herinnering aan zijn reprimande over het feit dat ze bergen jam maakte terwijl ze constructief had moeten nadenken over de veiling van het huis. Nancy, die haar zusje zoals altijd te hulp was geschoten, had hem toegesnauwd dat ze het deed om die verdomde begrafenisonderneming te kunnen betalen, en vervolgens had Edward de hele middag hout gehakt omdat hij zo'n berouw had. Hij zou nooit misbruik van haar hebben gemaakt door haar te huwen als de arme ziel niet zo vastbesloten was geweest om met iemand anders te trouwen. Godzijdank was dat niet gebeurd; hij had het gevoel dat hij haar nog net van de rand van de afgrond had kunnen trekken.
Rufa zuchtte en bewoog zich. Ze knipperde met haar ogen naar het plafond en draaide haar hoofd naar Edward. Hij vond het bemoedigend te zien dat de gejaagde uitdrukking uit haar ogen verdween zodra ze hem zag. 'Hoe laat is het?'
Edward kwam naar haar toe en ging naast haar voeten op de bank zitten. 'Bijna zeven uur.'
'Wat? O, god...'
Hij legde zijn hand op haar schouder. 'Rustig maar. Ik zal nu dat kopje thee voor je maken.'
'Ik kan het niet geloven. Ik heb drie uur geslapen.' Ze glimlachte hem toe. 'Ik ben blij dat je er nog steeds bent. Anders had ik misschien gedacht dat ik het gedroomd had. Ik droom de hele tijd over jou. Zou je een glas water voor me mee willen nemen als je naar de keuken gaat? Ik moet mijn pillen innemen.' Ze werkte zich op haar ellebogen overeind en zocht naar haar tas. 'Het is ongelooflijk. Ik voel me stukken beter.'
'Je ziet er vreselijk uit,' zei Edward. 'En natuurlijk ben ik er nog. Ik ga niet weg.'
'Adrian heeft me verraden, hè?'

'Ja, godzijdank wel,' zei Edward. 'Het blijkt toch wel een geschikte kerel te zijn.'
'Hij was ongelooflijk aardig voor me. Al vindt hij dat ziek zijn getuigt van slechte manieren.'
'Het is geen wonder dat je ziek bent geworden. Er is geen kruimeltje eten hier en het is ijskoud. Kan die verwarming niet wat hoger?'
'Beter dan dit wordt het niet, vrees ik.'
'Nou, blijf dan maar onder dat dekbed liggen.'
Edward maakte verse thee waarbij hij minstens twee theezakjes gebruikte en onderdrukte een volgende vermaning over vooruit plannen als je eten insloeg. Dit vreemde gedrag was slechts een uiterlijk bewijs van de staat waarin ze zich bevond. Niemand had er nog een etiket op geplakt, maar wat Rufa had doorgemaakt kwam neer op een geestelijke instorting. En een groot gedeelte daarvan was zijn schuld, ofschoon hij op het moment zelf had gedacht dat hij niet egoïstisch bezig was geweest.
Rufa zat overeind toen hij aankwam met haar thee en een glas water. Ze had haar handschoenen uitgetrokken en probeerde haar haar in fatsoen te brengen. 'Heerlijk, dank je. Hoe gaat het met iedereen? Gaat het goed met Linnet? Ik vond het vreselijk om haar verjaardag te missen.'
'Iedereen is prima in orde,' zei Edward, terwijl hij ging zitten. 'En het zal nog beter met ze gaan als jij hun vertelt dat je thuiskomt.'
'Ga ik naar huis?' vroeg Rufa verbijsterd, terwijl ze zich probeerde te herinneren waarom ze niet met hem mee kon gaan.
'Ja,' zei hij vastbesloten. 'Zodra ik mijn thee op heb, neem ik je meteen mee, weg uit deze verdomde iglo.'
'Ik weet niet of ik dat wel kan.'
'Wil je het niet?'
Haar ogen vulden zich met tranen. 'Ja. Meer dan wat dan ook.'
Edward pakte een van haar koude handen vast. 'Ru, lieveling, het is nu allemaal voorbij. Laat mij voor je zorgen.'
Ze boog het hoofd. 'Dat kan niet. Niet na wat ik je heb aangedaan.'
'Mijn lieveling, dat is allemaal vergeven en vergeten.'
'Niet door mij,' zei Rufa. Haar tranen vielen op zijn handen.
'Vergiffenis speelt helemaal geen rol,' zei hij zachtjes, met een tedere en liefkozende toon in zijn stem, die weinig mensen ooit hoorden. 'Ik ben niet al die tijd naar je op zoek geweest omdat ik wilde dat je je verontschuldigingen zou aanbieden. Ik moet tegen jou zeggen dat het mij spijt. Ik ben niet eerlijk tegen je geweest over Prudence.' Hij vond het vreselijk om over Prudence te praten, omdat hij daarmee een zielig beeld van zichzelf schetste. Hij wilde niet

dat Rufa hem zou zien als een of andere kruiperige bedelaar die smeekte om seksuele gunsten. Het voelde op een andere manier even ongemakkelijk aan als het getuigen voor het Oorlogstribunaal, maar het moest gebeuren. 'Ik heb je niet het hele verhaal verteld. Ik ging ervan uit dat het er niet toe deed omdat het verleden tijd was. Ik was vergeten wat een intrigante ze kon zijn.'
'Je hebt haar over ons verteld,' zei Rufa met een gekwetste toon in haar stem.
'Ik had niemand anders om mee te praten, dus zei ik het tegen haar,' zei Edward. Hij zuchtte. 'Ik wist al die tijd al dat het verkeerd van me was, het spijt me.'
Ze keek naar hem op. 'Zweer je dat het voorbij is?'
'God, ja. Het was al voorbij toen we de eerste keer uit elkaar gingen.'
'Nadat Alice was overleden.'
'Ja. Toen we... nou ja, daarna is het nooit meer hetzelfde geworden. Liefde had er niets mee te maken. We zagen elkaar misschien drie keer per jaar. Ze is nooit gelukkig getrouwd geweest, volgens mij omdat ze steeds met haar vader probeerde te trouwen, maar dat doet er nu niet toe. Ze was afhankelijk van het veilige gevoel dat ik haar gaf, en van onze vriendschap.'
'En jij was van haar afhankelijk voor seks.'
'Ja.' Edward ergerde zich aan zichzelf omdat dit feit hem stoorde – maar het viel niet te ontkennen. 'Ik zal niet zeggen dat het niets te betekenen had, maar eigenlijk was het een vriendschappelijke regeling.'
'Prudence leek te denken dat het veel meer was,' zei Rufa.
'Ze wilde pas toegeven nadat ze het ons allebei erg moeilijk had gemaakt. Dat is me nu wel duidelijk. Op dat moment dacht ik dat ik aan het schuldgevoel onderdoor zou gaan.' Hij glimlachte somber. 'Je weet dat ik er een hekel aan heb om ongelijk te bekennen.'
'Toen je die dag met haar ging lunchen,' zei Rufa, 'dacht ze dat ze je weer in bed zou krijgen, hè?'
Edward voelde zich ernstig in verlegenheid gebracht. Hij begreep nu dat hij het hele gedoe met Prudence ongelooflijk onnozel had aangepakt. Hij dwong zichzelf Rufa in de ogen te kijken. 'Ja, dat klopt inderdaad.'
'Je bent met haar naar bed gegaan toen je in Parijs was,' zei Rufa.
'Ja. Ook al was ik net met jou verloofd.' Hij wilde zich niet achter smoesjes verschuilen. Die had hij niet. 'Ik zal niet zeggen dat ik er niets aan kon doen, want dat zou belachelijk zijn. Maar ze bood zich aan en ik heb niet geprobeerd haar af te wijzen.'

Ze fluisterde: 'Je had behoefte aan seks.'
Edward kreunde zachtjes. 'Ja, natuurlijk. Ik had wanhopig behoefte aan seks.' Hij klemde zijn handen in elkaar zodat hij haar niet bang zou maken door de kracht waarmee de waarheid nu naar boven kwam. 'De afgelopen jaren heeft mijn leven bestaan uit een lange strijd om alles te vermijden dat me erop wees hoe wanhopig ik was. De regeling met Pru heeft voorkomen dat ik mijn verstand verloor.'
Ademloos vroeg Rufa: 'Maakte ik je ook wanhopig?'
'O, god.' Hij probeerde te lachen, maar hij kon wel huilen. 'Je zou eens moeten weten.'
'Had het me maar laten merken.'
'Ik wachtte tot alles perfect zou zijn. En dat was onmogelijk door die verdomde afspraak die tussen ons in stond.'
'We hadden meer met elkaar moeten praten,' zei Rufa. 'Maar we hebben het nooit over seks gehad. Als ik probeerde je een hint te geven vertrok je naar buiten om de tractor te repareren.'
Dit was zo waar dat Edward nu moest lachen, al voelde hij een groot verdriet over de enorme afstand die er tussen hen was geweest. 'Ik was doodsbang dat ik je tot iets zou dwingen. De gedachte dat ik jou... jou zou nemen omdat ik voor je betaald had... je moeder dacht dat ik impotent was.'
'Ik dacht dat je weer met Prudence in bed was gedoken omdat zij goed in seks was en ik niet.'
'O, god.'
Ze glimlachte flauwtjes. 'Zeg dat niet steeds.'
'Sorry. Ik zal je alles vertellen wat ik toen al had moeten zeggen.' Edward dwong zichzelf haar weer aan te kijken. 'Je hebt het goed gezien, ze probeerde me tijdens die lunch te versieren. En ik weet dat het nogal stom van me was, maar ik was verbaasd.'
Rufa vroeg: 'Hoe probeerde ze je te versieren?'
'Moeten we daar nu op ingaan?'
'Ja.'
Hij wierp haar een gepijnigde glimlach toe. 'Goed dan. Pru zei dat ik mezelf belachelijk had gemaakt door met jou te trouwen terwijl het duidelijk was dat jij een soort...' Hij zuchtte. 'Ach, ik laat de dingen die ze over jou heeft gezegd maar weg. Dat heeft geen zin. Je hebt al wraak op haar genomen.'
'O, ja?'
'Kom nou, Rufa. Ze was woedend toen je iets met Triss kreeg. Ze zegt dat hij door jou geestelijk is ingestort en dat je zijn eindexamen in gevaar hebt gebracht en weet ik wat niet meer.'
Rufa's lippen waren wit in haar bleke gezicht. 'Het was niet mijn

bedoeling hem pijn te doen.'
'Hij overleeft het wel,' zei Edward droogjes. 'Veel hiervan heeft te maken met de familiegeschiedenis. Ik wist dat ze kwaad was over het geld. Pru is niet alleen hebzuchtig. Er zijn allerlei redenen waarom het belangrijk voor haar is om het geld in de familie te houden. Wat haar betrof had ik het evengoed in de fik kunnen steken.' Dit was geen afdoende verklaring. Hij dwong zichzelf het nader uit te leggen. 'Toen Alice was gestorven, had ik gemakkelijk verliefd op haar kunnen worden. Ik weet dat ze overwogen heeft om met me te trouwen, voornamelijk vanwege haar merkwaardige opvatting dat ik aardig ben en gemakkelijk om mee te leven.'
'Je bent ook aardig,' zei Rufa. 'En het zou gemakkelijker zijn met je te leven als je meer praatte en af en toe zou toegeven dat je het niet bij het rechte eind had.'
'Dank je. Ik erken mijn overtredingen en zal mijn zonde onthouden,' zei Edward glimlachend, merkwaardig geroerd door de plechtige manier waarop ze hem op zijn fouten wees. 'Hoe dan ook, het werd niks. Pru was niet verliefd op me. Daar kwam ik achter toen ze echt verliefd werd, op iemand anders.'
'Op wie?'
Hij durfde haar niet aan te kijken. 'Dat doet er niet toe. Je kent hem niet.'
'Het was de Man, hè?'
Hij zuchtte nogmaals. Ze wilde de hele waarheid horen. 'Ja, uiteraard. Een van zijn grote liefdes. Ze werd verliefd op hem en hij liet haar natuurlijk vallen. Ik denk dat hij de enige man ter wereld was die dat ooit heeft gedaan. Dus toen ik met zijn mooie dochter trouwde vatte Pru dat op als een belediging. Maar je vindt het misschien prettig te horen dat ik haar de laatste keer zonder veel moeite heb kunnen afwijzen. Waarschijnlijk denkt zij ook dat ik impotent ben. In ieder geval vindt ze me een idioot. Misschien ben ik dat ook wel.' Hij stak zijn hand uit om Rufa's wang met zijn vingertoppen te strelen. 'Ik kan jou niet opgeven. Ik ben zo waanzinnig verliefd op je dat ik alles zal doen om je te behouden. Toen Nancy me gisteravond belde om te vertellen dat je alleen was en ziek en dat je duidelijk niet bij zinnen was, moest ik hierheen om je naar huis te halen. Je mag niets besluiten en nergens aan denken tot je daar bent. En je hoeft je geen zorgen te maken dat ik iets van je verwacht, alleen maar omdat je zo dom was om met me te trouwen.' Hij glimlachte, vol verlangen haar te troosten. 'Dat zijn mijn bevelen.'
De tranen brandden in Rufa's ogen. 'Het was helemaal niet dom. Het is de verstandigste zet die ik ooit heb gedaan. Ik weet niet hoe

ik moet beginnen te zeggen hoezeer het me spijt.'
Hij ging naast haar op de bank zitten en nam haar in zijn armen. Hevig snikkend klampte ze zich aan hem vast. Hij besefte plotseling dat er iets tussen hen was veranderd. Het gevoel van lichamelijke afstand was verdwenen. Het brok ijs dat door de dood van de Man in haar hart was ontstaan was bezig te ontdooien. Nu perste ze haar gezicht tegen zijn schouder alsof ze hem moest aanraken om een innerlijke pijn te verzachten.
Deze hele gedachtegang was ongepast opwindend. Edward ging verzitten op de kussens zodat Rufa zijn erectie niet zou opmerken. Hij streelde haar over het hoofd. 'Houd daarmee op, Ru. Ik weiger helemaal naar Melismate te rijden terwijl jij jezelf zo kwelt. Ik kan wel zien hoeveel spijt je hebt. Je bent er bijna aan onderdoor gegaan.'
'Ik ben niet ziek, maar sinds ik de baby ben verloren...' Rufa hief haar hoofd op. 'Heb je het Tristan verteld?'
'Nee.' Edward kon het niet helpen dat hij nogal kortaf klonk.
'Hij moet het weten.'
'Hmm. Ik neem aan dat je gelijk hebt.'
Aarzelend vroeg Rufa: 'Heb je nog iets van hem gehoord? Weet je hoe het met hem gaat?'
'Volgens de laatste berichten gaat het prima met hem.'
'Gelukkig.'
Ze zwegen. Edward vroeg: 'Is dat alles wat je te zeggen hebt?'
'Ik zou het niet kunnen verdragen als ik hem verdriet heb gedaan,' zei Rufa. 'Wist ik maar waarom dit allemaal gebeurd is.'
'Je werd verliefd op hem.'
'Ik dacht dat ik verliefd op hem was... op het idee van hem, in ieder geval. Maar dat is nu allemaal achter de rug.' Ze sprak rustig, maar hij zag dat ze nerveus de revers van zijn tweedjasje vastgreep. 'Ik zou graag willen zeggen dat het een andere Rufa was, die verliefd werd op Tristan. Maar dat zou alleen maar lijken op Linnet die beweert dat het Postbode Pat was die op de muren heeft gekliederd. God weet wat ik me in mijn hoofd haalde. Ik dacht dat ik het niet zou overleven als ik van hem gescheiden zou worden. Hij verlangde zo hevig naar me.'
Edward kromp in elkaar bij de woorden 'hij verlangde zo hevig naar me' die impliceerden dat haar echtgenoot dat niet had gedaan. Hij legde een zo neutraal mogelijke klank in zijn stem. 'Ik ben een paar dagen na jou naar Oxford gegaan. Ik heb Tristan gesproken.'
'Hoe ging het met hem?'
'Hij was er nogal kapot van. Hij zei dat hij alles zou doen om je terug te krijgen.'

'O.'
'Wil je naar hem terug?'
'Nee.' Rufa verstijfde in zijn armen. 'Ik voel niet meer hetzelfde voor hem. Al die gevoelens waren gebaseerd op... hoe moet ik het uitdrukken... fantasie. Ik wilde hem zíjn, leek het. En de hele luchtbel spatte uit elkaar toen ik bij hem op de stoep stond.'
'Dat heb ik gehoord,' zei Edward. 'Hij zei dat je maar een abortus moest laten plegen. Dat en de walgelijke troep in zijn keuken deden de schellen van jouw ogen vallen.'
Rufa liet een kort lachje ontsnappen, dat meer op een snik leek. 'Ben ik zo voorspelbaar?'
'Ik ken je tamelijk goed.' Edwards ongepaste erectie was verslapt. Hij gaf Rufa een vriendschappelijke kus op haar voorhoofd en liet haar los. 'Ik weet dat je naar huis moet. Dus laten we alsjeblieft afspreken dat we het verleden laten rusten. We hebben allebei fouten gemaakt. Ik vergeef jou als jij mij vergeeft.'
'Er valt niets te... '
'Goed, dan zijn we het eens. Pak je spullen en ik zal Rose laten weten dat we onderweg zijn.'
'Nu?'
'Absoluut, nu,' zei Edward energiek. 'Je kunt me ervan beschuldigen dat ik een machtswellusteling ben als je wilt, maar jij bent niet geschikt om alleen te zijn.'

Edward liet Rufa wachten in de flat terwijl hij door weer en wind zijn auto ging halen. Tegen de tijd dat ze de Nieuwe Stad uit waren, was het in de auto heerlijk warm geworden. Rufa leunde met een diepe zucht achterover in de passagiersstoel en ze moesten allebei lachen.
'Ik heb het al weken niet zo lekker warm gehad.'
Hij reed in een lange rij auto's die in de richting van de autoweg gingen. 'Als je wilt slapen, ga je gang.'
Ze probeerde niet te gapen. 'Ik zeg je toch steeds dat ik geen invalide ben. Sinds ik die pillen slik voel ik me veel beter. Ik zal straks ook wel een stukje rijden.'
'Vergeet het maar. Houd eens op met die hulpvaardigheid. Vind je het erg als ik het nieuws aanzet?'
'Nee, hoor.'
Edward deed de radio aan, net op tijd om de weerberichten te horen. Er werd zware sneeuwval voorspeld in het oosten van Schotland. Er was filevorming op de autoweg, waardoor er lange vertragingen waren ontstaan.

Rufa mompelde: 'Dat is toch de weg die wij nemen?'
'Ja.'
'We kunnen altijd nog terug naar de flat en dan morgen vertrekken.'
'Ik ga niet terug naar die flat,' snauwde Edward. 'Ik zit nog liever de hele nacht in de file.' Dat maakte haar onrustig. Hij dwong zichzelf haar geruststellend toe te lachen. 'Maar zover zal het niet komen. Ik kan vast wel een andere route bedenken.
Ze vertrouwde hem. Het was een heerlijk gevoel om achterover te liggen in die warmte en hem te laten tobben over de slechte weersomstandigheden. Haar hoofd voelde zo licht aan als een ballon. Het leek alsof ze droomde, maar een deel van haar was zich bewust van elk detail. Edward greep het stuur vast. Hij fronste terwijl hij naar de weg voor hen keek. De ruitenwissers veegden twee halvemaanvormige stukken ruit schoon in de witte laag die de auto bedekte.
Edward beschouwde alles – kerstdrukte, slecht weer, chaotisch verkeer – als een persoonlijke uitdaging. Rufa dacht passief over zijn gedrag na, terwijl ze zich afvroeg waarom ze zo rustig was. Zou ze zich eigenlijk niet moeten wentelen in berouw? Misschien zou dat later gebeuren. De enorme opluchting die ze voelde nu Edward naast haar zat vaagde al het andere weg. Haar nachtmerrie was ten einde, ze was ontsnapt uit een ondergrondse kerker. Eindelijk was ze nu in staat aan zichzelf toe te geven hoe erg ze hem had gemist. Ze wenste dat hij niet zo snel uit de flat had willen vertrekken, zodat ze hun gesprek hadden kunnen afmaken. Bij Edward had je altijd het gevoel dat nog niet alles gezegd was.
Het had geen zin om nu een gesprek op gang te brengen. Hij had het te druk met zichzelf bewijzen dat hij alle obstakels de baas kon. Hij sloeg van de krioelende autoweg af, waar de sneeuwvlokken wild ronddwarrelden in de mistroostige oranje lichtbundels, en zocht zijn weg door donkere laantjes waar geen licht te bekennen viel. Ze kropen langzaam door slapende dorpjes en kleine, geïsoleerde stadjes. Rufa observeerde hem, terwijl ze bedacht wat een geluk ze had gehad door Adrian tegen het lijf te lopen. Dankzij Adrian (of liever gezegd dankzij de arts die hij voor waarschijnlijk veel geld had laten komen) voelde ze zich nu beter dan ze in weken gedaan had. Door de antibiotica was ze een beetje afwezig, maar dat had niets te betekenen. Het was zelfs nogal prettig vergeleken bij die vervelende aanvallen van zwakte en misselijkheid. Door de infectie was haar verdriet verergerd tot een grote tragedie. Wat vreemd, dacht ze, dat een tragedie kon worden teruggebracht

tot iets prozaïsch en kon worden genezen met pillen.
De auto minderde vaart en kwam tot stilstand. Edward trok de handrem aan en zette de motor uit. Ze waren omgeven door de duisternis, met in de verte hier en daar een lichtje. Het enige geluid dat ze hoorden kwam van de wind, die was opgestoken.
Rufa, die had liggen doezelen in de warme auto, mompelde onnozel: 'Waar zijn we?'
'God mag het weten.'
'Sorry?'
'Ik ben verdwaald,' zei Edward. 'Ik kan een gewapend konvooi door de heuvels van Bosnië leiden, waar het wemelt van de sluipschutters, maar Berwick-on-Tweed kan ik niet vinden. Ik zal nog maar eens op de kaart kijken.' Hij maakte zijn veiligheidsriem los en leunde naar haar over om op de kaart te kijken die hij op haar schoot had gelegd. 'Je had gelijk, we hadden in Edinburgh moeten blijven. Ik begrijp niet wat me bezield heeft, behalve dat ik moest zorgen dat je daar weg kwam. Voordat je weer zou verdwijnen.'
'Ik heb het verdwijnen opgegeven,' zei Rufa.
'Hoe voel je je?' Zijn grijze dooraderde ogen keken in de hare. 'Houd je het nog vol?'
'Ja, hoor, ik voel me prima.' Zijn gezicht was dicht bij het hare. Ze streelde zijn voorhoofd en volgde met haar vingers de flauwe rimpels. 'Ik houd echt van je.'
Even keek hij vermoeid. Toen probeerde hij het gevoel weg te lachen. 'Ondanks mijn hopeloze oriëntatievermogen?'
'Ik houd zoveel van je dat ik het niet erg vind om in een sneeuwstorm te verdwalen in niemandsland,' zei Rufa. 'Het is altijd beter dan alleen zijn, zonder jou.'
'Zonder wie dan ook.'
'Zonder jou in het bijzonder. Waarom geloof je me nooit als ik zeg dat ik van je houd?'
Dit overviel hem. 'Natuurlijk geloof ik je.'
'Niet waar. Ik heb het al zo vaak geprobeerd. Je denkt dat ik dankbaar ben, of zoiets.' Rufa's hart begon oncomfortabel hard te bonzen, maar ze wilde opeens wanhopig de onuitgesproken woorden zeggen. 'Je hebt me nooit toegestaan het je te tonen. Het lijkt alsof je niet wilt dat ik van je houd, op die manier, bedoel ik. Ik wou dat je me zei wat ik verkeerd heb gedaan. Toen wij trouwden was ik meer dan bereid om met je naar bed te gaan.'
Hij liet een kort, boos lachje ontsnappen. '"Meer dan bereid" betekent nog niet dat je het wilde. Iedere keer als ik dicht bij je kwam, keek je alsof je bij de tandarts was.'

'Niet waar!'
'Zo kwam het op mij over. En onder die omstandigheden kan ik niet vrijen.'
'Je bent te trots.'
'Ja.'
'Maar Edward,' smeekte ze zachtjes, 'is het nu niet anders geworden?'
'Na Tristan, bedoel je? Moet ik hem soms bedanken omdat hij je weer op gang heeft gebracht?'
Rufa kromp in elkaar. 'Dat is niet eerlijk.'
'Wat je probleem ook was, hij schijnt het opgelost te hebben,' zei Edward. Hij kreunde en trok zich van haar terug. 'Godallemachtig, wat een moment om me dit te vertellen!'
'Ik pak het helemaal verkeerd aan,' zei Rufa wanhopig. 'Misschien kwam het door hem dat ik... maar als jij met me naar bed was gegaan had ik het allemaal van jou geleerd.'
Hij was kwaad, maar probeerde zijn stem in bedwang te houden. 'Wil je zeggen dat ik je had moeten dwingen tot je het lekker zou gaan vinden? Heeft Tristan dat gedaan?'
'Nee.' Nu snauwde ze hem toe. 'Ik dacht dat we het verleden zouden begraven. Of gold dat alleen voor mij?'
'Je schijnt een soort excuus van me te verwachten omdat ik te fatsoenlijk ben geweest om je te verkrachten...'
'Dat is niet waar!'
Hij slaakte een grommende zucht. 'Dit is belachelijk. Gisteren om deze tijd zou de gedachte nu hier met jou te zitten me het toppunt van geluk hebben geleken, en nu zitten we ruzie te maken. Als een getrouwd stel, wat nogal ironisch is.'
'Ik probeer je alleen te vertellen dat ik van je houd,' zei Rufa. 'En ik vond het heerlijk toen je me neukte.'
'Je was dronken.'
'Ik had moeten zorgen dat ik nog wat van die brandy te pakken had gekregen, zodat je me nog eens zou neuken.' Ze glimlachte een beetje bitter. 'Je vindt het niet prettig als ik "neuken" zeg, hè?'
'Nee, niet erg. Het lijkt me niet nodig, en het past niet bij je.'
'Hoe weet jij wat bij me past? Je schijnt een fantasiebeeld van me te hebben, en het valt niet altijd mee daaraan te voldoen. Je wilde me niet neuken en ik dacht dat je niets van me wilde weten.'
'Nou, dat zag je dan verkeerd.' Edward pakte haar hand en duwde die tegen zijn stijve penis. 'Nu voel je hoeveel ik van je wil.'
Het duizelde Rufa. Haar lichaam deed plotseling pijn van verlangen naar zijn aanraking.

Hij schoof naar haar toe en maakte haar veiligheidsriem los. Hij kuste haar woest op de mond. Ze trokken aan elkaars kleren. Toen Edward zich van haar terugtrok waren ze allebei buiten adem. Ze was bang dat hij nog steeds boos was, maar hij glimlachte. Hij keek haar langdurig aan.
'Ik heb je misschien volledig verkeerd beoordeeld,' zei hij, 'maar volgens mij zou je het niet op prijs stellen om in een auto geneukt te worden.'

Braemar was een vrijstaand, stenen imitatie-Tudorhuis in een straat aan de rand van Berwick. De sneeuw was nu te nat om hier te blijven liggen. De natte vlokken smolten weg op de betonnen oprijlaan. Het was pikdonker, afgezien van een spookachtig lichtje boven de veranda. In het raam stond een bord, waarop te lezen viel: REDELIJKE PRIJZEN – SOMMIGE KAMERS MET BADKAMER – KAMERS VRIJ.
'Alleen het allerbeste,' zei Edward. 'Kom, laten we iemand uit zijn bed timmeren.'
Hij sprong uit de auto, zette zich schrap tegen de wind en deed Rufa's portier open. Met een arm om haar heen geslagen drukte hij langdurig op de bel. Die ging ergens diep in het huis en toen was het weer stil. Hij belde nogmaals aan. 'Zorg dat je het niet koud krijgt,' zei hij. Hij klemde Rufa stevig in zijn armen. Ze begonnen elkaar weer te kussen. Ze schaamde zich bijna omdat ze zo hevig naar hem verlangde. Zijn aanraking was stevig en vol vertrouwen en alle hunkering die ze eens voor Tristan had gevoeld kwam weer in haar tot leven, vermengd met een ander gevoel, dat diep uit haar hart kwam. Ze deed haar ogen halfdicht om zich te kunnen concentreren op zijn handen, die onder haar trui hun weg zochten naar haar borsten.
Er sloeg een deur in het huis. Met bonzend hart lieten ze elkaar los. Er klonken zachte voetstappen, die naar beneden kwamen. Er ging een licht aan op de veranda en een omvangrijke roze gestalte werd zichtbaar achter het matglas. De vrouw, die grijs haar had, was een hele tijd bezig om de deur te ontgrendelen en sleutels om te draaien; eindelijk ging de deur op een kier open. 'Ja?'
'Het spijt me dat ik u stoor,' zei Edward, 'ik weet dat het laat is, maar mijn vrouw en ik hebben een kamer nodig.'
De vrouw twijfelde. 'Ik ben bang dat we geen mensen nemen die zomaar aanbellen.'
'Alstublieft,' zei Rufa. 'We vinden het vervelend om u lastig te vallen, maar...' Ze glimlachte Edward toe. 'Maar we zijn op huwelijksreis.'

Er ging zo'n sterke stroom van geluk door Edward heen dat de tranen in zijn ogen sprongen. Hij legde zijn arm om Rufa's middel. 'Ja. We zijn pas een paar uur getrouwd.'
Het gezicht van de vrouw verzachtte zich meelevend. Ze trok haar roze ochtendjas strakker om zich heen. 'O, arme zieltjes... en jullie zijn in dit afschuwelijke weer terechtgekomen. Ach, ik kan jullie moeilijk wegsturen in deze tijd van het jaar, nietwaar?' Ze glimlachte en deed een stap terug om hen de hal binnen te laten. 'Jullie kunnen een van de kamers met badkamer krijgen.'
Het was een grote, opzichtig ingerichte kamer. Er hing een ingelijste afbeelding van Landseers *The Monarch of the Glen* boven het dikke, beklede hoofdeinde van het tweepersoonsbed. Het was er erg warm en fel verlicht. Zodra de vrouw hen goedenacht had gewenst deed Edward de monsterlijke kroonluchter uit. Ze werden omarmd door de muren, die nu in schaduw gehuld waren.
Hij vroeg: 'Kan dit ermee door?'
Rufa fluisterde: 'Het is perfect.'
'En jij? Hoe voel je je?'
'Prima,' zei Rufa. 'Je hoeft het niet meer te vragen... ik ga dit keer echt niet flauwvallen. Ik ben nuchter en volledig bij mijn positieven.'
'Nou, ik niet... ik heb nog nooit zoiets romantisch gedaan.' Hij nam haar in zijn armen en begroef zijn gezicht in haar hals. 'Ik kon niet langer wachten om je te bewijzen hoeveel ik van je houd.'
'Laat me zien wat je met me wilde doen,' fluisterde Rufa, 'toen je zo wanhopig verlangde naar seks met mij.'
Hij begon haar kleren uit te trekken en was al in haar voordat het laatste kledingstuk uit was. Halfnaakt lagen ze op de nylon sprei, snakkend naar adem bij elke harde stoot. Hij fluisterde in haar oor: 'Ru, mijn lieveling, ik houd zoveel van je... je bent zo belachelijk mooi, ik verlang zo wanhopig naar je dat ik bij het altaar al een stijve had... kon ik de rest van mijn leven maar in je blijven...'
Ze bereikten samen het hoogtepunt, terwijl het bed schudde en het gevoel van bevrijding zo groot was dat ze beiden tranen in de ogen hadden. Naderhand verkeerde Rufa in een gelukzalige trance en zijn hoofd lag tussen haar borsten.
'Ik houd zo ongelooflijk veel van je,' zei ze. 'En je neukt goddelijk.'
Hij lachte zachtjes. 'Het klinkt heerlijk als jij het zegt. Misschien raak ik er zelfs aan gewend.'
'Dat is je geraden,' zei Rufa, 'want ik zal je nooit meer verlaten, nog geen dag. Je komt nu nooit meer van me af.'

Hoofdstuk zestien

'"Zijn eigen hart lachte,"' las Rose. '"En dat was voor hem genoeg. Hij raakte geen druppeltje drank meer aan en leefde vanaf dat moment als geheelonthouder."'

Ze zat in haar borrelstoel naast het fornuis. Linnet zat op haar knie met de Gebroeders Ressany in haar armen geklemd. Roger, Lydia, Selena en Ran zaten aan de keukentafel aan hun derde kopje thee en smulden van de stervormige gemberkoekjes die Selena die ochtend gebakken had. Ran zat te huilen.

'"En er werd altijd over hem gezegd dat als iemand wist hoe het met kerst hoorde, hij het was."' Met tranen in haar ogen keek Rose naar haar familieleden. '"Mogen de mensen dat over ons allemaal zeggen, over ons allemaal! En zo, terwijl Kleine Tim toekeek..."' Ze liet het boek zakken.

Iedereen riep in koor: 'God zegene ons, allemaal!'

Zoals zo vaak in het verleden was gebeurd eindigde het verhaal met veel neuzen die werden gesnoten en verlegen gelach.

'Ik ben nog steeds gek op drank, hoor,' zei Rose. 'Kan iemand me een buitensporig groot glas gin inschenken?'

Linnet gleed so soepel als een fret van haar schoot. 'Wanneer komt Rufa?'

'Vraag dat niet steeds, liefje. Het antwoord is nog steeds hetzelfde.'

'We zitten de hele dag al op haar te wachten,' zei Roger, terwijl hij Rose met gulle hand wat Gordon's gin inschonk. 'Ze hebben de reis gisteren blijkbaar moeten onderbreken vanwege het weer.'

'Nou, het kan me niet schelen hoe laat het wordt,' verklaarde Linnet. 'Ik blijf op tot ze komt. Waarom duurt het zo lang?'

'Edward zei dat ze nog wat inkopen moesten doen,' zei Rose. 'Ga maar naar *Muriel The Little Mermaid* kijken.'

'*Ariel*,' corrigeerde Linnet haar bestraffend.

'Ga nou maar kijken naar wat je wilt, dan mag je een chocolaatje van de kerstboom pakken.'

'Joepieee!' Het kleine meisje danste de keuken uit, met haar beren rond haar glanzend zwarte koppetje zwaaiend.

Zodra ze de deur van de zitkamer hoorde dichtslaan zei Rose: 'Wat spoken ze toch uit? Ik dacht dat Edward me een radeloze, aan de dood ontsnapte Niobe kwam brengen, en nu zijn ze inkopen aan het doen! En god weet waar Nancy blijft. Ze heeft me bezworen dat ze hier om een uur of zes zou zijn.'

'Moet je mevrouw Cratchit horen,' zei Selena. Zij en Lydia hadden nog steeds lol over 'Muriel'.

Rose pakte haar glas gin van Roger aan. Ze had moeite haar tranen te bedwingen, maar alleen omdat haar hart, net als dat van Scrooge, blij was. Morgenavond, als ze naar de dorpskerk zou gaan om Linnet de rol te zien spelen van de herbergiersvrouw in het toneelstukje van de geboorte van Jezus, zou iedereen van wie ze op deze aarde hield naast haar in de kerkbank zitten. Ze bedacht wat een eenvoudige wens dit was – en tegelijkertijd heel groot.

Roger begreep wat ze voelde. Terwijl Lydia en Selena Ran plaagden omdat hij moest huilen om Kleine Tim, kneep hij zachtjes in haar schouder en mompelde: 'Wat zou hij dit allemaal geweldig hebben gevonden, hè?'

Rose kon alleen knikken. Het deed haar geen pijn meer om aan de Man te denken. De herinneringen maakten haar nog steeds aan het huilen, maar ze waren vreugdevol en goed, alsof ze haar gezonden werden door de Man zelf. Hij was aanwezig op een manier die nog niet was voorgekomen sinds hij gestorven was. De afgelopen kerst waren ze nog te zeer geshockeerd geweest, te blind van verdriet, om zijn aanwezigheid te voelen.

Ze verwonderde zich nog steeds over alle veranderingen. Vorig jaar om deze tijd was Selena mopperig en agressief geweest. Lydia was passief en wanhopig geweest. Nu was Selena opgebloeid tot een intellectuele vrouw vol zelfvertrouwen, die kon koken en organiseren en haar moeder kordaat corrigeerde als die weer eens iets verkeerd citeerde. En Lydia – of je het er nu mee eens was of niet – straalde van geluk omdat ze Ran weer terug had. Hij had een week op Melismate gelogeerd na de avond van het Vreugdevuur, tot Polly zijn huissleutels door de brievenbus had gegooid. Toen was hij met vrouw en kind teruggekeerd naar Semple Farm.

Polly had in haar wraakzuchtige woede alles verwijderd waarvoor zij betaald had. De keukenkastjes waren leeg. In het hele huis stonden slechts drie stoelen en een bed en al het serviesgoed was verdwenen. Gelukkig had Lydia het hotelservies bewaard en had Ran de zolder vol gezet met spullen die Polly had weggegooid. Ze waren weer terug in de vroegere, heerlijke dagen van hun jeugdige huwelijk – waar liefde heerste had je aan kruiden genoeg om te eten,

en laat de armoe de pest maar krijgen, zoals de Man het een keer had omschreven. Lydia straalde.
Rose had een plezierige ochtend doorgebracht in de Argos, waar ze stapels lakens en handdoeken voor haar had gekocht. Het pakte duurder uit dan ze aan een kerstcadeau had willen uitgeven, maar ze beschouwde het ook als huwelijkscadeau. Ran had voor april een afspraak gemaakt bij het registratiekantoor. Hij was net zo zichtbaar gelukkig als Lydia. Rose twijfelde eraan of hij nooit meer een amoureus avontuurtje zou hebben, maar hij was nu tenminste verstandig genoeg geworden om zijn gezin bij elkaar te houden. Ze vermoedde dat Lydia zwanger was, of dat elk moment kon worden. Dat was maar goed ook, want Linnet had boven aan haar kerstwensenlijstje KLEIN BRURTJE gezet.
Selena zei tegen Lydia: 'Ik hoop dat je blijft eten. Ik heb genoeg saucijsjes in beslag gebakken om een weeshuis te voeden.'
'Nou, als het organische zijn,' zei Ran.
'Natuurlijk,' zei Selena. 'Heb je ooit van saucijsjes gehoord die in een legbatterij zijn gelegd?'
'O, ha, ha.'
'We blijven graag eten,' zei Lydia. Ze had haar vroegere en toekomstige echtgenoot veel beter in de hand dan voorheen. 'Linnet wil per se Ru zien en laat haar nu maar vast lekker moe worden, dan hoef ik vannacht niet om vijf uur mijn bed uit.'
Ran boog zich voorover om haar een kus te geven en legde zijn handen beschermend op haar buik – zwanger! dacht Rose. 'Als je zelf maar niet moe wordt.'
'Nee, hoor. Selena en ik hebben gisteren alle cadeautjes al ingepakt.'
Er klonk een gil vanuit de zitkamer. De deur werd opengegooid. Linnet kwam blindelings de keuken inrennen, terwijl ze schreeuwde: 'Rufa! Ze is er! Rufa!'

Gouden licht scheen uit de vensters van Melismate. De sneeuw glansde bovennatuurlijk in de duisternis. De koplampen van de auto beschenen de spreuk *Evite La Pesne* op de poort.
Rufa zei: 'Nu moet ik hen onder ogen komen.' Ze was erg moe en duizelig door de gelukzalige herinnering aan haar verlate huwelijksnacht, en opeens zenuwachtig omdat ze haar moeder en zusjes zou zien. 'Ik heb zoveel problemen veroorzaakt. Ik heb mam waarschijnlijk dodongelukkig gemaakt. Zelfs toen het gebeurde wist ik niet waarom ik ervandoor moest gaan. Ik zal het hun nooit kunnen uitleggen.'
'Dat zal niet nodig zijn,' zei Edward. Hij nam zijn hand van het

stuur om haar even liefkozend over haar dij te aaien. 'Ze zullen allemaal net als ik reageren, gewoon blij zijn dat je in veiligheid bent. Niemand zal behoefte hebben om erover te zeuren. Als ze je eenmaal in handen hebben laten ze je nooit meer gaan.'
'Nou, dat zullen ze toch moeten,' zei Rufa glimlachend. 'Ik leef tegenwoordig met mijn echtgenoot samen. En ik verlang er al de hele tijd naar weer met jou in een warm bed te liggen. Ik vond het vreselijk om vanmorgen op te staan.'
Hij grinnikte zachtjes. Ze hadden nauwelijks geslapen, waren iedere keer dat ze elkaar raakten wakker geworden en gaan vrijen, en ze waren heel vroeg uit Braemar vertrokken zodat Rufa kerstcadeautjes voor Melismate kon kopen en voedsel kon inslaan voor op de boerderij. Koppig had ze gewinkeld tot ze er bijna bij neerviel, en ze had ervoor geboet met duizeligheid en zoemende oren. Maar ze had haar grote liefde hervonden: de ontbrekende helft van haar ziel. Haar behoefte aan seks was gisteravond teruggekomen op een manier die gênant zou zijn geweest als de betreffende man een ander dan Edward was geweest. Hoe moe ze nu ook was, de gedachte aan zijn liefdesspel deed haar hart sneller kloppen.
'Je bent kapot,' zei Edward. 'Ik heb je uitgeput. Ik ben niet goed voor jou. Maar ik heb je gewaarschuwd, als ik eenmaal begin weet ik van geen ophouden.'
'Doe niet zo gek, je bent juist het beste ter wereld voor me.' Nadenkend keek ze naar het huis, terwijl de auto voorzichtig over de met sneeuw bedekte oprijlaan kroop. 'Ik moet er steeds aan denken hoe blij de Man nu is. Ik bedoel, nu hij dood is. Als hij nog zou leven zou hij helemaal niet blij zijn over ons.'
'En je hebt het gevoel dat we nu zijn zegen hebben?' Zijn stem klonk vriendelijk.
'Ik weet dat het stom klinkt. Maar dat gevoel heb ik, ja.'
Edward zette de auto voor het raam van de zitkamer stil, die vol gekleurde kerstverlichting hing. Ze hoorden Linnets vreugdekreet en de herrie waarmee ze de deur dichtsloeg en naar hun toerende, en ze moesten allebei lachen.
Hij mompelde: 'In dat geval, de Man weet dat ik je zoveel kinderen zal geven als je maar wilt. Mijn huis zal vol liggen met rommel van monsterlijk plastic speelgoed, en ik zal er elke minuut van genieten.' Hij gaf haar een lichte kus op de mond. 'Dus wees niet zo ongelukkig! Kijk eens vooruit, voor de verandering. Je hoeft nergens bang voor te zijn.'
Rufa probeerde naar de toekomst te kijken – waartoe ze maandenlang niet in staat was geweest zonder doodsbang te worden –

en zag een pijnlijk mooi plaatje. Uit de bodemloze bron binnen in haar welden haar tranen op, die een waas over haar ogen legden. Zij en Edward zouden een gezin stichten. 'O, lieveling...'
De grote houten deur werd langzaam door de kleine, onduldige gestalte van Linnet opengeduwd. Door haar grote, pure vreugde stroomde de energie door Rufa heen. Ze deed snel haar portier open, viel op haar knieën op het grind en sloot Linnet in haar armen. Toen werd het kleine meisje weggetrokken en voelde ze Roses armen om zich heen. Rufa ademde de vertrouwde geur van tabak en houtvuur in die haar moeder omgaf en voelde haar vertrouwde, verwassen trui tegen zich aan. Rose wiegde haar dochter als een baby, troostend en geruststellend. 'Mijn lieveling, mijn bloemblaadje, mijn zijden prinsesje, alles is nu goed.'
'Mammie, het spijt me zo,' mompelde Rufa tegen Roses vormeloze, wollen borst. 'Het spijt me zo erg...'
'Mijn liefste lieveling, je hoeft nergens spijt van te hebben.'
'Dat probeer ik haar ook steeds te vertellen,' zei Edward. 'Ze heeft zich de hele dag al in lompen gehuld en as over haar hoofd gestrooid.'
'Nou, die kun je nu uittrekken. We hebben groot feest binnen, en in lompen mag je er niet in.' Ze gaf Rufa een smakkende kus en liet haar los, waarna ze stevig omhelsd werd door haar zusjes.
Rufa vroeg: 'Is Nancy er ook?' Ze verlangde hevig naar Nancy. Ze hadden zoveel te bespreken.
'Ze is onderweg,' stelde Rose haar gerust. 'Ze heeft vanmiddag gebeld met haar Madame de Pompadour-stem. Dus ik denk dat ze bezig was met een beetje kerstseks. Moet ik even helpen met je bagage?'
'Nee, dank je,' zei Edward kordaat. 'Ru blijft hier niet slapen.'
'O?' Roses voelsprieten staken de kop op.
'Ik ga terug met Edward,' zei Rufa, belachelijk verlegen. 'We zijn... tja, we hebben besloten opnieuw te beginnen.'
'Lieverd!' Rose verstikte haar bijna in een stevige omhelzing. 'Dat is geweldig. En betekent dat...?'
'Ja, Rose,' zei Edward lachend, terwijl hij een arm om zijn bruid sloeg. 'Voordat je tactloze vragen gaat stellen: we hebben het met elkaar gedaan. Zo goed?'
'Ik zou het niet gevraagd hebben, maar geraden,' zei Rose. 'Wat heerlijk typerend voor Ru om een heftige liefdesaffaire met haar eigen man te hebben.'
'Dus dat hebben jullie gisteravond uitgespookt,' zei Selena, 'stelletje keurige ondeugden.'

Rose gaf haar een liefdevolle tik. 'Onbeschaamd kind... zien jullie nu wat ik allemaal moet doorstaan?' Ze huiverde van de kou. 'Ru, je ziet eruit alsof je het helemaal gehad hebt, en je bent blauw van de kou. Kom mee naar binnen.'
Iedereen begon te lachen en te praten tegelijk. Rufa werd in haar moeders borrelstoel naast het fornuis gezet, duizelig van de warmte en verdwaasd door zoveel geluk. Roger maakte een kop sterke, steenrode Melismate-thee. Toen ze naar Edward keek zag ze dat hij net zo gelukkig was als zij. Hij zag er jonger uit dan zij.
Linnet sloeg haar armpjes om Rufa's hals. 'Je mag nooit meer weg. Je mag naar Edwards huis gaan, maar verder niet! Hoor je me?'
Rufa streelde haar haar. 'Dat lijkt me prima. Ik vond het niet leuk om zo ver weg te zijn.'
'Waarom ben je dan gegaan?'
'Dat zal ik je nog weleens een keer vertellen. Ik heb je zo gemist.' Ze kon niet ophouden naar het kleine meisje te kijken, dat over haar in had gezeten.
'Ik woon nu bij pappie,' zei Linnet voldaan.
'Dat heb ik gehoord.'
'Stinkie is weg. Ze heeft pappie in mammies bed zien liggen.'
Rufa was te moe om de gebruikelijke poging te doen haar gezicht in de plooi te houden en kon een lachje niet bedwingen. 'O, jeetje.'
'Je bedoelt: "O, joepie", verbeterde Linnet haar. 'Ik was blij. Ze gaan hun bruiloft nog een keer overdoen en ik mag mijn bruidsmeisjesjurk aan.'
'Echt waar? Hebben jullie al een datum bepaald?' vroeg Rufa aan Lydia.
'Lydia knikte. 'Eén april – en waag het niet te zeggen dat het een toepasselijke datum is.'
'Gefeliciteerd. Ik zal weer een bruidstaart voor je bakken.'
'Dan zullen we de bovenste laag bewaren voor het doopfeest,' zei Ran.
'Stil nou, Ran. Dit is geen goed moment om het haar te vertellen.' Lydia keek Rufa aan met stralende, betraande ogen aan. 'Sorry. Het is trouwens nog veel te vroeg om zeker te zijn.'
'Maar jullie zijn ermee bezig?' vroeg Rufa. Ze glimlachte om aan te tonen dat ze het nieuws wel aan kon. 'Liddy, dat is geweldig.'
'We zullen zien wie er het eerste in slaagt,' zei Edward. 'Moge de beste winnen.'
Ran gaf hem een vriendschappelijke klap op de schouder. 'Welkom terug in de familie, Ed. Je raakt die Hasty-vrouwen toch niet kwijt

– dan kun je net zo goed baby's met ze maken.'
Selena hield Rufa de schaal met gemberkoekjes voor. 'Ik hoop dat jij en Edward morgen bij mijn kerstlunch zullen zijn. Het is mijn debuut en ik heb behoefte aan uitgebreide complimenten van iemand die er verstand van heeft.'
Rufa was onder de indruk. 'Doe je het allemaal zelf?'
De elegante, jonge vrouw begon opeens te grinniken, waardoor ze weer kind leek. 'Ik zou wel wat hulp kunnen gebruiken met de kalkoen.'
De kleur keerde terug in Rufa's gezicht. Ze kwam voor hun ogen weer tot leven, zoals een Japanse papieren bloem die in water gelegd wordt. 'Heb je saucijsjesvlees voor de vulling?'
'Ja.'
'Kastanjes?'
'Yep.'
'Gepelde?'
'In blik.'
'Ik heb een zak verse kastanjes meegenomen bij de kruidenier,' zei Rufa. 'Ik wist dat ze van pas zouden komen. Ik zal ze meenemen naar de kerk. Edward, wat is er? Waarom lach je?'
'Je gaat me weer dwingen voor dag en dauw op te staan, hè?'
'Ja. Je kunt uitslapen op Boxing Day.'
'Nee, dat kan niet,' zei Roger. 'Hoe moet het dan met de protestmars? Je moet erbij zijn, Ed. We kunnen die ouwe Bute niet laten denken dat hij ons heeft verslagen, alleen omdat we de Man kwijt zijn.'
Ran zei: 'Ik ga ook mee. Ik haat de jacht en het wordt tijd dat ik eens iets mannelijks en haantjesachtigs doe.'
Edward zei peinzend: 'Ik weet zeker dat er nog ergens een doos met zijn oude foldertjes staat.'
Rose kreeg nogmaals een sterk gevoel van de aanwezigheid van de Man. Ze luisterde naar de drie mannen, die over de Boxing Day-protestmars praatten alsof hij hun het idee had ingegeven. Het was fijn om weer diepe mannenstemmen in huis te horen. Ze keek naar haar dochters, die bij het fornuis stonden te praten en te lachen. Lydia en Selena, die voorturend tegen elkaar opbotsten, waren bezig de tafel te dekken voor het avondeten, terwijl ze met elkaar wedijverden om Rufa over de nederlaag van Stinkie te vertellen. Rufa zat tevreden te luisteren met Linnet in haar armen. Rose zag dat ze steeds naar Edward keek, die teder terugkeek. Het was een verbazingwekkende afloop, maar Rose had sterk het gevoel dat de stukken nu eindelijk op hun plaats waren gevallen.

Ze was het afgelopen jaar veel over Edward te weten gekomen. Ze had ontdekt dat je zijn karakter helemaal kon ontleden tot je bij de kern kwam, en daar trof je uitsluitend goedheid aan. Rose moest er niet aan denken wat er van hen terechtgekomen zou zijn als hij niet zo eindeloos veel van Rufa had gehouden. Hij was uiteindelijk met de hele familie getrouwd en had berust in het feit dat hij nu voor altijd met hen allemaal zat opgescheept. Hij zou geld steken in Rans tot mislukking gedoemde plannen. Hij zou zorgen dat Selena de universiteit afmaakte en dat de ijskast op Melismate gevuld bleef. Ooit had Rose zich afgevraagd wat het voor Edward opleverde. Nu ze hem met Rufa zag was dat duidelijk. Hij was een herboren man.

'De saucijzen zijn klaar,' riep Selena. 'Komen jullie aan tafel?'

De deur van de Grote Hal werd opengegooid. Nancy stormde naar binnen, beladen met papieren draagtassen en met witte maretakbessen in haar vuurrode haar. 'Vrolijk kerstfeest. Waar is Ru?'

'Hark, the herald angels sing, pom-pom, pom-pom, newborn king!' zong Berry. Nancy lag diep te slapen in de passagiersstoel; in de auto rook het naar haar parfum. Berry beval zichzelf geen erectie te krijgen terwijl hij reed. Toen hij nog zijn oninteressante, veilige leventje met Polly leidde had hij er weleens over gefantaseerd dat hij een nacht zou doorbrengen met Nancy. Hij wist nu dat het nooit genoeg was als het Nancy betrof. De afgelopen twee dagen hadden ze om de vier uur, in elk denkbaar standje, de liefde bedreven. Berry was zijn hele leven nog nooit zo belachelijk, dom en stralend gelukkig geweest. Als hij met Nancy vrijde veranderde hij in een seksuele zwaardvechter, een Casanova, een koning. Ze hield van hem en het leven leek pijnlijk mooi vanuit het binnenste van haar warme kern.

Hij glimlachte in zichzelf bij de herinnering aan hun schaamteloze geknuffel in de taxi onderweg naar Wendy, die eerste avond; hij had de chauffeur een enorme fooi gegeven. Daarna was hij in haar, zijn lippen en tong rond haar lichtroze tepel en kreeg orgasme na orgasme, zich in haar ontladend. Meteen daarna had hij haar gevraagd met hem te trouwen, en Nancy had gezegd: 'Maak je niet druk, schat... deze beurt was gratis.'

Maar hij had haar niet toegestaan er grapjes over te maken. Hij had haar gedwongen hem te bekennen hoeveel ze van hem hield zonder er lacherig over te doen. Ze was niet in staat geweest haar liefde te verbergen onder haar gebruikelijke oppervlakkigheid. En zodra hij er zeker van was dat hij nu de echte, wezenlijke Nancy in zijn armen had, was hij er meer dan ooit van overtuigd dat hij met haar wilde trouwen. Hij had aangekondigd dat hij een ring voor haar zou kopen met een diamant zo groot als de Ritz en hun voornemen wereldkundig zou maken voordat ze zich kon bedenken. Nancy had gezegd: 'Alsof ik me zou willen bedenken nu ik eindelijk de meest perfecte man ter wereld heb gevonden, het toonbeeld van ridderlijkheid die bovendien zorgt dat ik klaarkom als de Flying Scotsman.' Na deze verklaringen hadden ze opnieuw de liefde bedreven.

Ondanks de grote kerstdrukte had Berry Nancy de volgende dag meegetroond naar Boodle en Dunthorne in Sloane Street en een prachtige, peperdure diamanten ring voor haar uitgezocht.

'Lieveling, ben je je verstand verloren?' had Nancy gevraagd. 'Wat mankeert er aan juwelier Ratner?'

'Alsjeblieft, Nancy. Dit is belangrijk voor me. Deze ring is vrijwel twee keer zo duur als de ring die ik voor Polly heb gekocht. Ik weet dat het gemeen van me is, maar ik had het niet prettig gevonden als de ring van mijn vrouw goedkoper zou zijn geweest. En trouwens, ze heeft hem nooit teruggegeven.'

'O, nou, in dat geval,' had Nancy gezegd, terwijl ze haar ringvinger uitstak om die te laten opmeten.

Ze had de ring die avond omgehad, toen hij haar had meegenomen naar de flat van zijn zusje in Clapham. Zijn ouders logeerden daar en hij stond te trappelen om de toekomstige moeder van zijn kinderen aan hen voor te stellen (Berry had al besloten dat vier kinderen wel leuk zou zijn). Nancy had er glorieus mooi uitgezien in het taupekleurig jasje van de campagnegarderobe. Annabel had gepreveld: 'Godallemachtig, ze is sensationeel! Wat ziet ze in vredesnaam in jou?' En zijn vader had, met zijn lijzige Terry-Thomasstem, gezegd: 'Nou vráág ik je.' Ze hadden haar geweldig gevonden.

Berry sloeg met zijn BMW de laan in die leidde naar de poort van Melismate. 'We zijn er.'

Nancy rekte zich eens heerlijk uit. 'Mmm. Ik had net zo'n onfatsoenlijke droom over jou.'

'Wat deed ik dan?'

'Dat laat ik je later wel zien.'

'Kom nou, geef me een aanknopingspunt... welke lichaamsdelen waren erbij betrokken?'

Nancy schudde van het lachen. 'Wacht nou maar af.'

Hij zette de auto stil op de oprijlaan en leunde naar haar toe om haar te kussen. 'Dat zal niet meevallen als je er zo lekker uitziet. Ben je net zo gelukkig als ik?'

'In de zevende hemel. Ik kan niet wachten om het Rufa te vertellen.' Ze deed haar portier open. 'Is het niet ironisch? We waren allebei bereid om alles te verzaken voor de liefde en nu krijgen we een beter huwelijk dan we hadden durven dromen.'

De toekomstige lady Bridgmore had een diamanten ring. En sterker nog, dacht Rose, ze was duidelijk dolverliefd. De vonken spatten van haar af; ze was meer zichzelf dan ze sinds de dood van de Man was geweest. Nancy was voor het eerst van haar leven eerst voor een man gevallen en pas daarna met hem naar bed gegaan. Berry, die de vorige kerstavond had doorgebracht met zijn ogen hopeloos vastgezogen aan haar rondingen, had het nu moeilijk zijn handen van haar af te houden.

Ach, dat gelukzalige eerste stadium, dacht Rose weemoedig; het geworstel en gesnik, de maanzieke hartstocht. Toen de Man haar voor het eerst naar Melismate had gebracht was ze bijna drie weken het huis niet uitgekomen. Dat soort liefde zou altijd blijven bestaan – ze raakte alleen bedekt en werd eindeloos herhaald door volgende generaties.

Iedereen zat te praten, te lachen en te schreeuwen tegelijk; ze smulden van de saucijzen en dronken rode wijn. Selena schepte tegen Rufa op over haar kookprestaties en haalde een prachtige pudding te voorschijn, die wetenschappelijk verantwoord bruin was en perfect tot in details.

'Ik heb Sir Kenelm Digby gelezen,' zei ze koeltjes. 'Daardoor kreeg ik zin om te gaan experimenteren met de traditionele Engelse keuken.'

'Ze vindt haar zusjes volslagen dwaas,' zei Nancy. 'En ze heeft gelijk. Het is maar goed dat we allemaal een echtgenoot aan de haak hebben geslagen.'

Rose zei: 'Dat krakende geluid dat je hoort is mevrouw Pankhurst die zich in haar graf omdraait. Is het feminisme volledig aan je voorbijgegaan?'

'Het is niet aan Liddy voorbijgegaan,' zei Ran met droevige ogen. 'Onafhankelijkheid. Haar eigen sociale leven. Zingen in dat verdomde koor. Naar de kerk gaan, verdomme. Sinds ze is teruggekomen word ik behandeld als een minderwaardig wezen.'

'Ik vind het leuk in de kerk,' zei Linnet. 'Nancy, wist je al dat ik de herbergiersvrouw speel in het geboortestuk? Ik moet zeggen: "Echtgenoot, kunnen ze niet in de stal slapen?" Mammie heeft een kostuum voor me genaaid van theedoeken.'

'Hmm,' zei Nancy, terwijl ze loom aan Berry's been onder de tafel

frummelde. 'Ik weet zeker dat je geweldig zult zijn.' Met de diepe stem van de Gebroeders Ressany voegde ze eraan toe: 'Ja, dat is ze, maar ze doet geen dansje en laat ook haar kontje niet zien.'
Linnet, wier ogen half dicht waren gevallen, giechelde en was weer klaarwakker. Er werd een stuk Stiltonkaas te voorschijn getoverd, dat de keuken hulde in de stank van duizend vieze sokken. Roger maakte tien grote mokken sterke thee en pakte wat vruchtensap voor Linnet.
'Kijk,' zei Edward terwijl hij naar de klok boven het fornuis knikte. 'Het is al twintig minuten kerst. Vrolijk kerstfeest, allemaal.'
Iedereen begon elkaar te kussen en de glazen werden bijgevuld.
'Ik ben zo gelukkig dat ik moet dansen,' verklaarde Nancy. 'Ik wou dat we het cassettebandje met feestmuziek van de Man hadden. Hij heeft ooit een bandje opgenomen met al onze lievelingsliedjes,' legde ze aan Berry uit. 'Hij haalde het altijd bij elke gelegenheid te voorschijn. Hij zou het nu zeker hebben gedraaid, denk je niet, mam?'
'God, ja,' zuchtte Rose. 'Al dit fantastische nieuws zou op zijn minst "Cum on Feel the Noyz" hebben gerechtvaardigd.'
'Of zelfs "The Funky Chicken",' zei Rufa.
Selena stond op. 'Ik weet misschien waar het is. Al zijn bureauspullen zitten in een doos onder de trap en ik weet zeker dat ik het heb zien liggen toen ik de kerstverlichting heb gepakt.'
Lydia, die teut was, ging giechelend samen met haar op zoek in de stoffige kast onder de grote trap.
'Alles waar we op kunnen dansen,' riep Rose hen na. Ze stond stijf op uit haar stoel. '*The Best of Abba* is ook goed.'
Roger maakte een buiging en kuste Roses met roet bedekte hand. 'Mag ik deze dans van u?'
'Lieverd, natuurlijk, – en ik sta erop met elk van mijn schoonzoons te dansen.'
'We hebben hem gevonden,' zeiden Selena en Lydia triomfantelijk. Selena veegde het met spinrag bedekte cassettebandje schoon tegen haar trui. 'Het beroemde feestbandje.' Ze schoof het bandje in de gettoblaster op het aanrecht en zette het geluid hard. Net als de Man vroeger, kondigde ze aan: 'Dames en heren, neem uw plaatsen in voor "Hi-Ho Silver Lining".' Ze drukte de startknop in.
Er klonk een sissend geluid, toen een luid muziekakkoord – en toen hield de muziek opeens op.
De stem van de Man klonk in de keuken. 'Hallo, meisjes. Ik hoop dat jullie dit bandje afspelen omdat jullie lol hebben.'
Alsof ze gestoken was zette Selena het bandje af. Ze bleven zwij-

gend en verwonderd staan en keken elkaar in het bleke gezicht.
Rose fluisterde: 'Natuurlijk, natuurlijk. Ik had het kunnen weten. Ik wist dat hij een boodschap moest hebben achtergelaten.'
Zachtjes duwde ze Selena opzij, stak een bevende hand uit en draaide het bandje terug naar het begin. Edward legde zijn arm om Rufa's middel. Lydia ging zitten en nam Linnet, die grote ogen had opgezet, op haar schoot. Er viel een diepe stilte, terwijl ze zich voorbereidden op het geluid van de stem uit een andere wereld.
'Hallo, meisjes. Ik hoop dat jullie dit bandje afspelen omdat jullie lol hebben. Ik hoop dat het betekent dat jullie niet al te verdrietig zijn. Het spijt me dat dit allemaal gebeurd is, en ik ga niet uitleggen waarom ik jullie moest verlaten. Ik wilde alleen vertellen hoeveel ik van jullie allemaal houd. En ik heb het opgenomen op dit bandje omdat ik wil dat jullie je mij precies zo herinneren. Alleen de lol telt, goed? De rest kun je gewoon vergeten.' Het bleef even stil, en ze konden hem in zichzelf horen neuriën, wat hij altijd deed als hij diep nadacht. 'Het lijkt een beetje op de Oscar-uitreiking,' vervolgde de merkwaardig aanwezige en vertrouwde stem. 'Rose, Rufa, Nancy, Liddy, Selena, Linnet, vaarwel, mijn lievelingen, mijn zijden prinsesjes.' Zijn stem haperde. Hij schraapte zijn keel. 'En ik mag ook Roger en Edward niet vergeten, omdat ik verwacht dat zij voor jullie zullen zorgen. Nou, dat was het wel, denk ik, ik moet ervandoor... o, nu ik eraan denk, speel alsjeblieft niet "Seasons in the Sun" op mijn begrafenis.'
Weer bleef het stil. Ademloos wachtten ze af, terwijl ze zijn aanwezigheid voelden.
'Vergeef me, en wees zo gelukkig mogelijk. Sorry dat ik over "Silver Lining" heen heb opgenomen.' Plotseling klonk zijn stem opgewekt en geamuseerd. 'En het spijt me dat ik jullie feestje onderbreek, wat het ook voor feestje is. Ik hoop dat het een knalfuif is. Dames en heren, neem uw plaatsen in voor "Wig Wam Bam".'
Het liedje begon. De Man had het toneel verlaten.
Rose zette het bandje uit. Ze waren allemaal met stomheid geslagen en in tranen. Na een lange stilte zei Rose: 'Ja, het is echt een knalfuif.'
Dit waren geen wrange tranen. Er hing een grote rust in de ruimte.
Nancy hief haar betraande gezicht op van Berry's schouder. 'Hebben jullie hem niet gehoord? Hij wilde ons aan het dansen hebben, zet hem weer aan!'
Opeens glimlachten ze elkaar met wazige ogen toe, alsof ze getuige waren geweest van een wonderbaarlijke verschijning, waardoor

ze gezegend waren in de geest van het kerstfeest. Selena zette de muziek aan en pakte Linnet beet. Ran duwde Lydia naar het midden van de keuken. Berry liet Nancy dubbelslaan van het lachen door zijn goedbedoelde, ongecoördineerde pogingen om te 'grooven'. Rose danste met extravagante bewegingen, waardoor ze een zee van ruimte om zich heen schiep. Edward leunde tegen de tafel en hield Rufa beschermend in zijn armen.

'Nadat hij het had gedaan dacht ik dat ik nooit meer gelukkig zou kunnen worden,' zei Rufa. 'Maar dit is de gelukkigste avond van mijn leven. Ik begrijp niet goed waarom iedereen opeens zo lief is, terwijl er niet zoveel is veranderd. Ik heb het gevoel dat ik aan het einde van een lange, lange reis ben gekomen – om mezelf gewoon weer terug te vinden in mijn eigen huis.'

Hij kuste haar in haar hals. 'Welkom thuis.'

Dankbetuigingen

Ik ben iedereen dankbaar die heeft geholpen bij het schrijven van dit boek; in het bijzonder bedank ik Philip Wells omdat hij het familiemotto van de Hasty's heeft vertaald in middeleeuws Frans, en Felix Wells, die de Ressany-sage heeft bedacht. Ook ben ik dank verschuldigd aan Amanda Craig, Joanna Briscoe, Charlotte Mendelssohn, Louisa Saunders, Bill Saunders en Charlotte Saunders.